C0-ASY-192

Eberhard Hübner

Theologie und Empirie der Kirche

Prolegomena zur Praktischen Theologie

Neukirchener Verlag

Neukirchener Verlag des Erziehungsvereins GmbH,
Neukirchen-Vluyn

Umschlagentwurf: Kurt Wolff, Düsseldorf-Kaiserswerth
Gesamtherstellung: Breklumer Druckerei Manfred Siegel
Printed in Germany - ISBN 3-7887-0733-X

CIP-Kurztitelaufnahme der Deutschen Bibliothek

Hübner, Eberhard:
Theologie und Empirie der Kirche: Prolegomena
zur prakt. Theologie / Eberhard Hübner. -
Neukirchen Vluyn: Neukirchener Verlag, 1985.
ISBN 3-7887-0733-X

Für Inge

Vorwort

Vor zehn Jahren forderte Henning Schröer, »daß die Praktische Theologie ... ihre Prolegomena selber schreibt und nicht der Dogmatik überläßt«*. Er blieb bisher ohne vernehmbares Echo. Daß die Herausgeber des neuen westdeutschen »Handbuchs der Praktischen Theologie« es für möglich halten, die Prolegomena *post festum*, nach dem Erscheinen der materialen Bände, vorzulegen, ist bezeichnend für eine verbreitete Einstellung. Ohne sich lange bei praktischen *und* theologischen Vorfragen aufzuhalten, will die praktische Theologie möglichst schnell zur Sache, sprich: zur Praxis, kommen. Obwohl sie sich sonst gerne auf Schleiermacher beruft, sein Dictum: »Praktische Theologie ist nicht die Praxis, sondern die Theorie der Praxis«**, hört sie dann nur mit halbem Ohr. Folgen können nicht ausbleiben.
Soll praktische Theologie nicht in bloßer Rezeptologie verkümmern und ihren Anteil an der theologischen Denkbemühung versäumen, wird es Zeit, sich dem scheinbar Unzeitgemäßen zuzuwenden. Die vorgelegten »Prolegomena zur Praktischen Theologie« zielen auf eine so theologisch sachgemäße wie empirisch angemessene »Theorie der Praxis«. Um zu ihr zu gelangen, wählen sie aber mit Bedacht einen langen Anmarschweg. Er beginnt beim Neuen Testament, insbesondere bei Paulus, der auf dem »Fundament« (1Kor 3,11) des rechtfertigenden Evangeliums seine Gemeinden theologisch identifiziert und praktisch orientiert. Er führt in einem »Rückblick« über Ekklesiologien von Dogmatikern oder systematischen bzw. ihnen nahe stehenden Theologen, die die uns bis heute aufgegebene Volkskirche vor Augen haben. Die richtungweisenden Namen: Schleiermacher und Hegel auf der einen und Barth auf der anderen Seite konfrontieren mit der ekklesiologischen Fundamentalfrage, die sich in der Gottesfrage zuspitzt. Beide dogmatischen oder systematisch-theologischen Grundrichtungen beanspruchen Kompetenz auch für die Praxis der Kirche, formulieren Prolegomena der praktischen Theologie und konfrontieren sie so außerdem mit der Frage nach ihrer Eigenständigkeit, ja Notwendigkeit. Beide münden infolge des sie bestimmenden wesenszentrierten Denkwegs aber in eine Sackgasse, die sich in der einen vorrangig theologisch, in der anderen vorrangig empirisch manifestiert. Aus ihr herauszufinden ist das Vorhaben eines »Ausblicks«, des dritten Teils der vorgelegten Prolegomena. Durch Unterscheidung – nicht Trennung – zwi-

* *Schröer,* Forschungsmethoden 212.
** *Schleiermacher,* Die praktische Theologie 12.

schen streng im Modus der Verheißung zu denkender »Kirche des Glaubens« und unverstellt wahr- und anzunehmender »Kirche in Raum und Zeit« will er den Weg zu einer praktischen Theologie bahnen, die als »Funktionale theologische Ekklesiologie« eine eigenständige Disziplin ist. Ihre Formulierung führt mitten in die wissenschaftstheoretische Diskussion der Gegenwart, in eine metatheoretische Selbstbesinnung, derer eine »Theorie der Praxis« heute nicht mehr entraten kann. Mit der »Theologischen Identifizierung der Volkskirche und theologischen Orientierung ihrer Praxis« erreichen die Prolegomena ihren Gegenstandsbereich. »So der Herr will und wir leben« (Jak 4,15), soll ihnen später die materiale praktische Theologie, zu der der Verfasser auch die Religionspädagogik rechnet, folgen.
Während der Drucklegung des Buches erschien: *J. Hanselmann, H. Hild, E. Lohse* (Hg.) Was wird aus der Kirche? Ergebnisse der zweiten EKD-Umfrage über Kirchenmitgliedschaft, 1984. Diese Ergebnisse konnten hier nicht mehr einbezogen werden. Leichte positive Veränderungen zeigen u.a. die Prozentsätze des Gottesdienstbesuchs und der Bewertung des kirchlichen Unterrichts. Die Bereitschaft zum Kirchenaustritt ist dagegen deutlich angestiegen. Insgesamt schreibt die neue Umfrage die Ergebnisse der EKD-Umfrage von 1972 fast unverändert fort (s. Seite 202 ff).

Zu danken habe ich dem Neukirchener Verlag für die Geduld, mit der er auf die Fertigstellung des Manuskripts gewartet hat, und den Lektoren – Herrn Dr. Christian Bartsch und Frau Ursula Münden – für seine Betreuung. Zu danken habe ich meinen Mitarbeitern: Herrn Bert Alm für die Bereitschaft, immer neue Überarbeitungen des Manuskripts in die Maschine zu schreiben; Herrn Pastor Hans-Jürgen Abromeit, Herrn Studienrat Rolf Höhne und Herrn Studienrat Michael Schmidt für die Miterstellung des Literaturverzeichnisses und des Registers, das Mitlesen der Korrekturen und andere Mithilfe.

Münster (Westf.), im November 1984 Eberhard Hübner

Inhalt

Theologie ist Wissenschaft um evangeliumsgemäßer Praxis der Kirche willen. Deshalb spitzt sie sich in Ekklesiologie zu, die die empirische Kirche theologisch identifiziert und ihre Praxis theologisch orientiert. Die empirische Kirche in unserem Raum ist infolge seiner Geschichte und soziokulturellen Gegebenheiten immer noch Volkskirche.

1
Neutestamentliche Orientierung

Das Neue Testament erschöpft sich zwar nicht in Aussagen über die Kirche, aber auf Schritt und Tritt begegnet sie als »Sitz im Leben« seiner verschiedenen literarischen Formen und Gattungen[1]. Ihre Bedürfnisse und Probleme fordern, was später auf den Begriff Theologie gebracht wurde[2]. Das gilt für die Urgemeinde in Jerusalem, die wie der Jüngerkreis Jesu »im jüdischen Volks- und Kulturverband verblieb« und deshalb vor die Frage ihrer Identität gestellt wurde[3]. Das gilt von der sich abzeichnenden Ablehnung des Christuskerygmas durch das Judentum und seiner Annahme durch Nichtjuden, die die Frage nach einem das Judentum übersteigenden Kirchenverständnis aufwarfen. Das gilt erst recht von den inneren Verhältnissen der damaligen Kirche: so von den galatischen Gemeinden, die vom Evangelium, wie es Paulus ihnen verkündigt hatte, »zu einem anderen Evangelium« (Gal 1,16) abgefallen waren; so von der Gemeinde in Korinth mit ihren Spaltungstendenzen; so von den Adressaten des sog. Hebräerbriefs, der feststellen mußte, daß »etliche« Gemeindemitglieder den gottesdienstlichen Versammlungen fernzubleiben begannen (Hebr 10,25). Es ist die empirische Kirche, deren jeweilige geschichts- und situationsbedingte Verfaßtheit Fragen aufwirft, die nach Antworten auf dem »Fundament« Jesus Christus (1Kor 3,11; vgl. Eph 2,20) rufen.

Wie das Neue Testament dem entspricht, lassen am deutlichsten die paulinischen Briefe erkennen. Deshalb beschränkt sich das Folgende im wesentlichen auf sie. Zwei Schritte zeichnen sich ab. Zuerst identifiziert Paulus die Gemeinden theologisch. Wenn der »Heiden«-Apostel vom »Israel Gottes« spricht (Gal 6,16), wenn sich bei ihm eine der drei Stellen findet, die im dialektischen Gegenbild des »Israel nach dem Fleisch« die Kirche als das wahre Israel mitdenken (1Kor 10,18; vgl. Offb 2,9; 3,9), unterstreicht er eine theologische Identifizierung der christlichen Kirche, die bis zum Verbleiben der Jerusalemer Urgemeinde im jüdischen Volks- und Kultverband zurückverweist[4]. Sie korrespondiert der Verklammerung

1 Vgl. *Bultmann,* Synoptische Tradition 4; *Dibelius,* Formgeschichte 7. »Der Begriff ›Sitz im Leben‹ – bei Gunkel ursprünglich: Sitz im Volksleben – bezeichnet nicht ein einzelnes historisches Ereignis, sondern ›eine typische Situation oder Verhaltensweise im Leben einer Gemeinschaft‹ . . .« (*Vielhauer,* Urchristliche Literatur 284).

2 Hier ist der »Ursprung der christlichen Theologie« zu suchen (*Bultmann,* Theologie 474). Der Begriff ist zuerst in Platons »Staat« belegt (II 379 A). In der Kirche taucht er zuerst bei den Apologeten auf. Vgl. *Ebeling,* Art. Theologie I 754ff.

3 Vgl. *Schweizer,* Gemeindeordnung 28 und 21.

4 Die Verbindung mit ihr hat Paulus immer festgehalten. Er suchte die Anerkennung seiner Heidenmission durch ihre Autoritäten (Gal 2,1–10) und kollektierte in seinen Gemeinden

des »Fundaments« der Kirche, Jesus Christus, mit dem Gott Israels, des Neuen mit dem Alten Testament[5]. Schärferes Profil gewinnt diese theologische Identifizierung durch Stellen, die das Attribut Israels als »Volk« Gottes für die Kirche beanspruchen. Sie finden sich in breiter Streuung bei Paulus (Röm 9,25; 15,10; 2Kor 6,16), Lukas (Apg 15,14; 18,10), in den Pastoralbriefen (Tit 2,14), im 1. Petrusbrief (1Petr 2,9f), im Hebräerbrief (Hebr 4,9; 8,10; 10,30) und in der Apokalypse (Apk 18,4; vgl. 21,3). Die Kirche ist das wahre »Volk« Gottes bei gleichzeitiger dialektischer Beziehung zum »Volk« Gottes, Israel[6]. Darüber hinaus markiert die Bezeichnung die Aufnahme des »Nicht-Volkes« Gottes, der Nichtjuden, in sein »Volk« (Apg 15,14; Röm 9,25; 1Petr 2,10). Es läßt die Schranken einer Nation hinter sich[7]. Ebenso beansprucht das griechische Wort ἐκκλησία die sich versammelnde »Gemeinde Jahwes«, des Gottes Israels, für die christliche Kirche und Gemeinde. Es wird zu ihrem *terminus technicus*[8]. Vor allem paulinische Stellen, die von der »Kirche« bzw. »Gemeinde Gottes« sprechen (Apg 20,28; 1Kor 1,2; 10,32; 11,16.22; 15,9; Gal 1,3; 1Thess 1,1; 2Thess 1,4; 1Tim 3,15), erklären sich am besten aus dieser Herkunft[9]. Ihre Bedeutung wird dadurch, daß sie später nicht mehr bewußt war, nicht aufgehoben. Die in der Wahl des Wortes ἐκκλησία enthaltene Aussonderung des Wortes συναγωγή grenzt die Kirche, deren Zentrum das Evangelium von Jesus dem Christus ist, von der zeitgenössischen jüdischen Synagoge ab, deren Zentrum die Thora ist. Nicht die um das Zentrum Thora, sondern die um das Zentrum Evangelium Versammelten sind die wahre »Gemeinde Gottes«[10].

für sie (Gal 2,10; 1Kor 16,1f; 2Kor 8,16ff; Röm 15,26f), »um die Verbundenheit seiner Gemeinden mit der Muttergemeinde zu bekunden« (*Hainz,* Ekklesia 102).

5 »Die Urgemeinde lernt immer besser, sich als *das* Israel zu verstehen ... Sie weiß ja auch ein Handeln Gottes hinter sich, das größer ist als die Rettung aus Ägypten, die doch Israel ins Leben rief« (*Schweizer,* Gemeindeordnung 31).

6 »Wie es Kirche nicht ohne Israel gibt, so bleibt Israel allein Gottesvolk, wenn es Kirche wird« (*Käsemann,* Römer 297, zu Röm 11,1ff).

7 »Die Unterschiede [zwischen Juden und Griechen] ... werden für den Bereich der christlichen Gemeinde enttont, und zwar so, daß die übergreifende Einheit des neuen λαός von da her nicht mehr gestört werden darf und kann« (*Strathmann,* Art. λαός 56). – »Dieses Volk besteht jetzt nicht mehr aus Juden allein, sondern grundsätzlich aus Juden und Heiden ...« (*v. Campenhausen,* Kirchliches Amt 60).

8 *Schrage,* Ekklesia 193, wendet sich gegen eine auch noch von *K. L. Schmidt,* Art. ἐκκλησία 502ff, vertretene geradlinige Ableitung vom »Sprachgebrauch der LXX«. Aber auch er setzt voraus, »daß ἐκκλησία tatsächlich aus dem Judentum übernommen wurde, was dann freilich unbetont und ohne das Bewußtsein von einer angeblich höheren Wertigkeit von ἐκκλησία geschehen sein müßte«. Abgewogen stellt *Stendahl,* Art. Kirche II 1298f, einerseits fest: »All dies stützt die Annahme, daß die Urgemeinde durch die Bezeichnung ἐκκλησία bewußt den Anspruch erhob, das wahre Gottesvolk zu sein«, andererseits, in sachlicher Übereinstimmung mit Schrage: »So ist deutlich, daß ἐκκλησία schon im NT aufs ganze gesehen ein terminus technicus geworden ist, der ohne *bewußte* Verbindung mit der at. Idee vom wahren Gottesvolk dasteht«. *Weiß,* Leib Christi 413f, verweist auf die »Wendung ekklesia theou« 1Kor 15,9; Gal 1,13 und folgert, »der Zusammenhang zwischen Urchristentum und Judentum (sei) offensichtlich«.

9 Darin stimmen *Schrage,* Ekklesia 196ff, und *Hainz,* Ekklesia 232ff, grundsätzlich überein. *Berger,* Volksversammlung 173.184, macht auf die der neutestamentlichen »vorausgehende jüdisch-hellenistische Interpretation« der »hellenistischen ›ekklesia‹« aufmerksam.

10 Vgl. *Schrage,* Ekklesia, bes. 195ff; anders *Berger,* Volksversammlung 184f.

Die theologischen Identifizierungen der Kirche als das wahre »Israel«, das wahre »Volk«, die wahre »Gemeinde Gottes«, spiegeln eine geschichtliche Lage, die auf ihren Anfang im Judentum zurückverweist. In der ekklesiologischen Formel »Leib Christi« manifestiert sich der Übergang in den hellenistischen Kulturraum[11]. Sie zeigt besonders deutlich die Funktion solcher theologischen Identifizierung. »Ihr seid Leib Christi«, schreibt Paulus den Korinthern (1Kor 12,27). Von der »Kirche, die sein (Christi) Leib ist«, spricht der deuteropaulinische Epheserbrief (Eph 1,23). Im Unterschied zu den Metaphern von der Kirche als »Gottes Acker, Gottes Bau« (1Kor 3,9) hat die Formel einen unmittelbaren Bezug zum Evangelium von Jesus Christus. Entsprechend ausführlich sind die auf sie bezogenen Stellen (1Kor 12; Röm 12,3ff; Eph 4,11ff). In 1Kor 12 gewinnt sie ausdrücklich den Charakter der theologischen Identifizierung einer empirischen Kirche mit ihrer besonderen Problematik. Im Hintergrund stehen ekstatische »Geistesgaben«, die in der jungen, erst vor kurzem aus heidnischer Religiosität ausgewanderten korinthischen Gemeinde verbreitet waren. Die Gruppe, die solche Ekstasen pflegte, war weithin identisch mit solchen, die sich auch höherer Erkenntnis (Gnosis) rühmten, und setzte sich im wesentlichen aus den oberen Schichten zusammen[12]. Paulus lehnt ekstatische »Geistesgaben« nicht grundsätzlich ab. Aber eine latente Gefahr war in Korinth manifest geworden. Die Ekstase an sich galt als Wert. Er räumte dem Ekstatiker einen Vorrang in der Gemeinde ein und förderte religiösen Individualismus. Beides ging zu Lasten der Gemeinde[13]. Daß Paulus angesichts dieser Problematik mit der ekklesiologischen Formel »Leib Christi« argumentiert[14] und wie er es tut, hat exemplarische Bedeutung.

Er argumentiert vom »Fundament« der Kirche her (1Kor 12,1–3). Jesus Christus relativiert die Ekstase zu einem religiös-anthropologischen Phänomen, das an sich weder Wert hat noch das Wirken des »heiligen Geistes« ausweist. Erst das Bekenntnis zu ihm – »Herr ist Christus« – verleiht ihm Wert und ist Ausweis des »heiligen Geistes«. Diesen Ansatz führt Paulus weiter (1Kor 12,4–11). Er zählt verschiedene praktische Aktivitäten in der Gemeinde auf und bezieht sie auf das Bekenntnis: »Herr ist Je-

11 Die genaue Ableitung der Formel ist so schwierig wie kontrovers. Sie wird zusätzlich erschwert durch voreilige Kombinationen des paulinischen mit dem deuteropaulinischen (Epheserbrief) Gebrauch. Vgl. u.a. *Käsemann,* Leib Christi, 1933; *Bultmann,* Theologie, 1953, 306; *Schweizer,* Art. σῶμα 1024ff; *Conzelmann,* Theologie des NT 286ff; *Kasner,* Bemerkungen 149ff.

12 »Auch bei den korinthischen Gnostikern finden wir eine gewisse Bildung, eine große Bedeutung von Erkenntnis und Weisheit für Ethos und Erlösung, ein innergemeindliches elitäres Selbstbewußtsein verbunden mit einer großen Liberalität im Umgang mit der heidnischen Welt. Alle diese Charakteristika weisen . . . auf einen gehobenen Sozialstatus« (*Theißen,* Die Starken und die Schwachen 169).

13 »Die Überheblichkeit korinthischer Pneumatiker lag in ihrer Überbewertung ekstatischer Phänomene . . . Weniger pneumatisch begabte Gemeindemitglieder mußten sich zurückgesetzt oder ob ihres Mangels an pneumatischer Begabung gar nicht als zum ›Leib Christi‹ gehörig fühlen« (*Hainz,* Ekklesia 78).

14 »Paulus erhebt die Diskussion auf das Niveau der Theologie« (*Conzelmann,* 1. Korinther 240, zu 1Kor 12,1–3).

sus«, das er jetzt in eine triadische Formel entfaltet: »Geist« - »Herr« - »Gott«. Auf den »Geist« bezogen sind sie »Gnadengaben« (χαρίσματα). Auf den »Herrn« bezogen sind sie »Dienste« (διακονίαι). Auf »Gott« bezogen sind sie »Wirkungen« (ἐνεργήματα). Sie sind, zusammengefaßt, »Zuteilungen« von Gott und nicht Leistungen von Menschen, derer sie sich ›rühmen‹ (1Kor 4,7!) und die sie gegen andere ausspielen könnten. Zugeteilt sind sie »zum Nutzen« der Gemeinde. Wie die Trias »Geist« - »Herr« - »Gott« nicht drei göttliche Ursprünge aufspaltet, sondern die spätere Lehre von der Trinität, der Drei-*einheit*, präludiert, so sollen die praktischen Aktivitäten die Gemeinde nicht aufspalten, sondern ihre Einheit konstituieren. Dem »Herrn«, der Mitte der Trias, entsprechen »Dienste«, die sich zu der *einen* Kirche und Gemeinde ergänzen, nicht Ansprüche, die in ihr konkurrieren. Der »eine und derselbe Geist, der jedem zuteilt, wie er will«, bewirkt wohl Individuationen, aber nicht Individualismen, die die Gemeinde auflösen. Bewußt im Widerspruch zur religiösen Werthierarchie in Korinth, die die Gemeinde aufspaltete und religiösen Individualismus förderte, führt Paulus die ekstatische »Zungenrede« erst am Ende seiner Aufzählung an. Seine Argumentation impliziert bereits eine theologische Ekklesiologie. Explizit wird sie, wenn er die korinthische Gemeinde als »Leib Christi« identifiziert (1Kor 12,12–30). In diese ekklesiologische Formel, die das »Fundament« der Kirche, Jesus Christus, zum dritten Mal in Erinnerung ruft, mündet das bisher Gesagte. »Leib Christi«, d.h. die Gemeinde, gründet in dem am Kreuz getöteten und auferweckten »Leib Christi« (Röm 7,4). An seiner Hingabe »für euch« (1Kor 11,24) gewinnt sie gegenwärtigen Anteil. Mit seinem »Segen« wird sie gegenwärtig verbunden (1Kor 10,16). Durch die Taufe (Röm 6,2ff), das Abendmahl (1Kor 10,16f; 11,23ff), die Predigt (1Kor 1,21; 15,14) teilt er sich ihr mit. Sie ist »Leib Christi«, sofern der »Leib Christi« sich ihr mitteilt und sie bestimmt[15]. Mit dem nicht identisch, der ihr Identität verleiht, *ist* sie »Leib Christi«, indem sie »Leib Christi« *wird*. Dem dient ihre theologische Identifizierung als »Leib Christi«[16]. Gleiches gilt von der zweiten Stelle, an der Paulus ausführlich von der Gemeinde als dem »Leib Christi« spricht (Röm 12,3–8).

Daß sich im gleichen 1. Korintherbrief neben der vom »Leib Christi« fünfmal die ekklesiologische Formel »Gemeinde Gottes« findet, weist auf eine gemeinsame Funktion hin. In solchen Formeln konzentriert sich die theologische Identifizierung der empirischen Kirche und Gemeinde. So schließt die Ekklesiologie des Paulus den Bezug auf sie von vornherein ein. Wer ihn ignoriert und theologische Ekklesiologie von der empiri-

15 »›Leib Christi‹ ist ... der Segensbereich, in dem der Gekreuzigte, und der Herrschaftsbereich, in dem der Auferweckte weiterwirkt« (*Schweizer*, Gemeindeordnung 83).

16 Die »Vorstellung« gebraucht Paulus »in der Paränese (Röm 12,5)« (*Conzelmann*, Theologie des NT 288). Die »Konsequenz (muß) gezogen werden, daß Kirche nur Leib Christi ist, wenn sie in Christus ist, d.h. wenn sie von ihm als Kommunikationsgeschehen bestimmt ist« (*Kasner*, Bemerkungen 161).

schen Kirche isoliert, bringt sie um ihre identifizierende Funktion[17]. Aber die ekklesiologischen Formeln identifizieren die empirische Kirche *theologisch*. Sie verweisen auf ihr »Fundament« Jesus Christus. Sie transzendieren sie und zeigen damit an, daß sie nicht identisch mit dem ist, der ihr Identität verleiht. Wer das ignoriert und die empirische Kirche von theologischer Ekklesiologie isoliert, überantwortet sie identitätslosem Funktionalismus.

Aus der theologischen Identifizierung geht in einem zweiten Schritt die *praktische Orientierung* der empirischen Kirche und Gemeinde hervor. Der Übergang ist fließend. Indem Paulus die praktischen Aktivitäten der Gemeinde in Korinth theologisch identifiziert, orientiert er sie gleichzeitig praktisch. Auch die ekklesiologische Formel »Leib Christi«, in die der Abschnitt mündet, benutzt er unter Aufnahme ihrer metaphorischen Dimension zu ihrer praktischen Orientierung: »Der Leib ist ja auch nicht ein Glied sondern viele. Wenn der Fuß sagen würde: weil ich keine Hand bin, gehöre ich nicht zum Leib, gehört er deswegen doch zum Leib. . . Das Auge kann der Hand nicht sagen: Ich habe dich nicht nötig, oder wiederum das Haupt den Füßen: Ich habe euch nicht nötig« (1Kor 12,14.15.21). Dennoch ist die praktische Orientierung ein zweiter Schritt. Theologische Identifizierung und praktische Orientierung der empirischen Kirche und Gemeinde sind sowohl voneinander unablösbare als auch voneinander abzuhebende Korrelate. Ihre Korrelation ist im deuteropaulinischen Epheserbrief (Eph 4,11ff) deutlich erkennbar. Wie in 1Kor 12 und Röm 12 werden auch hier verschiedene Aktivitäten in der Kirche als dem »Leib Christi« theologisch identifiziert, durch den Zusatz »zur Auferbauung (οἰκοδομή) des Leibes Christi«, aber darüber hinaus praktisch orientiert. In der »*Auferbauung* des Leibes Christi« ist der Schritt von der theologischen Identifizierung zur praktischen Orientierung der empirischen Kirche getan. In der »Auferbauung des *Leibes Christi*« ist die Rückbindung der praktischen Orientierung an die theologische Identifizierung der empirischen Kirche gewahrt. Beide Hinsichten treffen sich in der empirischen Kirche, auf die die eine um ihrer Identität willen, die andere um entsprechender Praxis willen blickt[18]. »Auferbauung« ist als praktische Kate-

17 Die Tendenz zu solcher Isolierung ist auch bei führenden Neutestamentlern festzustellen. An hervorgehobener Stelle - im Art. ἐκκλησία 515 - repräsentiert sie *K. L. Schmidt*, wenn er schreibt: »*Gegenüber* allen *soziologischen Versuchen*, die Kirchenfrage zu erfassen, muß bei Paulus, den Deuteropaulinen und dann auch beim vierten Evangelisten beachtet werden, daß die *Ekklesiologie nichts anderes* ist als *Christologie und umgekehrt*«. Diese falsche Alternative hat mit dazu beigetragen, daß Untersuchungen der empirischen Kirche - hier als »soziologische Versuche« angezeigt - sich zusehends theologischer Identifizierung entzogen und sie der Nichtidentität überantworteten. Umgekehrt verlor eine »Ekklesiologie«, die »nichts anderes ist als Christologie«, die empirische Kirche aus dem Auge und brachte sich damit um ihre Funktion, sie theologisch zu identifizieren.

18 οἰκοδομή in der Bedeutung »Auferbauung« ist abzuheben von der Metapher »Gottes Bau«, die im 1Kor 3,9 neben der von »Gottes Acker« steht. Hier liegt eine Analogie zur Formel »Leib Christi« vor, die ebenfalls eine metaphorische Dimension hat. In der Mehrzahl der paulinischen Stellen werden οἰκοδομή, οἰκοδομεῖν in der Bedeutung »Auferbauung«, »auferbauen« verwandt. Zum Wort s. *Vielhauer*, Oikodome.

gorie vieldeutig. Sie gewinnt Eindeutigkeit durch die theologische Identifizierung der empirischen Kirche. Das gleiche gilt von dem selteneren Ausdruck »zum Nutzen« (πρὸς τὸ σύμφερον) der Kirche und Gemeinde. Auch »Nutzen« ist eine vieldeutige praktische Kategorie. Auch sie gewinnt Eindeutigkeit durch die theologische Identifizierung der empirischen Kirche. Beide, »Auferbauung« und »Nutzen«, sind ihrerseits praktische Orientierungshorizonte, unter die die konkreten Einzelprobleme in Kirche und Gemeinde rücken. In der gottesdienstlichen Versammlung mit »Lied«, »Lehre« u.a. soll alles der »Auferbauung« der Gemeinde dienen (1Kor 14,26). Die verschiedenen Aktivitäten in Korinth wie »Weisheitsrede«, »Erkenntnisrede« u.a. sind zum »Nutzen« der Gemeinde gegeben (1Kor 12,7 und aaO.). In der korrelativen Unterscheidung zwischen theologischer Identifizierung und praktischer Orientierung manifestieren sich sowohl die Differenz der empirischen Kirche zu ihrer Identität in Christus als auch das Ziel eines ihrer Identität entsprechenden Werdens.

Wie unter dem praktischen Orientierungshorizont »Auferbauung« konkrete Einzelprobleme in Kirche und Gemeinde angegangen werden, zeigt exemplarisch 1Kor 14. Das Kapitel ist von den Worten »Auferbauung« und »auferbauen« durchzogen. Auch hier steht das Problem der ekstatischen Phänomene, die insbesondere in der »Zungenrede« (Glossolalie) zum Ausdruck kamen, im Vordergrund. Paulus lehnt sie als solche nicht ab: »Verhindert nicht das Zungenreden« (1Kor 14,39). Er stellt sich sogar selber als Zungenredner vor (V.18), und wenn er urteilt: »Der Zungenredner erbaut sich selbst« (V.4), »denn der Zungenredner redet nicht zu den Menschen, sondern zu Gott« (V.2), ist der Kritik die Anerkennung solches ekstatischen, aus sich selber und seiner Umgebung »zu Gott« heraustretenden Redens beigemischt. Der Glaube des einzelnen manifestiert sich auch in religiös-anthropologischen Erlebnissen dieser Art, ja er bedarf ihrer zu seiner Auferbauung. Zum Problem werden sie, wenn sie in religiösen Individualismus ausarten. Er verkehrt »die Auferbauung der Gemeinde« in ihr Gegenteil. Aus ihrer gottesdienstlichen *Ver*sammlung wird eine *An*sammlung religiöser Individualisten, in der jeder für sich seiner eigenen »Auferbauung« nachgeht und die Gemeinde ignoriert. Denn »Zungenrede« ist das Gegenteil von mitmenschliche Kommunikation herstellender Rede. Anstatt »für Menschen« (V.2), um ihnen zu »nützen« (V.6)[19], damit sie »verstehen« (V.2 und 9), »mit Verstand« (V.19) zu reden, »redet« der »Zungenredner« »*nicht* zu Menschen« – »niemand versteht ihn, sondern er redet im Geist Geheimnisvolles« (V.2), er gibt nicht »deutliche Rede« von sich, er redet »in die Luft« (V.9), er redet in einer fremden Sprache: »Wenn ich nun die Bedeutung der Sprache nicht kenne, werde ich dem Redenden als Fremdsprachiger gegenüberstehen,

19 Obwohl hier statt συμφέρειν ὠφελεῖν steht, stimmt die Stelle sinngemäß mit 1Kor 12,7 überein. 1Kor 14 treffen die praktischen Kategorien »Auferbauung« und »Nutzen« zusammen.

und der Redende wird für mich ein Fremdsprachiger sein« (V. 11). Dadurch verhindert er, daß die Gemeinde »mit Offenbarung oder Erkenntnis oder Prophetie oder Lehre« (V. 6) auf dem »Fundament« Jesus Christus »auferbaut« wird. Paulus stellt ihm den »Propheten« gegenüber, der »für Menschen Erbauung, Ermahnung und Zuspruch« »redet« und so »die Gemeinde« »auferbaut« (V. 3 und 4). Während der »Zungenredner« unverständlich »für Gott« redet, redet er verständlich »für Menschen«. Während der »Zungenredner« ek-statisch aus der Gegenwart heraustritt, spricht er den Menschen in seiner Gegenwart an[20]. Paulus fällt deshalb das Urteil: »Der Prophet ist größer als der Zungenredner«. Es wird durch den Zusatz »außer wenn er (der Zungenredner) übersetzt« und die Aufforderung, er solle darum »beten«, »daß er übersetzen könne« (V. 5 und 13), unterstrichen. Denn »Zungenrede« dient lediglich individueller »Auferbauung«. »In der Gemeinde will ich lieber fünf Worte mit meinem Verstand reden, damit ich andere unterweise, als zehntausend Worte in Zungenrede« (V. 19).
In der »Zungenrede« deuten sich Probleme an, die die Verschiedenheit der praktischen Aktivitäten in der Gemeinde überhaupt betreffen. Wiederum bringt Paulus den praktischen Orientierungshorizont »Auferbauung« zur Geltung, wenn er sie in 1Kor 3,1-17 strukturiert. Die Metapher von der Gemeinde als »Gottes Bau« (V. 9) spielt in ihn hinüber[21]. Wie er in der Metapher »Gottes Acker« unterscheidet: »Ich pflanzte, Apollos begoß« (V. 6), so unterscheidet er in der Metapher »Gottes Bau«: »Wie ein sachkundiger Baumeister habe ich das Fundament gelegt, ein anderer aber baut darauf« (V. 10). Das »Fundament« ist das apostolische Evangelium von Jesus Christus: »Ein anderes Fundament kann niemand legen als das gelegte, nämlich Jesus Christus« (V. 11). Seine für die »Auferbauung« der Gemeinde fundamentale Verkündigung unterscheidet die des Apostels von den anderen Aktivitäten in der Gemeinde. Denn das »Fundament« trägt und bestimmt den Weiterbau. Deshalb ist der, der es legt, von denen zu unterscheiden, die auf ihm weiterbauen. Zwar ist der Apostel nicht identisch mit dem »Fundament«. Er bleibt in der Begrenzung eines Menschen. Daß Gott jedem nach dem »Maß des Glaubens« »zugeteilt hat« (Röm 12,3), gilt auch für ihn[22]. Paulus respektiert das von einem anderen gelegte »fremde Fundament« und weigerte sich, »zu bauen« »wo der Name Christi schon genannt war« (Röm 15,20). Ihn hindern das Ver-

20 Vgl. *Friedrich,* Art. προφήτης 849f.
21 Der Wechsel: »Gottes Acker«, »Gottes Bau« (V. 9), »Gottes Tempel« (V. 17) unterstreicht das metaphorische Element. – »Wie das Bild vom Acker vorauswirkt auf die Beschreibung des Tuns des Apostels und seiner Mitarbeiter sowie ihr zeitliches Nacheinander, so hängt sich an das Bild vom Bau von V. 10 an eine ähnliche Betrachtung ihrer Tätigkeit unter Rücksicht des Fundamentlegens und des darauf Weiterbauens und damit des prinzipiellen Zueinanders« (*Hainz,* Ekklesia 256).
22 »Konsequent verweigert es Paulus, selbst als das Fundament zu gelten ... Dieselbe Sache ist 2Kor 4,5 unbildlich ausgedrückt« (*Conzelmann,* 1. Korinther 94, zu 1Kor 3,11). – »Wie nach (Röm) 12,3 jeder Christ sein bestimmtes Maß hat und dafür gültige Kriterien beachten soll, so ist der Apostel nicht weniger dadurch gebunden« (*Käsemann,* Römer 377).

ständnis des »Fundaments« betreffende Meinungsverschiedenheiten mit den Jerusalemer »Säulen« nicht, eine praktische Vermittlung um der »Einheit der Kirche aus Juden und Heiden« willen anzunehmen. Er und Barnabas gehen »zu den Heiden«, die Jerusalemer »zu der Beschneidung«, den Juden (Gal 2,9)[23]. Aber Relativierung des Apostels heißt nicht Relativierung des »Fundaments«. Deshalb reicht die Annahme einer Vermittlung zwischen seiner und der Jerusalemer Position wohl bis zur Aufteilung der Missionsgebiete, aber nicht bis zur fundamentalen Sachfrage. In ihr gibt es für ihn nur ein Entweder-Oder. Vermittlung in ein Mittleres zwischen den Positionen ist hier unmöglich. Paulus hält den Dissens bis zum »Anathema« denen gegenüber offen, die ein »anderes Evangelium« als das seine verkündigen (Gal 1,6ff)[24]. Im Respekt vor dem von einem anderen gelegten »Fundament« wie im unerbittlichen Streit um das »Fundament« äußern sich ebenso seine Bedeutung wie die Einschränkung, daß von den Aposteln an Menschen an der »Auferbauung« der Gemeinde mitwirken.

Alle anderen Aktivitäten setzen das apostolische »Fundament« voraus. Das gilt genetisch, denn ohne dieses »Fundament« gäbe es keine Gemeinde in Korinth und anderen Orts. Die Abfolge: gekreuzigter Jesus – den Apostel berufender, auferweckter Jesus Christus (1Kor 15,8ff; Gal 1,11ff) – apostolisches Evangelium ist für die Kirche und Gemeinde aller Zeiten fundamental (Eph 2,20!). Tritt infolge seiner Naherwartung ein »nachapostolisches Zeitalter« auch nicht in den Gesichtskreis des Paulus – die spätere Johannesapokalypse spricht bereits von der Verkündigung eines »ewigen Evangeliums« (Offb 14,6; vgl. Mk 13,10). Das gilt sachlich,

23 »Die Verteilung der Missionsgebiete setzt die Anerkennung des paulinischen Apostolats und die Feststellung der Einheit des gemeinsamen Apostolates voraus . . .; in der Gemeinschaft des Evangeliums und des Apostolates (ist) die Einheit der Kirche aus Juden und Heiden gefunden worden« (*Schlier*, Galater 46, zu Gal 2,9). Auch wenn Paulus seine apostolische Verkündigung von der des Apollos abhebt, liegt es auf der gleichen Linie, wenn er sich trotz wahrscheinlicher Unterschiede mit ihm gegen den die »Auferbauung« der korinthischen Gemeinde bedrohenden Streit zwischen einer Paulus- und Apollospartei zusammenschließt (1Kor 3,11ff). ». . . Die Gemeinde soll an der Einigkeit zwischen Paulus und Apollos lernen, daß die Parteinahme für den einen Lehrer und gegen den anderen widersinnig ist, wider den Sinn dieser Lehrer und wider den Sinn des Amtes« (*Vielhauer*, Paulus und die Kephaspartei 347).

24 ». . . Die Einheit des Evangeliums und des Apostolates und damit die Einheit der Kirche (wird) nicht auf dem Wege eines theoretischen und praktischen Kompromisses im Grundsätzlichen gefunden . . .« (*Schlier*, Galater 37). Vgl. *Lessing*, Konsensus 18f: Es »wird vorausgesetzt, daß die widerstreitenden Momente, die Idee des Konsensus und die Realität des Dissensus, selbst Momente der Wahrheit sind und als solche nicht willentlich in einem Dritten aufgehoben werden können . . .; im Gegensatz zu Vermittlungspositionen ist ›Vermittlung‹ hier nicht ursprüngliche Aufgabe des Menschen, also keine normative Kategorie«. – Aufschlußreich für eine Sicht, die das Problem im Unterschied, ja im Gegensatz zu Paulus ›frühkatholisch‹ löst, ist die lukanische Darstellung des sog. Apostelkonzils (Act 15,1ff). Nach ihr einigen sich die Antiochener mit Paulus und Barnabas auf der einen und die jerusalemischen Judenchristen auf der anderen Seite auf Vorschlag des Herrenbruders Jakobus auf ein Mittleres zwischen den einander ausschließenden Positionen. Wie Paulus den gleichen Vorgang sieht, zeigt Gal 2,1ff. Zu seinem Verhältnis zum ›frühkatholischen‹ »Primat Petri« vgl. *Vielhauer*, Paulus und die Kephaspartei.

denn nur durch das apostolische Evangelium hervorgerufene und ihm entsprechende Aktivitäten »bauen« Kirche und Gemeinde »auf«. Deshalb unterscheidet Paulus zwischen seiner fundamentalen und der ihr nachgeordneten Tätigkeit des Apollos. Deshalb nennt er 1Kor 12,28, eine Stelle, an der die verschiedenen Aktivitäten durch Ordnungszahlen ausdrücklich in eine Rangfolge gebracht werden, »erstens Apostel« (vgl. Eph 4,11). Deshalb rückt er an die zweite Stelle »Propheten«, an die dritte »Lehrer«, die beide in seinem Umkreis wirken. Nur diese drei sind durch Ordnungszahlen strukturiert. Denn der Apostel legt das »Fundament«, »Propheten« und »Lehrer« sorgen für seine Geltung und Beachtung. Im Verhältnis zu den anderen Aktivitäten sind sie zusammen fundamental. Diese sind damit aber keineswegs entwertet. Gerade in ihnen - »dann Wunder, dann Heilungsgaben, Hilfeleistungen, Verwaltungsleistungen, Arten von Zungenrede« - wird die Kirche als »Leib Christi« erbaut. Nicht nur die hier aufgezählten »Gnadengaben« gehören dazu, sondern auch die anonymen, aber, sofern sie dem Evangelium entsprechen, ebenfalls charismatischen Verhaltensweisen der »Glieder« untereinander und nach außen[25]. Die aufbaugerechte Strukturierung der verschiedenen praktischen Aktivitäten in Kirche und Gemeinde, wie sie sich bei Paulus abzeichnet, kann Kirche als »Leib Christi« nicht garantieren. »Ich pflanzte, Apollos begoß, *aber Gott ließ wachsen*« (1Kor 3,6). Kirche ist »*Gottes* Werk« (Röm 14,20). Aber an ihm nehmen Paulus und Apollos, exemplarisch für alle ›auferbauenden‹ Aktivitäten, als Gottes »Mitarbeiter« teil (1Kor 3,9). Damit relativiert Paulus einerseits seine eigene fundamentale Tätigkeit zusammen mit den anderen Aktivitäten in Gemeinde und Kirche sowie ihre aufbaugerechte Strukturierung. Damit betont er aber andererseits die Unverzichtbarkeit solcher Aktivitäten und ihrer aufbaugerechten Strukturierung in Kirche und Gemeinden.

Ihre »Auferbauung« reicht nach *innen* bis zum einzelnen Gemeindeglied. »Deshalb ermahnt euch untereinander und erbaut einer den anderen, wie ihr auch tut« (1Thess 5,11). Ihr Ziel ist das gleiche, um dessentwillen Paulus Timotheus nach Thessalonike entsandt hatte: »... euch zu stärken und zu ermahnen in eurem Glauben«. Der »Mitarbeiter Gottes in der (Vermittlung des) Evangeliums von Christus« (1Thess 3,2) findet seine Entsprechung bei den einzelnen Gemeindegliedern. Geht es bei den herausgestellten »Mitarbeitern« um die »Auferbauung« der Gemeinde als ganzer, so hier um »Auferbauung« innerhalb der Gemeinde. Das einzelne Gemeindeglied wird dem einzelnen Gemeindeglied »Mitarbeiter Gottes«, auch wenn der Ausdruck in diesem Zusammenhang nicht fällt. Jeder

25 *Käsemann*, Römer 328f, weist darauf hin, daß im Anschluß an Röm 12,3-8 »auch in 9-21 der vielfältige charismatische Dienst der Christen beschrieben wird. Es wird Ernst damit gemacht, daß jeder Christ Charismatiker ist ... Der Unterschied zu 3-8 liegt einzig darin, daß zunächst die hervorgehobenen und gefährdeten Charismen benannt wurden, nun aber die Gemeinde mit all ihren Gliedern exemplarisch auf das ihr Mögliche und Gebotene ausgerichtet wird«.

soll solche »Auferbauung« an sich geschehen lassen und sie an anderen vollziehen. »Wir ermahnen euch, Brüder, weist die Unordentlichen zurecht, ermuntert die Kleinmütigen, nehmt euch der Schwachen an, habt Geduld mit allen« (1Thess 5,14). »Die charismatische Gemeinde« von Röm 12,9–21[26] macht deutlich, wie umfassend das Spektrum solcher »Auferbauung« der Gemeindemitglieder untereinander in Wort und Tat vorzustellen ist: »... Seid einander in Bruderliebe zugetan, kommt einander in Ehrerbietung zuvor, werdet im Eifer nicht lässig, im Geist brennend, dem Herrn dienend ... Nehmt Anteil an den Bedürfnissen der Heiligen, trachtet nach Gastfreundschaft ... Freut euch mit den Fröhlichen, weint mit den Weinenden. Habt einen Sinn untereinander ... Vergeltet niemandem Böses mit Bösem; seid schon im voraus auf Gutes gegen alle Menschen bedacht; soweit es in eurer Möglichkeit liegt, haltet mit allen Menschen Frieden«.
Ihre »Auferbauung« zielt ebenso nach *außen,* auf noch nicht zur Gemeinde Gehörige. So wendet Paulus das allgemeine Problem des »Zungenredners« noch einmal in ein spezielles: »Wenn nun die ganze Gemeinde zu ihrer Versammlung zusammenkommt und alle reden in Zungen, es kommen aber Laien oder Ungläubige, werden sie nicht sagen: Ihr seid verrückt? Wenn aber alle prophetisch reden und ein Ungläubiger oder Laie kommt herein, dann wird er von allen überführt, von allen geprüft, das Verborgene seines Herzens wird offenbar, und so wird er auf sein Angesicht fallen, Gott anbeten und bekennen: Gott ist wahrhaftig in eurer Mitte« (1Kor 14,23–26)[27]. Durch den überzeichneten Kontrast »*alle* reden in Zungen« – »*alle* reden prophetisch« pointiert er das Problem: Die unverständliche »Zungenrede« vermag »Laien und Ungläubige« nicht zu gewinnen. Zu gewinnen vermag den »Ungläubigen oder Laien« dagegen die verständliche prophetische Verkündigung des Evangeliums, das die Wahrheit des Menschen enthüllt und ihn auf diese Weise überführt, so daß er Gottes gewiß wird. Neben die verständliche Verkündigung treten andere Aktivitäten. »Die charismatische Gemeinde« von Röm 12,9–21 gibt auch hier ein Beispiel. Außer dem oben genannten Spektrum der »Auferbauung« nach innen, das ebenfalls nach außen zu wirken vermag, könnten folgende Verhaltensweisen die Aufmerksamkeit der »Laien und Ungläubigen« erringen: »Die Liebe sei ungeheuchelt, verabscheut das Böse, hängt dem Guten an ... Seid fröhlich in der Hoffnung, standhaft in der Bedrängnis ... Segnet die Verfolger, segnet und verflucht nicht ...

26 So betitelt *Käsemann,* Römer 327, diesen Abschnitt. Vgl. o. Anm. 25.
27 *Schlier,* Art. ἰδιώτης 217, sieht in »Laien und Ungläubigen« die gleichen Personen, »das erstemal zuerst im Blick darauf gekennzeichnet ..., daß sie das Zungenreden nicht verstehen, das zweite Mal (V. 24) zuerst im Blick darauf, daß sie nicht zur Gemeinde gehören«. – Wie Schlier urteilt *Conzelmann,* 1. Korinther 286. *Bauer,* Wörterbuch 732, sieht dagegen zwei, untereinander abgestufte Gruppen: »Die ἰδ. sind weder den ἄπιστοι gleich ..., noch auch vollwertige Christen, sondern stehen offensichtlich zwischen beiden als eine Art Proselyten.«

Trachtet nicht nach Hohem, sondern beugt euch zu den Niedrigen ... Rächt euch nicht selbst, Geliebte, sondern gebt Raum dem Zorn (Gottes) ... Aber wenn dein Feind hungert, speise ihn; wenn er dürstet, tränke ihn. Denn wenn du das tust, wirst du glühende Kohlen auf sein Haupt sammeln. Laß dich nicht vom Bösen besiegen, sondern besiege mit dem Guten das Böse«.
»Auferbauung der Gemeinde« zielt nach innen wie nach außen auf den Glauben. Für ihn ist die Verkündigung des apostolischen Evangeliums von Jesus Christus fundamental. Sie wird von der dem Evangelium entsprechenden Tat unterstützt. Der praktische Orientierungshorizont »Auferbauung der Gemeinde« umfaßt beides.

Die sich in theologischer Identifizierung und praktischer Orientierung manifestierende Differenz zwischen ihrer Identität in Christus und ihrer empirischen Nichtidentität wehrt einem Mißverständnis der Kirche. Auch die Aufzählung verschiedener Aktivitäten stellt nicht ideale, sondern solcher Identifizierung und Orientierung ständig bedürftige Gemeinden vor. Das wird da besonders deutlich, wo Paulus sich nicht scheut, angesichts konkreter Einzelprobleme zum Kompromiß zu greifen. Theologisch bedacht, ist er vom faulen Kompromiß zu unterscheiden. Auch ihn rückt er, sogar mit besonderem Nachdruck, unter den praktischen Orientierungshorizont »Auferbauung« bzw. »Nutzen« der Gemeinde: »Alles ist erlaubt, aber nicht alles nutzt; alles ist erlaubt, aber nicht alles baut auf« (1Kor 10,23)[28]. Anlaß ist die Frage, ob die Christen in Korinth rituell geweihtes »Götzenopferfleisch« essen dürfen oder nicht. Für Paulus ist es »erlaubt«. Das sog. »Götzenopferfleisch« hat keine Macht und gefährdet den Menschen nicht, »denn des Herrn ist die Erde und ihre Fülle« (V. 26) und nicht der Götzen. »Was nun das Essen des Götzenopferfleisches betrifft, wissen wir, daß es keinen Götzen in der Welt gibt und daß kein Gott ist außer dem einen« (1Kor 8,4). Wie Paulus urteilten die ›Starken‹ der Gemeinde in Korinth. Sie aßen deshalb unbedenklich rituell geweihtes Fleisch, das auf dem Markt angeboten und ihnen von »Ungläubigen« bei Einladungen vorgesetzt wurde (1Kor 10,25.27). Sie, die in der Regel einen »gehobenen Sozialstatus«[29] besaßen, hätten sich aus ihrer Gesellschaftsschicht zurückziehen müssen, wenn sie Einladungen der »Ungläubigen« wegen der Möglichkeit gemieden hätten, rituell geweihtes Fleisch essen zu müssen, bzw. sie hätten für eigene Einladungen kein Fleisch auf dem Markt kaufen können. Dazu bestand für sie jedoch keine Veranlassung. Sie glaubten an den einen Gott und nicht mehr an die Götzen. Als sozial höher Gestellte, die eine höhere Bildung besaßen, waren sie in der Lage, die Bedeutung ihres Glaubens für das anstehende Problem zu er-

28 Der *parallelismus membrorum* bestätigt die analoge Funktion der praktischen Kategorien ›Auferbauung‹ und ›Nutzen‹. S.o. Anm. 19.
29 *Theißen*, Die Starken und die Schwachen 164. S.o. Anm. 12.

messen und entsprechende Konsequenzen zu ziehen. Paulus stimmt mit ihnen überein – und stimmt ihnen dennoch nicht zu. Daran hindert ihn der praktische Orientierungshorizont »Auferbauung« bzw. »Nutzen« der Gemeinde. Theologische Erkenntnis an sich, die ihn aus dem Auge verliert, ist verkürzt. Eben sie kennzeichnete aber die ›Starken‹ in Korinth. Sie hatten die Gemeinde, der auch »schwache« Mitglieder angehörten, die nicht ihre Erkenntnis besaßen, nicht in sie einbezogen. Diese, die »bis heute noch im (von früher her geprägten) Bewußtsein des Götzen leben, essen (das Fleisch) als Götzenopferfleisch, und (deshalb) wird ihr Gewissen, das schwach ist, befleckt« (1Kor 8,7). Ihnen, die vor allem in den unteren sozialen Schichten zu suchen sind und den Hauptteil der korinthischen Gemeinde ausmachen (1Kor 1,26ff), mangelte es sowohl an Vermögen, die Bedeutung ihres neuen Glaubens für ihre religiöse Vergangenheit voll zu ermessen, als auch an Souveränität, sich von alten Gewohnheiten freizumachen. Als Angehörige der unteren sozialen Schichten waren sie finanziell kaum in der Lage, sich auf dem Markt Fleisch zu kaufen. Für sie bestand kaum Aussicht, beim geselligen Verkehr unter ihresgleichen Fleisch vorgesetzt zu bekommen. Sie konnten jedoch an öffentlichen Fleischverteilungen teilnehmen. Diese hatten aber religiösen Charakter[30]. Ihrer Überzeugung nach wurde hier »Götzenopferfleisch« im Sinne des Wortes verteilt. Aßen sie es dennoch, taten sie das ihres neuen Glaubens wegen mit schlechtem Gewissen. Diese »schwachen« wurden von den »starken« Mit-Gliedern der Gemeinde übersehen, ja mißachtet, wenn diese ihre »Freiheit« vor ihnen demonstrierten: »Denn wenn jemand dich, der du Erkenntnis hast, im Götzenhaus (zu Tisch) liegen sieht, wird nicht sein Gewissen, weil es ja schwach ist, erbaut, Götzenopferfleisch zu essen?« (1Kor 8,10). Ihr Beispiel nimmt den »Schwachen« zwar das schlechte und gibt ihnen ein gutes Gewissen – aber zum Essen von »Götzenopferfleisch« im Sinne des Wortes. Es »erbaut« ihr »Gewissen« wieder zum Götzendienst, nicht aber die Gemeinde, der diese »schwachen« Mitglieder innerlich verlorengehen. Der von den »Schwachen« absehenden »Freiheit« der ›Starken‹, die an sich richtiger, aber nicht bis zur Gemeinde hin denkender Erkenntnis entspringt, stellt Paulus die die »Schwachen« berücksichtigende Beschränkung der Freiheit, die bis zur Gemeinde hin denkender Erkenntnis entspringt, entgegen. Theologisch erliegen die ›Starken‹ der Fiktion einer ihrem ständigen Werden entnommenen Kirche. Damit überfordern sie die »Schwachen«. Sie bringen sie um ihre Teilhabe am auch für sie am Kreuz hingegebenen »Leib Christi«: »Der Schwache geht durch seine Erkenntnis zugrunde, der Bruder, um dessentwillen Christus gestorben ist« (1Kor 8,11). Sie überheben sich selber, nicht mehr eingedenk auch ihrer Angewiesenheit auf den auch für sie hingegebenen »Leib Christi«: »Wenn ihr aber so an den Brüdern sündigt und ihr schwaches Gewissen verletzt, sündigt ihr an Christus«

30 Belege bei *Theißen,* Die Starken und die Schwachen 160f.

(1Kor 8,12). Sie verkehren das Aufbaugesetz »Keiner soll das Seine suchen, sondern das des anderen« (1Kor 10,23f) in sein Gegenteil. Anstatt sie aufzuerbauen, zerstören sie die Gemeinde (vgl. Röm 14,13ff).
»Auferbauung der Gemeinde« unter diesen Bedingungen fordert den Kompromiß. Paulus erwartet von den ›Starken‹ Kompromißbereitschaft, wenn er ihnen die richtige Erkenntnis zubilligt, sie aber an der falschen Erkenntnis der »Schwachen« begrenzt; wenn er, in der Konsequenz, ihnen da, wo sie von den »Schwachen« nicht beobachtet werden können, die »Freiheit« zum Genuß rituell geweihten Fleisches einräumt, sie ihnen aber da versagt, wo sie von den »Schwachen« beobachtet werden können (1Kor 10,25–29). Er befriedet die »Schwachen« mit einer Kompromißlösung, wenn er nicht dazu anhält, ihnen ihre falsche Erkenntnis aufzudekken, sie aber als falsche Erkenntnis festhält, wenn er da, wo sie die ›Starken‹ beobachten können, den Schein inszeniert, diese äßen kein rituell geweihtes Fleisch, ihn aber da aufhebt, wo sie die ›Starken‹ nicht beobachten können. Kompromisse nach allen Seiten – faule Kompromisse? Dem steht schon entgegen, daß Paulus zum Ausdruck bringt, er würde trotz seiner Freiheit gegebenenfalls selber »bis in Ewigkeit kein Fleisch essen, damit ich meinem Bruder keinen Anstoß gebe« (1Kor 8,13). Auch hier gilt sinngemäß: »Folget meinem Beispiel« (1Kor 11,1). Die Aufforderung fährt fort: ». . . wie ich dem Beispiel Christi«[31]. Denn den »Schwachen« gäbe Kompromißlosigkeit einen »Anstoß«, der ihre Teilhabe am »für euch«, ›Starke‹ und »Schwache«, hingegebenen »Leib Christi« gefährdet.
Gleiches gilt von den Abendmahlsfeiern in Korinth, bei denen die Armen »hungern«, während die Gutsituierten sich »betrinken«. Die gleichen sozialen Unterschiede wie beim »Götzenopferfleisch« stoßen aufeinander, und das in einem Akt, in dem sich die Konstitution der Gemeinde als »Leib Christi« konzentriert (vgl. 1Kor 10,16–18). Eine Gemeinde, die das Abendmahl in dieser Weise feiert, »unterscheidet« »den Leib« des Herrn »nicht« von der Speise profaner Mahlzeiten, bei denen es in den Häusern der Reichen reich, der Armen arm zugeht. Die ›Starken‹, Gutsituierten können nicht mehr wie beim »Götzenopferfleisch« eine an sich richtige Erkenntnis vorweisen. Ihre Schuld am armen und schwachen Mit-Glied wird offensichtlich. Sie sind unübersehbar »am Leib und Blut des Herrn« schuldig geworden (1Kor 11,27–29). Um diesem Mißstand abzuhelfen, greift Paulus wieder zum Kompromiß. Im Abendmahl sollen die, »die nichts haben«, künftig nicht mehr »beschämt« werden – in den »Häusern« beläßt er es dagegen so, wie es ist (1Kor 11,22a.34). Im Blick auf Kirche und Gemeinde realisiert er nüchtern, daß sie ihrem Sein nur im Werden entspricht. Auch mögliche Weiterentwicklungen werden in dieser

31 »Die imitatio *Christi* ist nicht an der Person des historischen Jesus, an seiner Lebensführung orientiert, sondern – im Sinne von Phil. 2,6ff – am Heilswerk« (*Conzelmann,* 1. Korinther 212, zu 1Kor 11,1).

Spannung bleiben[32]. Ihre Unüberholbarkeit in der Zeit der Kirche signalisiert der Kompromiß mit Nachdruck[33].
Denn die Kirche ist nicht das »Reich Gottes«[34]. Ihre Gegenwart ist nicht seine Zukunft. Auf ihrem Weg durch die Zeit bleibt sie auf theologische Identifizierung und praktische Orientierung angewiesen. Was daraus in den Gemeinden wird, hat Paulus nicht in der Hand. Er kann nur mahnen: »Es soll jedermann sich selber prüfen...« (1Kor 11,28). Er ist »Mitarbeiter« Gottes, »aber Gott (läßt) wachsen« (1Kor 3,6). Die Gemeinde ›auferbauende‹ Aktivitäten »wirkt« nicht er, sondern der »eine und derselbe Geist« (1Kor 12,11). Das menschliche Werk des Theologen Paulus hat seine Funktion diesseits der damit angezeigten Grenze. Sie erlaubt aber kein Nachlassen in ihm. Sein Denken, seine Beredsamkeit, sich selber setzt er hier ein. Gerade darin ist seine theologische Existenz beispielhaft.

Es geht insbesondere bei Paulus, aber auch in anderen Schriften des Neuen Testaments um theologische Identifizierung und praktische Orientierung der empirischen Kirche und Gemeinde einer bestimmten Zeit, von etwa 50–130 n.Chr., und eines bestimmten Raumes, des Vorderen Orients, Griechenlands sowie des westlichen römischen Reiches. Die Lage der Urgemeinde in Jerusalem war eine andere als die der Gemeinde in Korinth. War die Kirche dort vor die Frage ihrer Identität innerhalb des jüdischen Volks- und Kultverbandes gestellt, so hier vor die Frage ihrer Identität innerhalb einer heidnisch-religiösen Umwelt. Lag dort der Schwerpunkt theologischer Identifizierung auf der Beanspruchung jüdisch-alttestamentlicher Formeln wie: das wahre »Israel« Gottes, die wahre »Gemeinde Gottes« – so hier insbesondere auf der Formel »Leib Christi«. Auch die situationsbedingten praktischen Probleme änderten sich. Für die Urgemeinde war die Einhaltung der jüdischen Ritualgesetze kein Problem, wohl aber für die heidenchristlichen Gemeinden. Repräsentativ demonstriert Paulus solcher Veränderung entsprechende theologische Identifizierung und praktische Orientierung der Kirche und Gemeinde, ihrer Geschichtlichkeit entsprechende geschichtliche Theologie.
Geschichtlichkeit bedeutet hier nicht relativistischer Historismus. Sie basiert ja auf dem »Fundament« Jesus Christus. Wie sehr die Apostel infolge ihrer menschlichen Begrenzung auch divergieren – was sie zu Aposteln qualifiziert, ist das gemeinsame Widerfahrnis des auferweckten Gekreuzigten (1Kor 15,1–11). Es ist offen für Interpretationen in Entsprechung

32 Vgl. *Schweizer,* Art. σῶμα 1067.
33 »Die Lösung des Paulus ist der Kompromiß. Er wird den Wünschen (oder Voreingenommenheiten) der Schwachen ebenso gerecht wie den Erkenntnissen (und sozialen Privilegien) der Starken. Gerade deshalb ist er realistisch und praktikabel« (*Theißen,* Die Starken und die Schwachen 171).
34 »Jüngerschar und Gottesreich sind zwar deutlich aufeinander bezogen, aber ebenso deutlich voneinander unterschieden« (*Schweizer,* Gemeindeordnung 21).

zum Wechsel von Zeit und Raum, zur Herausforderung sich wandelnder Probleme. Aber es bleibt in alle dem »Fundament« des apostolischen »Fundaments«: »Ein anderes Fundament kann niemand legen als das gelegte, nämlich Jesus Christus« (1Kor 3,11). Das »Fundament« Jesus Christus und die Geschichtlichkeit der Kirche alternieren sich nicht, sondern konvergieren in auf diesem »Fundament« sich vollziehender, die Kirche auf ihrem Weg durch Zeit und Raum begleitender geschichtlicher Theologie.

Obwohl bei ihm bereits eine größere Anzahl von Gemeinden in Erscheinung tritt, unterscheidet Paulus begrifflich noch nicht zwischen Gesamtkirche und Einzelgemeinde. Das Wort umgreift beide Hinsichten und spiegelt so einen Stand der Entwicklung, in dem dieser Unterschied noch nicht reflektiert wurde[35]. Für Paulus ist jede Ortsgemeinde »Kirche / Gemeinde Gottes«. Sie repräsentiert Kirche in vollem Sinn[36]. Dementsprechend lokalisiert er sie: »der Kirche / Gemeinde Gottes, die in Korinth ist« (1Kor 1,2); »die Kirchen / Gemeinden Asiens« (1Kor 16,19); »in den Kirchen / Gemeinden Mazedoniens« (2Kor 3,1); »in den Kirchen / Gemeinden Galatiens« (1Kor 16,2; Gal 1,3); »den Kirchen / Gemeinden Judäas« (Gal 1,22); »der Kirche / Gemeinde der Thessalonicher« (1Thess 1,1). Diese am Ort befindlichen Kirchen oder Gemeinden identifiziert er theologisch und orientiert er praktisch so, daß die Grundzüge übertragbar sind. Aber die Gesamtkirche als eigene ekklesiologische Dimension nimmt er nicht wahr, selbst da nicht, wo er sich faktisch – so in der Auseinandersetzung um die Geltung der jüdischen Ritualgesetze für Heidenchristen mit den Jerusalemer Aposteln; in der Kollekte für die Jerusalemer Urgemeinde; in der Abwehr von ihr ausgehender zentralistischer Ansprüche – zu Problemen von gesamtkirchlichem Charakter verhält.

Ist Paulus die Gesamtkirche als eigene ekklesiologische Dimension noch nicht bewußt, so ist ihre Bewußtwerdung von ihm aber auch nicht blokkiert. Wenn die deuteropaulinischen Briefe an die Kolosser und Epheser eine die Einzelgemeinde übergreifende Gesamtkirche in den Blick nehmen[37], knüpfen sie an Paulus an. Sie stehen im Übergang, insofern sie weder entsprechende begriffliche Distinktionen vornehmen noch auf das

35 Wenn *K. L. Schmidt,* Art. ἐκκλησία 504, vorschlägt: »Man sollte es einmal durchprobieren, ob nicht entweder immer ›Kirche‹ oder immer ›Gemeinde‹ im Neuen Testament gesagt werden muß«, nivelliert er die Eigenart dieses Standes der Entwicklung.

36 Sollte der Zusatz »den Kirchen/Gemeinden Judäas« (Gal 1,22) bewußte lokale Ausweitung sein, um einem zentralistisch-gesamtkirchlichen Anspruch der Jerusalemer Urgemeinde entgegenzutreten – diese These vertritt *Hainz,* Ekklesia 234.254f –, würde er diese Sicht unterstreichen. Der Plural »alle Kirchen/Gemeinden« (Röm 16,16; 1Kor 14,33; 2Kor 11,28) meint nicht eine aus den Gemeinden summierte Gesamtkirche. Das gleiche gilt von den Stellen, die von »Kirchen« bzw. »Gemeinden« sprechen.

37 Kol 1,18 ist vom kosmischen Christus als »Haupt des Leibes, der Kirche«, damit von dieser in universaler Perspektive die Rede. Analog dazu spricht der Epheserbrief (1,23) vom kosmischen Christus, den Gott »der Kirche«, »die sein Leib ist«, »als Haupt über alles« gegeben hat.

Verhältnis von Gesamtkirche und Einzelgemeinde abheben[38]. Die künftige Entwicklung deutet sich aber an. Der Zeitpunkt ist bezeichnet, an dem theologische Identifizierung und praktische Orientierung von Ortsgemeinden nicht mehr ausreichen. Erste Ansätze in diese Richtung finden sich in den sieben Sendschreiben an Gemeinden in Kleinasien in der Johannesapokalypse (Kap. 2 und 3), deren Siebenzahl, das »Sinnbild göttlicher Totalität«[39], auf die Gesamtkirche hinweist.

In den Schriften des Neuen Testaments schlägt sich eine begrenzte Entwicklungsphase der Kirche nieder. Sie ist weder in ungeschichtlicher Direktheit gegen die spätere Entwicklung auszuspielen noch als unmaßgeblich abzutun. Auf dem »Fundament« Jesus Christus weisen vielmehr insbesondere die paulinischen Briefe die Kirche in ihren weiteren Weg durch Raum und Zeit ein. Auch für ihre künftige Entwicklung gilt:

1. Die Kirche ist auf ihrem Weg durch Zeit und Raum nicht beliebiger Entwicklung überlassen, sondern bedarf ständiger theologischer Identifizierung und mit ihr korrelierender praktischer Orientierung.

2. Ihre theologische Identifizierung und praktische Orientierung vollziehen sich auf dem »Fundament« der Ostern als end-gültige Offenbarung des Gottes Israels qualifizierten Geschichte des gekreuzigten Jesus. Sachliche Meinungsverschiedenheiten, seine Auslegung betreffend, sind auf ihm auszutragen und auszuhalten. Es alterniert alle religiösen ›Fundamente‹.

3. Die Not-wendigkeit ständiger theologischer Identifizierung resultiert aus der Differenz zwischen ihrer Identität in Christus und ihrer empirischen Nichtidentität. Die Not-wendigkeit ständiger praktischer Orientierung resultiert aus dem Ziel eines ihrer Identität entsprechenden Werdens.

4. Theologische Identifizierung zielt auf praktische Orientierung der Kirche. Ihre Sachgemäßheit erweist sich daran, ob sie dem apostolischen »Fundament« entspricht. Ihre Funktionsgemäßheit erweist sich daran, ob sie sich auf die empirische Kirche bezieht.

38 »Schon die auf paulinischen Gedanken aufbauenden Briefe an die Kolosser und Epheser haben Paulus für Kirchenspekulationen ausgewertet, die eindeutig eine einzige ἐκκλησία (τοῦ θεοῦ) zum Ausgangspunkt nehmen, während die Bedeutung der Einzelgemeinden nahezu verschwindet. Paulus ist mit seinen Gemeinden nur Zwischenglied in einer Entwicklung, in welcher er sich nicht zu behaupten vermochte, die ihn vielmehr modifiziert und adoptiert. Er war daran nicht ganz ›schuldlos‹. In seiner theologischen, christologischen und eschatologischen Bestimmung der Gemeinde liegt ein prinzipielles, die Einzelgemeinden transzendierendes Moment; denn was von jeder Gemeinde gilt, gilt für alle, schließlich auch für ›die Kirche‹« (*Hainz,* Ekklesia 363).
39 *Lohmeyer,* Offenbarung 16.

5. Praktische Orientierung der Kirche empfängt von ihrer theologischen Identifizierung Eindeutigkeit. Sie begleitet die Praxis der Kirche auf ihrem Weg durch Zeit und Raum mit in ihm beschlossenen, sich verändernden situationsbedingten Herausforderungen. Von ihnen empfängt sie geschichtliche und situative Beweglichkeit.

6. Die Korrelation von theologischer Identifizierung und praktischer Orientierung macht theologisches Denken beweglich und kirchliche Praxis eindeutig. Sie richtet theologisches Denken auf Praxisfähigkeit und kirchliche Praxis auf Theologiefähigkeit.

2

Rückblick

In unserer Zeit und unserem Raum ist die Volkskirche und ihre Praxis theologischer Ekklesiologie zur Identifizierung und Orientierung aufgegeben. Sie ist Erbin des folgenschwersten Einschnitts in die Geschichte der Kirche nach der Zeit des Neuen Testaments, der Entwicklung zum Staatskirchentum seit Konstantin I. Trotz Reichsteilung, konfessioneller Aufspaltung und Bildung von Nationalstaaten hielt dieses Bündnis von Staat und Kirche in Europa. Die Zugehörigkeit zu einem bestimmten Staat war in der Regel mit der Zugehörigkeit zu einer bestimmten christlichen Kirche verbunden, der durch die Kindertaufe die Generationen zugeführt wurden. Der Staat räumte ihr Privilegien ein und erwartete von ihr die Funktion einer auch seinen Zwecken dienenden *religio publica.* Das Ende der meisten Staatskirchen im 20. Jahrhundert war nicht ihr Ende als Großkirchen. Auch weiterhin blieb die Zugehörigkeit zu ihnen der Regelfall, wurde ihre Regeneration durch die Kindertaufe beibehalten und ihnen die Funktion der Religion der Gesellschaft zugeschrieben. Als Volkskirche mit Merkmalen, die auf die staatskirchliche Vergangenheit zurückverweisen, prägen sie das Gesicht der Kirchen in Westeuropa bis in die Gegenwart. Trotz Auflösungserscheinungen gilt das teilweise auch noch für Osteuropa. Die sich von ihr abspaltenden Freikirchen zeitigten nach einigen Generationen Erscheinungen, die denen der Volkskirche glichen. Das zeigt sich etwa in den USA, in denen es kein Staatskirchentum gegeben hat. Das zeigt sich in unabhängig vom Staat entstandenen Missionskirchen, besonders wenn sie ethnische Gruppen umfassen. Wie die Staats- und späteren Volkskirchen Freikirchen aus sich entließen, so tendieren Freikirchen zu volkskirchlichen Erscheinungsformen. Heute überschneidet sich die Empirie der Volkskirchen und die der Freikirchen in vielen Hinsichten.

Obwohl das Staatskirchentum das Mittelalter bestimmte, obwohl sich die reformatorischen Kirchen in Verbindung mit dem Staatskirchentum ausbildeten, die Staats- und spätere Volkskirche trat als spezifische Herausforderung erst später voll in das Bewußtsein. Zum Anlaß wurde die Entkirchlichung immer weiterer Kreise seit der Aufklärung. Seitdem hat sie Kirche und Theologie nicht mehr losgelassen.

Der folgende Rückblick soll die Genese der Aufgaben und Probleme einer theologischen Ekklesiologie in das Blickfeld rücken, die sich der Einweisung des Neuen Testaments gemäß in unserem Raum gegenwärtig immer noch auf die Volkskirche und ihre Praxis zu beziehen hat. Er setzt mit Schleiermacher ein, der sich als erster evangelischer Theologe der Herausforderung der Volkskirche stellte. Schleiermacher lehnte eigene Lehrstühle für praktische Theologie ab und hielt selber praktisch-theologische Vorlesungen. Er verband in seiner Person die Ekklesiologie der Glaubenslehre mit praktischer Theologie. Die Einrichtung praktisch-theologischer Lehrstühle führte zu einer wissenschaftsorganisatorischen Aufteilung, die der Dogmatik oder systematischen Theologie die ›eigentliche‹ theologische Ekklesiologie reservierte und die praktische Theologie an die empirische Kirche und Praxis verwies. Daß sich die praktische Theologie, von Ausnahmen abgesehen, dieser Einschränkung fügte, hatte zur Folge, daß sie mehr oder weniger zum Ausführungsorgan in der Dogmatik oder systematischen Theologie fallender ekklesiologischer Entscheidungen wurde. Da das Vorbild Schleiermachers in der Dogmatik oder systematischen Theologie insofern weiterwirkte, als von ihm über die ›eigentliche‹ theologische Ekklesiologie hinaus Kompetenz auch für die Gegenstände der praktischen Theologie beansprucht wurde, blieb die Frage latent, ob die Einrichtung einer eigenen praktischen Disziplin in der Theologie ein notwendiger Schritt gewesen sei. Sie ist bis heute nicht eindeutig beantwortet. Der Rückblick wendet sich ihr in der Weise zu, daß er sich auf theologische Ekklesiologien von Dogmatikern oder systematischen bzw. ihnen nahestehenden Theologen beschränkt – unter der Fragestellung, wie sie der Aufgabe einer theologischen Ekklesiologie entsprachen, die sich auf die Volkskirche und ihre Praxis zu beziehen hat, und ob das Ergebnis eine eigenständige praktische Theologie erübrigt oder verlangt.

Sein Interesse ist dann kein primär historisches, sondern ein primär heuristisches. Es weiß um den Zusammenhang zwischen theologischer Ekklesiologie und jeweiliger historischer Befindlichkeit der empirischen Kirche, ist aber auf die Denkstruktur der verschiedenen theologischen Ekklesiologien gerichtet. Es strebt nicht Vollständigkeit, sondern eine repräsentative Auswahl an. Sie repräsentiert zwei sich alternierende Tendenzen, die sich einerseits an Schleiermacher und Hegel, andererseits an Barth anschließen. Beide führen in eine Sackgasse, in der sich die theologische Ekklesiologie gegenwärtig festgefahren hat. Beide enthalten aber auch unentbehrliche Elemente, soll ein Ausweg aus der Sackgasse gefunden werden.

2.1

Die Kirche als Religionsgesellschaft

2.1.1
Friedrich Schleiermacher

Friedrich Schleiermacher verwendet nicht nur den Begriff wahrscheinlich zum ersten Mal[40], er macht auch zuerst auf die »Volkskirche« als ekklesiologische Aufgabe aufmerksam. Bereits in den »Reden« führt er sie auf die Staatskirche zurück. Als die Kirche sich zur gesellschaftlichen Großgruppe entwickelte – »ehe war nie eine religiöse Gemeinschaft groß genug um die Aufmerksamkeit der Herrscher zu erregen« –, haben die »Fürsten« sich ihrer für politische Zwecke »bedient«. Solche »Constitutionsakte politischer Präponderanz auf die religiöse Gesellschaft« räumte dieser zwar »Vergünstigungen« ein und stattete sie »mit besonderen Vorrechten« aus, aber sie mußte dafür einen hohen Preis bezahlen. »Nichts giebt es nun in allen ihren Einrichtungen, was sich auf die Religion allein bezöge, oder worin sie auch nur die Hauptsache wäre«. Zwar übernahm die Kirche die Stellung der anerkannten »Religionsgesellschaft« im Staat, aber sie übernahm gleichzeitig deren Funktion als Mittel für seine Zwecke. Identität von Staatsbürgerschaft und Kirchenmitgliedschaft, »daß die Genossen um des bürgerlichen Vereins willen auch zur frommen Gemeinschaft verbunden« werden, damit aber »gezwungene Mitglieder« sind die weitere Folge. »Viele giebt es« seitdem »unter den Mitgliedern der Kirche, denen es nicht in den Sinn kommt Religion auch nur suchen zu wollen, und die doch Interesse genug haben in der Kirche zu bleiben und Theil an ihr zu nehmen«. So trägt die Staatskirche den Keim der Desintegration von ihrer Entstehung her in sich. Dieses Staatskirchentum hat, mit Ausnahmen, die Reformation übernommen, obwohl die Möglichkeit bestanden hätte, das »Kirchenregiment« »von unten hinauf« zu bauen. Nicht nur »die Bitte« der Wittenberger Reformatoren an den Kurfürsten von Sachsen, »so weit das Kirchenregiment zu übernehmen, daß er an die Stelle eines Bischofs aufsichtsführende Geistliche ernennt«, auch die »Episcopalform« der »nordischen Reiche«, wo »der König die Spitze des Kirchenregiments war und die untergeordneten Episcopalgewalten von ihm ausgingen«, und ebenso die »helvetischen Republiken«, wo »die städtischen Behörden . . . das Kirchenregiment ordneten und in die Hand nahmen«, beurteilt Schleiermacher als Durchsetzung der Reformation von oben, durch

40 *Schleiermacher,* Die christliche Sitte. Anhang 155; vgl. *ders.,* Der christliche Glaube II, § 151/1 (S. 451).

die Repräsentanten des Staates. Mit dem Staatskirchentum handelten sich die Reformationskirchen die gleichen Probleme ein, die es schon vorher belasteten. Obwohl sich zur Zeit Schleiermachers abzeichnete, daß die »Staatskirchen« in »Volkskirchen« münden, d.h. in Großkirchen, die lediglich durch Zugehörigkeit der Mitglieder zu »einerlei Sprache... und zu demselben Volk« gekennzeichnet sind, konstatiert er, daß auch jetzt noch »die Kirche ... im äußeren unter der Staatsgesetzgebung steht«. Er sieht die »Volkskirche« als sprachlich, ethnisch und kulturell »individualisierte Partialorganisation« heraufziehen, aber noch fallen die Schatten der staatskirchlichen Vergangenheit auf sie[41].
Schleiermacher schloß sich an die Funktion der Theologie im Neuen Testament an, wenn er diese »Volkskirche« als ihr aufgegeben annahm. Theologie bezieht sich auf die jeweils geschichtlich gewordene, vorgegebene, empirische Kirche, die sie sich nicht aussuchen kann[42]. »Die theologischen Wissenschaften sind nur solche in Beziehung auf die Kirche und können nur aus dieser verstanden werden«. Auf die geschichtlich gewordene Kirche bezogen ist die Theologie selber geschichtlich. Die Entwicklung von den Gemeinden des Neuen Testaments zu den großen »Volkskirchen« schlägt sich entsprechend in ihr nieder: »Je mehr sich die Kirche fortschreitend entwikkelt, und über je mehr Sprach= und Bildungsgebiete sie sich verbreitet, um desto vieltheiliger organisirt sich auch die Theologie«. Auf die Situation der vorgegebenen, empirischen Kirche bezogen ist sie selber situativ. Deshalb erwähnt Schleiermacher innerhalb der »historischen Theologie« auch die »Aufgabe der kirchlichen Statistik« als »Darstellung des gesellschaftlichen Zustands der Kirche in einem gegebenen Moment«, die sich zwar nicht in dem erschöpft, was wir heute mit solchen Begriffen verbinden, die aber die Hinsichten heutiger Kirchenstatistik und Kirchensoziologie einschließt. Diese Beziehung auf die geschichtlich gewordene, vorgegebene, empirische Kirche spitzt sich schließlich in die »Beziehung« auf deren ebenfalls geschichtlich und situativ bedingte, »bestimmte Praxis« zu mit dem Ziel, »die Praxis so gut als möglich zu machen«. Schleiermachers Bezeichnung der »praktische(n) Theologie« als der »Krone des theologischen Studiums« unterstreicht dieses Ziel. Es strukturiert die »Theile«, die »wissenschaftlichen Elemente« der Theologie, »welche ihre Zusammengehörigkeit ... haben ... sofern sie zur Lösung einer praktischen Aufgabe erforderlich sind«. Es verleiht ihnen ihr Gefälle, unbeschadet des eigenen Rechts aller Disziplinen der »theologi-

41 Ueber die Religion 340ff; Der christliche Glaube II, § 151 (S. 451); Die praktische Theologie 678.665f; Die christliche Sitte. Anhang 155f.
42 »Nur weil sie geschichtlich vor uns liegen, können wir darauf kommen etwas darüber festzusetzen« (Die christliche Sitte a.a.O.). – »Diese Theologie ist nur möglich, weil und sofern sie sich nicht der geschichtlichen Welt des Christentums und ihrer Problematik entzieht ..., sondern sich auf das bezieht, was der verbindliche ... Ort des Christentums in der Welt ist, die Kirche ...« (*Rendtorff,* Kirche und Theologie 164ff).

schen Facultät«[43]. Beides belegt die »Kurze Darstellung des theologischen Studiums« in fast jedem ihrer Paragraphen. Solche auf die geschichtlich gewordene, vorgegebene, empirische Kirche und ihre »bestimmte Praxis« bezogene, auf »so gut als möglich(e)« Praxis zielende, geschichtlich und situativ bewegliche Theologie definiert Schleiermacher als »positive Wissenschaft«. Er grenzt sie damit von der »reinen Wissenschaft« ab, die einen »vermöge der Idee der Wissenschaft nothwendigen Bestandtheil der wissenschaftlichen Organisation« bildet. Diese Abgrenzung teilt sie mit der »positiven Wissenschaft«, »Jurisprudenz« und »Medizin«. Aber sie lebt aus eigenem, unvertretbarem Auftrag. Er ist es, der Schleiermacher, trotz unübersehbarer Begabung und Neigung zur »reinen Wissenschaft« Philosophie, bei der »positiven Wissenschaft« Theologie festhielt[44].

Angesichts einer »Volkskirche«, die das Erbe staatskirchlicher Vergangenheit in sich trägt, stellt sich der auf sie bezogenen »positiven Wissenschaft« Theologie besonders dringlich die Aufgabe ihrer *theologischen Identifizierung*. Denn die Volkskirche hatte die Stellung der anerkannten Religionsgesellschaft im Staat, aber gleichzeitig deren Funktion als Mittel auch für seine Zwecke sowie den Keim der Desintegration infolge der Verbindung von Staatsbürgerschaft und Kirchenmitgliedschaft übernommen. Deshalb ist ihre Identität ständig bedroht. Es ist keine Zustandsbeschreibung, sondern im Gegenteil ein durch den latent oder manifest abweichenden Zustand der Kirche herausgefordertes theologisches Urteil, wenn Schleiermacher feststellt: »Das Christenthum (ist) weder eine politische Religion, noch ein religiöser Staat oder eine Theokratie.« Er fällt es im Zusammenhang der Christologie seines theologischen Hauptwerks, des »Christlichen Glaubens«. Von der Christologie her weist er ekklesiologisch die Kirche als »Religionsgesellschaft« im Staat um ihrer Identität willen in ihre Schranken. Denn der Inhalt der Christologie, Jesus Christus, verleiht der Kirche Identität. Das meint der berühmte Paragraph 11 des »Christlichen Glaubens«, wenn er unter der Überschrift »Darstellung des Christenthums seinem eigenthümlichen Wesen nach« definiert: »Das Christenthum ist eine der teleologischen Richtung der Frömmigkeit angehörige monotheistische Glaubensweise, und unterscheidet sich von anderen solchen wesentlich dadurch, daß alles in derselben bezogen wird auf

43 »Die Praxis der Kirche ist nicht das, wissenschaftlichem Durchdenken eben um solchen praktischen Bezugs willen entgleitende, Moment im Ganzen der Theologie, sondern es gilt umgekehrt: Kein Stück theologischer Erkenntnis ist ohne praktische-theologische Relevanz« (*Fischer*, Beziehung aller Theologie auf die Kirche 175). – »Indem die Theologie alle ihre wissenschaftlichen Elemente dem Inhalte nach den profanen Wissenschaften zugesteht und sich diese Elemente ausschließlich zu einem in der Praxis liegenden Zweck *sucht, findet* sie sich selbst, und zwar als eine durch ein eigenes, keiner Bevormundung unterliegendes Prinzip konstituierte Wissenschaft« (*Jüngel*, Das Verhältnis der theologischen Disziplinen untereinander 44).

44 Die praktische Theologie 7–9.26; Kurze Darstellung, §§ 4.95.1 (S. 6.44.4).

die durch Jesum von Nazaret vollbrachte Erlösung«. Unverkennbar intendiert Schleiermacher theologische Identifizierung auf dem apostolischen »Fundament« der Kirche[45].

Aus ihrer theologischen Identifizierung geht die *theologische Orientierung der Praxis* empirischen Volkskirche hervor. Das zeigt das Gefälle des gesamten »theologischen Studiums« zur »praktischen Theologie« in seiner »Kurzen Darstellung«, das zeigt sich ebenso darin, daß die Gegenstände der »praktischen Theologie« im engeren Sinne auch im »Christlichen Glauben« und in der »Christlichen Sitte« zur Sprache kommen. Die Einengung der praktischen Theologie auf »Technik zur Erhaltung und Vervollkommnung der Kirche«, wobei unter »Technik ... Anweisung wie etwas zu Stande gebracht werden soll« zu verstehen ist, ist zwar fragwürdig[46]. Sie wäre aber mißverstanden, würde übersehen, daß Schleiermacher sich ausdrücklich gegen eine »nur mechanische Vorschrift« wendet. Davor soll sie innerhalb des Gefälles des »theologischen Studiums« der Vor-gang der »historischen« und »philosophischen« Theologie bewahren[47]. Denn es geht ihm durchaus um *theologische Orientierung* der Praxis der empirischen »Volkskirche«. Daß er darüber die theologische Orientierung *der Praxis* der empirischen »Volkskirche« nicht vergißt, macht gerade seine Einengung der praktischen Theologie auf »Technik« offenkundig. Schließlich zielt er auf die theologische Orientierung der Praxis *der empirischen »Volkskirche«*. Zu ihr muß sich die theologische Orientierung der Praxis koextensiv verhalten. Unter Berufung darauf, daß »dies dem gegenwärtigen Zustand unserer Kirche das angemessenste ist«, unterteilt er deshalb die praktische Theologie im engeren Sinne in zwei »Richtungen«, denen er ihre Gegenstände zuordnet:

45 Der christliche Glaube II, § 105 (S. 157); Der christliche Glaube I, § 11 (S. 67). Vom »Fundamentum (Christum)« spricht Schleiermacher in: Die praktische Theologie 57.

46 »Die praktische Theologie macht keinerlei Aussagen über die richtige Fassung der allgemeinen Aufgaben, die der die Kirche bewahrenden und vervollkommnenden Tätigkeit gesetzt sind. Sie ist *reine Methodenlehre* ...« (*Hirsch*, Geschichte, Bd. 5 354 [zu Schleiermacher]). »Es war durchaus folgerichtig, daß er der Praktischen Theologie die ›Kunstlehren‹ zuwies, sie als ›Technik‹ deklarierte und damit zum Schlußpunkt, zur Krone des Studiums erklärte. Aber indem Schleiermacher das Praktische der Praktischen Theologie sonderlich betont, gefährdet und belastet er den Begriff. Im Schleiermacherschen Kosmos wird denn auch ... die Tätigkeit der Praktischen Theologie stark eingegrenzt« (*Bohren*, Zukunftsperspektiven der Praktischen Theologie 396). »Ihre Beschreibung als Kunstlehre weist die Praktische Theologie ›in das Gebiet des Besonderen und Einzelnen‹ und gibt ihr als Technik scheinbar methodische Selbständigkeit den beiden anderen Fächern gegenüber. Diese bilden aber für sich zusammen bereits die ›eigentliche‹ theologische Disziplin, zu der die praktische zwar als Element hinzutreten muß, in der sie aber nicht notwendiges Moment der theologischen Totalität ist; theologisch ist sie solchermaßen abgewertet ... Sie ist keine Instanz theologischen Wissens, sondern eine von kirchlichen Fähigkeiten, Regelwissenschaft« (*Lämmermann*, Kritische oder empirisch-funktionale Handlungstheorie? 88).

47 »Das Ausschließen jener anderen Theile der wissenschaftlichen Theologie aus der praktischen ist nicht ein absolutes sondern ein relatives« (Die Praktische Theologie 26). Die praktische Theologie »setzt die ethische Begründung derselben voraus und behandelt *hauptsächlich* die Technik« (Die christliche Sitte 537. Hervorhebung E. Hübner).

in die »Richtung auf das ganze«, konkret »die evangelische Kirche«, d.h. »das Kirchenregiment«, und in die »Richtung auf die einzelne Localgemeine«, d.h. den »Kirchendienst«.
Der Katalog der einzelnen Praxisfelder im »Christlichen Glauben« nennt den »Dienst am göttlichen Wort«, »Taufe« und »Abendmahl«, das »Amt der Schlüssel«, d.h. »Vergeben der Sünde«, und das »Gebet im Namen Jesu«. Auf den ersten Blick scheint das lediglich die herkömmliche Praxis zu sein. Aber die Perspektive des »Christlichen Glaubens« ist die der »Selbigkeit«, der Übereinstimmung kirchlicher Praxis mit der und ihres Anschlusses an die Schrift. Sie ist das Sachkriterium, »weil die unveränderte Aufbewahrung derselben auf eine eigenthümliche Weise die Identität unseres und des ursprünglichen Zeugnisses von Christo verbürgt«. In ihr finden sich nicht nur die im Katalog aufgezählten verschiedenen Praxisfelder, sie differenziert bereits im »Dienst am göttlichen Wort« zwischen »Lehre und Handreichung«, wobei letztere ebenfalls eine »Darbietung des göttlichen Wortes . . ., nämlich eine Äußerung und Kundgebung der christlichen Bruderliebe durch die That ist«. Dieser Differenzierungsprozeß setzt sich in die Kirchengeschichte hinein fort. Ihn hat die theologische Orientierung der kirchlichen Praxis in der Dialektik von schriftgemäßer »Selbigkeit« und geschichtlicher »Wandelbar«-keit zu begleiten. Determinanten sind hier die »zeitlichen und räumlichen Differenzen« im Verlauf der Kirchengeschichte und, als ihr jeweiliges Ergebnis, »Kenntnisse von dem, was gegeben ist«, »des Zustandes der Kirche«. Solche theologische Orientierung der kirchlichen Praxis geschieht, bezogen auf die geschichtlich gewordene, empirische »Volkskirche«, in der »Christlichen Sitte«, »deren Gegenstände Handlungen sind und Handlungsweisen« aus dem »impetus«, dem »Antrieb« christlicher »Frömmigkeit« unter Berücksichtigung des »Fortschreiten(s) im Gebiete christlichen Handelns«. Als »geschichtliche Wissenschaft« hat sie deshalb »ihren vollen Werth nur für eine gewisse Periode, für eine frühere noch nicht, für eine spätere nicht mehr«. Die »praktische Theologie«, die die »ethische Begründung« voraussetzt und »hauptsächlich die Technik« behandelt, führt sie weiter aus.
Auf den gesamten Umfang der Praxis, den Schleiermacher behandelt, einzugehen, ist hier nicht der Ort. Statt dessen soll an Beispielen gezeigt werden, wie sich kirchliche Praxis bei Wahrung schriftgemäßer »Selbigkeit« angesichts der geschichtlich gewordenen, empirischen »Volkskirche« nach seiner Ansicht wandelt bzw. wandeln müßte. Unterscheidet die »Schrift« im »Dienst am göttlichen Wort« bereits zwischen »Lehre« und »Handreichung«, wobei sie bei »Lehre« zuerst an den »nach außen gerichtet(en)«, »von Christo den Aposteln gegebenen Auftrag«, sprich: die Mission denkt, so ist angesichts der »Volkskirche« hier weiter zu differenzieren. Was die »Verbreitung des Christenthums« betrifft, ist festzustellen: »In der ersten Zeit der christlichen Kirche erscheint uns die Form der Mission als diejenige, durch welche am meisten ausgerichtet wurde, jetzt

dagegen erscheint es umgekehrt, jetzt scheint jeder nur den Beruf zu haben, das Christenthum in seinen häuslichen Verhältnissen fortzupflanzen.« In einer »Volkskirche«, der fast alle angehören und die sich durch die Kindertaufe regeneriert, besteht für die Familien die Aufgabe, »christliche Gesinnung« zu bilden. Kirche und Schule haben sie dabei zu unterstützen. Finden wir von »Christo selbst ... freilich nur die Form der Mission eingesetzt«, unter den Bedingungen der »Volkskirche« muß neben sie eine »andere Form« treten, für die Christus zwar »keinen bestimmten Auftrag« erteilt hat, die aber in der Zielrichtung seines Missionsbefehls liegt. »Thut was ihr könnt, eure Kinder und alle, mit denen ihr sonst in unmittelbarer Berührung seid, zu Christen zu bilden; aber begnügt euch nicht damit, sondern bringt es auch anderen, bringt es allen«. Wie kein anderer Theologe hat sich Schleiermacher mit dem »Religionsunterricht der Jugend«, darüber hinaus mit der »Grundlegung einer Theorie der Erziehung« befaßt, die zu den klassischen Werken der Erziehungswissenschaften zählt. Aber nicht nur den Kindern und Jugendlichen, auch den Erwachsenen gilt das »Handeln« der Kirche, »soweit« sie »sich uns darstellt unter der Form der Schule«. Es ist ein lebenslanger, kontinuierlicher »Steigerungsprozeß«, der über das erste Ziel, die Jugend »fähig« zu machen, »an dem Cultus Antheil zu nehmen«, hinaus auch die Erwachsenen einbezieht, um sie »so weit zu fördern, daß sie ein Recht gewinnen zur Mittheilung ihres Urtheils über alles, was die Vervollkommnung der christlichen Gesinnung darstellt«. Neben den »Religionsunterricht der Jugend« tritt, teilweise zusammen mit der Jugend, die kirchliche Erwachsenenbildung. Sie vollzieht sich in der »Predigt«, soweit sie auch »Belehrung« enthält, in den »öffentlichen Katechesen«, aber ebenso in der »völlig formlosen Art des religiösen Gesprächs im Umgange«. So wichtig ist Schleiermacher im Blick auf die Erwachsenen gerade letzteres, daß er die Organisation »religiöse(r) Geselligkeit in der Kirche« fordert.
Inhaltlich geht es im »Steigerungsprozeß« der Kirche »unter der Form der Schule« zunehmend um »ein gemeinschaftliches Aufsuchen der Wahrheit« zur Gewinnung »christliche(r) Erkenntniß«. Sie hängt von zwei Determinanten ab. Die eine ist die Sprache. Denn »christliche Erkenntniß« schlägt sich in einer »ganz neue(n) Form der Gedankenbildung« nieder, die nicht »bestehen« kann »ohne eine veränderte Sprachbildung«, ja »durch Bildung einer eigenen Sprache«. Schon der Schleiermacher der »Reden« stellt selbst bei den »gebildeten« Zeitgenossen Sprachverlust in dieser Hinsicht fest. Sprachverlust ist aber immer Erkenntnisverlust. Deshalb ist Kirche »als Schule nothwendig als beständige Institution« zur »Erhaltung der eigenthümlichen Sprache, in welche jeder seine Denkweise hineinbilden muß«. Die andere Determinante ist der Geist der Nachaufklärungszeit. Nicht nur der historisch, philosophisch, naturwissenschaftlich »gebildete« Zeitgenosse ist zum »Verächter« der »Religion« geworden, deren Lehren ihm »ungereimt und vernunftwidrig« erscheinen. Schleiermacher ahnt die Heraufkunft einer Zeit, »wo die Geheimnis-

se der Geweiheten nur in der Methode und in dem Detail der Wissenschaften liegen, die großen Resultate aber sehr bald allen helleren und umsichtigen Köpfen auch im eigentlichen Volk zugängig werden«. Angesichts dieser Herausforderung sieht er von den »Reden« an paradigmatisch seinen »Beruf« im »Mittleramt«. Er will unter ihren Bedingungen »Zeugnis ablegen« von der »Religion«. Deshalb hält er es für unzumutbar, »die Gültigkeit des Christenthums anzuerkennen, wenn es« der »Wissenschaft« »entgegenstrebte«, weist aber gleichzeitig den Vorwurf zurück, »daß mein Glaube an Christum von dem Wissen oder der Philosophie her sei«. Nicht nur sein theologisches, auch sein philosophisches Werk[48], aber auch seine gesellschaftlichen und politischen Ausführungen, insbesondere in der »Christlichen Sitte«, sind auch als Praxis des theologischen Schriftstellers als Vermittler zu würdigen. Dem theologischen Schriftsteller hat er dann auch einen eigenen Abschnitt in der »Praktischen Theologie« gewidmet.

Abgesehen von letzterem, dessen Tätigkeit ihn übergreift, sind die skizzierten Beispiele dem auf die »Localgemeine« bezogenen »Kirchendienst« zuzurechnen. Unter anderen in ihnen äußert sich das Leben von »Gemeinden«, die »gut sein werden in dem Maaß«, »in welchem alle zur Förderung des christlichen Lebens nothwendigen Gaben vorhanden, und alle übertragbaren Geschäfte gleichmäßig verteilt sind«. Schleiermacher blickt unter der Perspektive schriftgemäßer »Selbigkeit« dabei auf die charismatische Gemeinde von 1Kor 12,4ff und Röm 12,3–6, die »wahre Einheit ..., durch welche eben die Menge der Christen auch eine Einheit wird, und die vielen einzelnen Persönlichkeiten ein wahres Gesamtleben oder moralische Person«. Daran schließt die »Theorie« der »praktischen Theologie« unter den Bedingungen der »Volkskirche« an. Den in ihrer Vorgeschichte ausgebildeten »Klerus« stuft sie bewußt auf eine lediglich »besondere Function in der Kirche, welche bestimmten Personen übertragen ist«, zurück, »der Geistliche ist« im übrigen auch nur »ein Glied der Gemeine«. Sein »Kirchendienst« zielt auf »den einzelnen« zwecks »selbstthätiger Ausübung des Christenthums«, d.h. seiner Befähigung, »zur Förderung des christlichen« Lebens der Gemeinde »selbstthätig« beizutragen. Anders als der »Kirchendienst« ist das »Kirchenregiment«, das andere Teilgebiet der Praxis der »Volkskirche«, im Neuen Testament erst angelegt. Zu ihr zählt unter anderem alles, was das »Verhältnis der Kirche zum Staat« betrifft. Aus der in der theologischen Identifizierung enthaltenen Kritik an der Staatskirche geht die theologische Orientierung dieser Praxis hervor: »Die gänzliche Unabhängigkeit der Kirche vom

48 »Die Dialektik ist ... Elenktik, Kunst der Überführung«. »Sie ist nicht Theologie ..., sondern Rede des Theologen auf dem philosophischen Areopag, Rede von jener Gattung also, die nicht nur der lukanische Apostel gepflegt (Apg 17,16ff), sondern zu der auch der authentische Apostel den Grund gelegt hat (Röm 1,19f). Der Gebrauch, den sie von der Vernunft macht, kann sensu stricto als usus elenchticus begriffen werden« (*Reuter,* Dialektik Schleiermachers 53.269).

Staat ist freilich an und für sich das wünschenswerte Verhältnis«. Aber ausschließlich »nach Principien« können »Collisionen« zwischen Staat und Kirche »nicht gelöst werden«. »Es gehört eine praktische Weisheit dazu, um das Verhältnis der Kirche zum Staat dem richtigen näher zu bringen«. Dieser Satz läßt sich in Schleiermachers Sinn auf die gesamte theologische Orientierung der Praxis der »Volkskirche« übertragen. Bis zum Kompromiß hin ist für ihn das nur scheinbar Selbstverständliche, Praktikabilität, der Prüfstein, ob sie wirklich bis zur Praxis hin durchdacht ist[49].

Alle Ausführungen Schleiermachers beziehen die Praxis der »Volkskirche« auf den »h.(eiligen) Geist«, »dessen wir uns als durch Christum mitgetheilt bewußt sind«. Sein Kommen ist dem »auf die Schrift«, die die apostolischen »Darstellungen Christi« enthält, »zurükkgehenden oder mit derselben im Sinn und Geist übereinstimmenden«, »lebendigen« »Zeugnis von Christo« verheißen. Sein Kommen begrenzt es aber auch. Dadurch, »daß die Predigt des Evangeliums zu ihnen gelangt«, »schreiben wir den heiligen Geist noch nicht als ihnen mitgetheilt oder ihnen einwohnend und sie treibend zu«. Das »Zeugnis von Christo« in Praxis und Theorie blickt nach dem verheißenen »heiligen Geist« als »Agens« des Lebens der Kirche aus. Der »heilige Geist« setzt ihm aber gleichzeitig Grenzen. In ihren Grenzen, diesseits des Wirkens des »heiligen Geistes«, sind kirchliche Praxis und Theorie unentbehrlich und des vollen Einsatzes wert. »Daraus folgt unmittelbar, daß alle Regeln welche in der praktischen Theologie aufgestellt werden können durchaus nicht productiv sind, d.h. daß sie einen nicht zum handelnden machen, die Handlung nicht hervorrufen, sondern wenn er sich dazu bestimmt findet die Vollbringung derselben im einzelnen auf die richtige Weise leitet«[50].

Schleiermachers Konzeption einer sich in theologische Identifizierung der geschichtlich gewordenen, empirischen Volkskirche und theologische Orientierung ihrer Praxis zuspitzenden »positiven Wissenschaft« Theologie ist richtungweisend. Aber sie steht hinter einem folgenschweren Vorzeichen. Es verändert die Werte in der Klammer. Daß es bisher außer Betracht blieb, entspricht einer Erwägung, die Schleiermacher selber angestellt hat. Im »Zweiten Sendschreiben« »ueber seine Glaubenslehre« an »Herrn Dr. Lücke« spielt er mit dem Gedanken, ob er »mit dem jezigen zweiten Theil anfangen und mit dem ersten schließen« solle. Anlaß war

49 Die praktische Theologie 25f.18.350.292.720ff.62f.64.526f.664.668.676; Kurze Darstellung, §§ 30.274.311 (S. 16.108.121); Der christliche Glaube II, §§ 127.126.134.121 (S. 316.318ff.313ff.356ff.284); Die christliche Sitte 537.20ff.68f.379f.387ff.396f.393f; Ueber die Religion 156f.159.151ff; Zweites Sendschreiben 612f.616.

50 Der christliche Glaube II, §§ 121.127.116 (S. 286.318f.244); Die christliche Sitte 518; Die praktische Theologie 31. – »alles . . . in optimam partem deutend, möchte ich mit der Möglichkeit rechnen, daß eine Theologie des Heiligen Geistes das Schleiermacher schwerlich bewußte, aber ihn faktisch beherrschende Anliegen . . . seiner theologischen Aktion gewesen sein möchte« (*Barth*, Nachwort 291).

die schon damals geäußerte Kritik, der »erste« Teil stelle die Absicht des »zweiten Theils«, zu entfalten, »daß Christen ihr gesammtes Gottesbewußtsein nur als ein durch Christum in ihnen zu Stande gebrachtes in sich tragen«, in Frage. Schleiermacher fühlte sich von dieser Kritik »gänzlich mißverstanden«. Eine Umstellung um der Unmißverständlichkeit willen blieb aber Gedankenspiel. Hier ist sie insofern vollzogen, als bisher, soweit es den »Christlichen Glauben« betrifft, nicht auf dessen »ersten«, sondern, bis auf eine Ausnahme, auf den »zweiten Theil« Bezug genommen wurde. Dabei zeigte sich unverkennbar die Absicht Schleiermachers, ekklesiologisch und praktisch-theologisch auf dem apostolischen »Fundament« zu denken. Dabei zeigt sich aber auch, daß, um diese Absicht zu erheben, Ausführungen ausgeblendet werden müssen, die sie wiederum bis zur Aufhebung relativieren. In ihnen wirkt sich die »Einleitung« als Vorzeichen des »zweiten Theils« des »Christlichen Glaubens« aus. Nach Schleiermachers eigenen Worten verhält sie sich auch keineswegs beziehungslos zu ihm, sondern ist »eine vorläufige Orientierung«. Seine Versicherung, sie liege »genau genommen, ganz außerhalb unserer Disciplin«, der materialen »Glaubenslehre«, ist dann aber nicht stimmig. Vielmehr gehört sie »zum Gebäude selbst ... als Eintritt und Vorsaal«, der durchschritten werden muß, um der dahinter liegenden Räume ansichtig zu werden; sie ist der zwar »unausgefüllte Rahmen«, der aber das Bild umschließen wird[51].

Gleich zu Beginn, im zweiten Paragraphen, dem Auftakt des ersten Kapitels der »Einleitung«, zeigt sich das ekklesiologische Gefälle von Schleiermachers »Christlichem Glauben«. »Dogmatik« hat »lediglich auf die christliche Kirche ihre Beziehung«. Es kann aber »nur erklärt werden was sie ist, wenn man sich über den Begriff der christlichen Kirche verständigt hat«. Er ist »nur richtig zu erzielen ... durch den *allgemeinen* Begriff der Kirche überhaupt«. Danach erfolgt seine Verbindung »mit einer richtigen Auffassung der Eigenthümlichkeit des christlichen«. Die »Einleitung« geht demnach den Weg vom Allgemeinen zum Besonderen, zur »Eigenthümlichkeit der christlichen« Kirche. Die Paragraphen 3 bis 10 behandeln den *»allgemeinen«* »Begriff der Kirche«, die Paragraphen 11 bis 14 die »Darstellung des Christenthums seinem eigenthümlichen Wesen nach«.

Den »*allgemeinen* Begriff der Kirche« erheben die Paragraphen 3 bis 10 durch »Lehnsätze« aus der »Ethik«, d.h. bei Schleiermacher der »Wissenschaft der Geschichtsprincipien«, und der »Religionsphilosophie«,

51 Zweites Sendschreiben 605ff. Es ist »ganz unmöglich ..., Schleiermachers Beteuerungen (an Lücke und in § 1) Glauben zu schenken und diese 3 x 4 Paragraphen nur als eine Art Haustreppe zu betrachten, die mit dem Inhalt der Dogmatik selbst noch gar nichts zu tun habe. Im Gegenteil: hier handelt es sich, das hat das ganze 19. Jahrhundert sehr richtig empfunden, um den eigentlichen *Inhalt* dieser Dogmatik, zu dem sich Alles, was nachher kommt nur noch als Analyse, man könnte auch sagen: als vaticinatio post eventum verhält ...« (*Barth*, Die Theologie Schleiermachers 375).

»eines besonderen Zweiges der wissenschaftlichen Geschichtskunde«, auch wenn sie »nicht auf einem so allgemein geltenden wissenschaftlichen Verfahren« ruht. Sie erheben ihn demnach durch Entlehnungen aus am Maßstab der Allgemeingültigkeit ausgewiesenen, außertheologischen Wissenschaften. Ihre Methode ist seit Aristoteles die induktive Erschließung eines All-gemeinen in der Vielfalt[52]. »Wenn ... die Ethik den Begriff der Kirche aufstellt: so kann sie ... an dem, was die Basis dieser Gemeinschaften ist, das sich überall gleiche von dem, was sich als eine veränderndeGröße verhält, absondern ...«. Analog unterscheidet nach der »Kurzen Darstellung« die »Religionsphilosophie« die »Wechselbegriffe des natürlichen und positiven«, »wovon jener das gemeinsame aller, dieser die Möglichkeit verschiedener eigenthümlicher Gestaltungen desselben aussagt«. Das auf diese Weise induktiv erschlossene All-gemeine ermöglicht eine Klassifizierung der »Kirchen«. Sie umfassen bei Schleiermacher nicht nur die christliche, sondern »jede ... relativ abgeschlossene fromme Gemeinschaft«. Das All-gemeine wird induktiv erschlossen, »um so durch eine Eintheilung des ganzen Gebietes die Oerter zu bestimmen, in welchen die individuellen Gestaltungen, sobald sie geschichtlich aufgefunden sind, eingestellt werden können«. Schleiermacher spricht hier bereits an, was sich später als Religionssoziologie wissenschaftsorganisatorisch ausdifferenzierte. Aber seine Induktion intendiert ausdrücklich nicht die »bloß empirische Auffassung«, sondern über sie hinaus »das Wesentliche«, an welchem die »individuelle Gestaltung« Christentum »seinem eigenthümlichen Wesen nach« Teil hat[53].

Das All-gemeine, an dem alle Religionsgesellschaften Teil haben, ist die »Frömmigkeit« oder das »fromme Selbstbewußtsein«. »Daß eine Kirche nichts anderes ist als eine Gemeinschaft in Beziehung auf die Frömmigkeit«, gilt nicht nur von der evangelischen, sondern von allen christlichen und über sie hinaus von »frommen Gemeinschaften« bzw. »Kirchen«, von Religionsgemeinschaften überhaupt. Dieses All-gemeine ist »ein der menschlichen Natur wesentliches Element« sowohl »für jeden einzelnen Menschen« als auch, infolge des »jedem Menschen innewohnenden Gattungsbewußtseins«, als »Basis einer Gemeinschaft«. Es ist ihr ihnen inhärentes Wesen. »Frömmigkeit« ist »eine Bestimmtheit des Gefühls«. Nicht in jeder, aber in dieser »Gebrauchsweise« ist »Gefühl«, »ein geliehenes aus der Seelenlehre«, dem »Selbstbewußtsein«, »einer genaueren Bestimmung« »für die wissenschaftliche Sprache«, gleichzustellen. Denn »Frömmigkeit« als »Bestimmtheit des Gefühls« ist kein »bewußtlose(r)«

52 Es geht um das »Eine *außer* den vielen, das als Eines zugleich *in* allen ist ...; man nimmt das Einzelne wahr, aber die Wahrnehmung geht auf ein allgemeines Objekt ... Man sieht also, daß wir die ersten Prinzipien durch Induktion kennen lernen müssen (δῆλον δὴ ὅτι ἡμῖν τὰ πρῶτα ἐπαγωγῇ γνωρίζειν ἀναγκαῖον). Denn so bildet die Wahrnehmung uns das Allgemeine ein« (*Aristotle*, Posterior Analytics 258ff. Übersetzung E. Rolfes 106f).

53 Der christliche Glaube I, §§ 2.3.11.7.6 (S. 3.4 [Hervorhebung E. Hübner]. 5f.9. 67.38.36); Kurze Darstellung, §§ 35.43.39 (S. 18.22.20).

Zustand, sondern »frommes Selbst*bewußtsein*«. Im Unterschied zum »durch die Betrachtung seiner selbst vermittelt(en)«, »gegenständlichen Bewußtsein von sich selbst« ist es nicht gegenständlich vermittelt, sondern »unvermitteltes«, »*unmittelbares* Selbstbewußtsein«. Außer im »Gefühl« manifestiert sich der Mensch in »Wissen« und »Thun«. »Jeder wirkliche Moment des Lebens« ist ein »zusammengesetztes« aus diesen »dreien«. Schleiermacher bestimmt ihr Verhältnis in einem ersten Schritt mit Hilfe der Lebensvollzüge »Insichbleiben und Aussichheraustreten des Subjects«. Während »Thun« »Aussichheraustreten« des »Subjects« ist, »Wissen« »als Erkennen« »Aussichheraustreten«, »als Erkannthaben« »Insichbleiben«, ist »Gefühl« »gänzlich ein Insichbleiben«. Denn es ist »ganz und gar . . . Empfänglichkeit«. Es wird ganz und gar bestimmt. In der »Bestimmtheit des Gefühls« bzw. des »unmittelbaren Selbstbewußtseins« empfängt das »Subject« Mensch seine »Einheit«, seine Identität im »Wechsel von Insichbleiben und Aussichheraustreten«, von »Thun« und »Wissen«. Das »unmittelbare Selbstbewußtsein vermittelt den Übergang zwischen Momenten worin das Wissen und solchen worin das Thun vorherrscht«. »Frömmigkeit« als »Bestimmtheit des Gefühls« bzw. des »unmittelbaren Selbstbewußtseins« bewirkt solche das »Wesen des Subjectes« Mensch konstituierende »Einheit« in Selbigkeit und Ganzheit. Aber Schleiermacher bleibt hier nicht stehen. Ihn drängt es über die religionspsychologische Funktion der »Frömmigkeit« hinaus zum »sich selbst gleichen *Wesen* der Frömmigkeit«. Ihm nähert er sich mit Hilfe des sich in »Abhängigkeitsgefühl« und »Freiheitsgefühl« auseinanderlegenden zeitlichen »Selbstbewußtseins«. In ihm, dem »Bewußtsein unseres Seins in der Welt und unseres Zusammenseins mit der Welt«, gibt es »Abhängigkeitsgefühl« und »Freiheitsgefühl«. Sie sind immer gegenständlich durch »ein anderes« vermittelt. Überwiegt das »Irgendwohergetroffensein der Empfänglichkeit«, bestimmt sie das »Selbstbewußtsein« so, »daß wir uns als abhängig fühlen«. Überwiegt die »regsame Selbstthätigkeit«, durch die »anderes durch uns bestimmt wird«, bestimmt sie das »Selbstbewußtsein« als »Freiheitsgefühl«. Weil immer gegenständlich vermittelt, gibt es im »zeitlichen Selbstbewußtsein« nur jeweils überwiegendes, nur »getheilte(s) Freiheitsgefühl und Abhängigkeitsgefühl«. Es gibt in ihm weder »schlechthiniges Abhängigkeitsgefühl« noch »schlechthiniges Freiheitsgefühl«. Damit ist der zentrale Begriff in Schleiermachers Argumentation benannt: das »schlechthinige Abhängigkeitsgefühl«. Nicht im gegenständlich vermittelten »zeitlichen Selbstbewußtsein«, wohl aber im nicht gegenständlich vermittelten, »unmittelbaren Selbstbewußtsein« ist es gegeben. Als »Bewußtsein schlechthiniger Abhängigkeit« schließt es das Bewußtsein ein, »daß unsere ganze Selbstthätigkeit ebenso von anderwärtsher ist«, damit »schlechthiniges Freiheitsgefühl« aus. Schleiermacher erreicht das Ziel seiner Argumentation, wenn er erklärt, dieses »schlechthinige Abhängigkeitsgefühl« werde »nur ein klares Selbstbewußtsein«, wenn das in ihm »mitgesetzte Woher unseres empfänglichen und selbstthätigen Daseins durch den Ausdrukk Gott bezeichnet« wird. Die »höchste Stufe des unmittelbaren Selbstbewußtsein« ist »Gottesbewußtsein«. Es ist die »ursprüngliche Offenbarung Gottes an den Menschen oder in den Menschen«. Das »sich selbst gleiche Wesen der Frömmigkeit«, »daß wir uns unserer selbst als schlechthin abhängig« bewußt sind, besagt, daß wir uns »als in Beziehung mit Gott bewußt sind«. Auf dieses »gemeinsame« »Wesen« wie aller individuell »noch so verschiedenen Aeußerungen der Frömmigkeit«, so aller sozial »verschiedenen in der Geschichte hervortretenden bestimmt begrenzten frommen Gemeinschaften« zielt Schleiermachers Induktion. Das »Wesen der Frömmigkeit«, »die Religiosität schlechthin« oder, obwohl Schleiermacher diesen Ausdruck zu vermeiden sucht, die »natürliche Religion«, ist identisch mit einem »Gottesbewußtsein« des Menschen. Als ihnen inhärentes Wesen ist es das Fundament aller »positiven« Religionsgesellschaften einschließlich der christlichen Kirche[54].

Schleiermacher bleibt noch im Umkreis eines »*allgemeinen* Begriff(s) der Kirche«, wenn er das induktiv erschlossene »gemeinsame« »Wesen« als Maßstab zur Klassifizierung der »Verschiedenheiten der frommen Gemeinschaften überhaupt« benutzt. Methodisch bewegt er sich dabei im korrelativen Zirkel von Induktion und Deduktion: Ihr induziertes »Wesen« wird nunmehr in Umkehrung auf die »frommen Gemeinschaften« deduziert, um das Unterscheidende hervortreten zu lassen. Die so erhobenen »wesentlicheren Unterschiede« sind von den »nur auf empirische Weise« gewonnenen zwar abzuheben, schließen sie aber ein. Der Paragraph 7 generalisiert folgendermaßen: »Die verschiedenen in der Geschichte hervortretenden bestimmt begrenzten frommen Gemeinschaften verhalten sich zueinander als verschiedene Entwikklungsstufen, theils als verschiedene Arten«. Es ist der Entwicklungsgedanke, der die Religionsgesellschaften in direkter Entsprechung von Entwicklungsgeschichte und Entwicklungspsychologie vom der »thierartig verworrenen« »Stufe des Selbstbewußtseins« entsprechenden »Götzendienst« bis zum der »höchste(n)« »Stufe des Selbstbewußtseins« entsprechenden »Monotheismus« hierarchisiert. Die »frommen Gemüthszustände« arbeiten sich in einem Entwicklungsprozeß immer mehr »im bewußten Gegensaz mit den Bewegungen des sinnlichen Selbstbewußtseins zur Klarheit heraus«. Auf der »höchste(n)«, der »monotheistischen« »Stufe«, zu der »sich alle anderen verhalten . . . wie untergeordnete«, greift der Entwicklungsgedanke dann auf die »Arten« über. Die monotheistischen Religionsgesellschaften stehen als Art oder »Gattung« zwar »auf gleicher Entwikklungsstufe«, aber die Entwicklung ist damit nicht abgeschlossen. Am Beispiel von

54 Der christliche Glaube I, §§ 3.6.5.4.7.10 (S. 6ff.9f.32f.22.15f.18ff.37f.61 Hervorhebungen E. Hübner). »Es gibt nach Schleiermacher keine Religion an sich, keine natürliche Religion. Oder vielmehr, genauer ausgedrückt: die natürliche Religion, jenes ursprüngliche Frommsein, das mit jener ursprünglichen Gottesoffenbarung zusammenfällt, ist je und je nur in bestimmter, konkreter, zeitlicher Weise wirklich« (*Barth*, Protestantische Theologie 420).

Tier-»Gattungen«, die ebenfalls auf »derselben Stufe einander gleich sind«, erläutert Schleiermacher, daß »die eine sich mehr der höheren nähert und insofern vollkommener ist als die andere«. So sind die monotheistischen Religionsgesellschaften um so vollkommener, je mehr sie den »Vollendungspunkt des Selbstbewußtseins«, das »Bezogenwerden des sinnlich bestimmten auf das höhere Selbstbewußtsein in der Einheit des Moments«, darstellen. Das ist bei denen der Fall, die »in Bezug auf die frommen Erregungen ... das natürliche in den menschlichen Zuständen dem sittlichen ... unterordnen«, beim »Typus« »teleologischer Frömmigkeit«. Er leistet einen »werkthätige(n) Beitrag zur Förderung des Reiches Gottes«, dem Ziel, dem das »der menschlichen Natur wesentliche« »Gottesbewußtsein« in individueller »Frömmigkeit« wie sozialen »frommen Gemeinschaften« in Biographie und Geschichte entgegenstrebt. In quantitativer Steigerung[55] wird es auf »der höchsten Stufe«, in den monotheistischen Religionsgesellschaften des »teleologischen Typus«, manifest und weist gleichzeitig über sich hinaus. Die Entwicklung bleibt nach vorne offen, unabgeschlossen. Die Einstufung aller Religionsgesellschaften in diesen quantitativen Entwicklungsprozeß hat notwendig die Relativierung ihrer Unterschiede zur Folge. Schleiermacher übersieht nicht, daß besonders in den »frommen Gemeinschaften der höchsten Stufe« »nur scheinbar etwas ganz dasselbe sein kann wie in den anderen«. Es ist aber »auch das nur ein Schein, daß in jeder Glaubensweise etwas sei was in der anderen gänzlich fehle«. Es handelt sich in ihnen um relative, »individuelle Unterschiede«, d.h. »daß in allen zwar dasselbe sei, aber in jeder alles auf andere Weise«. Die gleiche Relativierung zeigt die Ablehnung der Attribute »wahr« und »falsch« zur Unterscheidung von Religionsgesellschaften. Der »ganzen Darstellung« liegt »die Maxime zu Grunde, daß der Irrthum nirgend an und für sich ist, sondern immer nur an dem wahren«. Ebenso relativiert Schleiermacher den »Begriff« »Offenbarung«. Eine »Anwendung«, die »geltend machen will gegen die übrigen«, »daß ihre göttliche Mittheilung reine und ganze Wahrheit sei, die andern aber falsches enthalten«, schließt er aus. Denn alle geschichtlichen »Offenbarungen« sind relativ zu dem allen Religionsgesellschaften inhärenten »Wesen«, dem »Gottesbewußtsein« als der »ursprünglichen Offenbarung Gottes an den Menschen und in den Menschen«[56]. Es ist bereits das »Christenthum«, auf das er in dem allen blickt – das »Christenthum«, in dem auf der »höchsten«, der »monotheistischen Stufe« »der teleologische Typus am meisten ausgeprägt«, das deshalb die vollkommene Religionsgesellschaft ist[57].

55 »Es geht ... um Quantitatives, um die Feststellung und Steigerung des vorhandenen unmittelbaren Gottesbewußtseins« (*Schellong,* Bürgertum 41).

56 »Eine Kundmachung Gottes, die an uns und in uns wirksam sein soll, kann nur Gott in seinem Verhältnis zu uns aussagen; und dies ist nicht eine untermenschliche Unwissenheit über Gott, sondern das Wesen der menschlichen Beschränktheit in Beziehung auf ihn« (Der christliche Glaube I, § 10 [S. 66f]).

57 Der christliche Glaube I, §§ 7.9.8.5.10 (S. 38f.39f.41f.51.53f.56.44f.42.24.58f.66).

Schleiermachers *theologische Identifizierung* der zur »Volkskirche« gewordenen empirischen Kirche, seine »Darstellung des Christenthums seinem eigenthümlichen Wesen nach«, geht direkt aus der hierarchisierenden Klassifizierung des »allgemeinen Begriff(s) der Kirche« hervor. Auch beim »Christenthum« handelt es sich um ein von dem, was »in allen« Religionsgesellschaften »dasselbe« ist, abgeleitetes, »eigenthümliche(s) Wesen«, um das ihnen allen inhärente »Gottesbewußtsein« des Menschen, das sich aber quantitativ unterscheidet und geschichtlich individualisiert. Von daher bestimmt Schleiermacher sein Proprium, daß in ihm »alles ... bezogen wird auf die durch Jesum von Nazaret vollbrachte Erlösung«. Die Entfaltung des Leitsatzes des Paragraphen 11 der »Einleitung« beginnt nicht mit »Jesus von Nazaret«, sondern mit der »Erlösung«. Sie setzt »Erlösungsbedürftigkeit« voraus, einen »Zustand« des »Gottesbewußtseins«, in dem »die Lebendigkeit des höheren Selbstbewußtseins gehemmt oder aufgehoben ist«. Seine »höchste Stufe« ist die »Gottlosigkeit oder besser (!) Gottvergessenheit«. Der »zweite Theil« des »Christlichen Glaubens« führt folgerichtig zur »Sünde« als »Abwendung von Gott« aus, sie sei als »Gebundenheit des schlechthinigen Abhängigkeitsgefühls keine eigentliche Nullität desselben«. Mit solcher Quantifizierung der Sünde korrespondiert die Quantifizierung der Erlösung. Sie ist ebenfalls ein »Zustand« des »Gottesbewußtseins«, »das jedesmalige leichte Hervortreten« des »höheren Selbstbewußtseins«, der »leichte Verlauf jenes höheren Lebens«, mit einem Wort: die im »Zustand« der Sünde »nicht vorhandene Leichtigkeit ..., das Gottesbewußtsein in den Zusammenhang der wirklichen Lebensmomente einzuführen und darin festzuhalten«. Mit solcher Quantifizierung der Erlösung korrespondiert schließlich die Quantifizierung des Erlösers. Erst jetzt tritt »Jesus von Nazaret« auf den Plan. Er ist der »Erlöser«, weil er, im Unterschied zu »alle(n) anderen Menschen«, »auf keine Weise selbst als erlösungsbedürftig« zu denken, sondern ihm, wie es im »zweiten Theil« des »Christlichen Glaubens« heißt, »ein schlechthin kräftiges Gottesbewußtsein« zuzuschreiben ist. Es ist seine »erlösende Kraft«. Mit ihm gibt er »Impulse«, die den »Zustand« der Erlösung in »alle(n) anderen Menschen« zu bewirken vermögen. Eben das ist »seine erlösende Thätigkeit«. In dieser Interpretation der Zwei-Naturen-Lehre spricht Schleiermacher von einem »Sein Gottes in ihm«. Ihm liegt daran, daß Jesus »allein der Andere« sei, »in welchem es eigentliches Sein Gottes giebt«. In dieser Interpretation ist er »Offenbarung Gottes«. Schleiermacher liegt daran, »daß im Vergleich mit ihm alles, was sonst für Offenbarung gehalten werden kann, diesen Charakter wieder verliert«. Aber läßt sich eine Exklusivität des »Seins Gottes in ihm« behaupten, wenn »in der menschlichen Natur die Möglichkeit« liegt, »das göttliche, wie es eben in Christo gewesen ist, in sich aufzunehmen«? Läßt sich die Unvergleichlichkeit der »Offenbarung Gottes« in ihm, vor der alle anderen ›Offenbarungen‹ diesen Charakter verlieren, aufrechterhalten, wenn jede geschichtliche »Offenbarung« »eine Wirkung der unsrer Natur als Gattung einwohnenden Entwicklungskraft« ist, »welche . . . sich in einzelnen Menschen an einzelnen Punkten äußert, um durch sie die übrigen weiter zu fördern«? Und von der Christologie in die Ekklesiologie gewendet: Läßt sich alleine für das »Christenthum« die »Erlösung« als »eigenthümliche(s) Wesen« reklamieren, wenn »sich die Anerkennung eines solchen Zustands«, des zur »Gottvergessenheit« geminderten »Gottesbewußtseins«, und die ›Abzweckung‹, »ihn selbst aufzuheben«, »in allen frommen Gemeinschaften« findet? Schleiermacher setzt sich gegen eine Relativierung des »Erlösers« »Jesus von Nazaret« und seiner Kirche immer wieder zur Wehr. Anders als das von ihm intendierte apostolische »Fundament« erlaubt aber das tatsächlich religionsphilosophische ›Fundament‹ eines all-gemeinen »Gottesbewußtseins« des Menschen als allen Religionsgesellschaften inhärentes »Wesen« keine qualitativen, sondern lediglich quantitative und d.h. immer nur relative Unterscheidungen. Auf ihm läßt sich die zur »Volkskirche« gewordene empirische, christliche Kirche nicht einmal als vollkommene *Religions*gesellschaft stringent identifizieren[58].

Die aus ihrer theologischen Identifizierung hervorgehende *theologische Orientierung der Praxis* der empirischen Volkskirche richtet sich ebenfalls auf das »Gottesbewußtsein« des Menschen. Schon in den »Reden« geht es darum, durch »religiöse Erregungen« als »Aeußerungen« der »eigenen Religion« die »religiöse Anlage«, mit der der Mensch »geboren« wird »wie mit jeder anderen«, »in andern« ›aufzuregen‹. Ziel der Praxis einer christlichen Kirche muß es sein, das »Gottesbewußtsein« auf die Stufe der »Leichtigkeit« anzuheben, die der »Erlöser« »Jesus von Nazaret« eröffnet hat. Seinetwegen muß der »Dienst am göttlichen Wort« »schriftgemäß« sein, müssen in der Predigt »alle einzelnen Gedanken ihr biblisches Fundament haben«. Aber nicht »κήρυγμα«, »Verkündigung«, Zeugnis von Jesus Christus, sondern »Zeugniß« von der »Bestimmtheit des frommen Selbstbewußtseins« durch ihn, der »eigenen Erfahrung« mit ihm, sich selbst »darstellende(s) Handeln« geben von vornherein den Ton an. Zwar weist Schleiermacher mit Recht auf die Bedeutung der »Erfahrung« für die Verkündigung hin, ordnet ihr aber die Kunde von Jesus Christus so unter, daß sie ausschließlich in ihrem Medium zu Wort kommt.

58 Der christliche Glaube I, §§ 11.14.63.5.13 (S. 67.88.70.74.71.76.349.351.29.81f); Der christliche Glaube II, §§ 94.100 (S. 42f.94) – »Merkwürdig und lehrreich ist allerdings die Tatsache, daß Schleiermacher überhaupt und mit welcher Vehemenz er gerade im Mittelpunkt seines christlichen Glaubensbegriffs eine Christologie entwickelt . . . Es ist, wie wenn er in seiner Lehre vom Erlöser . . . in fast krampfhafter Christlichkeit nachholen und gutmachen möchte, was er in der Lehre von der Erlösung in dieser Hinsicht versäumt hat. Aber Schleiermacher versichert uns laut genug, daß diese beiden Lehren nun einmal nicht zu trennen sind . . . Ist nun die Erlösung jenes amphibolische Mehr oder Weniger, was ist dann der Erlöser? . . . Steht nicht von vornherein zu erwarten . . ., daß auch die scheinbare Absolutheit jener christologischen Bestimmungen sich in Schein auflösen wird?« (*Barth*, Die Theologie Schleiermachers 426).

Die »Schilderung Christi und seiner Wirksamkeit« rückt hinter solches »Zeugniß von der eigenen Erfahrung«, solche »Selbstmittheilung«, solche Selbst-Verkündigung auf den zweiten Platz. Sie hat nur noch »mit« dazugehörige, ›unterstützende‹ Funktion. Denn allein das »Zeugniß von der eigenen Erfahrung« vermag »dieselbe Erfahrung in Anderen hervorzurufen«. Es ist jene »Aeußerung des Gefühls«, »des frommen Selbstbewußtseins« im »Zustand« der durch Christus bewirkten »Leichtigkeit und Stätigkeit«, dessen »mittheilende und erregende Kraft« andere »anstekken«, »anregen« und eine »Bewegung« in Richtung »lebendiger Nachbildung« in ihnen »hervorbringen« kann. Nicht die Kraft des »göttlichen Wort(es)« selber, sondern die durch es von seiner quantitativen ›Hemmung‹ ›erlöste‹ Kraft des menschlichen »Gottesbewußtseins« bewirkt den »Glauben«.
In die für eine »Volkskirche« besonders wichtige pädagogische Praxis gewendet erfährt die gleiche Voraussetzung und das gleiche Ziel entwicklungspsychologisch und soziologisch bedingte Modifikationen. Ihr »Steigerungsprozeß« gewinnt nunmehr auch inhaltliche Bedeutung. »Man kann den Unterschied nicht läugnen zwischen das religiöse Bewußtsein erwekken und die christliche Form und den evangelischen Charakter entwikkeln«. Zwar macht Schleiermacher mit Recht auf das Erfordernis eines religionspädagogischen Propädeutikums zur Eröffnung von Verstehenszugängen für die Verkündigung Jesu Christi an den Menschen aufmerksam, der homo religiosus ist. Aber weil er das »religiöse« mit einem »Gottesbewußtsein« identifiziert, gewinnt seine Erweckung darüber hinaus den Charakter einer ersten Entwicklungsstufe, auf der, noch in »einer quantitativen (!) Differenz« zur »christliche(n) Form und de(m) evangelischen Charakter«, das »Gottes-« bis »zum Bewußtsein der Sünde und der Erlösungsbedürftigkeit« »ausgebildet« wird. Ist es »ausgebildet«, »ergreift« es (das »Kind«) »lebendig das ihm geschichtlich gegebene Christenthum«. Es entspricht diesem Ziel, wenn Schleiermacher, der die Ansicht, »Religion« wäre »lehrbar«, ablehnt, im »Religionsunterricht der Jugend« außer dem »didaktische(n)« »Element« dem »paränetische(n)«, der »darstellende(n) Mittheilung und mittheilende(n) Darstellung« in »eine(r) fortlaufende(n) Rede« des »Lehrers« bewußt Raum gibt. Erst solche »religiöse Rede« besitzt die »erregende Kraft«, die andere »erregt«. Diesem übergreifenden ist das »didaktische« Ziel des Unterrichts, daß »die christliche Jugend ... in den Stand gesezt werden (muß) die Schrift selbst zu gebrauchen«, zu- und d.h. untergeordnet. Die »Hauptsache ist die Lebenskraft der Frömmigkeit zu wekken«.
Auf das »Gottesbewußtsein« richtet sich auch die theologische Orientierung des »Gebet(s) im Namen Jesu«. Sie reflektiert über die »Verbindung menschlicher Empfindungen und Regungen mit dem Gottesbewußtsein«. Gebet als »Einwirkung auf Gott« scheidet sie aus. »Wünsche« sind zwar nicht einfach zu »verwerfen«, erübrigen sich aber eigentlich für ein »Gottesbewußtsein«, »welches uns die absolute Kräftigkeit der göttlichen

Weltregierung vorhält«. Das Gebet der Kirche sollte sich deshalb auf jeden Fall »des Wünschens ganz enthalten« und statt dessen »ganz auf ihre Selbstthätigkeit« auf das Ziel der »göttlichen Weltregierung«, das »Reich Gottes« hin richten. Für den einzelnen sind »Wünsche« nur »so lange« »natürlich und heilsam«, als »wir noch nicht zu der reinen alle Wünsche ausschließenden Ergebung gekommen sind«. An die Stelle des Wünschens und Bittens treten zielbewußte Tätigkeit und »reine Ergebung«. An die Stelle des Gebets tritt seine tendenzielle Erübrigung.
Auf das »Gottesbewußtsein«, das die entelechische »Entwikklung des Reiches Gottes« enthält und »teleologisch« auf dieses Ziel hin tätig werden läßt, richtet sich auch die theologische Orientierung der Praxis des »Kirchenregiments«, das »Verhältnis der Kirche zum Staat« betreffend. Hier hat der Entwicklungsgedanke zur Folge, daß Schleiermachers Leitlinie der »Unabhängigkeit der Kirche vom Staat« wieder relativiert wird. Denn im Verlauf der Entwicklung »bildet« sich »die Zusammenstimmung beider . . . immer vollkommener aus«.
Auf das »Gottesbewußtsein« richtet sich insgesamt die theologische Orientierung der Praxis einer charismatischen Kirche. Auch auf der »höchsten«, durch Jesus Christus eröffneten »Stufe« findet sich in ihm ein quantitativer »Unterschied« »von Stärke und Schwäche«, »Reinheit und Unreinheit« sowohl »in einem jeden Einzelnen« als auch »in allen Theilen der Kirche«. Außerdem findet sich »in Jedem eine bestimmte Beschaffenheit seiner Persönlichkeit«, so daß es sich verschieden individualisiert. Im »Aufeinanderwirken« dieser quantitativen Unterschiede und individuellen Verschiedenheiten stellt sich die charismatische Kirche dar. Die an »Gottesbewußtsein« quantitativ Stärkeren wirken »selbstthätig« auf die dafür »empfänglich(en)«, weil an ihm quantitativ Schwächeren, ein, so daß ihr »Gottesbewußtsein« »angeregt« wird. Die gesamte Praxis der Kirche, die immer von einer quantitativen »Ungleichheit« des »Gottesbewußtseins« auszugehen hat, läßt sich bei Schleiermacher auf dieses Schema zurückführen. Die Individualisierung des »Gottesbewußtseins« konstituiert die Kirche als »Gemeinschaft« einzelner mit »verschiedene(r) persönliche(r) Eigenthümlichkeit«, die sich in »Gegenseitigkeit der Mittheilung und Auffassung« ergänzen. Schleiermacher geht von dieser charismatischen Kirche aus. Denn er setzt das »Gottesbewußtsein« als ihr inhärent voraus. Mit ihm ist der »Umlauf des frommen Selbstbewußtseins« oder die »Circulation des religiösen Interesses« gegeben. Es gilt lediglich, sich die vorhandene »geordnete und gegliederte Fortpflanzung der frommen Erregungen« bewußt zu machen und methodisch zu optimieren. Die »Aufgabe der praktischen Theologie« besteht darin, »die besondere Thätigkeit, zu welcher sich die mit jenen Gefühlen zusammenhängenden Gemüthsbewegungen entwikkeln, mit klarem Bewußtsein zu ordnen und zum Ziel zu führen«. In folgerichtiger Weiterführung der Identifizierung der empirischen Volkskirche auf religionsphilosophischem ›Fundament‹ richtet sich die Orientierung ihrer Praxis auf die mit seinem »Gottesbe-

wußtsein« identische »*religiöse* Anlage« und das »*religiöse* Bewußtsein« des Menschen[59].
Alle Ausführungen Schleiermachers beziehen die Praxis der Volkskirche auf den »h.(eiligen) Geist«, »dessen wir uns als durch Christum mitgetheilt bewußt sind«. Wenn er fortfährt, »daß in Christus alles von der absoluten und ausschließenden Kräftigkeit seines Gottesbewußtseins ausgeht«, verbindet er aber auch seine Mitteilung mit dem »Gottesbewußtsein« des Menschen. Aus einer »Kraft«, derer wir uns »als eines« mit dem Geist des Menschen nicht identischen, immer nur zukommenden »äußeren bewußt« sind, wird dann die Kraft des von seiner quantitativen Hemmung erlösten »Gottesbewußtseins«, damit »höchste Steigerung« des Geistes, der »Vernunft« des Menschen, derer seine »Besizer« (!) sich »als einer innerlichen bewußt« sind. Zwar ist sein Kommen dem Schrift-»Zeugniß von Christo« verheißen, aber »sofern er in einem anderen ist und wirkt«, im Medium der durch Christus ›erregten‹ und »erregenden Kraft« des »Gottesbewußtseins« eines Menschen. Zwar muß er »mitgetheilt« werden, aber in zwischenmenschlicher »Circulation« auch auf der durch Jesus Christus eröffneten »höchsten Stufe« verschieden quantifizierten und individualisierten »Gottesbewußtseins«, manifester und latenter »Besizer des heiligen Geistes«, solcher, in denen er »ist und wirkt«, und solcher, die ihn von ihnen »empfangen«, um ihn ihrerseits wiederum mitzuteilen. Zwar bewirkt seine »Mittheilung« die charismatische Kirche, aber als solcher zwischenmenschlichen »Circulation« bereits »einwohnende(r) göttlicher Geist«. Er ist »Gemeingut« des »Gesammtlebens« christliche Kirche, »welches wir eben so das Sein Gottes in ihr nennen können«! Schleiermachers Kirche blickt in Theorie und Praxis auf den verheißenen Heiligen Geist, aber nicht als ihr jenseitiges Extra nos *Gottes,* sondern als ihrem »Gesammtleben« inseitiges Intra nos »schlechthin kräftige(n) Gottesbewußtseins« des *Menschen*[60].

Wie Schleiermachers ganze Theologie, so hängt auch seine Ekklesiologie einschließlich der praktischen Theologie von der Voraussetzung ab, der »Intelligenz« des Menschen sei »die Richtung auf das Gottesbewußtsein mit gegeben«, vom »schlechthinigen Abhängigkeitsgefühl« als »dem schlechthin gemeinsamen Wesen des Menschen«. Sie »ersezt für die Glaubenslehre vollständig alle sogenannten Beweise für das Dasein Gottes«. In der Bagatellisierung der »eigentlich so genannte(n) Gottesläugnung«, des »Atheismus«, als »frevelhafte Scheu vor der Strenge des Gottesbewußtseins« und deshalb »ein Erzeugniß der Zügellosigkeit, also eine

59 Ueber die Religion 288ff; Der christliche Glaube II, §§ 133.147.105.121 (S. 351ff.436.438ff.431f.158.281.283f); Der christliche Glaube I, §§ 15.14.6 (S. 100.88f.34ff); Die christliche Sitte 516.229; Die praktische Theologie 81.331.402.358.364.388.410.65; Kurze Darstellung, § 257 (S. 101).
60 Der christliche Glaube II, §§ 121.123.116 (S. 286.283f.296.244.246); Der christliche Glaube I, § 3 (S. 84).

Krankheit der Seele«, als »nur eine raisonnierende Opposition gegen die . . . Darstellungen des frommen Bewußtseins«, tritt der apologetische Akzent dieser These an den Tag. Obwohl Schleiermacher zwischen der »reine(n) Wissenschaft« Philosophie, die »mit dem objektiven Bewußtsein unmittelbar zu thun hat«, und der »positiven Wissenschaft« Theologie, deren »Glaubenslehre« das »subjective« (Gottes-)Bewußtsein zum Gegenstand hat, unterscheidet, spricht er von einem »Mitgeseztsein Gottes« auch »im objectiven Bewußtsein«. Sein philosophisches Hauptwerk, die »Dialektik«, auch unter diesem Gesichtspunkt zu lesen lohnt sich. Aber wird sich seine apologetische Behauptung Gottes im Bewußtsein des Menschen behaupten? Sie rückt noch einmal in eine neue Beleuchtung, wenn er als das dem »Christenthum« »gemeinsame« »Wesen« in der Vielfalt seiner »Parthei«-bildungen das »Gottesbewußtsein« in der »eigenthümlichen« geschichtlichen Individualität der »Erlösung« von seiner quantitativen ›Hemmung‹ ›ausmittelt‹. Damit gewinnt das »Gottesbewußtsein« zusätzlich den Aspekt eines kleinsten gemeinsamen Nenners, auf den Schleiermacher auseinanderstrebende »Parthei«-bildungen wie verschiedene Ausprägungen und quantitative Grade »individueller Frömmigkeit« bringen will. Angesichts der zunehmenden Desintegration der gesellschaftlichen Großgruppe »Volkskirche« gewinnt der apologetische gleichzeitig defensiven Charakter. Aber wieviel vermag Defensive angesichts auch »innerhalb der christlichen Gemeinschaft« zu konstatierender »Gottlosigkeit«[61]?

Schleiermacher hat einerseits die empirische Religionsgesellschaft Volkskirche und die in ihr beschlossene Aufgabenstellung für die Theologie derart bewußt gemacht, daß sie dahinter nicht mehr zurückgehen konnte. Andererseits hat er sie auf religionsphilosophischem ›Fundament‹ so auf eine *Religions*gesellschaft reduziert, daß die intendierte *theologische* Ekklesiologie auf dem apostolischen »Fundament« aus dem Blick geriet. Diese Ambivalenz prägte die Folgezeit. Schleiermachers Weite des Blickfelds, seinen Einblick in die Vielfalt der Aspekte, seine unerhörte systematische Kraft hat sie aber nicht wieder erreicht.

2.1.2 Richard Rothe

Richard Rothe trat der Desintegration in der Volkskirche nicht mehr mit dem Versuch einer integrierenden Identifizierung entgegen, sondern bejahte sie. Für ihn ist Christentum nicht mehr identisch mit Kirche. Ihrem »Begriff zufolge« ist sie »eine nur transitorische Gemeinschaft«, ein Durchgangsstadium hin zum vollendeten »Staat«, in den sie »mehr und mehr aufgeht«. Als Durchgangsstadium ist sie zwar notwendig, und es ist deshalb »eine unbedingte moralische Forderung an jeden Einzelnen, daß

61 Der christliche Glaube I, §§ 33.28.13 (S. 171ff.176.156f.68ff).

er an der Kirche Antheil habe«, aber die fortschreitende Entkirchlichung ist als Anzeichen einer Entwicklung zu bejahen, die das Christentum allmählich in den Staat überführt. Im Christentum ohne Beteiligung am kirchlichen »Kultus«, in einer aus der Kirche auswandernden, aber christlich motivierten Sittlichkeit kündigt sich die von Rothe begrüßte Zukunft einer im Staat aufgegangenen Kirche an: »Bei diesem Prozeß, durch welchen die Kirche allmälig wieder abtritt, bildet gerade der Kultus den einen wesentlichen Mitfaktor, und er schrumpft unter demselben *als aparter* Kultus je länger desto mehr zusammen, weil das *ganze gemeinsame* Leben sich fort und fort zu einem Kultus in einem *höheren* Sinne, nämlich zu einer *schlechthin religiös-sittlichen* Gemeinschaft, steigert«[62].
Mit dieser These erregte er die theologischen Gemüter – und zog doch nur eine mögliche Folgerung aus dem Denkansatz, den sie in ihrer Mehrheit auch vertraten. Bis in die Formulierungen hinein stimmt Rothe mit Schleiermachers Ansatz beim »religiösen Gefühl«, beim »Gottesbewußtsein« des Menschen überein. In der Akzentverschiebung, die ihn mit »einer inneren Notwendigkeit« »zur religiösen Spekulation« fortschreiten läßt, wird außerdem der Einfluß Schellings und vor allem Hegels erkennbar. Rothe verbindet Schleiermachers Ansatz mit Hegels »wahrhaft begreifende(m)«, »spekulierendem« »Denken«. »In dem frommen oder religiösen Menschen ist in der Urtatsache seines Denkens als reinem Denken unmittelbar mitenthalten, daß er sich durch Gott mitbestimmt findet«. Er ist ein »Mikrokosmos«, in dem »die ganze übrige Schöpfung zusammengeschlossen und rekapituliert« ist, so daß, indem »sein spekulatives Denken . . . sich selbst aus sich selbst« »erzeugt«, es sich zu einem »auf spekulativem Weg gewonnene(n) Begriffssystem«, einer »spekulative(n) Theologie« entfaltet. Rothe versäumt nicht, das »Bewußtsein« dieses »spekulierenden Individuums« »näher« als »evangelisch-christlich« vorzustellen. Sein »auf spekulative(m) Weg gewonnene(s) Begriffssystem« soll außerdem mit der Bibel übereinstimmen[63].
In ihm taucht an ihrem Ort die Kirche auf. Das heißt aber: Nicht das apostolische, sondern das zur Geistesmetaphysik, die eine »spekulative« Geschichtsphilosophie aus sich heraussetzt, ausgeweitete natürliche »Gottesbewußtsein« des Menschen ist das ›Fundament‹ auch der Ekklesiologie Rothes. Er induziert »spekulativ« wie ein »in Allem sich wesentlich selbst gleiche(s) Gottesbewußtsein«, eine »in allem Einzelnen sich selber wesentlich gleiche Frömmigkeit«, so eine ›wesentlich gleiche‹ Kirche. Der »Gegensatz« der »spekulativ« induzierten wesentlichen zur »empirischen« Kirche[64] wird zum Movens einer dialektischen Geschichtsprogression, in deren Verlauf sie sich erübrigt. An ihrer *theologischen Identifizierung* ist Rothe nicht interessiert[65].

62 *Rothe,* Ethik II 247.411f.
63 *Rothe,* Dogmatik 44; Ethik I 44f.34.6.20.52.
64 »Das *spekulative Denken* bildet den Gegensatz gegen das *empirisch reflektierende*« (*Rothe,* Ethik I 5).
65 *Rothe,* Ethik II 241.

Sein Interesse gilt der Stellung der Kirche innerhalb der Geschichte als zielgerichtetem, dialektischen »Prozeß«. Die von der Schöpfung an »durch Gott kausierte *Entwicklung der Kreatur aus sich selbst* heraus« setzt sich in die Geschichte der Selbstverwirklichung des Menschen als religiös-sittliches Subjekt fort. Als Entwicklungsgeschichte ist sie deshalb sowohl auf die Verwirklichung des Wesens, bei Rothe: des »Begriffs« der Religion, als auch auf die des von ihr motivierten, aber mit ihr nicht identischen Wesens oder Begriffs der Sittlichkeit ausgerichtet. Sie besteht in der *»vollständige(n) Zueignung der irdischen materiellen Natur an die menschliche Persönlichkeit«*. In der »Organisation« sich ständig erweiternder und vervollkommnender »moralischer Gemeinschaften« setzt sich diese »Idee des Ganzen« in »Handeln als sittlichem« um. Unter ihnen ist auch die Kirche »eine *vorübergehende* Form der moralischen Gemeinschaft«. Als »schlechthin allgemeine moralische Gemeinschaft« in »ihrer *zunächst* einzig möglichen Form« präfiguriert sie jedoch das Telos der Geschichte. Es ist erreicht, wenn die »schlechthin allgemeine moralische Gemeinschaft« der sowohl religiösen als auch sittlichen Subjekte verwirklicht ist, wenn sich der Mensch als *ganzer,* als religiöses *und* sittliches Subjekt verwirklicht hat. Innerhalb der Geschichte ist es in der vollendeten »religiös-*sittliche(n)* Gemeinschaft« »Staat« erreicht. Er wiederum präfiguriert »das schlechthin vollendete *Reich Gottes*« jenseits der Geschichte, das sich kontinuierlich an ihn anschließen wird. Je weiter die Geschichte auf dieses Telos hin »voranschreitet«, desto mehr tritt die Kirche zurück, bis sie endlich »schlechthin wegfällt«. Je mehr der Mensch als religiös-sittliches Subjekt sich in ihr verwirklicht, desto weniger bedarf er der Kirche, bis er aus seiner ganz verwirklichten Subjektivität leben und auf sie verzichten kann[66]. Die »Entelechie« der Geschichte reduziert die Kirche folgerichtig auf eine »transitorische« Entwicklungsstufe. Hielt Schleiermacher in seiner »Entwikklung« auf das »Reich Gottes« hin an ihr fest, so transzendiert Rothe sie unter dem Einfluß Hegels in die ›wahre Kirche‹ des vollendeten Staates[67]. Das im Doppelsinn des Worts Spekulative seines geschichtsphilosophischen Telos ist hundert Jahre nach ihm offenkundig[68]. In der Dominanz der *Selbst*-Verwirklichung des Menschen als religiös-sittliches Subjekt trifft Rothe sich mit Schleiermacher. Schleierma-

66 »Denn da dieser ... moralische (näher der sittliche) Proceß wesentlich der *Vergeistigungsprozeß der menschlichen Einzelwesen* ist, so ist mit seiner Vollendung ... unmittelbar zugleich die vollendete Vergeistigung der nur *in der Vollzahl ihrer Individuen vollständig verwirklichten Menschheit* gegeben« (*Rothe,* Ethik II 475. Hervorhebung E. Hübner).

67 »In der Organisation des Staates ist es, wo das Göttliche in die Wirklichkeit eingeschlagen, diese von jenem durchdrungen und das Wirkliche nun an und für sich berechtigt ist, denn ihre Grundlage ist der göttliche Wille, das Gesetz des Rechts und der Freiheit. Die wahre Versöhnung, wodurch das Göttliche sich im Felde der Wirklichkeit realisiert, besteht in dem sittlichen und rechtlichen Staatsleben: dieß ist die wahrhafte Subaction der Weltlichkeit« (*Hegel,* Philosophie der Religion II 343f).

68 »... durch den Gang der Geschichte widerlegt« (*Schott,* Art. Rothe 1199).

chers »Gottesbewußtsein« als ›Fundament‹ zeigt in seiner Überspitzung[69] erste Sprünge[70].

Wo theologische Identifizierung der empirischen Kirche entfällt, da kann von *theologischer Orientierung ihrer Praxis* nur bedingt die Rede sein. Unabhängig von empirischer Widerständigkeit ist auch die ›praktische‹ Orientierung von Rothe als Selbstverwirklichung des religiösen Subjekts generell begriffen und speziell strukturiert. Deren verschiedene Ausbildung innerhalb der Kirche ist für ihre Praxis konstitutiv: »Der die Organisation überhaupt bedingende Gegensatz ... ist in der Kirche der zwischen den *Klerikern* und den *Laien*«. Denn »die Kleriker sind diejenigen Mitglieder der Kirche, in welchen die Idee dieser auf *principielle* Weise lebt«. In ihnen ist der »Naturanlage nach ein entschiedenes Übergewicht der Richtung auf die Frömmigkeit *als solche* gesetzt«. Von ihnen, »welche auf *unmittelbar religiöse* Weise religiös potent (!) sind«, unterscheiden sich die »Laien«, »bei denen dieß alles *nicht* der Fall ist«. Wie in der »Organisation« »moralischer Gemeinschaften« überhaupt, so wirken in der Kirche die »Kleriker«, die *»an sich selbst«* »religiös potent« sind, mit dem Ziel, »daß die letzteren Individuen unter die Potenz der ersteren gestellt, eben dadurch aber selbst mit der Idee des Ganzen beseelt werden«. Schleiermachers Modell legitimiert bei Rothe die kirchliche Amts-Hierarchie. Der Frage, ob solche »Kleriker« nicht völlig überzeichnet und ständig überfordert sind, stellt er sich nicht. Bei den »Laien« hebt er die Aktualisierung der individuellen religiösen Subjektivität hervor. Kirche ist »Gemeinschaft« »individuellen Erkennens«, »Verzücktseins«, »Kontemplirens«, um charakteristische Wendungen herauszugreifen. Auch wenn er paulinisch von »der gegenseitigen Ausstellung der Charismen« spricht, folgen gleich hinterher die »Enthusiasmen«, denen er, aufschlußreich genug, als religiöser »Selbstbefriedigung« zustimmt. Die Relativierung des enthusiastischen religiösen Individualismus durch Paulus ist ihm fremd[71]. Damit die »Kleriker« auf die »Laien« einwirken können, bedürfen die »rein und *unmittelbar* religiösen Gefühlsbestimmtheiten unumgänglich *gegebener* Anschauungen, in denen, als einem dazu geeigneten Elemente oder Medium, sie sich ausgestalten (sich eine Gestalt geben) können«. Als »Darstellung« eigener zur Aktualisierung fremder religiöser Subjektivität – als »Medium« zu diesem Zweck fungiert das »Wort Gottes«. Die Formel taucht nur ganz am Rande auf. In den betreffenden Paragraphen der »Theologischen Ethik« fehlen auch inhaltliche Bestimmungen. Das »Wort Gottes« ist funktionalisiert – zur »Kunde« aktuali-

69 Bei Rothe ist »irgendwie ein Endpunkt, um nicht zu sagen eine Sackgasse, auf der Linie der am Anfang des Jahrhunderts eröffneten theologischen Möglichkeiten« erreicht. »Hier (konnte man) nur andächtig stehen bleiben oder aber entsetzt das Heil in der Flucht suchen« (*Barth*, Protestantische Theologie 552).
70 *Rothe*, Ethik II 482.121.394f.412.209ff.
71 S.o. 5f.8f.12f.

sierter religiöser Subjektivität an potentielle religiöse Subjektivität. Daß sich im auf *»nur sinnbildliches«* »Handeln« beschränkten »Kultus« alle »kirchlichen Funktionen« konzentrieren, ist bezeichnend. »Erbauung« als »Erbaulichkeit«, die auf Aktualisierung und Selbstbetätigung religiöser Subjektivität abzielt und alles für diesen Zweck mediatisiert; »Gnosis«, die in der religiös-geistigen »Potenz« des Menschen, nicht im apostolischen Evangelium gründet, ist zum Orientierungshorizont der Praxis der Kirche geworden[72].

Schon Schleiermacher hatte die Volkskirche als gesellschaftliche Großgruppe mit der Tendenz der Desintegration und der in sie eingeschlossenen Entkirchlichung in ihrer Bedeutung für die Theologie wahrgenommen[73]. Rothe registriert darüber hinaus ihre scheinbar unaufhaltsame Progression sowie den Sachverhalt, daß die der Kirche Entfremdeten an von ihr geprägten ethischen Normen festhalten. Daß Volkskirche zunehmend in eine zwar noch christlich motivierte, aber unkirchliche Gesellschaft übergeht, kann nur ekklesiologischer Doketismus bagatellisieren. Ob Rothe als »der wohl lebhafteste Anwalt jenes Entwicklungsprozesses«[74] ihm selber entgangen ist, steht jedoch dahin. Denn er vermag die Entkirchlichung nur in einem »auf spekulativem Wege gewonnenen Begriffssystem« aufzuheben. Während Schleiermacher vor ihr auf einen die Gruppierungen der Volkskirche mit ihrer abgestuften Kirchlichkeit umfassenden, kleinsten gemeinsamen Nenner auswich, weicht Rothe auf ein spekulatives Jenseits der Kirche aus, das die Entkirchlichung als sachlich geboten suggeriert. Beide weichen vor der Desintegration der Volkskirche so oder so aus – auf dem gemeinsamen ›Fundament‹ eines von ihnen vorausgesetzten natürlichen »Gottesbewußtseins« des Menschen. Beide ziehen sich damit vor der in ihr enthaltenen theologischen Herausforderung in die Defensive zurück. Der offensive Zugriff theologischer Identifizierung und ihr korrelierender praktischer Orientierung der Kirche auf dem apostolischen »Fundament« Jesus Christus kann sie dabei nur stören[75]. Daß ein natürliches »Gottesbewußtsein« des Menschen von dem ›Links‹-Hegelianer Ludwig Feuerbach mit der These: »Das Geheimnis der Theologie ist die Anthropologie«, die der ›Links‹-Hegelianer Karl Marx um die gesellschaftliche Dimension ausweitete, grundsätzlich in Frage gestellt wurde[76], ignorierte der ebenfalls von Hegel beeinflußte Rothe. Ironisch genug demonstriert der ideale Staat, den er so erreichbar wähnte, daß er die Entkirchlichung als seine Signale begrüßte, die Tragfähigkeit seines ekklesiologischen ›Fundaments‹.

72 *Rothe,* Ethik II 396.407ff.210.397ff.402.
73 S.o. 23f.41.
74 *Rendtorff,* Soziologie des Christentums 136.
75 »Rothe sieht ganz von der Auffassung der Kirche als dem Leib Christi ab, also von der christologischen Begründung von Kirche im theologischen Sinne« (*Kantzenbach,* Christentumsgeschichte 103).
76 *Feuerbach,* Wesen des Christentums 15; *Marx,* Thesen über Feuerbach 230ff.

2.1.3 Ernst Troeltsch

Die Tendenz, die sich bei Schleiermacher und Rothe ankündigte, wurde von Ernst Troeltsch unter Aufgabe biblisch-theologischer Legitimation aufgenommen und ausgezogen. Allein auf dem ›Fundament‹ der natürlichen Religion des Menschen kann nach ihm Kirche heute noch Bestand haben.

In brillanten historischen Untersuchungen schritt er den Weg von ihren Anfängen bis zur »Volkskirche« der Gegenwart ab. Daß sie im Zentrum seiner Arbeit stehen, bezeichnet schon den Ort des Ekklesiologen Troeltsch: Bestandsaufnahme ist ihm die Voraussetzung jeder weiteren Überlegung. In diesem Sinne ist bei ihm die empirische Kirche der Bezugshorizont theologischen Denkens. Bestandsaufnahme heißt: erkennen, daß die »Volkskirche« zwar numerisch noch die abendländische »moderne Gesellschaft« umfaßt, diese aber »unbegreiflich sorglos jede Fühlung mit den in ihr tätigen religiösen Kräften verloren hat«, mit der Folge, daß sie »nichts überbehält als einen unendlich versatilen Geistreichtum und ohnmächtige Religionssurrogate, eine immer auf der Höhe der Bildung stehende Gedankenlosigkeit und eine mörderisch scharfsichtige Selbstkritik, eine riesenhaft entwickelte Technik und ebenso riesenhafte Interessenkämpfe«. Dieser Desintegration entgegenzuwirken bringen die »Volkskirchen des Protestantismus« nicht mehr die Kraft auf. Sie haben sich »im wesentlichen« »auf ihre populären Massenbestände zurückgezogen«, sich von der »modernen Geisteswelt« »abgewendet«, »sich darein ergeben, die oberste Spitze der Bildung und die untersten Schichten der revolutionären Arbeiterparteien nicht mehr zu erreichen«. »Sie halten sich an die mittleren Schichten, versorgen sie mit kirchlicher Literatur und Apologetik, verstärken ihre karitative Tätigkeit und warten im übrigen auf das Vorübergehen des Sturms«. Troeltschs Resümee lautet: »Die Lage ist ernst, ernst für den Protestantismus, dessen Kirchentum ... um nichts Geringeres kämpft als um das seinem zerstückelten und erstarrten Körper entfliehende große Leben«.

Bestandsaufnahme ist bei ihm aber noch mehr als eine Analyse, die sich den unbestechlichen Blick für die gegenwärtige Situation der Kirche nicht verstellen läßt. Seine *historischen* Untersuchungen dienen nicht nur dem Verständnis der Gegenwart der Kirche auf der Folie ihrer Vergangenheit, sie haben darüber hinaus grundlegende theologische, speziell ekklesiologische Bedeutung. Weil es ihm trotz ihres desolaten Zustands um die »Zukunft« der Kirche ging, steht sie im Zentrum seiner Arbeit. Denn aus dem Gang wie der Geschichte überhaupt, so der Kirchengeschichte im besonderen, lassen sich die Tendenzen erheben, die in die Zukunft weisen. Ehe sie gestaltet werden kann, wollen sie erkannt sein. Den Praktikern der Zukunft der Kirche geht deshalb der »Historiker« voraus, der den Weg erkundet, in den die Tendenzen der Geschichte einweisen. Troeltsch hat sich in der Rolle eines solchen »Historikers«, eines Wegbereiters in diesem Sinne gesehen: »... die Zukunft zu prophezeien, ist nicht die Aufgabe des Historikers; es ist Aufgabe des Willens und der Überzeugung, sie zu machen. Was eine unbefangene Geschichtsbetrachtung für diese Arbeit allein wirken kann, das ist die Einsicht ... in die Neuheit der Grundlagen, auf denen sich die Zukunft weiter bewegen wird ...«. Die empirische Kirche ist auch insofern der Bezugshorizont seines theologischen Denkens, als seine historische Arbeit der Vorbereitung entsprechender kirchlicher Praxis dienen will: »... dadurch unterscheidet sich die Theologie von den freien modernen Bewegungen des religiösen Denkens, daß sie für die Gemeinschaften als Unterlage der Predigt und Erbauung arbeitet, aus der Kontinuität der geschichtlichen Überlieferung heraus ihre Gedanken gestaltet und nicht dem reinen Erkenntnisinteresse, sondern zugleich dem praktischen Leben der kirchlichen Gemeinschaften dient«[77].

Einweisung der Kirche in ihren Weg durch die Geschichte auf den »Grundlagen« durch den »Historiker« dem Gang der Geschichte entnommener Tendenzen ist etwas anderes als ihre Einweisung in diesen Weg auf dem apostolischen »Fundament« Jesus Christus. Troeltsch war sich dessen bewußt. In der Überzeugung, daß das apostolische »Fundament« die Kirche nicht mehr zu tragen vermag, suchte er eine »*Neuheit* der Grundlagen«, die an seine Stelle tritt. Drei Gründe waren dafür maßgebend. Erstens hat die an der »Naturwissenschaft« orientierte wissenschaftliche Methode in unserer Zeit »die Führung« übernommen - ein Sachverhalt, der gerade die Theologie mit voller Wucht trifft. Die »Anwendung historischer Kritik auf die religiöse Überlieferung« hat »die innere Stellung zu ihr und ihre Auffassung tiefgreifend verändert«. Insbesondere die »Allmacht der Analogie schließt ... die prinzipielle Gleichartigkeit alles historischen Geschehens« ein und die »Wahrscheinlichkeit« von »Vorgängen« aus, die »mit normalen, gewöhnlichen oder doch mehrfach bezeugten Vorgangsweisen und Zuständen, wie wir sie kennen«, nicht übereinstimmen. Diese »historische Kritik« trifft direkt die Stellung der Bibel in der Kirche und deren Zentrum: »den Glauben an Jesus als den Auferstandenen, ... die Deutung Jesu als Messias und in engem Zusammenhang damit als erlösende(s) göttliche(s) Weltprinzip«, »das einzige besondere christliche Ur-dogma, das Dogma von der Göttlichkeit des Christus«, das Troeltsch Paulus zuschreibt. Die daran anschließende »Alleinwahrheit der kirchlichen Offenbarung, ... die schmale Konzentration aller Wahrheit bloß in dem einen Faktum des göttlichen, offenbarenden und erlösenden Eingriffs in die Welt«, m.a.W. das apostolische »Fundament« der Kirche sind nicht mehr zu halten[78].

Es ist die gleiche »Allmacht« der an der »Naturwissenschaft« orientierten wissenschaftlichen Methoden, die zweitens auch ausdrücklich eine Identi-

77 *Troeltsch*, Protestantisches Christentum 708.742.721.

78 *Troeltsch*, Protestantisches Christentum 603.601; Historische und dogmatische Methode 730f; Soziallehren 58.968.

fizierung des sozialen Gebildes Kirche auf dem apostolischen »Fundament« als Anachronismus abstempelt. Wie die historische, so lehrt auch die »Gesellschaftswissenschaft« »den psychologischen Kausalzusammenhang des Geschehens« und schließt »Übernatürlichkeiten und Wunder« aus. Sie »leitet« »alle ... sozialen Bildungen aus natürlichen Gesetzen der Vernunft ab« und »erfüllt« sie »mit autonomen Zwecksetzungen«. Troeltsch erkannte die Bedeutung der »Wissenschaft vom sozialen Leben«, der Soziologie, die »nicht mehr in erster Linie nach Normen und Idealen«, sondern nach den »in den sozialen Bildungen selber liegenden . . . Gesetzmäßigkeiten« fragt, für die Ekklesiologie. Zusammen mit dem historisch-kritischen Urteil von der Unhaltbarkeit des christlichen »Urdogmas« führt die Anwendung soziologischer Methoden auf die Kirche unwiderruflich zu dem Ergebnis, daß die Identifizierung als »Leib des Christus« im Sinne des Paulus auf sie nicht mehr anwendbar ist[79].
Die »Allmacht« der an der »Naturwissenschaft« orientierten wissenschaftlichen Methode *und* die Ergebnisse ihrer Anwendung auf Bibel und Kirche führen insgesamt drittens zur »Ausbildung einer restlos historischen Anschauung der menschlichen Dinge«, die »alle ... Dogmen im Fluß des Geschehens auflöst« und das »Christentum . . . in allen Momenten seiner Geschichte« auf »eine rein historische Erscheinung mit allen Bedingtheiten einer individuellen historischen Erscheinung wie die anderen Religionen auch« reduziert und damit *relativiert.* »Historisch und relativ ist identisch«! Der *»Relativismus«* greift nach allem, vor allem nach Bibel und Kirche, und verunsichert alle, vor allem die Theologen. »Den historischen Relativismus fühlen wir . . . überall in allen Gliedern«. Gibt es angesichts dieser Bilanz für die Kirche überhaupt noch eine »Neuheit der Grundlagen, auf denen sich die Zukunft weiter bewegen wird«[80]? Troeltschs ganze Bemühung galt ihrer Suche, der Suche nach einem Fundament, auf dem es für die Kirche auch unter den Bedingungen der »Allmacht« der an der Naturwissenschaft orientierten wissenschaftlichen Methoden »Zukunft« gibt. Das apostolische Fundament scheidet als alt und überholt aus, die es noch tradierenden, aus dem katholischen Mittelalter stammenden »altprotestantischen Grundlagen« in ein »Verhältnis« zu den »neue(n) große(n) Wandelungen« zu bringen ist »schwierig«, ja unmöglich. Einer »protestantisch-kirchliche(n) Dogmatik«, die das immer noch versucht, gilt deshalb seine eindeutige Absage: »Es gibt keine ›protestantisch-kirchliche Dogmatik‹ mehr. So wird auch Einigung und Zusammenhalt auf einem anderen Boden als dem der Dogmatik gesucht werden müssen«. So hatten das weder Schleiermacher noch Rothe ausgesprochen. Dennoch lag der Unterschied nur im Grade der Bewußtheit. Troeltsch vollstreckte methodisch und sachlich bewußt, was sie unbewußt bereits vorbereitet hatten. Sachliche Übereinstimmung tritt dann auch in

79 *Troeltsch,* Protestantisches Christentum 604.641; Soziallehren 59.
80 *Troeltsch,* Absolutheit 1.3.52; Historismus und Überwindung 4.

der »Neuheit der Grundlagen« zutage, die er den »altprotestantischen Grundlagen« entgegensetzt. Unter dem Etikett *»Neuprotestantismus«*[81] faßt er sie emphatisch zusammen. Neu ist hier allerdings nur der programmatische Gegensatz zum »Altprotestantismus« - die »Grundlagen« selber entsprechen im wesentlichen denen, die schon bei Schleiermacher und Rothe auftauchten und die er selber bis in das 16. und 17. Jahrhundert zurückverfolgt. Denn sie gehen hervor aus dem religiösen »Apriori«, wie er im Anschluß an Kant formuliert; aus der »religiöse(n) Grundsubstanz« des Menschen; aus der »allgemeine(n), überall zum Durchbruch strebende(n) Menschheitsreligion«, die »nicht identisch« ist »mit der von ihr hervorgebrachten Kultur« im katholischen Mittelalter und seiner Fortsetzung im »Altprotestantismus«; aus dem »spezifisch Religiöse(n)«, an dem er gegen Karl Marx, dessen Bedeutung für die Soziologie er im übrigen hervorhebt, als »nicht aus Klassenkämpfen und ökonomischen Interessen« herleitbar festhält. Sie gehen m.a.W. hervor aus der natürlichen Religion des Menschen, die sich auch gegenüber der »Allmacht« der an der Naturwissenschaft orientierten wissenschaftlichen Methode behauptet. Troeltsch deklariert sie mit Schleiermacher und Rothe, aber ausdrücklich alternativ zum apostolischen, als ›Fundament‹ der Kirche, auf dem die »Neuheit ihrer Grundlagen« zu formulieren sei[82].

Ihre Neuformulierung ist möglich, weil das »in der inneren Notwendigkeit und Allgemeinheit des menschlichen Geistes« mitgesetzte Gottesbewußtsein den »Historiker« befähigt, in der geschichtlichen Vergangenheit wie im gegenwärtigen Erscheinungsbild eines gesellschaftlich zunehmend irrelevanten, kraftlosen protestantischen Kirchentums »alte Schätze«, die nicht »zu verschleudern« sind, auch heute gültige religiöse »Werte« *wieder*zuerkennen. Erst diese Fähigkeit macht für Troeltsch den »Historiker« im Vollsinn aus. Vom »bedenklich und zweifelhaft gewordenen« »kirchlichen Besonderen« »geht man zurück auf das Allgemeine« als das, »was in der inneren Notwendigkeit und Allgemeinheit des menschlichen Geistes begründet ist«, und läßt es sich »gefallen, wenn es sich als irgendwie identisch darstellt mit dem Allgemeinen«. Was er hier als Historiker des »moderne(n) Protestantismus« berichtet, beschreibt ebenso den ersten Schritt seiner eigenen Methode. Schleiermachers induktive Erschließung des »Wesens« der Religion aus ihren konkret-geschichtlichen Erscheinungen, das er wiederum auf das natürliche »Gottesbewußtsein« des Menschen zurückführte, stand hier ebenso Pate wie Hegels Geistesmetaphysik, in der auch Troeltsch, in den Bahnen Rothes, Schleiermachers Ansatz ausformulierte[83]. Die im Wiedererkennen des »Historiker(s)« induktiv

81 An vielen Stellen.
82 *Troeltsch,* Protestantisches Christentum 747.600.478.707; Soziallehren 982.975; Religiöses Apriori 754ff.
83 Er beruft sich aber nicht nur auf Hegel, sondern auch auf Leibniz, wenn er schreibt: »Die Monade bedeutet die Identität des endlichen und des unendlichen Geistes bei der Aufrechterhaltung der Endlichkeit und Individualität des Letzteren« (Historismus und Probleme 675).

erschlossenen, im »kirchlichen Besonderen«, »in der Geschichte auftretenden« religiösen »Werte« werden in einem zweiten, deduktiven Schritt an den geschichtlichen Zusammenhang, an die Religionsgeschichte, bei Troeltsch insbesondere an die »Dogmen- und Kirchengeschichte«, als Maßstab angelegt. Auf diese Weise werden ihre positiven von den negativen Tendenzen unterscheidbar. Dominant sind nach Troeltsch die positiven, »wert«-vollen, so daß er von einer aufsteigenden »Entwicklung« sprechen kann. Sie sind es, die in die Zukunft weisen. Mit ihnen ist die »Neuheit der Grundlagen, auf denen sich die Zukunft« der Kirche »bewegen wird«, gefunden. Es ist der »Historiker«, der als ihr gegenwärtiger Schnittpunkt die aus der Vergangenheit herkommenden und in die Zukunft weisenden »wert«-vollen Tendenzen der Geschichte identifiziert und als Handlungsanweisungen für die Zukunft der Kirche bereitstellt. An einer rein spekulativen Geschichtsphilosophie hindert Troeltsch allerdings die empirische Kirche und ihre Geschichte ebenso wie das Bewußtsein, daß der »Maßstab«, den er anlegt, letztlich »Sache der persönlichen Überzeugung und im letzten Grunde subjektiv« ist. Deshalb setzt er die »Entscheidung« der »subjektiv-persönlichen inneren Überzeugung« der Bewährung an der Geschichte aus. Hierin unterscheidet er sich von Hegel wie dem Hegelschüler Rothe. Aber auch, ja gerade bei ihm ist die Kirche dem religiösen Subjekt, seinem metaphysisch qualifizierten Geist unterstellt und der Rechenschaftsablegung gegenüber einem Sachkriterium entzogen[84].

Wer, wie Troeltsch, alternativ zu ihrem ›alten‹ überholten apostolischen ›Fundament‹ für die Kirche eine »Neuheit der Grundlagen« sucht, für den scheidet ihre *theologische Identifizierung* im Sinne des Neuen Testaments von vorneherein aus. Wer, wie er, auf dem ›Fundament‹ der natürlichen Religion des Menschen die religiöse Subjektivität über Gehalt, Gestalt und Weg der Kirche befinden läßt, bei dem läßt sich von Identifizierung überhaupt nur eingeschränkt sprechen. Was den *Gehalt* anbetrifft, um dessentwillen Kirche ist, so unterscheidet Troeltsch im Neuen Testament zwischen einem »Christentum Christi«, einer »Lehre Jesu«, und einem »Christentum der Kirche«, einem dogmatischen »Paulinismus«. Nur im ersteren erkennt er sowohl seine eigene religiöse Subjektivität als auch den religiös-ethischen Trend seiner Zeit wieder. Deshalb ist nur noch ersteres gültiger, in die Zukunft weisender »Wert«. »Christentum Christi«, »Lehre Jesu«, d.h. in der »menschliche(n) Persönlichkeit Jesu« begegnet ein religiöses »Princip«, das »mit dem göttlichen verborgenen Lebensgrund des Menschen überhaupt zusammenfällt«. Als »von Jesus ausge-

84 *Troeltsch,* Protestantisches Christentum 601f.743.622; Absolutheit 58.66f. – Das »Göttliche als absolute Wertfülle ... ist dem Menschen nur durch ›metaphysische Rückschlüsse‹ von letzten erfahrbaren Werten auf eine absolute Wertfülle ›rekonstruierbar‹. Aus der so erschlossenen Gottheit deutet er sich selbst« (*Wichelhaus,* Kirchengeschichtsschreibung und Soziologie 145).

hende Stimmungserhöhung oder Anspornung« wirkt es auf die individuelle, religiös-ethische »Selbstvervollkommnung« sowie die gesellschaftliche »Kulturförderung« ein. »Sünde« kann beides zwar »hemmen«, aber die Potenz und Disposition des Menschen zu ihm nicht aufheben[85]. Die »Zukunft« der Kirche liegt bei denen, die das »Christentum« in diesem »neuen Licht« sehen. Sie sind »die eigentlichen Kinder der Neuen Zeit«. Der *Selbst*verwirklichung des Menschen als religiöses Subjekt ordnet auch Troeltsch Jesus und die sich auf ihn zurückführende Kirche unter. Um dieses Gehaltes willen hat sie für ihn auch heute und in Zukunft eine Funktion[86].
Was die *Gestalt* betrifft, so gilt grundsätzlich, daß Religion ohne Kirche nicht lebensfähig ist. »Ohne Gemeindeorganisation und ohne Kultus ist das Christentum nicht fortpflanzungs- und zeugungsfähig«. Die »Volkskirchen« erhalten »die religiöse Grundsubstanz am Leben«, ein religiöser, »völlig kult- und gemeinschaftsloser Individualismus« ist zum Absterben verurteilt. Wer das übersieht, »verkennt« »die wirklichen Bedingungen des Lebens«. Unter den sich anbietenden Organisationsformen ist der »Kirchentypus« dem »Sektentypus« und der »Mystik« - drei Typen, in die Troeltsch die Religionsgemeinschaften aufteilt - überlegen. Konkretisiert in den »Volkskirchen«, die fast deckungsgleich sind mit der pluralistischen Gesellschaft, in der sie sich vorfinden, ist er das »System«, das »Gewissensfreiheit«, »soweit sie überhaupt möglich ist«, gewährt. Auch Troeltsch macht aus der Not der Desintegration der Volkskirchen eine Tugend, deren defensiver Charakter aber versteckter ist als bei Schleiermacher und Rothe. In der »Volkskirche« können »friedlich die verschiedenen Geister wohnen und wirken«; sie umfaßt - was Troeltsch vom Luthertum sagt, gilt von der modernen Volkskirche überhaupt - die »Religion der Gebildeten« und »die Volksreligion als populäre Gestalt der religiösen Idee«; sie ist, in einem, »Gehäuse« der individuell und gesellschaftlich verschiedenen Ausprägungen der Religion und »einer gemeinsamen historischen Lebenssubstanz«, die insbesondere den theologisch »Gebildeten« in ihr das Material bietet, aus dem sie ihre in die Zukunft weisenden Tendenzen erheben und, ohne daß sie die »Verträglichkeit« untereinander verletzen, sie in diese Richtung steuern können. Die Organisation Volkskirche ist ein sich selber steuerndes Sozialsystem geworden, das die

85 Die der »Rechtfertigungs-« korrespondierende »Erbsündenlehre« als Konsequenz der paulinisch-reformatorischen, dogmatischen Christologie lehnt Troeltsch ausdrücklich ab (u.a. Protestantisches Christentum 601). Ein Satz wie dieser: »Der christlich-religiöse Glaube ist der Glaube an die Wieder- und *Höher*geburt der in der Welt gott*entfremdeten* Kreatur durch die Erkenntnis Gottes in Christo . . .« (*Troeltsch*, Religiöse Lage 512. Hervorhebungen E. Hübner), ist auf diesem Hintergrund zu interpretieren.

86 *Troeltsch*, Protestantisches Christentum 621.615.697; Soziallehren 968. - Es hängt mit seinem Selbstverständnis als die ›wert‹-vollen Tendenzen der Kirchengeschichte identifizierender »Historiker« zusammen, daß sich Troeltschs eigene Position oft besonders prägnant in seinen historischen Darstellungen niederschlägt. Zwar enthalten sie keine direkte »eigene, persönliche Stellungnahme«, aber sind nach eigenem Eingeständnis in dieser Hinsicht dennoch »von dogmatischen Gedanken aus bestimmt« (Protestantisches Christentum 747).

religiöse Substanz durch die Geschichte tradiert und der Selbstverwirklichung des religiösen Subjekts dient. Noch deutlicher wird die hier vollzogene Funktionalisierung der Kirche für die Zwecke des religiösen Subjekts aber in der Instrumentalisierung Jesu Christi zum bloßen Kultsymbol. Außer der »Gemeindeorganisation« ist es ja der »Kultus«, dessentwegen Religion ohne Kirche nicht lebensfähig ist. Unmißverständlich grenzt sich Troeltsch dagegen ab, die Stellung, die er Jesus in diesem Zusammenhang einräumt, mit theologischer Identifizierung der Kirche auf dem apostolischen »Fundament« von Jesus Christus zu verwechseln. Nur bei der überholten »*alt*kirchlich rechtgläubigen Erlösungs-, Autoritäts- und Kirchenidee« gab es eine »wirkliche innere Notwendigkeit der geschichtlichen Person Jesu für das Heil«. Im »*Neu*protestantismus« ist eine »Zentralstellung Jesu« nur noch »*sozialpsychologisch* für Kult, Wirkungskraft und Fortpflanzung« zu begründen. Er fügt ausdrücklich hinzu: »Die von mir gegebene Begründung ist eine allgemein sozialpsychologische, die für das Christentum so gut gilt wie für jeden anderen ... religiösen Glauben«. Jesus nur noch als »sozialpsychologisch« begründbares, deshalb prinzipiell austauschbares, religiöses Kultsymbol[87] – eindeutiger kann er kaum sagen, daß eine theologische Identifizierung der Kirche auf dem apostolischen »Fundament« außerhalb seines ekklesiologischen Horizontes liegt. Die »Aufgaben soziologisch-organisatorischer Natur«, die »ursprünglicher sind als alle Aufgaben der Dogmatik«, haben sie eliminiert[88].
Auch wenn Troeltsch die Unentbehrlichkeit der Kirche anders als Rothe herausstellt, im Entscheidenden stimmt er mit ihm überein: Die Kirche wird in Gehalt und Gestalt dem religiösen Subjekt ausgeliefert. Ihr Gehalt ist von seiner Selbstverwirklichung her auf sie hin interpretiert, ihre Gestalt für diesen Zweck funktionalisiert. Religiöse Subjektivität ist zum Selbstzweck geworden. Denn sie, die konkrete Ausprägung der natürlichen Religion des Menschen, vermag sich allein noch gegenüber der »Allmacht« der an der Naturwissenschaft orientierten wissenschaftlichen Methode der Moderne zu behaupten. Für ihre Zwecke ist die Kirche da. Ob sich mit ihr auch Gott behauptet? »Die Hauptfrage des religiösen Denkens ist ..., ob es Gott überhaupt gebe«[89]!

Den Weg der Kirche, ihre *praktische Orientierung* genauer zu formulieren, sah der »Historiker« Troeltsch nicht mehr als seine Aufgabe an. Wo die Selbstverwirklichung des religiösen Subjekts ihr Zweck ist, da steht aber folgerichtig der »sozialpsychologisch« erforderliche religiöse »Kultus« und nicht mehr die Verkündigung des am Kreuz hingegebenen »Lei-

87 »Die historische Persönlichkeit Jesu Christi ist prinzipiell ersetzbar« (*Honecker*, Kirche 43).
88 *Troeltsch*, Protestantisches Christentum 707.699; Soziallehren 980.982f; Geschichtlichkeit Jesu 95.101.107 (Hervorhebungen E. Hübner).
89 *Troeltsch*, Protestantisches Christentum 605.

bes Christi« im Zentrum des Gottesdienstes. Da müssen die alten, überholten, dogmatischen Gehalte allmählich von solchen abgelöst werden, in denen sich der moderne Mensch noch religiös wiederzuerkennen vermag. Die künftigen Pfarrer müssen entsprechend auf eine Übergangszeit vorbereitet werden, in der sie sich »vorsichtig schonend« noch den traditionellen Gehalten anpassen, aber sie schon »leise umbilden«. Da tritt, obwohl die empirische Kirche in gewissem Sinne den Bezugshorizont des theologischen Denkens von Troeltsch bildet, das Interesse an ihrer »Reform« deutlich hinter das an der Selbstverwirklichung der religiösen Subjektivität auf der Höhe der Zeit zurück[90].

2.1.4
Paul Tillich

Welche Faszination von der natürlichen Religion des Menschen als ›Fundament‹ der Kirche in einer Zeit ausgeht, die, irritiert von der Desintegration einer nur noch lose volkskirchlich zusammengehaltenen, wenn auch mit Elementen christlicher Tradition durchsetzten Gesellschaft, nach einer diese neu integrierenden Identifizierung sucht, zeigt der Rückgriff auf die Religions-Ekklesiologie Schleiermachers, Rothes und Troeltschs schon während, erst recht aber nach der Epoche des Einspruchs der »dialektischen« Theologie gegen die Eliminierung des apostolischen »Fundaments« der Kirche[91]. Die natürliche Religion als das sich im Zeitalter einer an der Naturwissenschaft orientierten Wissenschaftlichkeit Behauptende korreliert mit einer modernen Kirchlichkeit, die sich am einleuchtendsten aus einem religiösen Bedürfnis des Menschen erklärt. Ihr Kennzeichen ist, daß die Mehrheit nicht aus der Kirche austritt, aber außer der Inanspruchnahme uralter, auf religionsgeschichtliche Hintergründe verweisender Rituale kaum Gebrauch von ihr macht. Was lag näher als der Rückgriff auf eine Religions-Ekklesiologie, die bereits eine Reaktion auf diese schon zu ihrer Zeit sich abzeichnende Entwicklung war? Daß es nach dem Einspruch der »dialektischen« Theologie schwieriger geworden war, den Jesus Christus des apostolischen Kerygmas auf einen Jesus zu reduzieren, der sich dem Vorzeichen der natürlichen Religion des Menschen beugt, ist ihrer modernen Repristinierung ebenso anzumerken wie der Zugzwang, in den der gerät, der sich auf sie einläßt.

Wie sich in der Theologie Paul Tillichs überhaupt Kongenialität mit der durch Schleiermacher repräsentierten theologischen Epoche, Nähe zur »dialektischen« Theologie und Gespür für die religiöse Lage der Gegenwart eigentümlich verbinden, so auch in seiner Ekklesiologie. »Theologie ist eine Funktion der christlichen Kirche« – mit dieser fast wörtlich an

90 *Troeltsch,* Absolutheit IX; Die Kirche im Leben der Gegenwart 102f.
91 S.u. 83f.106.117.126.134.143.

Barth erinnernden Feststellung setzt seine »Systematische Theologie« ein. In Aufnahme des Modells der »Kurzen Darstellung des theologischen Studiums« Schleiermachers hat sie ein deutliches Gefälle zur praktischen Theologie. »Während die Lehre der Kirche über ihr Wesen und ihre Aufgaben zu der systematischen Theologie gehören, beschäftigt sich die praktische Theologie mit den Einrichtungen, durch die das Wesen der Kirche verwirklicht und ihre Aufgaben durchgeführt werden.« Während sich m.a.W. die systematische Theologie zuspitzt in die ekklesiologische Aufgabe der theologischen Identifizierung der Kirche, fällt der praktischen Theologie ihre praktische Orientierung zu. In ihr berührt die Theologie ihren Gegenstand, die Kirche, deren »Funktion« sie ist, »um die bestehenden Einrichtungen zu erklären, an ihnen Kritik zu üben, sie zu ändern und notfalls neue an ihre Stelle zu setzen«. In ihrer systematischen und praktischen Disziplin zusammen kommt sie an ihr Ziel, deshalb stehen sie »auf einer Stufe«. Damit reformuliert Tillich im 20. Jahrhundert, was Schleiermacher am Beginn des 19. Jahrhunderts grundlegte: den Bezug der Theologie auf die empirische Kirche, der sie in systematisch-theologische Ekklesiologie und praktische Theologie zuspitzt[92].

In Tillichs »Systematischer Theologie« scheint nur durch, daß sich seine Ekklesiologie auf konkret-empirische Kirche bezieht. Dabei liegt in ihrem Gesichtskreis weniger die Volkskirche in Europa und Deutschland, aus dem Tillich 1933 emigrieren mußte, als ihre freikirchliche Abwandlung »im amerikanischen Protestantismus«. Aber wenn er definiert, »daß die Kirche eine soziologisch bestimmte Gruppe ist«, und »dabei an politische, soziale, wirtschaftliche, pädagogische, nationale, rassische Verschiedenheiten und vor allem an persönliche Gegensätze, die sich in Sympathien und Antipathien ausdrücken«, denkt, wird ein konkret-empirischer Hintergrund durch die Verallgemeinerung hindurch erkennbar, der bis zu den europäischen Volkskirchen reicht, aus denen Tillich herkommt. Daß er alle angeführten Aspekte unter der Überschrift »soziologisch bestimmte Gruppen« zusammenfaßt, zeigt schon, daß ihn völlige Offenheit wie überhaupt zu den empirischen Humanwissenschaften, so auch zur Soziologie kennzeichnet. Er ist nach Troeltsch der zweite Theologe, der ihre Bedeutung für die empirische Kirche und ihre Geschichte erkannte. »Jede Kirche ist eine soziologische Wirklichkeit und unterliegt damit den Gesetzen, die das Leben jeder sozialen Gruppe bestimmen . . . Die Religions-Soziologen (sind) berechtigt, die Religion genauso zu untersuchen, wie sie andere Gegenstände der Soziologie . . . untersuchen«.

Ist zur »Beurteilung der Kirchen« der »soziologische Aspekt« auch unverzichtbar, so ist doch »seine Ausschließlichkeit« abzulehnen. Das gleiche gilt umgekehrt für eine »Exklusivität« der »theologischen Sicht«. Vielmehr ist »in wissenschaftstheoretischer Sprache von dem soziologischen und dem theologischen Aspekt der Kirche zu reden«. Denn ihre

92 *Tillich*, ST I 9.38ff.42f; ST III 234.224ff. Vgl. *Barth*, KD I/1 1.

theologische Identifizierung bezieht sich auf die heute nur noch soziologisch zureichend beschriebene empirische Kirche. Sie wiederum ist die Voraussetzung einer Orientierung ihrer Praxis, die theologisch und praktisch zugleich ist. Die Konzeption übersetzt die Ekklesiologie des Neuen Testaments in die heutigen Bedingungen – alles hängt allerdings davon ab, daß sie auf dem apostolischen »Fundament« von Jesus Christus ausgearbeitet wird[93]. Daß Tillich es intendiert, geht daraus hervor, daß er, in Abhebung von anderen »religiösen Gruppen« auf »anderen Fundamenten«, Schleiermachers Ausweitung der »Kirche« zum Oberbegriff aller Religionsgesellschaften zurücknimmt und den Begriff für die »Gruppe« reklamiert, deren »religiöse(s) Fundament . . . das Neue Sein in Jesus als dem Christus ist«[94]. Auf ihm differiert seine »Heiligkeit« und die »Unheiligkeit« ihrer »Glieder«; ihre Heiligkeit infolge ihrer Rechtfertigung »aus Gnade durch den Glauben« und ihrer Unheiligkeit »in den Zweideutigkeiten der Religion«; ihre Identität als »Leib Christi« und ihre empirische Nichtidentität. Wie ihr ihre Identität ständig zugesprochen werden muß, so bedarf sie ständiger theologischer Identifizierung und einer theologischen Orientierung ihrer Praxis, die ihr ihrer Identität entsprechendes Werden intendiert. Das erinnert an Barth, Bultmann und die anderen »dialektischen« Theologen. Aber die Nähe zu ihnen konkurriert bei Tillich mit der Rezeption Schleiermachers und seiner Epoche. Es stellt sich heraus, daß in der Frage des »Fundaments« der Kirche eine Vermittlung zwischen ihnen nicht möglich ist[95].

Der Zusatz »*das Neue Sein* in Jesus als dem Christus« kündigt an, daß auch bei Tillich an die Stelle des apostolischen ein religionsphilosophisch-metaphysisches ›Fundament‹ der Kirche getreten ist. Denn »das Neue Sein« ist Entwurf des menschlichen Geistes, der sich des »göttlichen Seinsgrundes« bewußt ist. In ihm ist »mythisch gesprochen die ›Erinnerung‹ der wesenhaften Einheit des Endlichen und Unendlichen erhalten«. Deshalb transzendiert er die Physis – die empirische Welt im weitesten Sinne – und streckt sich in die Meta-Physis aus. Neben Platon, an den schon Schleiermacher angeknüpft hatte[96], tritt als Kronzeuge Aristoteles.

93 *Tillich,* ST III 211.208.194ff. – Darauf, daß die Komplementarität von »soziologischem« und »theologischem Aspekt der Kirche« für Tillich nur Spezialfall eines allgemeinen wissenschaftstheoretischen Problems ist, macht *Schwerdtfeger,* Politische Theorie Tillichs 67f, aufmerksam: »Die sozialtechnischen Wissenschaften sind nach Tillichs Auffassung deshalb auf die Geisteswissenschaften angewiesen, weil die Ziele des sozialen Handelns nicht empirisch gefunden werden können; sie zu konzipieren ist Aufgabe der Geisteswissenschaften . . . Nach ihrer analytischen und deskriptiven Seite sind die sozialtechnischen Wissenschaften als Seinswissenschaften selbständig und orientieren sich an den Sozialfunktionen, die das Leben des sozialen Organismus bestimmen . . . Aber was aus diesem Material gemacht werden soll, das hängt ab ›von den letzten geisteswissenschaftlichen Zielsetzungen. Nach der grundlegenden Zielsetzung aber richten sich alle übrigen Zielsetzungen und nach ihnen die technischen Mittel‹«.

94 S.o. 32.

95 *Tillich,* ST III 191f.196f.

96 Es ist die platonische Anamnese, die Tillich meint. Auf sie beruft sich Schleiermacher schon in den »Reden«, wenn er schreibt: »Es ist ›wahr‹, was ein alter Weiser Euch gelehrt

Deshalb hat er »Verlangen« »nach dem göttlichen Geist«, nach »unzweideutiger« Gemeinschaft mit ihm, nach »unzweideutigem Leben«, nach »Neuem Sein« in diesem Sinne. Über dieses »Verlangen« hinaus reicht die religiös-metaphysische Kraft des menschlichen Geistes nicht, denn der Mensch lebt im »Stand existenzieller Entfremdung« von seinem »göttlichen Daseinsgrund«. Er ist der Geist des zwar gott-entfremdeten, in dieser platonisierenden Abschwächung: sündigen, aber dennoch Gottes bewußten, deshalb nach ihm fragenden, »nach dem göttlichen Geist« ›verlangenden‹ Menschen. Seine »natürliche Theologie« reicht bis zu dieser »Frage«, zu diesem »Verlangen« – »Antwort« und Erlangen müssen ihm zukommen. Aber in der »Frage«, im »Verlangen« des menschlichen Geistes sind sie schon enthalten. *Was* er erfragt und verlangt, weiß der Geist des Menschen – nur darüber, *daß* ihm geantwortet wird, *daß* er erlangt, verfügt er nicht. *Was* Offenbarung und Erlösung sind und beinhalten, weiß er – nur darüber, *daß* sie zur »Offenbarungs«-, »Erlösungserfahrung« werden, verfügt er nicht. *Was* »unzweideutiges Leben«, »Neues Sein« ist, weiß er – nur darüber, *daß* sie ihm zuteil werden, verfügt er nicht. Antwort und Erlangen aktualisieren nur das in seinem ›Fragen‹ und ›Verlangen‹ Potentielle. Sie aktualisieren das in ihnen potentielle Selbst des Menschen. Sie aktualisieren seine Selbst-Verwirklichung. Alle konkret-geschichtlichen Religionen interpretiert Tillich von hier her. An ihre Spitze tritt wie bei Schleiermacher »Jesus als der Christus«, die »letztgültige Offenbarung«, die »zentrale Manifestation des göttlichen Geistes«, des »Neuen Seins« nicht mehr gott-entfremdeter, »wesenhafte(r) Gott-Mensch-Einheit in der Existenz« sowie die von diesem »Anfang« als »tragender Kraft« lebende Kirche. Das heißt aber, die Wertung Jesu Christi und seiner Kirche vollzieht sich auf dem ›Fundament‹ der in eine Geistesmetaphysik ausgeweiteten natürlichen Religion des Menschen als Gottesbewußtsein[97].

Auf ihm identifiziert er die Kirche als »Geistgemeinschaft«. Der »Ausdruck« ist gewählt, »um das Element der Kirche scharf hervorzuheben, das vom Neuen Testament ›Leib Christi‹ und von den Reformatoren ›unsichtbare oder geistliche Kirche‹ genannt wird«. »Geistgemeinschaft«, »Leib Christi«, »geistliche Kirche« ist da, »wo der göttliche Geist wirkt«. Unter der Verheißung und dem Vorbehalt seines Wirkens vollzieht die Theologie die Identifizierung der empirischen »sozialen Gruppe« Kirche. Hier kommt bei Tillich die Differenz zwischen ihrer theologischen »Identität« und ihrer empirischen »Nicht-Identität« wieder in Sicht, die nach

hat« – gemeint ist der »göttliche Plato«, wie er an anderer Stelle apostrophiert wird –, »daß jedes Wissen eine *Erinnerung* ist, an das nämlich, was außer der Zeit ist, eben daher aber mit Recht an die Spitze jedes zeitlichen gestellt wird« (*Schleiermacher,* Ueber die Religion 194.308). – Ganz analog verweist Tillich auf »den platonischen Mythos von der Seele in ihrem ursprünglichen Zustand, die die ›Ideen‹ oder ewigen Wesenheiten schaut« (*ders.*, ST I 91 Anm.).

97 *Tillich,* ST I 158ff; ST II 103.108; ST III 176f.134ff (Hervorhebung E. Hübner).

ihrer ständigen *theologischen Identifizierung* verlangt. Aber der »göttliche Geist« »wirkt« die »Geistgemeinschaft« Kirche, indem er aktualisiert, was potentiell schon in ihr ist. Er treibt es ›ekstatisch‹ »über sich hinaus«. Der empirisch-»sichtbaren Kirche« ist ihre »geistige Essenz« inhärent, aber, analog zur gottesbewußten, jedoch gott-entfremdeten Existenz des einzelnen, in »alle(n) Zweideutigkeiten der Religion, der Kultur und der Moralität«. In der »unsichtbaren oder geistliche(n) Kirche« kommt die Aktualisierung ihrer »geistigen Essenz« durch den »göttlichen Geist« hinzu, so daß sie »Entfremdung und Zweideutigkeit« »unter den Bedingungen der Endlichkeit« »siegreich überwindet«. Nichtidentische, empirisch-»sichtbare Kirche« und identische, »unsichtbare oder geistliche Kirche« divergieren zwar im Verhältnis von Potentialität und Aktualität, von Zweideutigkeit und Eindeutigkeit, konvergieren aber in der gemeinsamen Teilhabe an der »geistigen Essenz«, die – ob potentiell oder aktuell, zweideutig oder eindeutig – auf den »göttlichen Seinsgrund« verweist. Das dort Potentielle wird hier aktuell, das dort Zweideutige hier eindeutig. Das Verhältnis der »Nicht-Identität« der Kirche zu ihrer »Identität« ist das der »Beziehung«. Die durch den »göttlichen Geist« gewirkte »Geistgemeinschaft« ist das »*innere* telos der Kirchen«! Dann bedeutet »Nicht-Identität« nicht Identitätslosigkeit, sondern, am Identischen gemessenes, lediglich quantitatives Defizit. »Leib Christi« ist die Kirche dann in der »Kraft« des »Neue(n) Sein(s) in Jesus als dem Christus«, die schon in ihr Potentielles aktualisiert, die vorher Zweideutiges eindeutig macht, die quantitativ Defizitäres aufhebt[98].
Damit rückt sie in die Nähe anderer Religionen und religiöser Gruppen. Zu letzteren zählt Tillich »die Jugendbewegung, pädagogische, künstlerische und politische Bewegungen und Einzelne ohne sichtbare Verbindung untereinander, in denen das Wirken des göttlichen Geistes fühlbar wird«. »Die Geistgemeinschaft ist in ihrer verborgenen Macht und Struktur in allen diesen Gruppen gegenwärtig«. Ausdrücklich zieht er die Folgerung, sie sei »nicht identisch mit den christlichen Kirchen«. Auch anderen Religionen und religiösen Gruppen ist die »geistige Essenz«, die auf den »göttlichen Seinsgrund« verweist, inhärent. Was sie von den christlichen Kirchen unterscheidet, drücken die Begriffe »Latenz« und »Manifestation« aus. Auch andere Religionen und religiöse Gruppen außerhalb der christlichen Kirchen sind »Geistgemeinschaft« »in latenter«, verborgener »Form«. Auch in ihnen »wirkt der Geist in Glauben und Liebe« – wie in den christlichen Kirchen. Auch »im Stand der Latenz gibt es Elemente, die aktualisiert, und Elemente, die noch nicht aktualisiert sind« – wie im Stand der Manifestation. Sie unterscheiden sich von den christlichen Kirchen relativ dadurch, daß ihnen Jesus Christus als »das letzte Kriterium von Glaube und Liebe«, als »ein letztes Prinzip des Widerstandes« gegen die »Zweideutigkeiten der Religion, der Kultur und der Moralität«

98 *Tillich,* ST III 134f.177.190ff.194 (Hervorhebungen E. Hübner).

»fehlt«. Deshalb sind sie der Gefahr der »Profanisierung und Dämonisierung besonders ausgesetzt«. Das heißt, auch andere Religionen und religiöse Gruppen sind potentielle und aktuelle, zweideutige und eindeutige »Geistgemeinschaft« wie die christlichen Kirchen, jedoch ohne ihre ›Bewußt‹-heit. Weil ihnen die »zentrale Offenbarung in Jesus dem Christus« »fehlt«, die das gemeinsame »religiöse Fundament« der »universale(n) Offenbarung« der auf den »göttlichen Seinsgrund« verweisenden »geistigen Essenz« in der Existenz »manifest« macht, sind sie »latente« Kirche. Die christlichen Kirchen sind »Geistgemeinschaft« »in manifester«, offenbarer »Form«. Auch sie sind »Gemeinschaften des Glaubens und der Liebe« – wie andere Religionen und religiöse Gruppen. Auch im Stand der »Manifestation« gibt es Elemente, die aktualisiert, und Elemente, die noch nicht aktualisiert sind – wie im Stand der Latenz. Sie unterscheiden sich von anderen Religionen und religiösen Gruppen relativ dadurch, daß sie »das letzte Kriterium von Glauben und Liebe«, »ein letztes Prinzip des Widerstandes« gegen die »Zweideutigkeiten der Religion, der Kirche und der Moralität« ›besitzen‹. Deshalb vermögen sie es gegen die Gefahr der »Profanisierung und Dämonisierung« »selbstkritisch . . . anzuwenden«. D.h. die christlichen Kirchen sind potentielle und aktuelle, zweideutige und eindeutige »Geistgemeinschaft« wie andere Religionen und religiöse Gruppen, jedoch in ›Bewußt‹-heit. Weil sie die »zentrale Offenbarung in Jesus dem Christus« ›besitzen‹, die das gemeinsame »religiöse Fundament« der »universale(n) Offenbarung« der auf den »göttlichen Daseinsgrund« verweisenden »geistigen Essenz« in der Existenz »manifest« macht, sind sie »manifeste« Religion und religiöse Gruppe. Was andere Religionen, religiöse Gruppen und christliche Kirchen relativ unterscheidet, ist ein verschiedener Grad an ›Bewußt‹-heit des gemeinsamen »religiösen Fundaments«, der der religiös-metaphysischen Existenz inhärenten »geistigen Essenz«, die auf den »göttlichen Seinsgrund« verweist. Einen »essentiellen« Unterschied zwischen ihnen gibt es aber nicht. Auf dem gemeinsamen »*religiösen* Fundament« sind Religionen, religiöse Gruppen und christliche Kirchen relativ verschiedene, in der »Essenz« aber identische »*Religions*gemeinschaften«[99].

Folgerichtig zentriert die *theologische Orientierung der Praxis* der Kirche nicht im Zu-sprechen des »Leibes Christi«, sondern im Fortschreiten von religiös-geistesmetaphysischer Potentialität zur Aktualität. Gegliedert ist sie in »Funktionen« der »Begründung«, der »Ausbreitung« und des »Aufbaus«. Die Gliederung zeigt, daß Tillich alle ihre Hinsichten berücksichtigt. Gemeinsam ist ihnen die »Funktion der *Vermittlung*«. Angesichts der »Mauern«, hinter denen sich die »Kritiker der Kirche« verschanzen, und der »großen Massen in allen sozialen Schichten«, die sich innerlich und äußerlich von ihr abgewandt haben, ist sie unabweisbar und

99 *Tillich,* ST III 191.179ff.202.

not-wendig. Tillichs ganze Theologie ist als »theoretische Grundlegung« der »Funktion der Vermittlung« in der Praxis der Kirche, sie ist in diesem Sinne »apologetisch« konzipiert. Sie will »auf Fragen, die die Situation stellt«, »antworten«. Sie ist darum besorgt, daß »die Kirche . . . in den Kategorien und Begriffen spricht, die von denen verstanden werden, die sie gewinnen will«. Aber sie ist »*mehr* apologetisch als kerygmatisch«. Zwar räumt Tillich »Wort und Sakrament« den Vorrang in der Praxis der Kirche ein. Aber das *»Wort«* vom »Neuen Sein des Jesus als dem Christus« »vermittelt« eine »Kraft«, die die religiös-geistesmetaphysische Potentialität des Menschen aktualisiert. In diesem Sinne ist es »Wort Gottes«. Jedes, nicht nur das biblische oder an der Bibel orientierte Wort, kann zu solchem »Wort Gottes« werden, sofern es »zum aktuellen Mittler« geeignet ist, der die »Macht« hat, »den menschlichen Geist zu ergreifen«, d.h. seine religiös-geistesmetaphysische Potentialität zu aktualisieren. Das »biblische Wort« vom »Neuen Sein in Jesus als dem Christus« hat aber den nichtbiblischen Worten voraus, daß es »manifest« macht, was in ihnen »latent« ist. Deshalb ist es »Kriterium«, »höchste(r) Prüfstein« »für das, was für jemanden ›Wort Gottes‹ werden oder nicht werden kann«. Seine Qualität ist die eines eine Potentialität des Menschen aktualisierenden Mediums wie andere »Wort«-Medien, darüber hinaus eines ein in ihnen Latentes manifest machenden Kriteriums. Diese Funktionalisierung läßt das apostolische Kerygma von Jesus Christus nicht zur Aussprache kommen[100]. Daß »das *Sakrament* ›älter‹ ist als das Wort«, stellt nicht nur eine religionsgeschichtliche Abfolge fest. Bei gleicher Funktion, »Übermittler des göttlichen Geistes« zu sein, unterscheidet es sich vom »Wort«, das das anthropogenetisch spätere »Bewußtsein«, den »Intellekt«, den »Willen« »erfaßt«, dadurch, daß es das anthropogenetisch frühere »Sinnliche«, das »Unbewußte erreicht«. Beim Ergriffenwerden durch den göttlichen Geist geht es um den ganzen Menschen in seiner »vieldimensionale(n) Einheit«. Deshalb kommuniziert der göttliche Geist in der »Dualität von Wort und Sakrament« mit dem ganzen Menschen »in den Dimensionen des Psychischen und des Geistes«. Auch das »Sakrament« vom »Neuen Sein in Jesus als dem Christus« »vermittelt« eine »Kraft«, die die religiös-geistesmetaphysische Potentialität des Menschen aktualisiert. Alle »Materialien« und »Akte«, nicht nur die in der christlichen Tradition verankerten, können zu solchen Sakramenten werden, sofern sie die »Qualitäten« besitzen, »die sie für ihre sakramentale Funktion«, »Übermittler des göttlichen Geistes« zu sein, der die religiös-geistesmetaphysische Potentialität des Menschen zu aktualisieren vermag, »geeignet« machen. »Die sakramentalen Akte, durch die der Geist des Neuen Seins im Christus sich dem menschlichen Geist mitteilt«, haben anderen religiösen Sakramenten voraus, daß sie »manifest« machen,

100 ». . . das Verständnis des Begriffs Verkündigung auf dieser Linie kann nur mit seiner Auflösung endigen« (*Barth*, KD I/1 65).

was in ihnen »latent« ist. Deshalb »müssen alle sakramentalen Akte dem Kriterium des Neuen Seins unterworfen werden«, um »alle dämonischen Elemente« auszuscheiden. Die Qualität der Sakramente, »durch die der Geist des Neuen Seins im Christus sich dem menschlichen Geist mitteilt«, ist die eines eine Potentialität des Menschen aktualisierenden Mediums wie andere religiöse Sakramente, darüber hinaus eines ein in ihnen Latentes manifest machenden Kriteriums. Diese Funktionalisierung läßt ihre »Beziehung« zum »Ereignis des Kreuzes« als *dem* »Offenbarungsereignis« kerygmatisch nicht zum Tragen kommen. – »Wort und Sakrament« sind zusammengeschlossen unter dem Oberbegriff »Symbol«. Nach dem Prinzip der »analogia entis« ›partizipieren‹ sie als »Seiendes« an »Gott als Sein-Selbst« und verweisen auf ihn. Was vom »sakralen Symbol« gilt, gilt auch vom »Wort«-»Symbol«: »Es nimmt teil an der Macht dessen, was es symbolisiert, und kann deshalb zum Mittler des göttlichen Geistes werden«[101]. Ihre metaphysische Partizipation verleiht Sakrament *und* Wort den Charakter und die Funktion von Kultsymbolen. Die Vermittlung dessen, an dem sie metaphysisch partizipieren, aktualisiert die religiös-metaphysische Potentialität des Menschen. Kultisch akzentuiert sind auch die Unterscheidung von »Priestern« und »Laien«, die Herausstellung »gemeinschaftlichen Erleben(s)«, der mystischen »Kontemplation«. Der Gottesdienst ist Kultus wie in anderen Religionen und religiösen »Gruppen«, von ihnen relativ unterschieden durch das »manifeste« »Symbol« des »Neuen Seins in Jesus dem Christus«, das in ihren Kult-Symbolen »latent« ist. Die Kult-Zentrierung verdrängt die Kerygma-Zentrierung, das wörtliche Zu-Sprechen und zeichenhafte Mit-Teilen des Evangeliums von Jesus Christus. Die ent-kerygmatisierende Tendenz strahlt auf alle Praxisfelder aus[102].

2.1.5
Trutz Rendtorff

Heute hält Trutz Rendtorff der Theologie die Ekklesiologie als ihr vorrangiges Problem vor. Er, der in sich selber den Kirchensoziologen mit dem systematischen Theologen verbindet, legt den Finger auf die Aporien einer Ekklesiologie, die die empirische Kirche verfehlt. Er ist nach Tillich aber auch derjenige, der ihr, unter ausdrücklicher Bezugnahme auf Schleiermacher, Rothe und Troeltsch, wiederum die »Religion« des Menschen als ›Fundament‹ substituiert.
Vor allem unter dem Einfluß der dialektischen Theologie ist die »Erörterung des Kirchenbegriffs« zum Kennzeichen einer theologischen Epoche geworden. Rendtorff erkennt ihre epochale Bedeutung an, hält aber der sie tragenden Theologie von Anfang an vor, ihre Ekklesiologie sei »mit

101 »Man hat ... ein Recht zu sagen, daß z.B. Christus oder Buddha Symbole sind, sofern in ihnen das Unbedingt-Transzendente angeschaut werden kann« (*Tillich*, Symbol 209).
102 *Tillich*, ST I 278.12f; ST III 253f.225ff.217f.220f.144ff.

dem Verlust eines theologischen Zuganges zur faktischen Kirche der Geschichte erkauft«[103]. Dieser »Verlust« ist aufzuholen und die Einbringung der »faktischen«, empirischen Kirche in die Ekklesiologie dazu der erste Schritt. In kirchensoziologischen Untersuchungen macht er sie auch zu seiner eigenen Sache. Auf dreierlei macht er besonders aufmerksam: auf die Vorgegebenheit der »Volkskirche« - auf deren soziologische Binnendifferenzierung - auf das Phänomen der »Unkirchlichkeit«. Alle drei Hinsichten hängen unter dem Oberbegriff »Volkskirche« miteinander zusammen. Sie präzisieren soziologisch und historisch, was bereits Schleiermacher, Rothe und Troeltsch im Blick hatten, aber auch bei Tillich begegnete.

Die Tatsache, daß »bis auf einen kleinen Prozentsatz . . . nahezu alle Menschen getaufte Glieder einer christlichen Kirche« sind, daß »mit geringfügigen Schwankungen . . . die Kinder getauft, konfirmiert, die Ehen kirchlich getraut und die Toten christlich beerdigt« werden, m.a.W. die Tatsache der »Volkskirche«, die »seit der Aufhebung des Staatskirchentums« dieses abgelöst hat, kann für unseren Raum schwerlich ignoriert werden. Sie, die sich - soziologisch am eindeutigsten erhebbar in der »Ortsgemeinde«[104] - in einen Kern »kirchlicher Kreise«, die sog. »Kerngemeinde«, über eine »distanzierte Kirchlichkeit« bis zu einer »Unkirchlichkeit« differenziert, »die die spezifische Form protestantischer Kirchlichkeit darstellt«, macht an ihren Rändern Grenzziehungen zu einer auch außerkirchlichen »Gesellschaft, deren tragende Gemeinsamkeiten gerade durch die Geschichte des Christentums geprägt sind«, unmöglich. Der »protestantischen« »Volkskirche« ist die Tendenz der Desintegration inhärent! Mit ihr greift sie nicht nur in die außerkirchliche »Gesellschaft«, sondern auch in die andere, die katholische »Volkskirche« über, so daß wir in unserem Raum insgesamt den desintegrierten »Pluralismus« einer »Gesellschaft« unter christlichem Vorzeichen vor uns haben. Gesellschaft und Christentum, Soziologie der Gesellschaft und (christliche) Religionssoziologie sind in ihm Korrelate. Verhält es sich so - und es ist kaum zu widerlegen, daß es sich so verhält -, dann haben »distanzierte Kirchlichkeit«, »Unkirchlichkeit« und auch, wäre sinngemäß zu ergänzen, Außerkirchlichkeit - als Massenphänomene signifikante Exponenten der desintegrierten, mit einer pluralistischen Gesellschaft deckungsgleichen empirischen Volkskirche - aber Anspruch auf sorgfältige Berücksichtigung in einer funktionalen theologischen Ekklesiologie. Bisher hat »die These von der säkularisierten Gesellschaft und ihrer Entchristlichung« als »Vorurteil« gewirkt und sie blockiert. Es ist »erschreckend«, »wie wenig die Kirche sich dessen noch bewußt ist, was im protestantischen Sinne eine Volkskirche ist, in der man« - zunächst soziologisch - »nicht zwischen Christen und Nichtchristen, sondern nur zwischen verschiedenen Graden der Kirchlichkeit unterscheiden kann«. Wird aber der Großteil der Mit-

103 S.u. 83ff.
104 Dazu: *Rendtorff,* Soziale Struktur; *ders.,* Kerngemeinde 267ff.

glieder der Volkskirche nicht auf ihr Verhalten und seine Hintergründe hin ohne Vorurteile empirisch und historisch untersucht, verliert theologische Ekklesiologie die Volkskirche als Bezugshorizont und wird dysfunktional. Es ist nicht ihre Aufgabe, die hierfür erforderlichen empirischen Daten zu erbringen: »Eine dogmatische Lehre von der Kirche kann die konkreten sozialen Formen des kirchlichen Daseins nicht aus sich heraus setzen wollen . . .«. Hier ist sie auf die Soziologie angewiesen. Aber es ist ihre Aufgabe, sich auf die von der Soziologie eingebrachten Daten theologisch-ekklesiologisch zu beziehen[105]. »Entsprechend kann eine kirchensoziologische Untersuchung, die sich mit der sozialen Wirklichkeit der Kirche befaßt, ihren Ergebnissen nicht den Rang normativer Sätze über die Kirche und ihre Konkretion in der Gesellschaft zulegen wollen«. Wie theologische Ekklesiologie der Kirchensoziologie bedarf, um an der empirischen Kirche funktional zu werden, so bedarf die Kirchensoziologie theologischer Ekklesiologie, die die empirische Kirche durch ihre »normative(n) Sätze« identifiziert und bis in die praktische »Konkretion« orientiert. Wenn Rendtorff zustimmend referiert: »Das Wesen der Kirche kann nicht im Blick auf sie selbst zureichend erfaßt werden, sondern nur als ihre Einheit und ihr Zusammenhang mit dem *Christusgeschehen*«, da »*der Grund* (!) der Kirche *ausschließlich*« in ihm liege, kommt darüber hinaus das apostolische »Fundament« der Kirche in Sicht - wie bei Schleiermacher, Rothe, abgeschwächt bei Troeltsch und wieder akzentuiert bei Tillich. Diese vier Namen belehren aber darüber, daß die Erwähnung Jesu Christi nicht bedeuten muß, daß theologische Ekklesiologie auch auf dem apostolischen »Fundament« gedacht wird[106].

Tatsächlich tritt auch bei Rendtorff an die Stelle des apostolischen »Fundaments« die »Religion« des Menschen. Weil der Soziologe Rendtorff über die »kirchlichen Kreise« hinausgeht und auch die »distanzierte Kirchlichkeit«, die »Unkirchlichkeit« bis hin zur Außerkirchlichkeit in den Blick nimmt, plädiert er für eine über die Kirchensoziologie im engeren Sinne hinausgehende »Religionssoziologie in einem breiteren Sinne«. Die Reichweite einer »Kirchensoziologie« im engeren Sinne ist als »Bezugsrahmen« zu kurz. Er ist deshalb »im Sinne einer Religionssoziologie zu verändern und zu erweitern«. In einem ersten Schritt differenziert Rendtorff die von dogmatisch bestimmter zu religiös unbestimmter Christlichkeit gestufte, plurale Gesellschaft in unserem Raum, in einem zweiten Schritt erschließt er induktiv das ihr Allgemeine. Was ihm dabei entgegentritt, ist der christlich bestimmte religiöse Mensch. Diese Methode ist soziologisch evident[107]. Theologisch eliminiert sie das apostolische »Fundament« der Kirche und setzt an seine Stelle die »Religion«. Solange

105 *Rendtorff,* Offenbarungsproblem 116.125; *ders.,* Christentum außerhalb 10f.31. 14.17.25ff; *ders.,* Soziale Struktur 145.

106 *Rendtorff,* Soziale Struktur a.a.O.; *ders.,* Offenbarungsproblem 119.128 (Hervorhebungen E. Hübner).

107 S.u. 68f.

soziologisch-empirische Analyse und theologisch-ekklesiologische Identifizierung auseinandergehalten werden, um sie dann aufeinander zu beziehen, ist das kein Schade. Aber entgegen dieser ursprünglichen Absicht verlängert Rendtorff jetzt die soziologische Methode in die theologische Ekklesiologie. Er schließt von einem desintegrierten Christentum, einer pluralistischen Gesellschaft unter volkskirchlichem Vorzeichen auf ein gemeinsames »*Wesen* der Kirche«, das auch er auf das »religiöse Subjekt« Mensch zurückführt[108]. In der theologischen Nachfolge Schleiermachers wird bei ihm wiederum die »Religion« des Menschen zum ›Fundament‹ der Kirche.
Folgerichtig rückt das »religiöse Subjekt« in den Mittelpunkt seiner Aufmerksamkeit. Der Mensch und seine Geschichte, die in ihm zum Bewußtsein kommt, sind als ständig über sich hinaus zeigende und treibende »offene Unabgeschlossenheit« nur religiös zu definieren. Er ist der »zutiefst auf Gott hin angelegt(e)« Mensch, der weder in seinem jeweiligen individuellen »Leben« noch in seiner Geschichte aufgeht. Die »Unabgeschlossenheit« ist Kennzeichen und Antrieb seines Lebens und seiner Geschichte. Sie läßt ihn ständig nach »Sinn« fragen und treibt seine Handlungen ethisch an. Denn sie ist auf ihre »Überwindung« und »Erfüllung« aus: »Zu menschlichem Leben gehört konstitutiv, daß es eine Erfüllung über die je erreichbaren Möglichkeiten des Daseins hinaus findet«. Während »im griechischen Denken« »Überwindung« und »Erfüllung« noch im individuellen Leben als »Ideal« der »wahre(n) Persönlichkeit« angestrebt wurden, ist unter christlichem Einfluß die »grundsätzliche Unabgeschlossenheit allen Lebens« eingesehen worden. Die »Sinn«-Frage wird nunmehr ausgeweitet in die nach dem Sinn der Geschichte, die das endliche individuelle Leben einschließt. Antworten in Versuchen sinnhafter Deutung der Geschichte, Geschichtsphilosophien sind als vorläufige gleichzeitig qualifiziert und begrenzt. Ihnen korrespondierende ethische Handlungen finden im vorläufig »Erreichte(n)«, in vorläufigen »Realisierungen« ebenfalls gleichzeitig ihre Qualifikation und Begrenzung. Die »grundsätzliche Unabgeschlossenheit allen Lebens« zentriert im »auf Gott hin angelegte(n)« Menschen, im »religiösen Subjekt«. In ihm kommt sie zum Bewußtsein. Von ihm gehen ihr entsprechende »Sinn«-Frage und vorläufige Antwortversuche aus. Seine Handlungen werden in eine ethisch qualifizierte Richtung des vorläufig Erreichbaren und Realisierbaren angetrieben. In alledem ist er auf Verwirklichung seines wesenhaft religiösen Selbst aus. In seiner Individual- und Sozialgeschichte manifestieren sich vorläufige Selbst-Verwirklichungen, die ihn über sie hinaus nach endgültiger Selbst-Verwirklichung als noch ausstehendes Telos der sein individuelles Leben umgreifenden Geschichte fragen lassen[109]. Von

108 Vgl. *Hollweg*, Theologie und Empirie 319: bei Rendtorff werden »die verschiedenen Bezugspunkte von Theologie und allgemeiner Soziologie übersehen«.
109 Nach *Rendtorff*, Christentum außerhalb 86, schließt die »Selbstverwirklichung des Menschen« die ethische Begrenzung am anderen ein.

Schleiermacher über Rothe, Troeltsch und Tillich führt eine kontinuierliche Linie bis zu Rendtorff. Sie alle setzen in Variationen beim »auf Gott hin angelegte(n)« Menschen, beim religiös-geistesmetaphysischen Subjekt an, das die individuell und sozial entwicklungsgeschichtlich dimensionierte teleologische Verwirklichung des Selbst aus sich heraus setzt[110].

Auf dem ›Fundament‹ des so explizierten, religiös-geistesmetaphysisch qualifizierten Menschen interpretiert Rendtorff die Bedeutung Jesu Christi für die Kirche. Ausdrücklich geht er dabei hinter die Ekklesiologie der dialektischen Theologie zurück, weil sie den »Zusammenhang« von »Christusgeschehen« und Kirche, die »unlösliche Verankerung der Ekklesiologie in der Christologie« »im Sinne einer *supranaturalen* Relation« bestimmt. »Supranatural« meint: die unverfügbare »Aktualität der Christusoffenbarung«, die in der Kirche und ihrer Geschichte als »*Gottes* Werk« »Ereignis« (Barth) wird; die im am Kreuz hingegebenen und auferweckten »Leib Christi« extra nos gründende Identität der Kirche, die der »versammelte(n) Gemeinde« (Barth) immer nur zu-zusprechen ist. Solche »supranaturale Relation« extra nos ist im Zeichen der, mit Troeltsch gesprochen, »Allmacht« der an der Naturwissenschaft orientierten wissenschaftlichen Methode der Nachaufklärungszeit nicht mehr haltbar. Sie ist abzulösen durch einen »Zusammenhang gegenwärtigen christlichen Daseins der Kirche mit dem sie begründenden Christusgeschehen«, der der »der Geschichte«, der *»nur«* »geschichtlich«, der ›intra nos‹ ist. Das Medium, durch das hindurch sich diese Ablösung vollzieht, ist der religiös-geistesmetaphysisch qualifizierte Mensch. An die Stelle der »supranatural«-dogmatischen tritt eine geschichtlich-undogmatische »Christologie«, die vom auch im Zeitalter der an der Naturwissenschaft orientierten wissenschaftlichen Methode sich behauptenden religiösen Menschen her auf ihn hin interpretiert ist. Seine Frage nach dem »Sinn« der Geschichte, die den seines individuellen Lebens einschließt, und seine vorläufig antwortenden Geschichtsdeutungen und -philosophien sowie sein ethisch qualifizierter Handlungsantrieb und das durch ihn vorläufig Erreichte und Realisierte sind ihr Interpretament. An die Stelle des »supranaturalen«, auch der Kirche und ihrer Geschichte jenseitigen, tritt ein geschichtsimmanentes ›Gottes-Werk‹, das als »Unabgeschlossenheit« wie seines individuellen Lebens so der es umgreifenden Geschichte im religiösen Menschen zum Bewußtsein kommt[111], und qualifiziert »Christus-

110 *Rendtorff,* Christentum außerhalb 11.83; *ders.,* Soziologie des Christentums 117; *ders.,* Religion – Umwelt 69.76 (Hervorhebung E. Hübner). – Daß Rendtorff in dieser theologisch-ekklesiologischen Fundamentierung mit Pannenberg übereinstimmt, kommt bereits darin zum Ausdruck, daß er mit ihm zu dem Kreis gehört, der sich in der Schrift »Offenbarung als Geschichte« seinerzeit programmatisch zu Wort meldete. Die Parallele wird auch explizit: »Man darf es wohl als einen allgemein aufweisbaren anthropologischen Befund bezeichnen, daß die Wesensbestimmung des Menschen in der Endlichkeit seines irdischen Lebens nicht zu endgültiger Erfüllung kommt« (*Pannenberg,* Christologie 79).

111 »Der Begriff Gott steht ... für grundsätzliche Unabgeschlossenheit allen Lebens, für das Neue, das über alles immer schon Erweckte hinausgeht« (*Rendtorff,* Christentum 83).

geschehen«, Kirche und ihren »Zusammenhang«. An die Stelle des »souveränen Geschehenscharakters der Offenbarung« Gottes, das vom »Christusgeschehen« bis zur »Aktualität der Christusoffenbarung« hier und heute auf den Menschen extra nos zu-kommt, tritt die an die Frage des religiösen Menschen nach dem »Sinn« der Geschichte und seine vorläufig antwortenden Geschichtsdeutungen und -philosophien ›intra nos‹ anschließende, ihm deshalb einsichtige Offenbarheit »der in Jesus als von ihrem Ende her *offenkundig* gewordenen Einheit der Geschichte«[112]. An die Stelle des Glaubens, den der in der Verkündigung des »Christusgeschehens« zur Kirche kommende Geist Gottes wirkt, tritt das Wissen um die »vorweggenommene Vollendung der Geschichte im Geschick Jesu«, um den »Sinn«, um das Telos wie der Geschichte so des individuellen Lebens. Es qualifiziert die Kirche zum Zentrum einer »universalgeschichtlichen Perspektive« und zum potentiellen Movens des »Fortschritt(s) in eine andere und bessere Zukunft«. Diese Ablösung eines dogmatischen durch ein »undogmatisches Christentum« ist das Ergebnis einer Selektion, deren Maßstab der religiös-geistesmetaphysisch qualifizierte Mensch ist. Sie kehrt das Verhältnis des »Christusgeschehens« zur Religion des Menschen um. Nicht mehr ist es das »Christusgeschehen«, das die Religion des Menschen kritisch interpretiert, wie im apostolischen Kerygma, in apostolischer Ekklesiologie und, der Intention nach, in der an es anschließenden dogmatischen Christologie und Ekklesiologie, sondern umgekehrt ist es in dieser »Neubestimmung von Christentum und Religion« der religiöse Mensch, der das »Christusgeschehen« kritisch unter »Emanzipation vom dogmatischen Zeitalter des Christentums« von sich her auf sich hin interpretiert. Nicht mehr signalisiert die dogmatisch-»autoritative Fassung« der »Inhalte der christlichen Überlieferung« in der Kirche das unüberholbare Sachkriterium des apostolischen Kerygmas, sondern die kirchliche Autorität wird insofern »in eine dienende Rolle überführt«, als die »Inhalte der christlichen Überlieferung« der »Auswahl« des religiösen Menschen, dem »Kriterium« seiner Selbstverwirklichung, der »Freiheit der Subjektivierung« unterstellt werden. Die Einschränkung, das »Recht« dieser »Freiheit« sei da »verkannt«, wo »sie sich in einen unwiderruflichen Gegensatz zur christlichen Überlieferung« setzt, bleibt zu vage, um den einmal freigesetzten Trend im nachhinein aufzuhalten. Die Sorge: »Durch den Abbruch der Kommunikation im Kontext der christlichen Überlieferung . . . können die Ausdrucksmöglichkeiten des Glaubens außerordentlich verarmen«, ist im Blick auf die Konsequenzen dieser undogmatischen Anpassung des »Christusgesche-

112 *Pannenberg,* Offenbarung 100, spricht noch deutlicher von »offen zu Tage liegende(r) Wahrheit«, die wir »seltsamerweise Verblendete« übersehen können. – Dazu stellte *G. Klein,* Universalgeschichte 64, schon seinerzeit lapidar fest: »Dann war Unglaube eigentlich schon immer Glaube, nämlich potentiell, und aus dem Gegensatz zum Glauben wird dessen Privation, – dergestalt, daß Unglaube lediglich um ein Informationsdatum hinter dem Glauben noch zurück ist und ihn automatisch einholt, sobald er das Datum kennt . . .«

hens« an den religiösen Menschen, der schon vorher weiß, was für ihn bedeutsam ist, nur allzu berechtigt. Die einmal gefällte Entscheidung in der Fundamentalfrage der Ekklesiologie, das einmal gelegte Fundament der Kirche, lassen sich nach Feststellung von Rissen im Mauerwerk jedoch nicht mehr verändern, es sei denn, der ganze Bau würde vom Fundament an noch einmal begonnen[113].

Theologische Identifizierung im strengen Sinne kann sich auf diesem ›Fundament‹ ebensowenig entfalten wie bei Schleiermacher, Rothe, Troeltsch und Tillich. Sie wird, wie bei diesen, abgelöst von einer in der Religion des Menschen enthaltenen Wesensbestimmung, die konkrete Religion identifiziert. Daß die Religion jenes Großteils der Volkskirche, den »distanzierte Kirchlichkeit«, »Unkirchlichkeit« kennzeichnet, mit ihr mehr übereinstimmt als die der »kirchlichen Kreise«, die Rendtorff von den »Erweckungsbewegungen« und der dogmatisch-»gegenaufklärerischen Haltung z.B. der zwanziger Jahre«, gemeint ist die dialektische Theologie, ableitet, liegt in der Konsequenz einer auf dem ›Fundament‹ der Religion des Menschen vollzogenen Identifizierung der Volkskirche. Er benutzt zusätzlich eine pauschale Karikatur, um ihre Evidenz zu suggerieren: Beschränktheit und Rückständigkeit in kirchlichen Kreisen treten Aufgeklärtheit und Fortschrittlichkeit in der unkirchlichen Mehrheit gegenüber. Von der »Rückkehr zu dem Stand des religiösen Bewußtseins vor der Aufklärung«, die er den »kirchlichen Kreisen« unterstellt, hebt sich »ein kirchlich firmierte(r) freie(r) Protestantismus« ab, der gerade deshalb, weil er lediglich »kirchlich firmiert« ist, in die Zukunft weist. Damit wird auch bei Rendtorff die Desintegration der Volkskirche mit ihrer unübersehbar zunehmenden Entkirchlichung über ihre bewußte Zurkenntnisnahme hinaus zu einem normativen Faktum. Wie schon bei Schleiermacher, wird die von ihren Konkretionen abstrahierende, allgemeine Wesensbestimmung der Religion des Menschen zum kleinsten gemeinsamen Nenner, auf den sich alle Gruppierungen innerhalb der »protestantischen« Volkskirche und über sie hinaus, mit ihren »sehr verschiedenen Graden der Kirchlichkeit«, bringen lassen, ohne wertende Unterscheidungen auszuschließen. Ob Rendtorff im Anschluß an Rothe, auf den er sich bei seiner Wertung der unkirchlichen Mehrheit ausdrücklich beruft, auch wie dieser in Richtung einer Überholung der Kirche denkt, läßt sich nicht ausmachen. Daß er von seinem offensiv-fortschrittlich gemeinten »undogmatischen Christentum« eine »defensive dogmatische Denkweise« abhebt, kann den angesichts der Desintegration der Volkskirche defensiven Charakter seiner Ekklesiologie nicht aufheben, die der offensive Zugriff theologischer Identifizierung der Kirche auf dem apostolischen »Fundament« wiederum nur stören kann. Ist sein Ausruf im

113 *Rendtorff,* Offenbarungsproblem 119.123.117.121f.129f; *ders.,* Christentum außerhalb 84.77.92.70ff.

Blick auf die unkirchlichen, aber auch auf die kirchlichen Kreise: »Sie sind ja schon Christen« nicht doch zu plerophorisch[114]?

Der eingeschlagene Weg setzt sich in Anmerkungen zur *praktischen Orientierung* der Kirche fort. Der Abwertung »kirchlicher« zugunsten unkirchlicher Kreise im Schema »konservativ« und »fortschrittlich« entspricht die Verlagerung des Schwerpunktes der Tätigkeit des im kirchlichen Dienst stehenden Theologen von der Pflege »kirchlicher Frömmigkeit« und »innergemeindlichen Lebens« auf Arbeitsfelder »außerhalb der Gemeinde, in der Welt der freien Christenheit«. Rendtorff zählt an Beispielen »Sozialarbeit«, »Pressewesen«, »Akademien«, »Wissenschaft und Lehre« auf. Es ist die Tendenz, die dieser, der Situation der Volkskirche an sich entsprechenden Ausweitung der kirchlichen Praxis ihre Pointe gibt: Die Richtung folgt der zu jenem »kirchlich firmierten freien Protestantismus« hin, in dem er die Zukunft der Kirche sieht. Entsprechend fortschrittliche Theologen im kirchlichen Dienst sind deshalb auf der Höhe der Zeit, wenn sie »ihr christliches Leben in eine Form der distanzierten Kirchlichkeit . . . überführen, die sie von dem unmittelbaren Einfluß der innerkirchlichen Situation freisetzt«. Der gleiche Zwiespalt begegnet da, wo Rendtorff, wiederum in Entsprechung zur Situation der empirischen Volkskirche, der kirchlichen Praxis »Wege der Vermittlung« empfiehlt, die die »Alternative überwinden, in die sich der Glaube häufig zum modernen Denken gestellt sieht«. Wenn er aber dekretiert: »Nur das hat eine Zukunft, worüber gegenwärtig Verständigung erzielt werden kann«, verdrängt solche Absolutsetzung des sozialpsychologisch-kommunikationstheoretischen Konsensus das theologische Sachkriterium. Die Verlängerung der soziologischen Methode in die theologische Ekklesiologie setzt sich bis in die praktische Orientierung der Kirche hinein fort.

Neuerdings kommt Rendtorff wieder auf seine anfänglich intendierte Unterscheidung zwischen die empirische Volkskirche beschreibender soziologischer Methode und theologischer Ekklesiologie zurück. »Die Frage nach der Identität der Kirche« ist abzuheben von der nach der empirischen Volkskirche als »soziale(m) Ort«. Da er selber zur Nivellierung der Unterscheidung zwischen den beiden für eine funktionale theologische Ekklesiologie konstitutiven Hinsichten beigetragen hat, so daß er heute davor warnen muß, die theologische Ekklesiologie in »das Gefängnis (!) soziologischer Begriffe« einzusperren, richtet sich seine Warnung auch an ihn selber. Ob die Präsenz der »Religion« »in der menschlichen Individualität« als »das Jenseits der Gesellschaft in deren Diesseits«, ob das »religiöse Bewußtsein«, das »nach Gott fragt« und auf »die Abhängigkeit des Menschen als der Abhängigkeit von Gott« stößt – Schleiermacher ist mit Händen zu greifen –, ob die Voraussetzung eines Gottesbewußtseins des Menschen aus ihm herauszuführen vermag[115]?

114 *Rendtorff,* Christentum außerhalb 17.64.11.56.58.18.82.26.
115 *Rendtorff,* Christentum außerhalb 47.57f.97; *ders.,* Erwartungen an die Volkskirche 18; *ders.,* Religion – Umwelt 78.75.72.

2.1.6
Die Religionssoziologie

Wer die Ekklesiologie auf die empirische Volkskirche bezieht und dabei sein Augenmerk auf sie als Religionsgemeinschaft sowie auf die ihr inhärente Tendenz der Desintegration richtet, wird zum Wegbereiter der Einbeziehung von *Religionssoziologie* und *Religionspsychologie* in die Theologie. Zwar kannte sie Schleiermacher als eigenständige Wissenschaften noch nicht, sein induktiver Schluß von den konkret-geschichtlichen Religionen auf ein gemeinsames »Wesen« präludierte aber bereits ihre Methode. Troeltsch präzisierte Schleiermachers Ansatz und erweiterte das Blickfeld der Ekklesiologie als erster Theologe mit Hilfe der Soziologie. Tillich setzte spezielle »Religions-Soziologen« bereits voraus. Rendtorff verbindet nicht nur in sich selber den Theologen mit dem Soziologen, sondern in Entsprechung zur desintegrierten empirischen Religionsgemeinschaft Volkskirche weitet er bewußt eine zu eng geführte Kirchensoziologie auf Religionssoziologie aus. Der Weg war einerseits vorgezeichnet und sachlich geboten, andererseits blickte und blickt der in diesen Namen repräsentierten ekklesiologischen Richtung aber aus Religionssoziologie und -psychologie wie aus einem Spiegel entgegen, was in der Konsequenz ihrer Methode liegt: der Ersatz des apostolischen »Fundaments« der Kirche durch das anthropologische ›Fundament‹ der natürlichen Religion des Menschen. Hier bündeln sich die »Ergebnisse« religionssoziologischer »Forschung« »als Herausforderung« an die Theologie[116], insbesondere an ihre Ekklesiologie.
Es kann sich hier nicht darum handeln, die verschiedenen Richtungen und das verzweigte Forschungsgebiet insbesondere der Religionssoziologie vorzuführen, sondern lediglich darum, für die Fundamental-Frage theologischer Ekklesiologie relevante, gemeinsame Merkmale hervorzuheben. Nach *Vittorio Lanternari* sind es »zwei *grundlegende* Methoden«[117], mit denen sie arbeitet: »die typologische und die soziologisch-historische«. Beide Methoden schließen sich nicht aus, sondern ergänzen sich. Aber der Akzent ist verschieden gesetzt. Wird ein bestimmtes religiöses Objekt erforscht, liegt er auf der »soziologisch-historische(n)« Methode. Soll es im Zusammenhang mit anderen religiösen Objekten klassifiziert werden, liegt er auf der »typologischen Methode«. In ihr kommt die Religionssoziologie an ihr Ziel. Lanternari führt sie am Beispiel religiöser »Prophetenbewegungen« vor. Sie sucht »nach universellen Strukturen durch die vielfältigen Formen und Erscheinungen des religiösen Lebens hindurch«. D.h. sie setzt die »soziologisch-historische« Methode, die die »vielfältigen Formen und Erscheinungen des religiösen Lebens« im einzelnen erforscht und differenziert, voraus. Aus ihnen erschließt sie induk-

116 *Fürstenberg,* Art. Religionssoziologie 1031.
117 Hervorhebung E. Hübner.

tiv einen »einzigen und universellen ›Typus‹« mit einem »Ensemble gemeinsamer und konstanter Kennzeichen, die durch die variable Wirklichkeit ... hindurch ... erscheinen«. Der zweite Schritt der »typologischen Methode« hebt wieder »das Moment der Unterscheidung gegenüber dem der Vereinheitlichung« hervor. Er intendiert die »*Klassifizierung* von Kategorien und Unterkategorien« in den »vielfältigen Formen und Erscheinungen des religiösen Lebens«. Zu diesem Zweck wendet er den induzierten »Typus« mit seinem »Ensemble gemeinsamer Formen und Kennzeichen« deduktiv auf sie an. In dieser »*klassifizierende*(n) Typologie« sind »typologische« und »soziologisch-historische« Methode Korrelate: Ist der »Typus« induktiv aus den religiösen Phänomenen erschlossen, werden diese deduktiv durch ihn klassifiziert. Sie vereinigen sich in dem Ziel des religionssoziologischen Zugriffs auf religiöse Phänomene, in diesem Fall auf »Prophetenbewegungen«. Was er für die christliche Kirche und ihre Überlieferung bedeutet, führt Lanternari ebenfalls vor. Er erschließt induktiv als »die wichtigsten Komponenten« verschiedener »Prophetenbewegungen« den »Propheten« als »Gründer eines Kults«, der »auf einem Ursprungsmythos« beruht, welcher »häufig mit einer vom Gründer selbst empfangenen ›Offenbarung oder Vision‹ zusammenfällt«, sowie »einem Mythos der ›Rückkehr zu den Ursprüngen‹«, in dem »manchmal die Gestalt eines wahren und echten Messias in Menschengestalt in Erscheinung« tritt. Mit diesen typischen »Komponenten« als Kriterien werden deduktiv auch der alttestamentliche Prophet, Moses der »Gründer«, die »messianische Tradition«, der »Messianismus Jesu«, das christliche »Heil« mit seinem »End- und Höhepunkt im *eskaton* oder dem Weltende« klassifiziert und religionssoziologisch begriffen. Lanternari legte Wert auf die Feststellung, daß sich dieser methodische Zugriff auf die *empirischen* religiösen Phänomene beschränkt. Er fragt nicht nach ihrem ›Wesen‹. Die »typologisch-phänomenologische Methode (findet) ihre Grenze darin, daß sie nicht aus der Betrachtung der religiösen Erscheinung an sich heraustritt«. Sie ist »weit entfernt davon, den Prophetismus als kulturelle Tatsache zu begründen«[118]. Sie will nicht Theologie sein.

Inhaltlich beschäftigt sich die Religionssoziologie mit dem Zusammenhang zwischen Religion und Gesellschaft, der sich wiederum in die Frage nach der Funktion der Religion in der Gesellschaft zuspitzt. *Karl Marx*, der der Religion als »*Ausdruck* des wirklichen Elends« und als »*Protestation* gegen das wirkliche Elend« der Gesellschaft ab-*wertend* die Funktion einer illusionären *Kompensation*, eines »Opium(s) des Volks« zuschrieb, und *Emile Durkheim*, der sie, die »alles Wesentliche in der Gesellschaft hervorgebracht« hat, auf-*wertend* als den entscheidenden Faktor ihrer *Integration* ansah, stimmen darin überein, daß sie eine wesentliche Funktion in der Gesellschaft wahrnimmt. Auf sie richtet sich in der

118 *Lanternari*, Prophetenbewegungen 426f.432f.438.

Folgezeit das Interesse der Religionssoziologie. Ihre Hauptvertreter schlossen sich Durkheims Integrationsthese an, bezogen aber Marx' Kompensationsthese in sie ein. *Thomas Luckmann* bringt das gemeinsame Interesse zum Ausdruck, wenn er feststellt: »In jedem Fall muß die sozialwissenschaftliche Bestimmung der Religion von ihrer allgemeinen gesellschaftlichen Funktion ausgehen«. Durkheim sieht sie in einem »kollektive(n) Ideal«, einer »ideale(n) Gesellschaft«, die aber »nicht außerhalb der realen« Gesellschaft fungiert, sondern sie als »deren Teil« stabilisiert und motiviert. Denn eine »Gesellschaft« wird »vor allem von der Idee, die sie sich von sich selber macht«, »gebildet«. *Bronislaw Malinowski* resümiert seine Forschungen unter Eingeborenen Melanesiens dahingehend, daß für den »Wilden« die religiöse »Lehre die soziale Struktur zusammenhält«, so daß, wenn man sie »zerstört«, »man damit all seine Sittlichkeit« »vernichtet«. Auch *Talcott Parsons* sieht darin ihre Funktion. Religion integriert und stabilisiert Gesellschaften, indem sie Wertsysteme installiert und legitimiert, Sinn vermittelt, innere und äußere Konflikte kompensiert.

Außer dieser die Gesellschaft integrierenden gibt es aber auch die andere, sie und ihre Strukturen verändernde Funktion der Religion. Berühmt geworden ist das Kapitalismus-Beispiel von *Max Weber*. Er führt den modernen Kapitalismus auf die religiös-ethische »innerweltliche protestantische Askese« zurück, die »das Streben nach Reichtum zu dem Endzweck, reich zu *sein*« verwarf, andererseits »in der Erlangung des Reichtums als *Frucht* der Berufsarbeit aber den Segen Gottes« sah und diese Dialektik in die Synthese der »*Kapitalbildung* durch *asketischen Sparzwang*« aufhob. Beide Funktionen der Religion in der Gesellschaft faßt Luckmann zusammen: »Die institutionalisierte Religion ist zunächst die bewahrende Kraft im gesellschaftsgeschichtlichen Vorgang. Unter bestimmten Umständen kann . . . aber Religion . . . zur dynamischen Kraft im Geschichtsprozeß werden«. Wie Lanternari im Blick auf die religionssoziologische Methode, so legt M. Weber im Blick auf die soziologische Funktionsbestimmung der Religion in der Gesellschaft Wert auf die Feststellung, sie sei keine Wesensbestimmung der Religion: »Wir haben es überhaupt nicht mit dem ›Wesen‹ der Religion, sondern mit den Bedingungen und Wirkungen einer bestimmten Art von Gemeinschaftshandeln zu tun . . .«. Aber solche Beschränkung machten sich nicht alle Religionssoziologen zu eigen. Es artikuliert sich auch ein »Funktionalismus«, der Religion in ihrer Funktion aufgehen läßt und sich gegen außersoziologische, etwa theologische Mitsprache abschließt. Mit unüberhörbarer Spitze gegen eine von der soziologischen zu unterscheidende Definition, insbesondere gegen eine außersoziologische Begründung der Religion, wie sie sich am Beispiel der dogmatischen Inkarnations-Christologie zu Wort meldet, schreibt Malinowski: »Die öffentliche Teilnahme und das soziale Interesse an religiösen Dingen erklären sich . . . aus klaren, konkreten, empirischen Gründen, und es bleibt kein Raum für eine Wesenheit, die sich in

schlauer Verkleidung offenbart und so ihre Anbeter im Akt der Offenbarung selbst täuscht und narrt«[119].
Religion zentriert ursprünglich im »Kult« (Durkheim), in der »religiösen Zeremonie« (Malinowski). In ihm »überträgt« sich der religiöse »Glaube« »nach außen« (Durkheim) und in die Abfolge der Generationen, um »die sozialisierten Individuen hervorzubringen, die die herrschenden Wertvorstellungen . . . akzeptieren« (Yinger). In ihm »begründet« und »erneuert« sich ebenso »periodisch« eine religiöse Gesellschaft selber. Er bedarf eines »System(s) von Zeichen«, »einer Sammlung von Mitteln«, um sinn- und zweckentsprechend vollzogen zu werden (Durkheim). Sie dienen »der unmittelbaren Interaktion unter Anwesenden« (Luhmann). Solche »Zeichen« und »Mittel« sind: »Symbole«, »Glaubensvorstellungen«, »Riten«, »Mythologien«, Dogmen. In Gesellschaften und Zeiten, in denen Religion nicht mehr selbstverständlich in der »unmittelbaren Interaktion« des Kults zentriert, sondern »religiöse Themen . . . *situationsfrei* zu fungieren beginnen«, gewinnen »Theologien«, »Gedankensysteme«, »Dogmatiken« an Bedeutung, die »auf der kontextfreien Verwendbarkeit ihres Materials, also auf Distanz zu den Bindungen, die sie interpretier(en)«, beruhen (Durkheim, Malinowski, Yinger, Luhmann). »Unter diesen Umständen *verlagert sich der Schwerpunkt der Religiosität im Religionssystem aus rituellen Praxen in übergreifende Glaubensfragen,* die dogmatisiert, interpretiert, und exegetisch respezifiziert werden müssen«. *Niklas Luhmann* ist der Entsprechung solcher »religiöser Dogmatik(en)« zur »gesellschaftlichen Evolution« auf einem »Reflexionsniveau«, das mit den jeweiligen »Gesellschaftsstrukturen kompatibel« ist, bis in die Gegenwart nachgegangen. Bereits Durkheim hatte die Abhängigkeit Kommunikation intendierender »Zeichen« und »Mittel« der Religion von der Gesellschaft, in der sie ihre Funktion haben, festgestellt. Luhmann weitete sie in die gesellschaftliche Entwicklung aus. Sachliche Kontinuität wird auch dadurch bestätigt, daß die der »gesellschaftlichen Evolution« entsprechende »religiöse Dogmatik« »Themen, Thesen und Symbole« verarbeitet, deren ursprünglicher ›Sitz im Leben‹ die »unmittelbare Interaktion« im Kult war. Grundsätzliche Übereinstimmung besteht unter den Religionssoziologen auch darin, daß die »Zeichen« auf etwas zeigen, die »Mittel« etwas vermitteln, die »Symbole« etwas »symbolisieren«, was nicht mit ihnen identisch ist. »Es gibt . . . in der Religion etwas Ewiges, dazu bestimmt, alle partikularen Symbole . . . zu überdauern« (Durkheim). »Die religiöse Symbolik ist nicht identisch mit dem, was sie symbolisiert« (Luhmann). Was symbolisiert sie? Luhmann hält sich mit einer religionssoziologischen Antwort auf diese Frage zurück. Aus-

119 *Marx,* Hegelsche Rechtsphilosophie 99; *Durkheim,* Grundformen des religiösen Lebens 38.43f; *Luckmann,* Religion in der modernen Gesellschaft 33.42; *Malinowski,* Naturvölker 90; *Parsons,* Sociology of Religion 197ff; *Weber,* Kapitalistischer Geist 418ff; *ders.,* Wirtschaft und Gesellschaft 227.

drücklich schränkt er ein, daß »Inhalte von Dogmatiken« »soziologisch und systemtheoretisch nicht deduzierbar« seien. Zentrale theologische Inhalte wie »Gott«, »Glaube«, »Kirche«, das »Dogma der Auferstehung« setzt er voraus, um sie unter die religionssoziologische Fragestellung ihrer Kompatibilität mit einer Gesellschaft zu rücken, die sich im Prozeß soziokultureller Evolution befindet. Anders verhält es sich bei Durkheim. Religiöse »Zeichen«, »Mittel«, »Symbole« und »Gedankensystem(e)« sind bei ihm der allein am Kriterium ihrer gesellschaftsrelevanten Funktion bewerteten Religion so untergeordnet, daß sie dementsprechend beurteilt werden. Sie sind ganz und gar für ihren gesellschaftlichen Zweck mediatisiert und funktionalisiert. Sie zeigen auf, sie vermitteln, sie symbolisieren, sie systematisieren die religiös überhöhte Gesellschaft selber. Offenheit für einen ihnen eigenen, materialen Gehalt besteht hier nicht. Mit direktem Blick auf das Christentum bemerkt Durkheim: »Es gibt keine Evangelien, die unsterblich sind . . .« – »die früheren Götter altern und sterben . . .« – dann, wenn sie gesellschaftlich dysfunktional geworden sind[120].

Worauf ist Religion zurückzuführen? – »*Was* ist es, das als Religion institutionalisiert werden kann?« Gibt »es eine gesellschaftliche und personale Wirklichkeit«, die als solche zu isolieren ist (Luhmann)? Monokausal, wenn auch mit konträrer Wertung, leiten Marx und Durkheim sie von der Gesellschaft ab. Marx stellt Feuerbachs individualanthropologischer[121] seine sozialanthropologische Ableitung entgegen: »Das menschliche Wesen ist kein dem einzelnen Individuum innewohnendes Abstraktum. In Wirklichkeit ist es das Ensemble der gesellschaftlichen Verhältnisse«. – »Feuerbach sieht daher nicht, daß das ›religiöse Gemüt‹ selbst ein gesellschaftliches Produkt ist«. Auch Durkheim wiederholt immer wieder, »daß das kollektive Leben . . . das religiöse Leben weckt«, daß es »ein natürliches Produkt des sozialen Lebens«, »ein Produkt sozialer Ursachen« sei. Ihm trat bereits Malinowski entgegen. Gerade um ihrer Funktion in der Gesellschaft willen ist Durkheims Definition der »religiösen Dinge« als »vergöttlichter Gesellschaft« entgegenzuhalten: »Die Religion kann aber ihre Heiligkeit nicht aus etwas ableiten, das erst durch die Religion geheiligt wird«. Sie hat »weitgehend individuelle Ursachen«. Malinowski formuliert als sein Ergebnis: Die Religion ist »weder ausschließlich sozial noch ausschließlich individuell, sondern enthält beide Elemente«. Die »Wechseiwirkung« von Gesellschaft und Individuum, die »sich im Wesen gegenseitig« bestimmen, wird zum Rahmen der Überlegungen Luckmanns, in denen das religiöse Individuum nicht auf ein »Produkt« der religiösen Gesellschaft reduziert ist, sondern zur Geltung

120 *Durkheim,* Grundformen des religiösen Lebens 36.41.50.38.49f; *Malinowski,* Naturvölker 57ff; *Yinger,* Religion als Integrationsfaktor 106; *Luhmann,* Religion als System 12.25ff.43.

121 S.o. 45.

kommt, ohne jedoch seine gesellschaftliche Bedingtheit zu verneinen. Denn: »Das isolierte Individuum ist eine bloße Fiktion.« Luckmann findet in der *»Sinnhaftigkeit«*, die für menschliches Leben konstitutiv ist, so daß es an »Sinnlosigkeit« »zerbrechen müsse«, das Medium, in dem Individuum und Gesellschaft korrelieren: »Sinnhaftigkeit ist ein spezifisch menschliches und zugleich das grundlegende gesellschaftliche Phänomen«. Sie, das »schlechthin Sinngebende des menschlichen gesellschaftlichen Daseins«, ist immer religiöser Natur. Auch Luhmann geht von der Religion als Funktion der Gesellschaft aus: »Die religionssoziologische Forschung muß ausgehen von der gesellschaftlichen Grundlage . . . auch der subjektiven Religiosität«. Aber »subjektive Religiosität« ist nicht monokausales »Produkt« der Gesellschaft, sondern Ergebnis in »Wechselwirkung« von Gesellschaft und Subjekt sich vollziehender »Vergesellschaftung«. Als in »Sinnhaftigkeit« zentrierender, deshalb immer »religiöser Vorgang« ist sie ein bipolarer »Prozeß der religiösen Individuation«. Der eine Pol ist die vorgegebene »Sozialform der Religion«, der andere das religiöse Subjekt, in dessen »Aufbau einer individuellen Daseinsauffassung« mit dem Ziel der »Bildung einer eigenen Perspektive« sie durch »Annahme und Verarbeitung« eingeht. Im Zentrum religiöse »Vergesellschaftung« vollzieht sich immer als bipolarer »Prozeß« auf eine »subjektive Ausprägung der jeweils gesellschaftlich und geschichtlich vorgeformten Weltsicht und Wertorientierung« hin. »Wechselwirkung« findet hier dann aber auch insofern statt, als nicht nur die vorgegebene »Sozialform der Religion« auf die »subjektive Religiosität« produktiv einwirkt, sondern umgekehrt letztere auf die »Sozialform der Religion« produktiv zurückwirkt. Sozial- und Individualanthropologie alternieren sich hier nicht, sondern konstituieren gemeinsam Gesellschaft und Individuum fundierende, religiöse »Sinnhaftigkeit«. Luhmann geht noch einen Schritt weiter. Es gehört zu den wesentlichen »Merkmalen der modernen Gesellschaft«, daß der Pol »Sozialform der Religion« infolge »Segmentierung der institutionellen Bereiche im Gesellschaftsgefüge« und rationaler Bewertung von »Handlungsnormen« nach ihrem »Funktionswert« innerhalb »eines gegebenen Funktionsbereichs« zusehends ausfällt. Dennoch verzichtet das Individuum nicht auf religiöse »Sinnhaftigkeit«. Luckmann überschreitet die Religions*soziologie* zur Religions*psychologie,* wenn er diesen Sachverhalt letztlich damit begründet, daß es »in der Personenstruktur eine übergeordnete Sinnschicht« gibt, »die die Einheit und Würde der Person bedeutet«. Verfällt in der »modernen Gesellschaft« auch zusehends das bisher gültige, bipolare religionssoziologische Modell – die religionspsychologisch motivierte Suche nach »Sinnhaftigkeit«, ohne die der Mensch nicht leben kann, hält sich durch. Die Diagnose einer Gesellschaft, in der es »keine dauernden und breit angelegten Formungsprinzipien« mehr gibt und die deshalb eine »Sozialform der Religion« immer weniger vorgibt, bringt den homo religiosus als sich durchhaltenden Ansatz der Religion an den Tag. Zwar ist er auf die »Sozialform

der Religion« hin angelegt und kann ohne sie nicht »zur vollen Entfaltung kommen«, aber nicht auf dieses sozialanthropologische Korrelat, sondern auf die individualanthropologische Sinnfrage führt auch die Religionssoziologie das »Was«, die »Wirklichkeit« der Religion letztlich zurück[122]. Die genaue Untersuchung des modernen homo religiosus führt bei Luckmann zu Ergebnissen, die zur offenen Frage über die Grenzen der Religionssoziologie hinaus werden. Sie präzisieren Max Webers knappe Kennzeichnung der »Grundtatsache«, daß der moderne Mensch »in einer gottfremden prophetenlosen Zeit zu leben das Schicksal hat«. In der »modernen Gesellschaft« hat die »Segmentierung der institutionellen Bereiche« zu einer Rationalisierung ursprünglich religiöser »Handlungsnormen« geführt. Reduziert auf ihre Funktionalität innerhalb der jeweiligen Institution, sind sie für den modernen Menschen nur dort und solange verbindlich, wo er, insbesondere im Beruf, von »9-17 Uhr« zu funktionieren hat. Solche nur noch der »Zweckrationalität« unterworfenen »Normen« »verzichten« darauf, »die Person als solche intensiv in Anspruch zu nehmen«. Das hat eine doppelte Folge. Wegen »der minimalen Einflußnahme der Institution auf die Bewußtseinsformung der Person« ist der moderne Mensch »nicht mehr oder jedenfalls nicht mehr so stark in den Institutionen verankert«. Auch auf sein Verhältnis zur Kirche wirkt sich diese Distanzierung aus, zumal in Konkurrenz mit anderen gesellschaftlichen Institutionen »die von ihr verkörperten Werte ... hinsichtlich ihrer Gültigkeit relativiert« werden. »Kirchengebundene Religiosität wird ... in der modernen Gesellschaft zu einem peripheren Phänomen«. Zunehmende Desintegration der Kirche als gesellschaftlicher Großorganisation liegt in der Konsequenz der gesellschaftlichen Entwicklung[123]. Auf diesem gesamtgesellschaftlichen Hintergrund vollzieht sich die andere Folge – die Privatisierung moderner Religiosität. Nicht mehr fordert eine von der Gesellschaft vorgegebene Religion die Religiosität des einzelnen heraus, sondern außerhalb seiner Rollen in den verschiedenen Institutions-Segmenten der »modernen Gesellschaft«, in »der privaten Sphäre«, bildet er »religiöse Vorstellungen«. Der stärker an die Kirche Gebundene kann zu diesem Zweck zwar auf ihre »Symbole« zurückgreifen, bedient sich ihrer aber in der Haltung des »Verbrauchers«, der sie nach »Neigung« auswählt und als »rhetorische Bruchstücke« in die eigenen »religiösen Themen« einarbeitet. Sie verknüpft er in ebenfalls »immer mehr subjektiven sinnverbindenden Prozessen«.
Die Themen des modernen homo religiosus sind von drei Determinanten

122 *Marx,* Thesen über Feuerbach 230ff; *Durkheim,* Grundformen des religiösen Lebens 42f.45; *Malinowski,* Naturvölker 77f.80; *Luckmann,* Religion in der modernen Gesellschaft 33f.76.36.46f.56.73.58.68; *Luhmann,* Religion als System 37.
123 Dieses Urteil unterscheidet sich von der sog. Säkularisierungsthese, die *Fürstenberg,* Art. Religionssoziologie 1027f, als »fortschreitende(n) Abfall weiter Bevölkerungskreise von der Kirche bzw. ihre Indifferenz gegenüber religiösen Fragestellungen« interpretiert, durch die Enthaltung von Werturteilen, vor allem aber dadurch, daß es Luckmann um den Nachweis »religiöser Fragestellungen« bei gleichzeitiger Distanz zur Kirche geht.

geprägt: Sie »entspringen« durchweg »der Privatsphäre«; ihr »Grundgehalt« ist die »›Autonomie‹ des Individuums«; sie sind »ihrem Wesen nach radikal diesseitig und verweltlicht«. Motiviert sind sie von dem Bedürfnis nach »sinnvolle(m) Leben des einzelnen in der modernen Gesellschaft«. Inhaltlich sind sie durchweg »Dramatisierungen des subjektiv autonomen einzelnen auf der Suche nach Selbstverwirklichung und Selbstbestätigung«. Luckmann konkretisiert sie am Beispiel der »Sexualität« als eines »Hauptthema(s) in der modernen Weltanschauung«. Sie realisiert als »Erweiterung des Selbst« »Selbstverwirklichung und Selbstbestätigung«. Sie befriedigt eine Strecke weit das Bedürfnis nach »sinnvolle(m) Leben«. Sie entspricht den Determinanten der religiösen Themen des modernen homo religiosus: Sie vollzieht sich in der »Privatsphäre«, ist ein Akt des autonomen Individuums und »radikal diesseitig und verweltlicht«. Im Vergleich zur früheren subjektiven Religiosität, die von der gesellschaftlich vorgegebenen Religion herausgefordert wurde, sind die Themen des modernen homo religiosus defizitär: Sie klammern die soziale Dimension der Religion aus; sie suggerieren eine »illusorische« Autonomie; sie transzendieren das Diesseits, die Welt, die Physis nicht mehr. Daß »der Tod als Thema nicht auftritt, sondern völlig verdrängt ist«, unterstreicht den »völlig diesseitigen Sinn«, die metaphysische Leere des modernen homo religiosus. Luckmann zieht zwar nicht ausdrücklich die Folgerung, daß auch ›Gott‹ kein notwendiges Thema mehr für ihn sei, sie entspricht aber der Tendenz seiner Beobachtungen. Insofern diese privatisierte, moderne Religiosität »zum Funktionieren des Gesellschaftssystems« beiträgt, »indem sie Wunscherfüllungen innerhalb der Privatsphäre zu einer religiösen Daseinserfassung erhebt«, dadurch die gesellschaftlichen Institutionen von religiösen Ansprüchen entlastet und an ihre bloße Funktionalität freigibt, ist sie »Religion« als Funktion der »modernen Gesellschaft«. Im Kern ist sie aber »›Ideologie‹ eher als ›Religion‹, insofern sie radikal diesseitig ist und im ›Interesse‹ faktischer Wirkungszusammenhänge fungiert«.

Angesichts des Defizits des modernen homo religiosus könnte sich die Rückkehr zu einer von der Gesellschaft vorgegebenen Religion, in diesem Sinne zu einer Restaurierung der gesellschaftlichen Funktion der Institution Kirche nahelegen. Abgesehen von ihrem romantischen Charakter bietet diese frühere Gestalt des Verhältnisses von Gesellschaft und homo religiosus trotz der im Vergleich zu ihr defizitären modernen Religiosität jedoch kaum eine substantielle Alternative. Entspringt die Religiosität des modernen Menschen der Suche nach »sinnvolle(m) Leben« – auch die von der Gesellschaft vorgegebene Religion koinzidierte mit der Religiosität des einzelnen in der »Sinnhaftigkeit« der Sozietät und des in sie eingebetteten Lebens des Individuums. Zentriert die Religiosität des modernen Menschen im individuellen Selbst, seiner Verwirklichung und Bestätigung – auch die früher von der Gesellschaft vorgegebene Religion trug das individuelle Selbst und schloß seine Verwirklichung und Bestätigung ein. Selbst das markante Defizit des Verlustes der metaphysischen Dimension in der Religiosität des modernen Menschen ist insofern in der von der Gesellschaft vorgegebenen Religion angelegt, als sie zwar in der Regel ›Götter‹ oder ›Gott‹ verehrte[124], diese aber den Stellenwert von »Symbolen« für die Gesellschaft notwendiger Funktionen einnahmen. Der defizitäre Rückzug des homo religiosus in die »Privatsphäre« bringt nur unverhüllter an den Tag, was die von der Gesellschaft vorgegebene Religion sozial verhüllte: die hier individualanthropologisch verengte, dort sozialanthropologisch ausgeweitete Anthropo-zentrik der Religion. Nicht die *Theo*-zentrik, die *Anthropo*-zentrik ist für ihre Definition konstitutiv. Religion ist jeweiliger Sinnentwurf des *homo* religiosus unter wechselnden gesellschaftlichen Verhältnissen. Mensch und Gesellschaft umschreiben den Radius, den sie nicht zu überschreiten vermag. In der Religiosität des modernen Menschen tritt dieser definitorische Sachverhalt zutage. In ihm kommt sie als *Religion des Menschen* zu ihrer Wahrheit[125].

Daß sie mit ihrer Methode die Religion nicht ganz erfaßt, ist die unausgesprochene und ausgesprochene Ansicht der meisten Religionssoziologen. Ein »universalistische(r) Wahrheitsanspruch der Soziologie«, »Soziologismus«, wie er bei Durkheim begegnete, ist heute, »wenigstens theoretisch«, »überwunden« (Kaufmann). M. Webers Unterscheidung zwischen »Wertideen«, der »Geltung eines praktischen Imperativs als Norm« einerseits und der »Wahrheitsgeltung einer empirischen Tatsachenfeststellung« andererseits als auf »absolut heterogenen Ebenen der Problematik« liegend, hat sich durchgesetzt[126]. Seine strikte Unterscheidung meint keine Relativierung des »Wertbegriff(s)«. Er, für ihn mit dem Begriff der »Kultur« geradezu identisch, ist im Gegenteil in konkret artikulierter »Geltung« die Voraussetzung »sozialwissenschaftlicher Erkenntnis«. »Die ›Objektivität‹ sozialwissenschaftlicher Erkenntnis hängt ... davon ab, daß das empirisch Gegebene ... stets auf innere Wertideen, die ihr allein Erkenntnis*wert* verleihen, ausgerichtet, in ihrer Bedeutung aus ihnen verstanden« wird. Die »Wertideen« selber entziehen sich aber dem soziologischen Zugriff. Ein »Nachweis ihrer Geltung« ist »empirisch«, und nur das heißt für Weber: wissenschaftlich, unmöglich. Daß er von dieser soziologischen Selbstbeschränkung aus direkt auf die Theologie blickt, ist kein Zufall. »Die schlechthin anzunehmenden Voraussetzungen ... liegen für die Theologie jenseits dessen, was ›Wis-

124 An die Ausnahme einer »tendenziell atheistische(n) Religiosität« z.B. im »Buddhismus« und in »bestimmte(n) Hindu-Philosophien« erinnert *Luhmann*, Religion als System 92.

125 *Weber*, Wissenschaftslehre 594; *Luckmann*, Religion in der modernen Gesellschaft 56ff.

126 Die Soziologie soll »als Wissenschaft wertfrei in Max Webers Sinn sein« (*Parsons*, Rationalisierungsprozeß 158). – Weber »wandte sich ... gegen alle Versuche, Glaubens- und Wertentscheidungen im Gewande objektiver Wissenschaft verkünden zu wollen« (*Lenk*, Werturteilsfreiheit 146).

senschaft‹ ist . . .«. In Fortführung des Weberschen Ansatzes - »ohne« den »Akzent der Abstinenz vom Glaubensbekenntnis halte ich keine Religionssoziologie für möglich« -, aber mit der Tendenz der Überwindung seiner latenten wissenschaftstheoretischen Diastase, spricht *Helmut Schelsky* von der »Aspekthaftigkeit« wissenschaftlicher »Theologie« und »exakter Naturwissenschaften«, die »Aufeinandergewiesenheit« bedeute und zur »Kooperation« im Blick auf den gleichen Gegenstand anhalte. Nimmt die angesprochene Theologie die in dieser Einladung enthaltene Herausforderung an? Vermag sie im Blick auf den gemeinsamen Gegenstand Kirche mit der Religionssoziologie unter Respektierung ihrer und Wahrung der eigenen Identität zu kooperieren? Ist sie fähig, in die empirischen Analysen der Religionssoziologie ihren spezifischen, von dieser nicht wahrzunehmenden Beitrag einzubringen? »Soziologische Analysen können hier nicht einspringen« (Luhmann)![127]

Weil die ekklesiologische Richtung, die die Namen Schleiermacher, Rothe, Troeltsch, Tillich, Rendtorff repräsentieren, sich bewußt auf die eng mit der Gesamtgesellschaft verflochtene empirische Volkskirche bezog, hat sie die Fragestellungen, die schließlich eine eigene wissenschaftliche Religionssoziologie ausgrenzten, mit vorbereitet und sich ihr vom Zeitpunkt ihrer Ausbildung an geöffnet. Schon Schleiermacher erschloß, im Vorgriff auf die nach Lanternari »zwei grundlegende(n) Methoden der Religionssoziologie«, induktiv in den verschiedenen Gruppierungen innerhalb der Volkskirche und über sie hinaus ein Allgemeines, um es deduktiv als Kriterium auf sie anzuwenden[128]. Daß auf dem Hintergrund des Staatskirchentums der Volkskirche die Funktion einer die Gesellschaft integrierenden, institutionalisierten Religion zufiel, hatte er ebenfalls erkannt und wurde von Troeltsch in seinen historisch-soziologischen Untersuchungen ausgeführt. Die Zentrierung der Religion im Kultus, die Funktion seiner Akte und Symbole als Medien religiöser Interaktion finden sich auch bei Schleiermacher, Rothe, Troeltsch und Tillich. Die Rückführung sich als Funktion der Gesellschaft manifestierender Religion auf den homo religiosus, der Zusammenhang von Religionssoziologie und -psychologie ist ebenfalls ein gemeinsamer Tenor dieser Richtung. Die desintegrierenden Tendenzen einer mit der Gesellschaft nahezu deckungsglei-

127 *Kaufmann,* Theologie in soziologischer Sicht 13; *Weber,* Wissenschaftslehre 487.213.175.595; *Schelsky,* Religionssoziologie 135.131; *Luhmann,* Funktion der Religion 223. Die Grenzen eines soziologisch-funktionalen Religionsbegriffs »liegen dort, wo der Theologe gegenüber dem Soziologen darauf wird bestehen müssen, daß die Wahrheit theologisch disziplinierter religiöser Lehren sich nicht durch die Funktionen definieren läßt, die sie, indem sie geglaubt werden, erfüllen« (*Lübbe,* Säkularisierung 157).

128 Vgl. *Berger,* Der Zwang zur Häresie 82.140f: Schleiermacher »war der Vater des . . . als induktiv bezeichneten Denkansatzes . . . Das heißt zweierlei: die menschliche Erfahrung als Ausgangspunkt religiöser Reflexion nehmen und historische Methoden einsetzen, um jene Erfahrungen aufzudecken, die sich in den verschiedensten Religionstraditionen niedergeschlagen haben. Die Theologie des liberalen Protestantismus ist vornehmlich durch diese beiden methodischen Prinzipien gekennzeichnet«.

chen Volkskirche, die zunehmende Entkirchlichung mit der Kehrseite religiöser Privatisierung waren und sind ein wesentliches Motiv ihrer Überlegungen. Diese ekklesiologische Richtung stimmt mit der Religionssoziologie in wichtigen empirischen Hinsichten überein. Daß Rendtorff in sich selber den theologischen Ekklesiologen mit dem Religionssoziologen verbindet, erhält Signalbedeutung. So führt sie einerseits vor, daß bewußte Bezugnahme auf die Volkskirche vor Fragen stellt, die heute an die Religionssoziologie verweisen. Andererseits steht ihre Antwort auf die Herausforderung der Religionssoziologie zu einem spezifisch theologischen Beitrag im Blick auf den gemeinsamen Gegenstand, auf ihre ausgesprochene oder unausgesprochene, engagierte oder skeptische Anfrage nach einer substantiellen Aussage der Theologie zu der von ihr vorausgesetzten ›Religion‹ und ihrer ›Werte‹, die ihrer Krise in der modernen Gesellschaft vielleicht entgegenzuwirken vermag, noch aus.
Sie wird auch weiterhin ausstehen. Denn diese ekklesiologische Richtung bereitete nicht nur die Religionssoziologie mit vor und öffnete sich ihr nach ihrer Ausbildung, sondern mündete selber in sie ein. Von Schleiermacher, der in den konkret-geschichtlichen Religionen induktiv eine natürliche Religion des Menschen erschloß, um sie deduktiv mit ihr zu klassifizieren[129], führt ein gerader Weg zu Troeltschs programmatischer Prognose, in Zukunft seien »Aufgaben soziologisch-organisatorischer Natur ... dringender ... als alle Aufgaben der Dogmatik«. Eine kirchliche Praxis, die sich in der Funktion kultischer Akte und Symbole als Medien religiöser Interaktion erschöpft, leistet ihrer Entkerygmatisierung Vorschub. Daß bei Troeltsch für Jesus nur die sozialpsychologische Funktion eines Kultsymbols übrigbleibt, deckt die funktionalistische Tendenz auf. Eine Kirche, deren ›Fundament‹ der homo religiosus geworden ist, verdrängt das apostolische »Fundament« von Jesus Christus. Vor welche Probleme diese Tendenz führt, zeigt Luckmanns Analyse des modernen homo religiosus mit seiner Suche nach »völlig diesseitige(m) Sinn«, der gegenüber sich Rendtorffs Definition, er sei der, der »nach Gott fragt« und auf seine »Abhängigkeit von Gott« stößt, eher wie eine Beschwörung ausnimmt. Eine Ekklesiologie, die zunehmende Entkirchlichung zwar registriert, sich aber vor der in ihr enthaltenen Herausforderung auf die natürliche Religion des Menschen zurückzieht, vermag nicht mehr über religionssoziologische und -psychologische Analyse hinaus theologisch zu denken. Daß Rothe die Kirche in den vollkommenen Staat transzendiert, macht aus der theologischen Not lediglich eine religionsphilosophisch-

129 Vgl. dagegen die Zurückhaltung von *Luhmann,* Religion als System 65: es ist »fraglich, ob es so etwas wie eine natürlich-generalisierte, in der Menschlichkeit des Menschen liegende Religiosität geben kann, wie sie die Aufklärung unterstellte. Dafür fehlt der Beweis bis hin zu den soziologischen Schwierigkeiten, solche natürliche Religion in der empirischen Forschung aufzuspüren«. Vermutlich meint Luhmann die Gleichsetzung von »natürlicher Religion« mit einem natürlichen Gottesbewußtsein des Menschen, wie sie die Aufklärung, wie sie aber auch Schleiermacher vertrat.

metaphysische Tugend. Was die Religionssoziologie von dieser Ekklesiologie zu hören bekommt, ist wie ein Echo dessen, was sie selber sagt. Eine theologische Antwort auf ihre Anfragen, besonders auf die »Hauptfrage des religiösen Denkens . . ., ob es Gott überhaupt gibt« (Troeltsch), ist es nicht[130].

2.1.7
Im anthropologischen Zirkel

Daß sich auf dem ›Fundament‹ eines Gottesbewußtseins des von Natur religiösen Menschen Kirche bauen läßt, darin stimmen Schleiermacher, Rothe, Troeltsch, Tillich und Rendtorff überein. So unverzichtbar erscheint ihnen diese aus einer langen Tradition überkommene Voraussetzung, die auch die Aufklärung zunächst überdauerte, daß sie ihre Infragestellung überhörten und, als sie nicht mehr zu überhören war, ihr mit dem Gestus des ›Dennoch‹ – trotzig oder ratlos? – entgegentraten und -treten. Daß ihre Einmündung in Religionssoziologie und -psychologie zum Offenbarungseid geriet, ist die Ironie dieser Entwicklung. Denn an der Wiege dieser Wissenschaften stand das von theologischen Ambitionen nicht nur freie, sondern die christliche Theologie einbeziehende, religionskritische Interesse der Demaskierung eines Scheins. Das Jahrhundert, in dem Friedrich Nietzsche »Das größte neuere Ereignis – daß ›Gott tot ist‹« verkündete, und d.h. für ihn, daß der im metaphysisch qualifizierten Geist des religiösen Menschen verankerte »christliche Gott« einer sich »auf die abendländische Wissenschaft als Platonismus verstanden« stützenden, religionsphilosophischen Theologie »tot ist«[131], wurde nicht zuletzt durch die sich installierende Soziologie mit eingeläutet. Wenn auch die Religionssoziologie sich später mehrheitlich sowohl letzter Urteile enthielt als auch von einem sich selber genügenden und gegen außersoziologische Mitsprache abschließenden Soziologismus abrückte – die Frage, ob Religion ein zwar in ihren sozialen und individuellen Funktionen sich vorwiegend »wert«-voll auswirkender, in ihren Objektivationen aber *nur* Schein sei, blieb in ihr latent. Gerade »Götter« oder »Gott« sind von ihr betrof-

130 *Rendtorff,* Religion – Umwelt 72; *Troeltsch,* Soziallehren 982; *ders.,* Protestantisches Christentum 605. – Daß es in der Religionssoziologie auch Tendenzen gibt, die mit dieser theologischen Richtung übereinstimmen, ist nicht zu übersehen. Vgl. *Berger,* Der Zwang zur Häresie 196: »Mithin soll hier offen erklärt werden, daß die induktive Methode, die in diesem Buch für jede systematische Reflexion über das religiöse Phänomen vorgeschlagen worden ist, nach meiner Meinung *auch* der explizit christlichen Theologie zuträglich wäre . . . Man kehrt dann zu Schleiermacher zurück, zumindest in der Form, daß man seinem grundlegenden methodologischen Programm zustimmt«. Wie Schleiermacher (s.o. 40f) vermag aber auch Berger inzwischen fortgeschrittene »säkularistische Bewegungen der Theologie« dann nur bagatellisierend als »Abirrungen« abzutun. Angesichts der Gottesfrage ist die Theologie gut beraten, ihre Aufmerksamkeit nicht solchen Tendenzen, sondern einer der Grenzen ihrer Methoden bewußten, sie nicht mit theologischer Methode identifizierenden Religionssoziologie zuzuwenden.

131 *Nietzsche,* Fröhliche Wissenschaft. Aphorismus 343 255. *Heidegger,* Nietzsches Wort »Gott ist tot« 200.

fen. Was empirischer Analyse, in Übereinstimmung mit der Religionspsychologie, standhält, ist der von Natur religiöse Mensch hinter den Symbolen seiner Religionen, nicht aber ein natürliches Gottesbewußtsein des Menschen, auch nicht als Frage nach Gott[132]. Der religiöse und Gottes bewußte Mensch sind nicht identisch. Der Tod des religionsphilosophisch-metaphysischen Gottes signalisiert nicht das Ende des religiösen Menschen. Er ist die Konstante, ein auf ihn zurückgeführtes Gottesbewußtsein die Variable. Die Ekklesiologie von Schleiermacher bis Rendtorff setzt aber religionsphilosophisch und/oder geistesmetaphysisch den religiösen als Gottes bewußten Menschen voraus. So gerät sie in die Aporie. Entweder hält sie daran fest und kollidiert mit der empirischen Religionssoziologie und -psychologie. Oder sie fügt sich der »Allmacht«[133] ihrer an der Naturwissenschaft orientierten wissenschaftlichen Methode und begibt sich damit auch der Intention, theo-logische Ekklesiologie zu sein. Auf dem ›Fundament‹ der natürlichen Religion bewegt sie sich so oder so in einem Zirkel, in dem wohl der Mensch, aber nicht Gott begegnet.

Daß das Gottesbewußtsein des von Natur religiösen Menschen eine Anlage ist, die entwickelt und aktualisiert werden kann, darin stimmen Schleiermacher, Rothe, Troeltsch, Tillich und Rendtorff ebenfalls überein. Mit der Verwirklichung seines religiösen Selbst kommt dem Menschen Gott zu Bewußtsein. Mit seinem religiösen Selbst ist deshalb auch sein potentielles Gottesbewußtsein aktualisierbar. So unverzichtbar erscheint ihnen diese Voraussetzung, daß sie ihre Infragestellung wiederum überhörten und, als sie nicht mehr zu überhören war, ihr mit dem Gestus des »Dennoch« – trotzig oder ratlos? – entgegentraten und -treten. Auch hier geriet die Einmündung in Religionssoziologie und -psychologie zum Offenbarungseid. Denn sie vermag den religiösen Menschen wohl als den zu definieren, der auf Sinn in der Verwirklichung seines Selbst aus ist, aber nicht als den, der mit solcher Selbstverwirklichung notwendig ein Gottesbewußtsein entwickelt. Wenn er heute zusehends Sinn in »radikal diesseitige(n) und verweltlichte(n)« Themen sucht[134], hebt das den religiösen Charakter auch solcher sinnhaften Selbstverwirklichung nicht auf. Die Verwirklichung des religiösen Selbst des Menschen ist die Konstante, ein mit ihr verbundenes Gottesbewußtsein die Variable. Aus der Aktualisierung seines religiösen Selbst folgt nicht notwendig die eines Gottesbewußtseins. Die Ekklesiologie von Schleiermacher bis Rendtorff folgert aber aus der religionsphilosophischen und/oder geistesmetaphysischen Gleichsetzung die Möglichkeit der Aktualisierung eines Gottesbewußt-

132 In einer Bilanz der traditionell ein natürliches Gottesbewußtsein des Menschen voraussetzenden röm.-katholischen Theologie resümiert *Godin,* Christ und Psychologie 219, heute: »Die Entsakralisierung der *natürlichen* Phänomene und die zunehmende Voraussicht ihres Ablaufs (führt) dazu, daß sie immer weniger als ›Ort‹ dienen können, an dem sich für den Menschen die Begegnung mit Gott vollzieht«.
133 S.o. 47f.
134 S.o. 75.

seins des Menschen. Darum gerät sie wiederum in die Aporie. Entweder hält sie daran fest und kollidiert mit der empirischen Religionssoziologie und -psychologie. Oder sie fügt sich der »Allmacht« ihrer an der Naturwissenschaft orientierten wissenschaftlichen Methode und begibt sich damit auch der Intention, theo-logische Ekklesiologie zu sein. Auf dem ›Fundament‹ der natürlichen Religion bleibt sie so oder so in einem Zirkel, der im Menschen, aber nicht in Gott zentriert.
Daß die durch Jesus begründete und bestimmte Kirche die vollkommene Religionsgesellschaft ist, weil in ihr das Gottesbewußtsein des Menschen am höchsten entwickelt ist und wird, darin bündeln sich die Übereinstimmungen zwischen Schleiermacher, Rothe, Troeltsch, Tillich und Rendtorff ekklesiologisch. Es kam ihnen nicht in den Sinn, diese Interpretation der Kirche zu problematisieren, sondern lediglich ihre biblische Legitimation zu variieren. So unverzichtbar erscheint sie ihnen, daß sie ihre christologische und ekklesiologische Infragestellung überhörten und, wenn sie nicht einfach zu überhören war, mit dem Gestus der Geringschätzung: »dogmatisch«, »altprotestantisch«, »supranatural«, »neuorthodox« abtaten[135]. Auch hier geriet die Einmündung in die Religionssoziologie zum Offenbarungseid. Denn sie vermag die Kirche nur als Religion einer bestimmten Gesellschaft zu klassifizieren. Sie vermag nur die Funktion ihres Kultus, seiner Akte und Symbole als Medien religiöser Interaktion aufzuzeigen. Wenn die Ekklesiologie von Schleiermacher bis Rendtorff die Kirche als durch Jesus begründete und bestimmte, vollkommene Religionsgesellschaft interpretiert, mündet ihre theologische Identifizierung in religionssoziologische Klassifizierung ein. Wenn sie die Praxis der Kirche unter den Horizont der Aktualisierung eines mit seiner natürlichen Religion verbundenen, durch Jesus höchstentwickelten Gottesbewußtseins rückt, mündet ihre theologische Orientierung in sozialpsychologische Funktionalisierung ein. Die Ausnahme aber, die sie vor völliger Reduktion bewahrt, führt sie in die Aporie. Entweder hält sie an ihrer religionsphilosophisch und/oder geistesmetaphysisch begründeten Wertung der Kirche als vollkommener, weil das Gottesbewußtsein des Menschen höchstentwickelnder Religionsgesellschaft fest und kollidiert mit der empirischen Religionssoziologie. Oder sie fügt sich der »Allmacht« ihrer an der Naturwissenschaft orientierten wissenschaftlichen Methode und begibt sich damit auch der Intention, theo-logische Ekklesiologie zu sein. Auf dem ›Fundament‹ der natürlichen Religion ist sie so oder so Gefangene eines Zirkels, in dem wohl eine durch Jesus modifizierte Religionsgesellschaft, aber nicht die Kirche auf dem apostolischen »Fundament« von Jesus Christus namhaft zu machen ist.
Ein zusammenfassendes Urteil kann diese, in Variationen sich wiederho-

135 *Troeltsch*, s.o. 48f; *Rendtorff*, s.o. 64. Besonders das Attribut »neuorthodox« taucht in vielen Veröffentlichungen auf. Es scheint von *Tillich* (vgl. ST I 11f; ST II 93 und öfter) zu stammen.

lende Aporie nicht ignorieren. Diese Ekklesiologie intendiert Gott als Zentrum – im anthropologischen Zirkel, in dem sie sich auf dem ›Fundament‹ der natürlichen Religion des Menschen gefangen hat, vermag sie ihre Intention aber nur noch aporetisch zu behaupten. Ein zusammenfassendes Urteil muß jedoch differenzieren, sollen Einsichten, die gerade diese Ekklesiologie eingebracht hat, nicht übersprungen werden. Sie nimmt die empirische Volkskirche als Religionsgesellschaft nicht nur wahr, sondern als ihr aufgegeben an. Daß sie dabei Religionssoziologie und -psychologie präludierte und sich ihnen nach ihrer Ausbildung öffnete, ist eine Folge dieser Wahrnehmung und Annahme. Ekklesiologie, die sich als Spitze einer auf die empirische Kirche und ihre Praxis bezogenen Theologie versteht, wird ihr darin folgen müssen. Sie will die empirische Kirche theologisch identifizieren und ihre Praxis theologisch orientieren. Hierin wird ihr eine Ekklesiologie, die sich als Spitze einer auf die empirische Kirche und ihre Praxis bezogenen Theologie versteht, erst recht folgen müssen. Dabei wird sie diese Ekklesiologie bei ihrer Intention, Gott als Zentrum zu wahren, nicht nur kritisch behaften, sondern sich gerade sie zu eigen machen – aber auf dem verheißungsvollen »Fundament« des apostolischen Evangeliums von Jesus Christus.

2.2

Die verfehlte empirische Kirche

2.2.1
Karl Barth

Daß sachgemäße theologische Ekklesiologie allein auf dem apostolischen »Fundament« von Jesus Christus zu denken ist, machte Karl Barth, direkt gegen Schleiermacher gerichtet, mit Nachdruck geltend. Zwar apostrophiert auch Schleiermacher das »Sein Jesu Christi« als »ein, das höchste, entscheidende und charakteristische Prädikat seiner Gemeinde, das Urbild, der geschichtliche Beziehungspunkt der in ihr lebendigen Frömmigkeit«. D.h. Jesus Christus ist für ihn wohl das relativ unterscheidende »Prädikat« einer bestimmten Religionsgesellschaft, das »Urbild« menschlicher Religiosität. Er kommt aber nicht als apostolisches »Fundament« der Kirche, als der auferweckte Gekreuzigte, in dem sich Israels Gott endgültig offenbart, zur Sprache. An die Stelle des apostolischen Jesus Christus als »Fundament« der Kirche ist bei Schleiermacher ein auf dem ›Fundament‹ der Religion des Menschen uminterpretierter Jesus getreten. Unter »den Begriff Religion« läßt sich aber »die Existenz des Volkes Gottes nicht oder nur in schärfstem Widerspruch zu dessen Selbstverständnis subsumieren«. Für Barth ist nicht strittig, daß sich die Kirche »*auch* als ›Christentum‹ und also *auch* als Religion und also *auch* als menschliche Wirklichkeit und Möglichkeit« darstellt. Zu fragen ist aber, ob sie als bestimmte geschichtliche Individuation der sozial-anthropologischen Religionsgesellschaft, der Glaube ihrer Mitglieder als bestimmte subjektive Individuation der individualanthropologischen Religion und die Theologie als bestimmte religionsphilosophische Individuation zureichend dargestellt sind oder »ob die Theologie als Theologie, ob die Kirche als Kirche, schließlich ob der Glaube als Glaube sich selbst oder vielmehr den *Grund* ihrer selbst ernst zu nehmen willens und in der Lage sind«. Über den Bau der Kirche entscheidet der »Grund«, das »Fundament«! Weil die Empirie der Kirche und ihrer Mitglieder überall menschliche Religion und Religiosität aufdrängt, »fallen« Kirche und Theologie genau »an dieser Stelle« so leicht »in *Versuchung*«. Sie werden hier geradezu »eingeladen«, »ihr Thema, ihren Gegenstand preiszugeben und damit *hohl und leer, bloße Schatten ihrer selbst* zu werden«. Denn das ›Fundament‹ der natürlichen Religion des Menschen trägt nicht, was es tragen soll. Das gilt schon in Ansehung der Religion selber. Sie reicht, heute zusehends, bis zum »Atheismus«, dessen religiöser Charakter in der Absolutsetzung der »Natur, der Geschichte und der Kultur, der animalischen und vernünftigen Existenz des Menschen« als »Autoritäten und Mächte(n)«, denen er sich »in freudigster, in naivster Gläubigkeit hinzugeben pflegt« – »Atheismus heißt fast immer: Säkularismus« –, an den Tag tritt. Er dokumentiert bereits, daß Religion und Gottesbewußtsein nicht identisch sind. Erst recht sperrt sich das biblische Offenbarungszeugnis dagegen, Jesus Christus als höchste Steigerung der mit einem Gottesbewußtsein gleichgesetzten religiösen Potentialität des Menschen zu interpretieren. Solche Interpretation entleert ihn als Offenbarer des Gottes, der auf den, sei er Theist oder Atheist, zwar religiösen, aber »gottlosen« Menschen zukommt[136]. Theologische Ekklesiologie auf solchem ›Fundament‹ entzieht der Kirche ihr sie tragendes, apostolisches »Fundament« und stellt sie auf schwankenden Boden. Ihr gegenüber gilt es, auf der Hut und unbeirrt »bei der Sache zu bleiben«. Anstatt, wie Schleiermacher und seine Nachfolger, »die Offenbarung von der Religion her« zu interpretieren, ist umgekehrt »die Religion von der Offenbarung her« zu interpretieren. Anstatt Jesus Christus auf dem ›Fundament‹ der natürlichen Religion des Menschen als relativ unterscheidendes »Prädikat« einer bestimmten Religionsgesellschaft zu interpretieren, ist umgekehrt »das Sein der Gemeinde« auf dem apostolischen »Fundament« als »ein Prädikat, eine Dimension des Seins Jesu Christi selber« zu interpretieren. In bewußter Antithese gegen die Ekklesiologie Schleiermachers und seiner Nachfolger und in ebenso bewußtem Anschluß an das Neue Testament entwarf Barth seine Ekklesiologie konsequent auf eben diesem »Fundament«.

Das wird schon äußerlich darin sichtbar, daß er sie im Zusammenhang mit der materialen Christologie im Band IV der »Kirchlichen Dogmatik« ausführt[137]. Sie erscheint dort als in der »Erkenntnis Jesu Christi« »beschlossen(e) Erkenntnis des Werks des *Heiligen Geistes:* In der (1) Sammlung, (2) Auferbauung, (3) Sendung der Gemeinde«. Aus der »Erkenntnis Jesu Christi« folgt die identifizierende »Erkenntnis« der Kirche, die sich in der Empirie einer Religionsgesellschaft nicht erschöpft. Aus der aus der »Erkenntnis Jesu Christi« hervorgehenden »Erkenntnis des Werks des *Heiligen Geistes*« folgt die orientierende »Erkenntnis« der Grundrichtungen ihrer Praxis, die der Beliebigkeit ebenso wehrt wie der Unter- oder Überschätzung menschlicher Aktivität. So strukturiert sich auf dem apostolischen »Fundament« theologische Ekklesiologie: Aus der »Erkenntnis Jesu Christi« folgen theologische Identifizierung und praktische Orientierung der Kirche, die ihre Empirie nicht verkennen, sich aber nicht auf sie fixieren lassen. Erst die nichtempirische, auch nicht induktiv erschließbare, »unsichtbar(e)« »dritte Dimension« der »Existenz« der empirischen Kirche qualifiziert Ekklesiologie als theologische! Sie stellt Barth dem Verlust theologischer Ekklesiologie im anthropologischen, religionsphänomenologisch-religionsphilosophischen Zirkel entschlossen entge-

136 »Religion ist eine Angelegenheit, man muß genauer sagen: *die* Angelegenheit des *gottlosen* Menschen« (*Barth,* KD I/2 327).
137 *Ders.,* KD IV/1 718–826; KD IV/2 695–824; KD IV/3 780–1034.

gen. Sie verleiht seiner Ekklesiologie Zuversicht, die sich auch durch das unübersehbare Elend der empirischen Kirche nicht beirren läßt. »Der Glaube der Gemeinde mag schwanken, ihre Liebe erkalten, ihre Hoffnung erschreckend dünn werden: das *Fundament* des Glaubens, ihrer Liebe und ihrer Hoffnung aber und mit ihm sie selbst *bleibt,* ist davon unberührt«. Daß solche fundamentale Zuversicht, die auf mehrere Generationen ausgestrahlt hat, die Wirklichkeit der empirischen Kirche nicht überblendet, sondern sich *an ihr* identifizierend und orientierend bewährt, ist allerdings der Prüfstein theologischer *Ekklesiologie*[138].

Dazu ist zuerst festzustellen, daß Barth seine theologische Ekklesiologie an der empirischen Kirche, sie identifizierend und orientierend, bewähren will. Einen »ekklesiastischen Doketismus«, der »an der Sichtbarkeit der Kirche« vorbeisieht, lehnt er ab. Die »Sichtbarkeit« heutiger empirischer Kirche verbietet aber ihre ungeschichtliche Gleichsetzung mit der Gemeindekirche des Neuen Testaments. Die Kirche »existiert« »in der *Geschichte*«, d.h. sie »existiert« »in einem Wechsel, sie befindet sich auf einem Weg, der von einer sich fortwährend verändernden Landschaft umgeben ist, in der auch sie selbst sich fortwährend verändert . . .«. Sich heutiger Kirche als Ergebnis eines bestimmten geschichtlichen Weges nicht stellen und in irgendeinen vergangenen Zustand, am häufigsten den der neutestamentlichen Gemeindekirche, zu flüchten, ist rückwärtsgewandte »kirchliche Romantik«. In unserem Raum begegnet die sichtbare, empirische Kirche heute als *»Volkskirche«*. Wie schon Schleiermacher führt auch Barth ihre Entstehung auf die allmähliche Entwicklung der neutestamentlichen Gemeindekirche zu einer gesellschaftlichen Großgruppe zurück, die das Interesse des Staates erregte – er erwähnt »Konstantin d. Gr.« und »Karl d. Gr.« – und zur Staatskirche wurde. Die Reformatoren haben sie übernommen. Aus ihr sind »unsere protestantischen Volkskirchen« hervorgegangen[139].

Der »Volkskirche« wird in der modernen, säkularisierten Gesellschaft noch die aus der Geschichte überkommene Funktion sozialintegrativer, institutionalisierter Religion zugestanden. Bei Barth hört sich das so an: Sie steht in einer »von den religiösen Ecken, die diese (erg. die moderne »Welt«) zu ihrem Vollbestand schließlich auch für unentbehrlich halten mag«. Es sind an sie in dieser Funktion herangetragene Erwartungen, wenn ihre Mitglieder sie auch heute »in der Form von Kindertaufen, Konfirmationen, Trauungen, Bestattungs- und Weihnachtsfeiern, auch von

138 *Ders.,* KD I/2 308f.351; IV/1 83.732.771; IV/3 850.863 (Hervorhebungen z.T. E. Hübner). – »Die sichtbare Kirche in Barths Sinn ist nicht einfach die empirisch konstatierte Institution, vielmehr ist der empirische Aspekt der Kirche auch sofort theologisch, genauer: christologisch fundiert. Den empirischen Charakter der Kirche feststellen kann nach Barth jedermann. Den Sinn und die Notwendigkeit dieses Charakters reflektieren kann nur der, der bei der Feststellung als solcher nicht stehen bleibt, sondern ihrer sachlichen Begründung nachdenkt . . . muß praktische Theologie in ihrer Theorie nicht auch angeben können, auf welchem theologischen Fundament sich ihre Untersuchung der empirischen Kirche aufbaut?« (*Josuttis,* Ekklesiologie 154).

139 *Ders.,* KD IV/1 729.786.788.

vaterländischen Bettagen und dgl.« »in Anspruch ... nehmen«. In diesem Sinne war und ist sie » *Volks*kirche, *Kultur*kirche, *Staats*kirche«. Ihre Funktion als institutionalisierte Religion der Gesellschaft läßt sich Barth, wenn auch nur nebenbei, von Religionssoziologie und Religionsgeschichte bestätigen: »Es kann ... nicht ausgeschlossen sein«, die Kirche »in den Kategorien einer allgemeinen Soziologie als einen Verein, eine Genossenschaft, im besonderen als eine Religionsgesellschaft – und dann auch historisch: als Glied, vielleicht als höchstes Produkt der Entwicklungsgeschichte solcher Vereine und also religionsgeschichtlich verstehen zu wollen.«

Neben diese Seite der Volkskirche tritt auch bei ihm die andere der ihr inhärenten Tendenz der Desintegration. Anders als im Neuen Testament hat die »nähere Umgebung der Gemeinde« »heute (aber doch nicht erst heute!) in weiten Gebieten einen Charakter« der Deckungsgleichheit von Kirche und Gesellschaft, Kirche und Volk angenommen. Volkskirche heißt: Um einen Kern »ernstlich so zu nennende(r) Gemeinde« ist »in fließender Grenze« die »Vielzahl derjenigen Menschen« angesiedelt, die »zur Gemeinde zu gehören scheinen, und nun doch insofern nicht zu ihr gehören, als sie an ihrer Erkenntnis und darum auch an ihrem Dienst keinen bemerkbaren Anteil nehmen«. Volkskirche heißt dann geradezu definitorisch: im Grad der Teilnahme an der Verkündigung der Kirche und des aus ihr herauswachsenden Engagements von vorneherein abgestuftes Kirchentum, das am Rande unterschiedslos in die Gesellschaft, deren institutionalisierte Religion es ist, übergeht. Der geschichtliche Hintergrund dieses Ergebnisses ist für unseren Raum das mittelalterliche, »die Kirche und die Welt in sich schließende corpus christianum« mit seinem Staatskirchentum und der Konsequenz der »Kindertaufe«, durch die es sich die Generationen geschlossen zuführte. Dieses Erbe determiniert die Volkskirchen der Gegenwart. Wiederum läßt Barth sich besonders ihre latente Desintegration »historisch, psychologisch, soziologisch« bestätigen: »Kirchliche Organisation, Verfassung und Ordnung« vollziehen sich als »Phänomen der Weltgeschichte« unvermeidlich »in bestimmten Verhältnissen zu den politischen, wirtschaftlichen und sozialen Zuständen und Bewegungen, zur Wissenschaft, zur Kunst, zur Moral ihrer Umwelt, Alles mit und in dieser Umwelt«. Empirische Kirche, in unserem Raum die Volkskirche, ist immer das jeweilige Ergebnis eines solchen Bedingungsgefüges. Das gilt auch von ihrer Praxis in »Kultus, Lehre, Predigt, Unterricht, Theologie, Bekenntnis«. Dieser »sichtbaren« empirischen Kirche, wie sie geworden ist, der »ecclesia visibilis«, die in unserem Raum Volkskirche ist, gilt es sich zu stellen – um nunmehr, selber eingreifend, in ihr und an ihr zu wirken. Allen praktischen Aktivitäten in der und für die Kirche voraus, sie vorbereitend und in sie einweisend, ist das die Aufgabe der Theologie, besonders der theologischen Ekklesiologie[140].

140 *Ders.*, KD IV/2 756.752; KD IV/3 828.1000; KD IV/1 728.

Denn, so gewiß die empirische Kirche »ein nicht einzigartiges Element im Ganzen der menschlichen Kultur, ihrer Hervorbringungen und Schicksale« ist, sie ›entwickelt‹ sich »auch nach ... eigenen Gesetzen«, »in eigenartiger Absicht und Prägung« und ist deshalb auch »ein eigenartiges ... Element ... im Ganzen der menschlichen Kultur, ihrer Hervorbringungen und Schicksale«. Sie kann auch in ihrer Empirie, und sei sie noch so problematisch, nie ganz und gar verleugnen, daß sie sich nicht in ihr erschöpft. Sie signalisiert als ecclesia visibilis die allein dem Glauben zugängliche ecclesia invisibilis. Barth spricht – auf den ersten Blick befremdlicherweise – deshalb von einer »*besonderen* Sichtbarkeit« für den Glauben, um die *Wirklichkeit* der »dritten Dimension« der »Existenz« der Kirche über ihre empirische Wirklichkeit hinaus, auf die sie immer wieder reduziert zu werden droht, zur Geltung zu bringen; um – in seiner Terminologie – ihre zweidimensionale Empirie um die »dritte Dimension« des Glaubens zu erweitern; um den anthropologisch-religiösen Zirkel, in dem Schleiermacher und seine Nachfolger kreisen, *theo*-logisch zu dem in Jesus Christus sich offenbarenden *Gott* als dem »Fundament« der Kirche hin zu durchbrechen. »Die dritte Dimension ... muß offen bleiben!« Wo der »Nur-Historiker, Nur-Psychologe, Nur-Soziologe« die empirische ecclesia visibilis in den Blick nehmen, da geraten der in Jesus Christus sich offenbarende Gott, das »Fundament«, auf dem die Kirche gründet, und mit ihm die ecclesia invisibilis aus dem Blick. Zum Historiker, Psychologen, Soziologen muß der Theologe hinzutreten, der einer auf ihre Empirie verengten ecclesia visibilis gegenüber für die geglaubte ecclesia invisibilis einsteht. Wie alles – Gott, Jesus Christus, der Heilige Geist –, »was das christliche Bekenntnis ausspricht, *geglaubt* sein« will, so auch die »dritte Dimension« Gottes in der »Existenz« der Kirche, die ecclesia invisibilis in der ecclesia visibilis. Die empirische Kirche ständig auf sie zu verweisen, ihre Zuversicht auf sie zu richten, ihre Identität und ihre Orientierung an ihr zu gewinnen, ist die Aufgabe *theo*-logischer Ekklesiologie. Ihr und ihrer Praxis voraus gilt zuerst für sie: »Der Mensch betritt im Glauben an die *ecclesia invisibilis* das Arbeits- und Kampffeld der *ecclesia visibilis.*«[141]

Weil die empirische »*Welt*kirche, *Volks*kirche, *Kultur*kirche, *Staats*kirche« es »wirklich nötig« hat, »vor der Korruption und vor dem Verfall ... *bewahrt* zu werden« und sich »in der geschichtlichen Folge ihrer Gestalten« »in der Identität ihres Wesens« zu »behaupten«, ist die »Frage nach dem Wesen der christlichen Gemeinde im Weltgeschehen« als »*theologische* Besinnung«, ist ihre *theologische Identifizierung* die vorrangige Sorge theologischer Ekklesiologie. Den in diesem Zusammenhang mißverständlichen Begriff »Wesen«[142] will Barth ausdrücklich nicht so verstan-

141 *Ders.*, KD IV/1 728.732ff.730.
142 S.u. 100f.

den wissen, als ob es der empirischen Kirche inhärent wäre und induktiv erschlossen werden könne. Nicht eine »selbstverständlich vorauszusetzende Gegebenheit«, nicht eine ihr »*inhaerierende,* sondern immer wieder von ihr zu erbittende und zu empfangende göttliche Gabe«, über die Kirche und Theologie »keine Verfügung« haben, fundiert die »Identität«, die »Selbigkeit ihres Wesens«. An der empirischen Kirche an sich und als solcher ist sie »praktisch niemals und nirgends zu sehen«. Ihr an sich und als solcher »fehlt« hier »genau genommen immer und überall Alles«. Ihre »Identität«, die »Selbigkeit ihres Wesens«, ist »geistlich«, »Werk des Heiligen Geistes«, durch das »Jesus Christus seinen Leib, d.h. seine eigene irdisch-geschichtliche Existenzform, die eine, heilige, allgemeine, apostolische Kirche geschaffen hat und fort und fort erneuert«. Ihre »Identität«, die »Selbigkeit ihres Wesens«, gründet in der mit ihrer Empirie nicht identischen, allein im Glauben zugängigen »dritte(n) Dimension« Gottes, der in Jesus Christus zu ihr redet und dessen »Stimme« sie ›hören‹ soll, der sie bestimmen will und von dem sich bestimmen zu lassen sie aufgerufen ist. Nur wenn zu ihrer empirischen Nichtidentität diese »Identität«, diese »Selbigkeit ihres Wesens«, dieses »geistliche Wesen« »als spiritual-qualitatives Prädikat der Kirche, als die ihr gegebene Verheißung in ihrer sichtbar-geschichtlichen Repräsentation« hinzutritt, wird sie zur »wirklichen«, »wahren« Kirche. Diese »Verheißung« beim Wort nehmen heißt darum »beten«, »daß das Alles geschehe, daß sie also christliche Gemeinde sein oder wieder werden möchte«. Alles »Wachen« über die »Identität«, die »Selbigkeit ihres Wesens«, ihre theologische Identifizierung als »Leib« Christi, »als ›Gottes Tempel‹ (1.Kor. 3,16), als ›Wohnung Gottes im Geist‹ (Eph. 2,22), als jene Braut ›ohne Runzeln und Flecken‹ (Eph. 5,27), als jene ›Säule und Grundfeste der Wahrheit‹ (1.Tim. 3,15)« – Barth greift bewußt ekklesiologische Formeln des Neuen Testaments auf – lebt von und verweist auf dieses Sichausstrecken nach der »dritte(n) Dimension« Gottes in Jesus Christus, auf das Gebet um das ›Hören‹ »sein(er) Stimme«, um das Bestimmtwerden von ihm. Sie ist *nur* theologische Identifizierung. Daß die empirische Kirche ihrer Identität entspricht, hat sie nicht in der Hand. Sie kann es »nicht schaffen, daß sie bei ihrem Haupte und also sein lebendiger Leib bleibt«. Auch sie selber kann sich letztlich nur als »*betendes* Wachen« nach der »dritten Dimension« Gottes in Jesus Christus ausstrecken. Dennoch hat ihr »Wachen« eine für die empirische Kirche unverzichtbare Funktion. Theologie als »wissenschaftliche Selbstprüfung der Kirche« am »Kriterium« Jesus Christus, wie es programmatisch auf der ersten Seite von Barths »Kirchlicher Dogmatik« heißt, spitzt sich in sie als den ersten Schritt der Ekklesiologie zu. Durch ihr »gehorsame(s) Wachen« sucht sich die empirische Kirche »der ihr von allen Seiten drohenden Überfremdung zu erwehren«. Weil ihr ihre »Identität« und »Selbigkeit« nicht inhäriert, sondern »der lebendige Sohn Gottes ... ihr identisches, kontinuierliches, universales ... Wesen ..., die Quelle und die Norm ihrer Selbigkeit« ist; weil sie sie nicht in ihrer Empirie als Religionsgesellschaft vorfindet, sondern sie ihr extra nos aus der »dritten Dimension« Gottes in Jesus Christus zu-kommt, ist ihre ständige theologische Identifizierung notwendig. Sie behaftet die empirische Kirche bei der Frage: »Existiert sie aus ihrem *Wesen* heraus und in strenger *Treue* gegen ihr Wesen?« Barth setzt hinzu: »Man sollte nie und nirgends meinen, es sich leisten zu können, sich durch diese Frage *nicht* beunruhigen zu lassen«. Alles hängt nun allerdings davon ab, daß es die empirische Kirche in ihrer heutigen Gestalt ist, die er theologisch identifiziert; daß seine theologische Identifizierung an ihr funktional wird[143].

Aus der theologischen Identifizierung der empirischen Kirche geht ihre *praktische Orientierung* hervor. Dem »Wachen« über ihre »Identität« und »Selbigkeit« korreliert das »Wachen« »über ihrem Dasein . . . in ihrer Predigt, Lehre und Theologie, aber auch in ihrer Verfassung, ihrer Ordnung, ihren verschiedenen Diensten, aber auch in ihren Verhaltensweisen und Stellungnahmen den Problemen der sie umgebenden Welt gegenüber . . .«. Die Übergänge sind fließend; theologische Identifizierung und praktische Orientierung sind nicht säuberlich gegeneinander abzugrenzen. Dennoch ist die praktische Orientierung ein zweiter Schritt, der aus dem ersten, der theologischen Identifizierung der empirischen Kirche, hervorgeht. Wie buchstäblich sich Barths Theologie, hierin in Übereinstimmung mit Schleiermacher, in die praktische Orientierung der empirischen Kirche zuspitzt, geht daraus hervor, daß er im exponierten, programmatischen Paragraphen 1 der »Kirchlichen Dogmatik« diese als »Funktion der Kirche« zum Zweck der »wissenschaftliche(n) Selbstprüfung« »der ihr eigentümlichen Rede von Gott« definiert. In deutlicher Affinität zur Gegenstandsbestimmung der praktischen Orientierung in der speziellen Ekklesiologie entfaltet er dort die der Kirche »eigentümliche Rede von Gott« folgendermaßen: »Die Kirche bekennt sich zu *Gott,* indem sie von Gott *redet.* Das geschieht einmal durch ihre Existenz im Handeln jedes einzelnen *Glaubenden.* Und das geschieht zweitens durch ihr besonderes Handeln als *Gemeinschaft:* in der Verkündigung durch Predigt und Sakramentsverwaltung, in der Anbetung, im Unterricht, in der äußeren und inneren Mission mit Einschluß der Liebestätigkeit unter den Schwachen, Kranken und Gefährdeten«. Der Vergleich mit einem dritten Katalog kirchlicher Praxis, wiederum in der speziellen Ekklesiologie, unterstreicht die durchgehende Affinität der Beschreibung des Gegenstandsbereichs praktischer Orientierung der empirischen Kirche in der »Kirchlichen Dogmatik«. Es heißt dort: »In der Theologie gibt die Gemeinde sich . . . kritisch Rechenschaft über die Angemessenheit oder Unangemessenheit ihres Gotteslobes, ihrer Predigt, ihres Unterrichts, ihrer Evangelisation, aber doch auch ihres von dem allen nicht zu trennen-

143 *Ders.,* KD I/1 1; KD IV/1 718.786.790.793ff; KD IV/2 700.756; IV/3 826 (Hervorhebungen z.T. E. Hübner).

den Handelns und also ihres Zeugnisses im ganzen, umfassenden Sinn dieses Begriffs in dessen Verhältnis zu seinem Ursprung, Gegenstand und Inhalt«. Allerdings stimmen die Kataloge nicht wörtlich überein. Zum Teil liegt das an der Wahl verschiedener Bezeichnungen für das gleiche Praxisfeld. So deckt sich die »innere Mission« mit ihrer »Liebestätigkeit« weitgehend mit den »Diensten« und dem »Handeln« der anderen Kataloge. Zum Teil liegt das daran, daß Barth im Verlauf der über dreißigjährigen Ausarbeitung seiner »Kirchlichen Dogmatik« eine Entwicklung durchlaufen hat, in der sich die Wertung einzelner Praxisbereiche veränderte. Besonders augenfällig wird das an der »Sakramentsverwaltung« des ersten Praxiskatalogs im Paragraphen 1 der »Kirchlichen Dogmatik«. Sie taucht auffallenderweise in den Katalogen der speziellen Ekklesiologie nicht mehr auf. Den Grund gibt er an: »Taufe und Abendmahl« sind jetzt für ihn »keine ›Mysterien‹, keine ›Sakramente‹« mehr[144]. Das liegt aber auch daran, daß er sich der geschichtlichen Wandlung wie der empirischen Kirche so ihrer Praxis bewußt war. Sprach er 1932 noch eher individualethisch von der »Liebestätigkeit unter den Schwachen, Kranken und Gefährdeten«, so heißt es 1959 unüberhörbar sozialkritisch: Die »besondere Aufgabe, den Bedürftigen ... Lebenshilfe zu leisten, kann ... nicht in Angriff genommen werden, ohne daß die Gemeinde dessen gewahr werden und sein muß, daß die Not des Einzelnen nicht *nur,* aber *auch* weithin entscheidend in bestimmten Unordnungen des *ganzen* menschlichen Zusammenlebens begründet ist, daß ihr Hilfswerk in bestimmten Punkten in den gesellschaftlichen, wirtschaftlichen, politischen Zuständen auf seine Grenze stoßen und versagen muß«. Die »Liebestätigkeit« wird deshalb erweitert in das »offene *Wort* christlicher Gesellschaftskritik«, »um ihr neuen Raum und damit neuen Sinn zu geben«. Bei Varianten im einzelnen, bei Offenheit für geschichtliche Wandlungen kirchlicher Praxis und ihres Verständnisses – Übereinstimmung besteht darin, daß alle Kataloge »im Blick auf ihren (erg. der Gemeinde) *ganzen* Dienst in allen seinen Formen« entworfen sind. Übereinstimmung besteht ferner darin, daß die der Kirche »eigentümliche Rede von Gott« sich nicht auf die »Predigt«, »auf das Zeugnis ihres *Wortes*« beschränkt, sondern bis zur »Liebestätigkeit«, zur »christlichen Gesellschaftskritik« ausgreift, daß sie ihre vielfältige Praxis als »Zeugnis im ganzen, umfassenden Sinn des Begriffs« umgreift. Übereinstimmung besteht aber vor allem darin, daß diese vielfältige Praxis der Orientierung durch die Theologie bedarf. Sie ist das Ziel, auf das hin Barth sie in allen Disziplinen ausrichtet: »So ist Theologie als *biblische* Theologie die Frage nach der *Begründung,* als *praktische* Theologie die Frage nach dem *Ziel,* als *dogmatische* Theologie die Frage nach dem *Inhalt* der der Kirche eigentümlichen Rede«. Seine »*Kirchliche* Dogmatik« ist nicht allein Schritt auf dem Wege zu ihm, sie denkt bis zu diesem Ziel hin. Ihre spezielle Ekklesiologie, die

144 *Ders.,* KD IV/4 Fragmente 72; KD IV/4 bes. 112ff.

sich in die theologische Identifizierung und praktische Orientierung der empirischen Kirche und ihrer Praxis gliedert, ist nur die letzte Zuspitzung des Gefälles seiner gesamten Theologie. Der Kreis schließt sich, wenn er in ihr noch einmal wiederholt: »Es gäbe keine Theologie, wenn es keine im Besonderen zum Zeugnis ihres Wortes verpflichtete Gemeinde gäbe«. Das Neue Testament, besonders Paulus, führt Theologie in diesem Verständnis »als die Frage nach der Gestaltung des christlichen Denkens, Redens, Handelns und Lebens im Licht seines Ursprungs, Gegenstands und Inhalts« der Sache nach vor. Barths Theologie entspricht seinem Paradigma, wenn sie in der Orientierung der vielfältigen kirchlichen Praxis ihr Ziel sucht. Als »kritische Rechenschaft über« ihre »Angemessenheit oder Unangemessenheit« dient sie der »Erbauung« der als »Leib Christi« theologisch identifizierten, empirischen Kirche. Ausdrücklich beruft er sich hier auf Eph 4,12, jene Stelle, an der theologische Identifizierung und praktische Orientierung der empirischen Kirche korrelieren. »Im Dienst der Theologie *prüft* die Gemeinde ihr ganzes Tun am Maßstab dessen, was ihr *aufgetragen* ist: endlich und zuletzt im Licht des Wortes ihres Herrn und Auftraggebers«[145].
Die Orientierung der vielfältigen Praxis der empirischen Kirche wird von Barth weniger unter der Grundrichtung »Sammlung« als unter den Grundrichtungen »Erbauung« und »Sendung« der »Gemeinde« entfaltet. Die Doppelung ist bedingt durch die systematische Struktur der »Lehre von der Versöhnung« im Band IV der »Kirchlichen Dogmatik«. Ausdrücklich erklärt er aber die »Erbauung der Gemeinde« zum »Oberbegriff«, zum Horizont ihrer Orientierung. Sachliche Überschneidungen zeigen ebenfalls an, daß der Orientierungshorizont »Erbauung« die »Sendung« der Gemeinde übergreift. Er gewinnt an der theologischen Identifizierung der empirischen Kirche sein Maß und läßt sich von ihr an die fundamentale »dritte Dimension« Gottes in Jesus Christus erinnern. Die Reihenfolge: »*Sie* (erg. die Gemeinde) wird erbaut, *sie* läßt sich erbauen, *sie* erbaut sich auch selbst«, drückt eben das aus. Aber sie »wird« nicht nur »erbaut«, sie »erbaut« sich »auch selbst«. Die »hier zusammengefügt werden, sind ... lebendige *Menschen* in ihrer Freiheit, mit ihren Gedanken, ihrer Sprache, ihren Verhaltungsweisen und Taten, ein jeder auf seinem Lebensweg und in seinem Lebenswerk, ein jeder in unmittelbarer und unbedingter Verantwortlichkeit. Sie und ihre Werke sind das, womit hier gebaut wird«. Die »Erbauung der Gemeinde« ist »wie ganz und gar Gottes, bzw. Jesu Christi, so auch ganz und gar ihr eigenes Werk – als ihr Werk freilich gebrechlich, immer neuer Korrektur und Überbietung

145 *Ders.*, KD I/1 1.3; KD IV/1 793f; KD IV/2 705; KD IV/3 1007f.1023 – »Das positive Neue war dieses: ich hatte in diesen Jahren zu lernen, daß die christliche Lehre ausschließlich und folgerichtig und in allen ihren Aussagen direkt oder indirekt Lehre von Jesus Christus als von dem uns gesagten lebendigen Wort Gottes sein muß, um ihren Namen zu verdienen und um die christliche Kirche in der Welt zu erbauen, wie sie als christliche Kirche erbaut sein will« (*Ders.*, How my mind has changed 185).

bedürftig, die ihr in der ihr zuteil werdenden apostolischen Belehrung und Zurechtweisung auch immer neu widerfahren müssen«. Als solches menschliches »Werk« bedarf sie ständiger praktischer Orientierung, die deshalb »paränetischen Charakter« hat.
Barth strukturiert den praktischen Orientierungshorizont »Erbauung der Gemeinde« nach drei Hinsichten: »Vom Wachstum des Leibes Christi wird die Rede sein, von seiner Erhaltung, von seiner Ordnung«. Sie führen unmittelbar an die kirchliche Praxis heran. Das »*extensive* Wachsen« der Gemeinde entspricht ihrer »Erbauung« nach außen bei Paulus. In Barths Beschreibung, es ginge hier darum, »zu den bisherigen hinzu neue Zeugen zu gewinnen«, und seiner gleichzeitigen Warnung: »extensive(s) Wachsen« »kann nicht Selbstzweck werden«, manifestiert sich die Maßgabe der theologischen Identifizierung der Gemeinde für die Orientierung ihrer Praxis. Die Fortsetzung: Die Gemeinde »kennt nur einen Selbstzweck: die Verkündigung des Reiches Gottes, die sie – natürlich nicht nur in Worten, sondern in ihrer ganzen Existenz – zu vollziehen hat«, weist hinüber in weite Teile dessen, was er unter die »Sendung der Gemeinde« subsumiert. Dort geht es u.a. um die Näherbestimmung der »*Adressaten* ihres Auftrags«; um die Verständlichmachung des Evangeliums; um »Evangelisation« als »›innere‹ Mission«, als »Ausrichtung der Botschaft in der *näheren* Umgebung« »der ernstlich so zu nennenden Gemeinde« innerhalb der desintegrierten Volkskirche; um äußere »Mission« als »Sendung, Aussendung in die Völkerwelt«; um »Diakonie« bis hin zur »christliche(n) Gesellschaftskritik« als »die dem guten Wort entsprechende gute Tat« in der Absicht, »das gute Wort in der Fülle seiner Wahrheit verstehen zu lassen«; um das politisch-»*prophetische* Handeln in Erkenntnis des Sinns der jeweils gegenwärtigen Ereignisse, Verhältnisse und Gestalten« im Licht des »nahe herbeigekommenen Reiches Gottes«; um »zeichenhaft(e)« »Gemeinschaft« mitten in den Trennungen der Menschen nach »Rassen«, »Klassen« und »Unterschieden menschlicher Bildung«. Der Gemeinde »*intensives,* ihr vertikales, in die Höhe und in die Tiefe strebendes Wachsen« entspricht ihrer »Erbauung« nach innen bei Paulus. Ihm sind wiederum weite Teile dessen, was Barth unter die »Sendung der Gemeinde« subsumiert, zuzuordnen. In der Feststellung, daß der »Dienst der Gemeinde« immer »Sprechen« *und* »Handeln« ist, sich »unter allen Umständen auf diesen *zwei* Linien zu bewegen hat«, und der gleichzeitigen Hervorhebung der »Ordnung« einer »bestimmte(n) Folge«, daß »nämlich das *Sprechen* dem Handeln . . . *voran*geht«, manifestiert sich wiederum die Maßgabe der theologischen Identifizierung der Gemeinde für die Orientierung ihrer Praxis. Wo »ganz und gar nur gesprochen oder ganz und gar nur gehandelt würde«, da wäre der »kirchliche Dienst« verkürzt, ja verkehrt. Aber weil er »Zeugnis« des aus dem Menschen nicht entbindbaren, sondern extra nos auf ihn zu-kommenden Evangeliums von Jesus Christus ist, ist »Nicht das Eigentliche, wohl aber das Erste« der »in menschlichen Worten zu verrichtende Dienst an der vi-

va vox Evangelii: seine mündliche Aussage und Erklärung, die mündlich zu vollziehende evangelische Anrede«. Die Gemeinde »hat ordnungsmäßig zuerst zu *sprechen.* Sie hat dann aber . . . ihrem Wort entsprechend auch zu *handeln*«. Diese Grundorientierung strukturiert den »kirchliche(n) Dienst«, der »ein *gegliedertes* und insofern *vielförmiges*« »Tun« ist. Hier hat der »Gottesdienst« den hervorragenden Rang und rückt seinerseits seine »Mitte«, die »Predigt« – als das »eigentümlich fundamentale und darum hervorgehobene Element des Tuns« der Gemeinde – an die erste Stelle. Bereits im ersten Band der »Kirchlichen Dogmatik« weitet Barth die der Kirche »eigentümliche Rede von Gott« zwar auf alle ihre ›erbauenden‹ Tätigkeiten aus, rückt aber die »Predigt« an die erste Stelle, weil sie den »*besonderen* Auftrag zur Verkündigung«, »zum *Reden* von Gott an und für die Menschen hat«, während die anderen Tätigkeiten »ein Kommentar . . . zu der Verkündigung der Hilfe Gottes« sind. Unter sie fällt alles, was er in den verschiedenen Katalogen aufzählt. Genauer werden ausgeführt: der »Unterricht«[146], der in erster Linie »zu belehren, nicht zu bekehren . . ., insofern nicht zu verkündigen«, wohl aber in »der Bemühung um eine gemeinsame Gesprächsbasis« zwischen den »Gesprächspartner(n)« Lehrer und Schüler die »Aufgabe« wahrzunehmen hat, »den Weg aufzuzeigen, der von der Nichterkenntnis zur Erkenntnis Gottes führt«; der »Dienst der Theologie« als Teil kirchlicher Praxis um theologisch verantworteter Praxis willen; die »Seelsorge« als »das zeichen- und zeugnishafte Handeln der Gemeinde an den einzelnen Menschen in ihrer eigenen Mitte«; die »Diakonie«, hier mit dem Akzent der Hilfe »an den physisch und materiell Hilfsbedürftigen in ihrer Mitte«. Zwischen »Diensten« am »extensiven« und solchen am »intensiven« »Wachstum« der Gemeinde läßt sich nicht säuberlich scheiden. Etwa die »Diakonie«, aber auch die »Seelsorge«, die sich ebenfalls der »näheren oder ferneren Umgebung« der Gemeinde zuwenden soll, werden auch ausdrücklich beiden Richtungen zugeschrieben. Dennoch verhilft die Unterscheidung zur Präzisierung der Orientierung kirchlicher Praxis.

Die zweite Hinsicht des praktischen Orientierungshorizonts »Erbauung der Gemeinde« beschäftigt sich mit der Frage nach dem »Bestand, nach der Möglichkeit ihres *Wirkens* inmitten der sie umgebenden *Welt*«. Verlautet hier jedoch kaum etwas von kirchlicher Praxis, bei der dritten Hinsicht, der »Ordnung der Gemeinde«, ändert sich das wieder. Hier ist Barth spürbar engagiert. Er wendet sich »Kirchenrecht« und »Kirchenverfassung« ausführlich und detailliert zu. In der Feststellung: »Dogmatik ist nicht Kirchenrecht« und dem gleichzeitigen Anspruch: »Dogmatik kann es aber auch nicht unterlassen, sich auf die für alles Kirchenrecht maßgebenden *Gesichtspunkte* zu besinnen, sich über den *Ort* Rechenschaft abzulegen, von dem her die einzelnen Ordnungsfragen auf alle Fäl-

146 Schleiermacher (s.o. 28) scheint durch, wenn Barth formuliert: »Die christliche Gemeinde ist nicht nur, sie ist aber auch Schule«. Vgl. *Hübner,* »Monolog im Himmel?« 79ff.

le zu beantworten sind, von dem auch alles Kirchenrecht – soll es nämlich Kirchen*recht,* aber eben *Kirchen*recht sein – herkommen muß«, manifestiert sich auch hier die Maßgabe der theologischen Identifizierung der Kirche für die Orientierung ihrer Praxis. Schon dieser kurze Überblick demonstriert, daß die mit ihrer theologischen Identifizierung korrespondierende Orientierung der Praxis der empirischen Kirche einen ungewöhnlichen Raum in der »Kirchlichen Dogmatik« einnimmt. Man muß bis zu Schleiermacher zurückgehen, um Vergleichbares zu finden. Alles hängt nun allerdings davon ab, daß seine praktische Orientierung sich als praxisfähig erweist[147].

Das bisher Festgestellte zeigt Barth als denjenigen, der es der bis dahin tonangebenden, an Schleiermacher anschließenden Ekklesiologie auf dem ›Fundament‹ der natürlichen Religion des Menschen gegenüber wieder wagt, Ekklesiologie auf dem apostolischen »Fundament« des Neuen Testaments zu denken. Er führt vor, daß entgegen einer weitverbreiteten Ansicht dieser Weg auch heute gangbar ist. War für die Ekklesiologie auf dem ›Fundament‹ der natürlichen Religion des Menschen ein defensiver Grundzug kennzeichnend – bei Barth wird sie auf dem apostolischen »Fundament« von Jesus Christus wieder offensiv: Sie bezieht sich theologisch-kritisch auf die empirische Kirche und ihre Praxis. »Der Mensch betritt im Glauben an die *ecclesia invisibilis* das *Arbeits- und Kampffeld* (!) der *ecclesia visibilis!*«[148] Aber nun kommt alles darauf an, daß er seiner Intention entsprechend die empirische Kirche in ihrer heutigen Gestalt mit allen sie bedingenden Implikationen theologisch identifiziert und seine Orientierung ihrer Praxis sich als praxisfähig erweist. Hier ist die Stelle, wo Kritik an seiner Ekklesiologie einsetzen muß. Er intendiert die empirische Kirche und ihre vielfältige Praxis, aber sie kommt nur eingeschränkt in den Blick, und ihre praktische Orientierung erweist sich nur eingeschränkt als praxisfähig. Das erste bedingt das zweite: Ist die empirische Kirche nur eingeschränkt im Blick, ist auch der Bezugshorizont der praktischen Orientierung eingeschränkt, in dem und mit dem vermittelt sie erst praxisfähig wird[149].
Die empirische Volkskirche in unserem Raum nimmt Barth in ihrer aus der Geschichte überkommenen Funktion sozialintegrativer, institutionalisierter Religion wahr. Aber schon der Ton, in dem er davon spricht – sie

147 *Ders.,* KD I/1 1.51f.56; KD II/1 100f; KD IV/2 709.712f.717.731.733.747.765ff. 767; KD IV/3 917ff.971ff.989ff.994ff.1000ff.1014ff.1020ff.
148 *Ders.,* KD IV/1 730 (s.o. 87. Zusätzliche Hervorhebung E. Hübner).
149 Im Folgenden führe ich eine Kritik aus, die ich in einer ersten Skizze 1973 andeutete. Vgl. *Hübner,* Lehre von der Kirche, bes. 189–192. Daß »Barth mit seiner dogmativ-deduktiv angelegten Ekklesiologie in den Streit um die Gestaltung der empirischen Kirche eintreten will«, vermag *Josuttis,* Ekklesiologie 153 Anm., in ihr nicht zu erkennen. Ich hoffe, es ist jetzt deutlicher geworden, daß ich der gleichen Ansicht bin. Josuttis stimmt mir im übrigen darin ausdrücklich zu, »daß Barth das Problem der Vermittlung seiner dogmatischen Aussagen mit der Aufgabe der Gestaltung der empirischen Kirche unreflektiert läßt«.

steht in einer »von den religiösen Ecken, die diese (erg. die moderne »Welt«) zu ihrem Vollbestand schließlich auch noch für unentbehrlich halten mag« –, signalisiert Abwertung. Für ihn steht fest, daß durch sie die Kirche »ihr spezifisches Gewicht, ihren Sinn und ihre Existenzberechtigung« »verliert«. Das Pauschalurteil reicht bis zu typisch volkskirchlichen, die sozialintegrative Funktion institutionalisierter Religion besonders augenfällig darstellenden Kasualien und Festen: »Kindertaufen, Konfirmationen, Trauungen, Bestattungs-, und Weihnachtsfeiern, auch . . . vaterländischen Bettagen und dgl.«. Von vorneherein ist Barths Beschreibung der empirischen Volkskirche als institutionalisierter Religion der Gesellschaft von einem theologischen Urteil überlagert. Es verhindert eine sachliche Analyse dieser Dimension, immunisiert gegen ihre Herausforderung an theologische Identifizierung und praktische Orientierung und blendet in ihr enthaltene Möglichkeiten ab.
Gleiches gilt von der der empirischen Volkskirche inhärenten Tendenz der Desintegration. Barth nimmt auch sie wahr. Aber bei genauerem Hinsehen fällt eine doppelte Idealtypik auf. Auf der einen Seite sieht Barth die »ernstlich so zu nennende Gemeinde«. Was er übersieht, lehrt ein Vergleich mit einem Urteil über die sog. »Kerngemeinde« von Rendtorff: »Was ließe sich da zeigen an bloß traditioneller Bindung, geselligem Unterhaltungsbedürfnis, unbefriedigter Selbstbestätigung im täglichen Leben und was dergleichen Kategorien mehr sind«[150]. Auf der anderen Seite sieht Barth als »Umgebung« der »ernstlich so zu nennenden Gemeinde« die »Vielzahl derjenigen Menschen, die auf Grund der seltsamen Vorstellung von einem die Kirche und die Welt in sich schließenden *corpus christianum* und auf Grund der noch seltsameren Sitte der Kindertaufe ebenfalls zur Gemeinde zu gehören scheinen«. Sie nimmt »an ihrer (erg. der Gemeinde) Erkenntnis und darum auch an ihrem Dienst keinen bemerkbaren Anteil«. Barth kehrt die positive Idealtypik »ernstlich so zu nennende Gemeinde« in ihr Negativ um, wenn er sie folgendermaßen kennzeichnet: Sie besteht aus »Menschen, denen das Evangelium faktisch . . . ebenso fremd oder nur vom Hörensagen bekannt ist, wie wenn sie nur Angehörige der Völker (›Heiden‹) wären«, mit einer »gänzlichen Interesselosigkeit an ihrer (erg. der Gemeinde) Botschaft« und »Beziehungslosigkeit ihres Tuns und Treibens zu dem, was die Gemeinde für das A und O hält«. Die Frage drängt sich auf: Woher weiß er das? Trifft es für unsere volkskirchliche Gesellschaft mit ihrem schulischen Religions- und kirchlichen Konfirmandenunterricht zu, daß ihr das Evangelium »ebenso fremd« ist, »wie wenn sie« »Heiden« wären, die im Alten und Neuen Testament weder vom Gott Israels noch von Jesus Christus wissen? Ist die Nichtteilnahme am kirchlichen Leben in jedem Fall Ausdruck »gänzliche(r) Interesselosigkeit an ihrer Botschaft«? Ist so pauschal von »Beziehungslosigkeit ihres Tuns und Treibens zu dem, was die Gemeinde für das

150 *Rendtorff,* Christentum außerhalb 12.

A und O hält«, in einer Gesellschaft zu reden, die, bewußt oder unbewußt, vom Christentum geprägt ist? Während Schleiermacher erkannte, daß die Mitglieder einer Volkskirche von der Kindheit an mehr oder weniger christlich geprägt werden[151], verfehlen Barths Idealtypiken eine differenzierte Analyse der empirischen Volkskirche. Die »fließende Grenze« zwischen ›Kerngemeinde‹ und volkskirchlichem Umfeld, von der er immerhin spricht, bleibt marginal. Wiederum ist es ein theologisches Urteil, das sie überlagert. Bei ihm wird die theologische Unterscheidung zwischen »wahrer« oder »wirklicher Kirche« auf der einen und »falscher« oder »Scheinkirche« auf der anderen Seite zur Brille, durch die er die empirische Volkskirche sieht. Die »Vielzahl derjenigen Menschen, die ... zur Gemeinde zu gehören scheinen«, entspricht der »Scheinkirche« bzw. »falsche(n) Kirche«. Die »ernstlich so zu nennende Gemeinde« entspricht der »wirkliche(n)«, »wahre(n) Kirche«. Auch was die Desintegration der empirischen Volkskirche betrifft, entzieht eine geradezu dualistische Idealtypik theologischer Ekklesiologie in der Funktion theologischer Identifizierung und praktischer Orientierung ihren Gegen-stand.
Noch einmal taucht das gleiche Problem im Blick auf die einzelnen Mitglieder der empirischen Volkskirche auf. Auch diese Dimension nimmt Barth wahr. Auf die »Frage nach dem *Adressaten*« des »Auftrags« der Gemeinde setzt er sogar zu einer Differenzierung der einzelnen an. Der einzelne ist »junger oder alter Mensch«, »Mann oder ... Frau«, »Kind seiner Zeit, seines Ortes und dessen Klimas«, er ist »bestimmt durch die Entwicklungen und Verhältnisse dieser und dieser engeren und weiteren Sparte der menschlichen Gesellschaft«, »geprägt« durch seine »näheren und ferneren Mitmenschen«, er ist »Einer aus seiner Familie, seiner Sippe, seinem Volk«, »in einer bestimmten Sprache« »zuhause«, er »existiert« »auf irgendeiner Stufe eines bestimmten menschlichen Kulturkreises«, »in der besonderen Freiheit und Unfreiheit irgendeiner Staats- oder Wirtschaftsordnung«. Weder was die empirische Volkskirche als institutionalisierte Religion der Gesellschaft noch was die ihr inhärente Tendenz der Desintegration betrifft, findet sich Vergleichbares. Aber dann bricht Barth ab. Seinen Ansatz zu einer differenzierenden Beschreibung der »Adressaten« des »Auftrags« der Gemeinde löst wiederum ein theologisches Urteil ab. Es betrifft den »Mensch(en) *selbst*«, der als »das Subjekt«, »als das Geheimnis der Mitte des Koordinatensystems der ihm aus seiner Situation zukommenden und eigenen Prädikate« »existiert«, so daß er »sich nie und nirgends in seiner Determiniertheit durch seine Situation« »erschöpft«. Auf ihn bezieht sich der »der Gemeinde gegebene Auftrag«. Das heißt, er bezieht sich auf einen unabhängig von empirischen Determinanten definierten Menschen. Sie treten nicht allein in dem Sinne zurück, daß er sich nicht in ihnen »erschöpft«, sie treten überhaupt zurück. Die empirische Volkskirche wird nunmehr in ihren einzelnen Mit-

151 S.o. 28.

gliedern theologisch überlagert. Theologischer Ekklesiologie in der Funktion der Orientierung der dem einzelnen zugewendeten kirchlichen Praxis wird der konkret-differenzierte »Adressat« entzogen[152].
Was von der empirischen Volkskirche als institutionalisierter Religion der Gesellschaft, von der ihr inhärenten Tendenz der Desintegration und von ihren einzelnen Mitgliedern gilt, gilt ebenso von den ihr korrespondierenden empirischen Wissenschaften. Daß sie zu ihrer präzisen Beschreibung heute unverzichtbar sind, nimmt Barth ebenfalls wahr. Er führt sie in dieser Funktion, wenn auch nur am Rande, vor. Es ist positiv gemeint, wenn er von ihr sagt: »Sie begnügt sich damit, Phänomene festzustellen, zu ordnen, zu verknüpfen, zu erforschen, zu verstehen und darzustellen«. Daß sie empirisch-»exakte Wissenschaft« ist, die sich »von der theologischen Wissenschaft« darin unterscheidet, »daß ihr Gegenstand und ihre Erkenntnisquelle weder unter sich, noch mit dem Worte Gottes identisch sind«, ist kein Desiderat, sondern sachgemäße Bescheidung. Sie vermag, so ist sinngemäß zu folgern, auch den Bezugshorizont theologischer Ekklesiologie, die empirische Kirche, zu präzisieren, ohne jedoch als ›Nur-Psychologie‹ oder ›Nur-Soziologie‹ deren Stelle einnehmen zu können. Aber auch hier verwirklicht Barth seine Intention nicht. Das wird augenfällig am Beispiel der Soziologie. Daß die »Frage« nach der »soziologischen Struktur« der Gemeinde zu stellen ist, daß sie auf sie keine »spezifisch eigentümliche Antwort« hat, daß es keine »heilige Soziologie«, sondern Soziologie nur als empirische Wissenschaft gibt, die an ihrem Ort zu berücksichtigen ist, ist der Ausgangspunkt seiner Überlegungen. Sie definiert die empirische Kirche als »›religiöse‹ Gemeinschaft«, als »Verein«, als »Körperschaft« »der nun eben in dieser, der christlichen Gesinnung, zu dieser, der christlichen Betätigung versammelten Menschen« mit dem »gemeinsame(n) Bekenntnis zu Jesus Christus als zu ihrem Herrn« »in irgendeiner seiner konfessionellen Gestalten«. Barth scheint diesen die empirische Kirche präzisierenden Beitrag der Soziologie zu bejahen, wenn er davon spricht, die »christliche Gemeinde« sei »den übrigen Elementen, Größen und Fakten des Weltgeschehens nicht etwa nur ähnlich, sondern bei aller Besonderheit ihrer Struktur und Situation auch gleichartig . . ., sie existiert mit ihnen auf derselben Ebene«. Ausdrücklich zieht er daraus den Schluß: »Sie kann also sehr wohl mit ihnen zusammen gehen, kritisch

152 Mit der Analogisierung der »ernstlich so zu nennenden Gemeinde« mit der »wahren« und des volkskirchlichen Umfelds mit der »falschen Kirche« nimmt Barth, aber in eigenwilliger Interpretation, eine entsprechende Unterscheidung insbesondere der lutherischen Orthodoxie auf. Sie unterschied, im Anschluß an CA VII, »eine *wahre* oder eine *falsche*« Kirche »je nachdem die Lehre des Evangeliums lauter oder unlauter verkündigt wird, und je nachdem überhaupt die Mittel, durch welche wir zum Heil gelangen, mehr oder weniger rein und unverkürzt in ihr dargeboten werden« (*Schmid,* Dogmatik der evangelisch-lutherischen Kirche 430, vgl. 439f). – »Barth (deduziert) die theologische Anthropologie aus der Christologie . . ., ohne die geschichtliche Situation des Menschen mit ihren verschiedenen Implikationen als konstitutiv in die Anthropologie einzubeziehen« (*Hollweg,* Theologie und Empirie 307).

und positiv mit ihnen verglichen werden« und fügt hinzu: »Es kann ... nicht ausgeschlossen sein, sie in den Kategorien einer allgemeinen Soziologie als einen Verein, eine Genossenschaft, im besonderen als eine Religionsgesellschaft ... verstehen zu wollen«[153]. Bis hierher folgt er seiner zustimmenden Einschätzung der »exakten Wissenschaft«. Aber dann heißt es auf einmal, es liefe »dem kirchlichen Bekenntnis zuwider«, die Kirche »als ein soziologisches Gebilde wie andere [zu] interpretieren«. Wiederum ist es die Überlagerung durch ein theologisches Urteil, die diesen Widerspruch verursacht. Es fixiert Barth so sehr auf die Gefahr einer nur empirischen und deshalb verkürzten Betrachtungsweise der Kirche durch den »Nur-Soziologen«, daß er sie nicht mehr abhebt von der von ihm selber für möglich gehaltenen Bescheidung der empirisch-»exakten Wissenschaft«, die sich »an den Phänomenen genügen läßt«. Daß er ihr nunmehr pauschal unterstellt, sie würde sich »auf *keinen* Fall darauf einlassen«, den »Glauben« und das »Bekenntnis« der »Kirche« »ernst« zu nehmen und sich »ihrerseits« mit ihm »zu beschäftigen und auseinanderzusetzen«; sie vertrete die »Meinung«, das »Wesen« der Kirche »erschöpfe sich in dem, worin sie für jedermanns Auge sichtbar sei«; sie öffne sich m.a.W. nicht der Mitsprache theologischer Ekklesiologie, sondern beanspruche, als ›Nur-Soziologie‹ die Kirche zureichend zu »interpretieren«, ist ein Indiz in dieser Richtung. Tatsächlich ist dieses Pauschalurteil von der Verschlossenheit der Soziologie gegenüber der Theologie eine Projektion der Verschlossenheit seiner eigenen Theologie gegenüber der Soziologie. In ihrem Gegenbild spiegelt sich seine eigene theologische Ekklesiologie in einem entscheidenden Defizit. Überlagert von einem theologischen Urteil, immunisiert sie sich von vornherein gegen die Mitsprache der empirischen Humanwissenschaften. Damit beraubt sie sich aber ihrer von Barth intendierten Funktion. Nicht nur die Empirie der Volkskirche, sondern auch der entsprechende wissenschaftliche Zugriff kommt nicht wirklich in den Blick. Trotz des versuchten Durchbruchs bleibt Barth der Gefangene einer theologischen Ekklesiologie, die mit den der empirischen Kirche korrespondierenden Wissenschaften nicht zu kooperieren vermag. Daß er einen Paragraphen, »der vom Einzelnen, von den Gemeinschaften und von der Gemeinschaft der Menschen«, also vom Gegenstand der empirischen Humanwissenschaften, insbesondere der Soziologie, »handelte«, für den Druck mit der Begründung ausschied, er sei »des theologischen Zugangs zu dieser Frage und darum auch ihrer richtigen Behandlung nicht sicher genug« gewesen, unterstreicht diesen Widerspruch zwischen Intention und Durchführung[154].

153 Vgl. o. 86.

154 Noch 1968, seinem letzten Lebensjahr, spricht Barth in einem Brief an Karl Rahner abschätzig von der »Religionssoziologie« als einem der »Lieblingsgesänge der heutigen angeblichen Bildungswelt« (*Barth,* Briefe 1961–1968 468). – *Josuttis,* Das Wort und die Wörter 241f, weist darauf hin, daß Barths Verhältnis zu den »Sozialwissenschaften« in den »zeitgenössischen« Kontext zu rücken sei. Für den deutschen Sprachraum ist die Abgrenzung der Geisteswissenschaften von und ihre Dominanz über die Naturwissenschaften sowie die an ih-

Nicht nur die empirischen Humanwissenschaften, auch die historische Wissenschaft kommt bei ihm nicht wirklich zum Zuge. Obwohl er die Kirchengeschichte als eigene Disziplin aufzählt, fällt schon die Seltenheit kirchengeschichtlicher Exkurse in den ekklesiologischen Paragraphen der »Kirchlichen Dogmatik« auf. Das Staatskirchentum und die aus ihm hervorgegangene Volkskirche beurteilen sie einseitig kritisch. Um Einordnung und Verständnis im zeitgeschichtlichen Zusammenhang bemühen sie sich kaum. Ein Urteil wie dieses, daß den »Reformatoren« der Bau »neue(r) sichtbare(r) Kirche« »auf den Trümmern der Vergangenheit« »teilweise erschreckend gut gelungen« sei, ist charakteristisch. Der Unterschied zu Troeltschs zugleich kritischer und würdigender historischer Beschreibung der gleichen Epoche springt in die Augen. Zwar scheint Barth wie die soziologische so auch die historische Betrachtungsweise der empirischen Kirche zunächst zu bejahen. »Es kann . . . nicht ausgeschlossen sein . . ., (erg. die »christliche Gemeinde«) auch historisch: als Glied, vielleicht als höchstes Produkt der Entwicklungsgeschichte solcher Vereine und also religionsgeschichtlich, oder allgemein: geistesgeschichtlich und so letztlich auch profangeschichtlich verstehen zu wollen«. In der Tat, wie läßt sich die empirische Kirche der Gegenwart verstehen ohne ihre »Entwicklungsgeschichte«, ohne die ihr im Verlauf ihrer Geschichte überkommene Funktion sozialintegrativer, institutionalisierter Religion, so daß sie auch eine »religionsgeschichtliche« Seite hat, ohne ihre Verflechtung in die Kultur- und Geistesgeschichte, ohne ihre in alledem angezeigte »profangeschichtliche« Dimension? Aber wie der soziologischen so unterstellt Barth auf einmal auch der »profangeschichtlichen« Betrachtungsweise pauschal, sie vertrete die »Meinung«, das »Wesen« der Kirche erschöpfe sich in dem, worin sie »für jedermanns Auge sichtbar ist« und beanspruche für ihren methodischen Zugriff, »der einzige ›saubere‹ Weg zu ihrer Deutung« zu sein. Wiederum ist er so sehr auf die Gefahr einer verkürzten Betrachtungsweise des »Nur-Historikers« fixiert, daß er eine auf ihre Möglichkeiten begrenzte, »profangeschichtliche» Betrachtungsweise nicht mehr von ihr abhebt. Wiederum ist sein Pauschalurteil von der Verschlossenheit in diesem Fall der historischen Wissenschaft gegenüber der Theologie eine Projektion der Verschlossenheit seiner eigenen Theologie gegenüber der historischen Wissenschaft. Wiederum ist es die Überlagerung durch ein theologisches Urteil, das sein historisches Blickfeld von vorneherein einengt. Wiederum immunisiert er sich gegen die Mitsprache einer anderen, in diesem Fall der historischen Wissenschaft. Wiederum

nen orientierten Humanwissenschaften bezeichnend. Besonders aufschlußreich ist hier die Pädagogik. Die *Dilthey*-Schüler *H. Nohl* und *E. Spranger* stellten noch in den zwanziger Jahren der empirischen eine geisteswissenschaftliche Psychologie entgegen, die an Verstehen, Ganzheit, Sinn orientiert war. Ähnliches gilt etwa von der pädagogischen Soziologie des Reformpädagogen *A. Fischer*. Im Kontext dieser deutschen Tradition ist auch Barth zu sehen. Das explosionsartige Einströmen in das entstandene Vakuum seit dem Anfang der sechziger Jahre und die Umkehrung der bisherigen Dominanz sind die verhängnisvolle Folge.

kommen nicht nur die Geschichte der Volkskirche, sondern auch der entsprechende wissenschaftliche Zugriff nicht wirklich in den Blick[155]. Die theologische Überlagerung der empirischen Kirche sowie der sie analysierenden empirischen und ihrer Genese nachgehenden historischen Wissenschaft widerspricht Barths Intention, theologische Ekklesiologie auf die empirische Kirche zu beziehen. Sie ist verbunden mit einer durchlaufenden Abwertung der Volkskirche. Barth nimmt sie weder wirklich wahr noch als heutiger theologischer Ekklesiologie aufgegeben an[156]. Beides, die theologische Überlagerung der empirischen Kirche und die Abwertung bzw. Ablehnung der Volkskirche, hängt ursächlich miteinander zusammen.

Denn theologische Überlagerung heißt bei Barth genauer: Überlagerung der empirischen durch die ›wesentliche‹ Kirche. Ihre Beschreibung ist der eigentliche Inhalt seiner Ekklesiologie. Er spricht vom »Wesen« der Kirche im Zusammenhang seiner Ableitung ihrer Identität aus der Christologie[157]. Die »Gleichung zwischen dem Leib Christi und der Gemeinde« wird man als einen abgeleiteten, »sekundären« »christologischen Satz bezeichnen müssen«. Daß die empirische Kirche Jesus Christus in seinem »Selbstzeugnis« »entspricht«, daß sie »*seine* Herrlichkeit widerspiegelt«, daß sie sein »Echo und Spiegel«, »sein *Bild* ist«, ist das »Werk« des »Heiligen Geistes«. Barth pointiert es drastisch als »Werk« »senkrecht von oben (wie in der Pfingstgeschichte beschrieben) vom Himmel herabfallend und so schlechthin begründend – und als dieselbe lebende Macht waltend in . . . der *communio sanctorum*, die auch immer noch *communio peccatorum* ist, wirksam in all den Relativitäten dessen, was man . . . kirchliche . . . Existenz nennt«. Deshalb läßt sich das »Sein« einer ihrer Identität entsprechenden Kirche auch nur als »Akt« definieren, in dem es »geschieht, daß Gott bestimmte Menschen leben läßt als seine Knechte, Freunde, Kinder, Zeugen«, in dem »die erweckende Macht des Heiligen Geistes« am »Werk« ist: »Gerade ihr Akt ist ihr wahrhaftes Sein, gerade ihre Dynamik ihre Statik, gerade ihre Existenz ihre Essenz«. Die Identität der empirischen Kirche ist die »dritte Dimension« des sich in Jesus Christus offenbarenden Gottes, die im »Werk« des »Heiligen Geistes« auf sie übergreift. Aber Barth kann diesen Sachverhalt auch so ausdrücken, daß er von der Teilhabe der empirischen Kirche am »göttlichen Ontischen« als

155 *Ders.*, KD I/2 357; KD III/2 VIII. 12f; KD IV/1 729.790ff; KD IV/2 698ff.752.756. 777; KD IV/3 828.845f.917ff.1000. – Barth »vermag« »die geschichtliche Bedingtheit kirchlicher Gestaltung nicht anzuerkennen«. »Die soziale Dimension der Kirche wird« bei ihm »in ihrer geschichtlichen Ausformung theologisch bedeutungslos« (*Honecker*, Kirche 200).

156 Im Zusammenhang mit seiner ersten öffentlichen Ablehnung der Kindertaufe, Taufe 39, stellt *Barth* fest: »Volkskirche als Staatskirche und Massenkirche könnte die Kirche, wenn sie mit der Kindestaufe brechen würde, allerdings nicht mehr gut sein«. *Busch*, Barths Lebenslauf 510, berichtet von einer Begegnung Barths mit Mennoniten: »Er begrüßte dabei freudig das alte Täufertum mit seinem Protest gegen die ›Volkskirche‹, ja – ›ein bißchen Pfingstlertum als Salz der Erde kann uns allen nicht schaden‹«.

157 S.o. 87f.97.

einer »*ontologischen* Aussage über ihr *eigenes* Sein« spricht. In diesem Zusammenhang fällt der Begriff »Wesen«. Barth betont, daß es der Kirche nicht inhärent sei[158], sondern ihr extra nos zukomme: »Was sie unsichtbar ist, das ist durch Gnade, nicht durch Natur *ihr* Wesen. Es ist ihr als freie Gnade zugesprochen und zugewendet«. Gleiches gilt von ihren einzelnen Mitgliedern, sofern die Identität des personalisierten Wesens, ihres »Selbst«, im Evangelium von Jesus Christus extra nos zu ihnen kommt. Aber die Fortsetzung zeigt, wie schwer es ihm fällt, diese Intention mit dem Begriff »Wesen« in Einklang zu bringen: »Sie kann es nur in größter Verwunderung und Dankbarkeit als das wirklich *ihr* zukommende und eigene (!) Wesen verstehen.« Auch wenn Ontologie, Wesen, Selbst der philosophischen Metaphysik entlehnte Begriffe sind, im ekklesiologischen Zusammenhang sollen sie die aus der Empirie induktiv nicht erschließbare Wirklichkeit der »dritten Dimension« des sich in Jesus Christus offenbarenden Gottes, die als ihre Identität der Kirche immer neu zugesprochen werden muß, an der sie nur in durch den »Heiligen Geist« gewirkter Entsprechung teilhat, auf den Begriff bringen. Aber Ontologie, Wesen, Selbst sind der philosophischen Metaphysik entlehnte Begriffe mit ihnen innewohnender Eigengesetzlichkeit. Sie mahnt die Theologie zu äußerster Wachsamkeit. Obwohl gerade Barth sich dessen bewußt war, seine Ekklesiologie gibt an entscheidender Stelle ihrem Druck nach. Er grenzt sich gegen die Induktion eines der Kirche inhärenten »Wesens« zwar ausdrücklich ab, erliegt aber dem Druck der Deduktion. Die erste Folge ist, daß seine Ekklesiologie zur Deduktion ›wesentlicher‹, d.h. aber zur die Inhärenz ihres Wesens nicht eindeutig ausschließender[159], ontologisierter Kirche wird. Die zweite Folge ist, daß die Fixierung auf ihr »Wesen« das Interesse an der Empirie der Kirche absorbiert. Die dritte Folge ist die Nichtannahme ihrer Empirie da, wo sie ihr »Wesen« stört, bei der ›unwesentlichen‹ Volkskirche. Zusammen signalisieren diese Folgen den tendenziellen Verlust der Funktion theologischer Ekklesiologie[160].

Barth hat die Notwendigkeit ständiger *theologischer Identifizierung* der empirischen Kirche erkannt, aber da, wo sie ihm in unserem Raum konkret entgegentritt, stellt er sich ihr nicht. Er weigert sich, die empirische Volkskirche als Aufgabe heutiger theologischer Identifizierung anzunehmen. In merkwürdiger Übereinstimmung mit Rothe[161] überläßt er sie als *massa perditionis* der Entkirchlichung. Seine empirische Kirche ist die

158 S.o. 87f.

159 Vgl.: »... was sie [die Gemeinde] von *innen* (!) ist, drängt doch nach *außen* ...; so ist auch, was sie *nach außen*, allgemein sichtbar, ist, den anderen Weltelementen ... insofern auch ungleichartig, als es das Geheimnis dessen, was sie *von innen* (!), unsichtbar ist, in sich trägt ...« (*ders.*, KD IV/3 833). Dem entsprechen Formulierungen wie: die Gemeinde kann »ihr Wesen so wenig verlieren wie er [Christus] selber«, oder die Rede von der »Selbigkeit ihres Wesens ... in ihrer konkreten geschichtlichen Gestalt« (*ders.*, KD IV/1 772.793).

160 *Ders.*, KD IV/1 727.744; KD IV/2 145.305.739; KD IV/3 343.834.919ff – »Eine dogmatisch deduzierende, christologisch fundierte Ekklesiologie kann an der kirchlichen Wirklichkeit vorbeispekulieren« (*Josuttis*, Ekklesiologie 157).

161 S.o. 45.

»ernstlich so zu nennende Gemeinde«. Auf sie bezieht er die identifizierenden ekklesiologischen Formeln des Neuen Testaments. Er vermag das insofern, als sie in Umfang und kirchlichem Engagement der Gemeindekirche des Neuen Testaments am nächsten kommt. Aber solche theologische Identifizierung ist nicht auf der Höhe der Zeit wie zu ihrer Zeit die ekklesiologischen Formeln des Neuen Testaments. Sie nimmt, um mit Barth selber zu sprechen, den Charakter »kirchlicher Romantik« an. Vor allem aber grenzt die »ernstlich so zu nennende Gemeinde« bei ihm nahezu an identische Kirche, so daß sich ihre theologische Identifizierung eigentlich erübrigt. Die Volkskirche, die ihrer bedürfte, ist dagegen von ihr ausgeschlossen. Von ihrer theologischen Identifizierung an bleibt sie theologisch unberaten.

Die gleiche Verengung des Blickfelds begegnet bei der *praktischen Orientierung* der empirischen Kirche. Auch hier blendet Barth die Volkskirche aus. Nicht auf die Großkirche der Gegenwart, sondern auf die »ernstlich so zu nennende Gemeinde«, auf das, »was ihr Sein und Tun als *Menschen* auf Erden, in der Zeit, vor den anderen auszeichnet«, zielt seine praktische Orientierung. Er entwirft das Bild einer »Gemeinschaft in den sancta, den heiligen Beziehungen, in denen die sancti stehen«, einer »Gemeinschaft der Christen in der *Erkenntnis* und im *Bekenntnis* ihres Glaubens«, die Praxis einer »lebendigen Gemeinde«. Ihre volkskirchliche Umgebung taucht nur am Rande auf. Auf eine wirkliche Orientierung der »Vermittlungen«, der »Brückenbauten« zwischen draußen und drinnen, der »ernste(n) und notwendige(n) Versuche, die Welt für Christus zu gewinnen«, der »durch die Liebe gebotene(n) Übersetzungen des Christlichen ins Weltliche, oder umgekehrt: des Weltlichen ins Christliche«, läßt Barth sich nicht ein. Hier erstickt eine pauschale Alternative vielmehr von vorneherein jedes Engagement: »Alles schön und gut: wenn eben nur nicht ein heimlicher Respekt vor der Art der Welt, ein heimliches Lauschen auf ihren Grundgesang, ein heimliches Schielen nach ihrer Herrlichkeit dahinter stünde, und umgekehrt: eine heimliche Sorge, so ganz allein aus Jesus Christus und von der freien Gnade Gottes her möchte die Gemeinde nicht leben können, eine heimliche Unfreudigkeit gegenüber dem Wagnis, es darauf ankommen zu lassen, als *communio sanctorum* in der Welt . . . schlicht von ihrem eigenen Grund und nicht von den Wurzeln der Welt her zu leben und zu wachsen«. Während Tillich im Hinblick auf die desintegrierte empirische Großkirche der Gegenwart die »Funktion der Vermittlung« für die wichtigste Praxis und ihre Orientierung für die vordringlichste Aufgabe der Theologie hält[162], hält Barth im Hinblick auf die »ernstlich so zu nennende Gemeinde« das Zentrum der gottesdienstlichen Versammlung, die Predigt, für die wichtigste Praxis und ihre Orientierung für die vordringlichste Aufgabe der Theologie. Diese einseitige Ausrichtung und die aus ihr hervorgehende Verkürzung kirchlicher

162 S.o. 58f.

Praxis und ihrer Orientierung wirken sich entsprechend aus. Ein Beispiel dafür ist die Verkennung der Bedingungen des schulischen Religionsunterrichts als Einrichtung einer volkskirchlich geprägten Gesellschaft. Barth hebt ihn als »kirchlichen Jugendunterricht« nicht vom kirchlichen Unterricht im engeren Sinne ab und reduziert ihn auf »Belehrung« über die kirchliche »Überlieferung« mit Ausblick auf die »Verkündigung« der Kirche, wenn er gerade hier »Vermittlungen« und »Brückenbauten«, eine grundsätzlich von ihm anerkannte »gemeinsame Gesprächsbasis«, wieder ausklammert[163].

Besonders deutlich zeigen sich die Folgen dieser deduzierenden Ekklesiologie für die praktische Orientierung der Kirche in der Barth sichtlich interessierenden »Ordnung der Gemeinde«. Er schränkt die Reichweite dogmatischer Ekklesiologie zunächst ein: »Dogmatik ist nicht Kirchenrecht« und beansprucht für sie lediglich, »sich auf die für alles Kirchenrecht maßgebenden *Gesichtspunkte* zu besinnen«. Er intendiert »auf theologische Besinnung begründete juristische Sätze«. Aber dann dekretiert er: Ausschließlich die theologisch deduzierte »Dynamik von oben« und keine »Dynamik von unten«, d.h. »kein Zeitgeist, keine politischen oder gesellschaftlichen Veränderungen oder Umwälzungen in ihrer (erg. der »Gemeinde«) Umgebung«, m.a.W. nicht die empirische Kirche mit ihrer Geschichte, ihrer gesellschaftlichen Verflechtung und ihrer Situationsgebundenheit, »werden ihr Recht bewegen dürfen«. »Dynamik von unten darf auf das Kirchenrecht *gar keinen Einfluß* haben!« Ausdrücklicher kann Barth die Ausblendung der empirischen Kirche und ihres Bedingungsgefüges nicht zum Ausdruck bringen. Statt dessen deduziert er »wahre«, »wirkliche Kirche« nunmehr unter dem Gesichtspunkt ihrer Rechtsgestalt. »Es würde nicht ratsam sein, die Begründung des Kirchenrechts von einem anderen als eben dem *christologisch*-ekklesiologischen Begriff der Gemeinde unternehmen zu wollen.« An der empirischen Volkskirche und ihren Untergliederungen, den empirischen Gemeinden, an Institution und Administration und entsprechenden juristischen Implikationen, an mit dem Status einer Volkskirche korrespondierenden »Staatskirchenrecht« vorbei deduziert er ein »Kirchenrecht«, das mit alledem nicht vermittelt ist[164]. Lediglich nebenbei, als Gegebenheit, die es

163 S.o. 93; vgl. *Hübner*, Theologie und Religionspädagogik, bes. 383ff. *Josuttis*, Ekklesiologie a.a.O., illustriert die Gefahr einer »an der kirchlichen Wirklichkeit vorbeispekulieren(den)« Ekklesiologie an Barth in KD IV/3 985ff: »Man wird z.B. ernsthaft fragen müssen, ob nicht das«, was Barth hier »anführt, faktisch eine ... theologische Legitimation geschichtlich gewachsener und durch Tradition überkommener kirchlicher Praxisfelder darstellt«.

164 »Die Dynamik des Kirchenrechts verursacht allgemein der Heilige Geist, durch welchen der in der Schrift bezeugte Herr redet. Das Schriftzeugnis fordert jeweils konkrete Entscheidungen, denen nur eine relative, je besondere Notwendigkeit zukommt. Unklar bleibt bei Barth die Grundfrage, inwiefern die konkrete Veranlassung zu solchen Entscheidungen nicht von ›unten‹ kommen sollte, warum nicht geschichtliche Notwendigkeiten zu konkreten Entscheidungen notwendig führen, die allerdings sich vor der Schrift ausweisen müssen« (*Honecker*, Kirche 196f).

hinzunehmen gilt, konstatiert er das »Staatskirchenrecht«. Er empfiehlt, »sich seine Geltung gerade nur gefallen zu lassen«, »sich prinzipiell loyal in das vom Staat beanspruchte und ausgeübte *ius circa sacra*« zu »fügen«, und setzt hinzu: »Das prinzipiell nicht zu tun, hat sie (erg. die »Kirche«) keinen Anlaß«. Das, was ihn interessiert, das »*geistliche* Recht«, das »Recht, das in der Gemeinschaft des Heiligen Geistes Jesu Christi aufzusuchen, zu finden, aufzurichten und zu handhaben ist«, »rechtes Kirchenrecht«, das »in allen Dingen!« »aus dem Hören auf die Stimme Jesu Christi« »entsteht« und deshalb »seinen ursprünglichen Sitz« in »dem besonderen Geschehen des *christlichen Gottesdienstes*« hat, hat mit ihm, das stellvertretend für die juristischen Implikationen einer Volkskirche steht, nichts zu tun. »Kirchenrecht« muß sich vielmehr »*von allem, was sonst ›Recht‹ heißt,* klar und scharf unterscheiden«, ist »Dienstrecht«, das jegliches »Herrschaftsrecht« ausschließt, in einer Kirche, die rechtlich – Barth rezipiert hier *Erik Wolf* – als »bruderschaftliche *Christokratie*« zu definieren ist. Die mit der empirischen Volkskirche und sogar mit der »ernstlich so zu nennende(n) Gemeinde« verbundenen juristischen Implikationen sind als Gegen-stand praktisch-theologischer Orientierung nicht in seinem Blickfeld[165]. Sie sind aus der Verantwortung theologischer Ekklesiologie in der Funktion praktischer Orientierung entlassen. Die Aporie deutet Barth selber an, wenn er davon spricht, daß das »Staatskirchenrecht« die Kirche auf jeden Fall betrifft.

Insgesamt orientiert er alle kirchliche Praxis auf die »ernstlich so zu nennende Gemeinde« hin. Ihre volkskirchliche Umgebung nimmt er nur als ihr Potential wahr. Sie an sich und als solche und eine ihr entsprechende Praxis kommen bei ihm nicht nur nicht zur Sprache, er orientiert bewußt von ihr fort. Was die Kirche in der »Deutschen Demokratischen Republik« betrifft, liegt die Frage zwar nahe, ob »Volkskirche« hier »nur noch ein Phantasiegebilde« sei. Selbst sie ist aber nicht eindeutig zu beantworten und der einfache Rückgriff auf »die ersten Gemeinden Jesu Christi in Jerusalem, Rom, Korinth oder Kleinasien« auf jeden Fall »kirchliche Romantik«. Legt sich hier immerhin die Frage nach der Angemessenheit des Begriffs »Volkskirche« nahe, die Tendenz der Orientierung von der Volkskirche fort meldet sich ebenso da, wo sie empirisch vorgegeben ist. Am deutlichsten zeigt sie sich in Barths Ablehnung der Kinder- und seiner Befürwortung der Erwachsenentaufe. Denn »Taufe mit dem Heiligen Geist« ist »identisch« mit der »Aufnahme« in die Kirche als die »Versammlung derer . . ., die, im Kreis von Jesus verharrend, wahrhaft als die Seinen den Willen Gottes zu tun im Begriffe stehen«. Sie ist identisch mit der Aufnahme in die durch den »Heiligen Geist« gewirkte »wahre«, »wirkliche Kirche«, die »*communio sanctorum*«, die in der »ernstlich so

165 Anders *Erik Wolf,* Art. Kirchenrecht 1506ff, dessen bruderschaftliche Christokratie Barth rezipiert (s.o.). Nach Wolf darf »keine ›Spiritualisierung‹ des K's. [Kirchenrechts] stattfinden, die seiner historisch-soziologischen Gestalt inkommensurabel wäre«!

zu nennende(n) Gemeinde« gläubiger, zum Zeugnis fähiger Erwachsener am ehesten empirischen Anhalt hat. Auf sie hin, und d.h. für Barth von der Volkskirche fort, ist die Taufpraxis orientiert. Aus mit ihrer theologischen Identifizierung korrelierender praktischer Orientierung der empirischen Kirche, die infolge einer bestimmten Geschichte in unserem Raum Volkskirche ist, ist praktische Orientierung von der Volkskirche fort geworden. Trotzdem vermag sie ihre Vorgegebenheit nicht aufzuheben. Die Verweigerung ihrer Annahme führt zwangsläufig zum Verlust des Gegenstands praktischer Orientierung. Diese tendiert zu Dysfunktionalität und Unpraktikabilität[166].

Barth denkt seine Ekklesiologie streng auf dem apostolischen »Fundament« von Jesus Christus. Auf ihm identifiziert er die Kirche theologisch und orientiert sie praktisch. Anders als die defensive Ekklesiologie auf dem ›Fundament‹ der natürlichen Religion des Menschen ist sie durch und durch offensiv. Sie behaftet die Kirche bei ihrem apostolischen »Fundament«. Sie ist kritisch, weil sie es als Sachkriterium anwendet. Sie ist frei, weil sie auf ihm von der »dritten Dimension« des sich in Jesus Christus offenbarenden Gottes auf sie hin denkt und sich darin vom Elend der Kirche weder beirren noch zu unsachgemäßen Anpassungen verleiten läßt. Die Reduktion der Kirche auf eine Religionsgesellschaft bei Schleiermacher und seinen Nachfolgern wurde von Barth erkannt, die entsprechende fundamentale Korrektur in Angriff genommen. Aber seine Ekklesiologie verfehlt die empirische Kirche. Zwar intendiert er sie ausdrücklich, aber sein deduktiver Denkweg überlagert sie. An ihre Stelle tritt eine theologisch deduzierte ›wesentliche‹ Kirche, die in der »ernstlich so zu nennende(n) Gemeinde«, bei der Barth an die »Bekennenden Gemeinden« in Deutschland nach 1933 gedacht haben könnte, am ehesten empirischen Anhalt hat. Auf sie verengt er das ekklesiologische Blickfeld. Die empirische Volkskirche nimmt er dagegen als theologischer Ekklesiologie hier und heute aufgegeben nicht an. Zwangsläufig endet solche Ekklesiologie in Dysfunktionalität und Unpraktikabilität. Es stellt sich heraus, daß auf dem von der Philosophie übernommenen, herkömmlichen, in der Abgrenzung der Geistes- von den Naturwissenschaften im 19. Jahrhundert sich erneut formierenden deduktiven Denkweg, der auch Barth bestimmt, theologische Ekklesiologie in der Funktion theologischer Iden-

166 *Ders.*, KD I/1 51; KD IV/2 726f.755f.767ff.779ff.801.805f; KD IV/4 41; Lebendige Gemeinde 8; Brief an einen Pfarrer 26 (Hervorhebungen teilweise E. Hübner). – Obwohl *Ritz*, Die Präsenz der Empirie im Kirchenbegriff 244.211.249, »von der vorfindlichen Kirche« herrührende »Empirie und Experienz« als Movens der Ekklesiologie Barths (und Küngs) herausstellt, muß auch er »relativ wenige Elemente der konkret vorfindlichen Kirche . . . im Vergleich zum soziologischen Institutionsbegriff recht viel theologisches Niemandsland« konstatieren. »Kirche wird nicht in ihrem Selbstand gedacht«. »Barth und Küng geht es an erster Stelle um den dogmatischen Kirchenbegriff«. Ritz fährt fort: »Es kommen beide aus Fakultäten, in denen systematische und praktische Theologie (auch) getrennt marschieren«.

tifizierung und praktischer Orientierung der empirischen Kirche nicht zu verwirklichen ist. Gerade weil er seine »*Kirchliche* Dogmatik« von Anfang an auf dieses Ziel hin angelegt hat, erhält dieses Ergebnis Signalbedeutung. Wer meint, es als Legitimation einer Rückkehr zu Schleiermacher und seinen Nachfolgern beanspruchen zu können, weil deren Ekklesiologie die empirische Volkskirche annimmt, verkennt die sich dort im ungebrochen induktiv-deduktiv, religionsphänomenologisch-religionsphilosophischen Zirkel vollziehende Reduktion der Kirche auf eine Religionsgesellschaft. Wer meint, es bagatellisieren zu können, verkennt den Widerspruch zwischen ekklesiologischer Intention und Durchführung bei Barth und stellt sich einer Weiterentwicklung in den Weg, die alleine eine so falsche wie verhängnisvolle Alternative zwischen theologischer Ekklesiologie und empirischer Kirche verhindern kann.

2.2.2 Rudolf Bultmann

Mit Barth verbindet Rudolf Bultmann die nachdrückliche Geltendmachung des apostolischen Fundaments der Kirche: »Das ἐν Χριστῷ . . . ist primär eine *ekklesiologische* Formel«. Er wendet sich gegen Troeltsch als Repräsentanten der »liberalen Theologie«, in dessen Ekklesiologie es »eine notwendige Bindung des christlichen Glaubens an die Person Jesu nicht geben kann«, weil ein schon vorgegebener »Gottesglaube zur Anerkennung der Person Jesu führt, nicht umgekehrt«. Den aus der natürlichen Religion des Menschen als Fundament der Kirche resultierenden »Kompromiß«, daß infolge eines »sozial-psychologische(n) Gesetz(es)« »die christliche Gemeinde wie jede religiöse Gemeinschaft eines Kults mit einem konkreten Mittelpunkt« und deshalb eines »Christusbild(s)« »bedarf«, lehnt er ab[167]. Ist Bultmanns Verhältnis zur natürlichen Religion des Menschen auch nicht durchgeklärt[168], im Unterschied zu Schleiermacher und seinen Nachfolgern und in Übereinstimmung mit Barth besteht er auf dem apostolischen »Fundament« der Kirche, auf dem Bekenntnis zu Jesus Christus, der »das Wort Gottes ist«[169].

Mit der Kirche rückt die Theologie, die *»eine Funktion der Kirche«* ist, auf das apostolische »Fundament«: »Wie die Kirche, so lebt auch die Theologie auf Grund des schon bestehenden Verhältnisses zu ihrem Gegenstand«, der »Offenbarung Gottes« in Jesus Christus, »auf Grund des Glaubens«. Daraus ergibt sich ihre kritische »Funktion« in der Kirche. Sie »wirkt« »*als* Glied, *als* Organ des kirchlichen Lebens auf dieses selbst klärend und kritisch«, sie »hat das *Lehramt* in der Kirche inne, und *sie ist*

167 S.o. 52.
168 Vgl. bes. *Bultmann*, Natürliche Offenbarung; Weissagung und Erfüllung; Hermeneutik.
169 *Bultmann*, Theologie 307; *ders.*, Liberale Theologie 4f; *ders.*, Das christologische Bekenntnis 258.

deshalb ihrerseits die Kontrollinstanz für das Kirchenregiment«. Der Schleiermachersche Ausdruck »Kirchenregiment« unterstreicht das Gefälle auch der Theologie Bultmanns zur Ekklesiologie. Theologie, die in dieser »Funktion« »zwischen rechter Lehre und Irrlehre unterscheidet«, identifiziert die Kirche theologisch. Sie mündet am Ende in die Orientierung ihrer Praxis. In der Forderung, »die Kirchenbehörde« müsse »die Fakultäten« hinsichtlich der »Einführung neuer liturgischer Formen«, der »Kontrolle der durch die Pfarrer geübten Verkündigung«, überhaupt »überall da, wo für die Verwaltung die Frage der Lehre akut wird«, »befragen«, deutet sie sich an. Wie von der Kirche gilt: »Es kann in der protestantischen Kirche keine Verwaltungsinstanz geben, die die Lehrnorm festsetzt und über Lehre und Irrlehre entscheidet«, so gilt zwar auch von der Theologie: Sie schließt »die Möglichkeit des Irrtums« ein. Über Kirche und Theologie steht gleichermaßen als ständige »Kontrollinstanz« »der Gegenstand selbst«. Es ist aber die Aufgabe der Theologie, ihn zu erheben und in der Kirche als Sachkriterium zur Geltung zu bringen[170].

Wenn der Neutestamentler Bultmann die Kirche mit der paulinischen Formel »Leib Christi« theologisch identifiziert, zeigt auch er »den überweltlich-eschatologischen Charakter« ihrer Identität an. Sie inhäriert ihr nicht, sondern ist »ihr jenseitiges Wesen«. Mit einem »Verein, zu dem sich gleichgesinnte Einzelne zusammengeschlossen haben«, ist ihre Identität noch nicht gegeben. Sie kommt ihr alleine von Jesus Christus zu: »Der Leib wird nicht durch die Glieder, sondern durch Christus konstituiert«. Sie kann ihr nur im »Kerygma« zugesprochen werden. Wie Barth, so betont auch Bultmann das *extra nos* der Identität der Kirche, mit ihm die Notwendigkeit ständiger *theologischer Identifizierung*[171]. Entsprechend tritt in der Orientierung der Praxis der Kirche die »Verkündigung«, das »Kerygma« so in den Mittelpunkt, daß Bultmann geradezu als ›Kerygmatheologe‹ apostrophiert wurde. *Orientierung der kirchlichen Praxis* »Verkündigung« schließt bei ihm zweierlei ein: die Analyse der »Situation des modernen Menschen«, dessen »Weltbild« von der »Naturwissenschaft geformt« ist, als ihres Adressaten und die Wahrung der »Gültigkeit« der »Verkündigung des Neuen Testaments«. Im Blick auf den Adressaten intendiert Bultmann die Loslösung der »Bindung der Verkündigung . . . an ein vergangenes Weltbild«, »die Befreiung vom mythologischen Weltbild der Bibel«. Im Blick auf das »Kerygma«, die »Verkündigung des Neuen Testaments«, intendiert er den Weg der Interpretation der »Mythologie des Neuen Testaments« »auf das in diesen Vorstellun-

170 Briefwechsel 243ff. – »Theologie ist also ›eine Funktion der Kirche‹, so wenig das eine kirchenbehördliche Kontrollfunktion über die Theologie legitimiert, die vielmehr einzig von ihrem Gegenstand kontrolliert wird und von der Kirche nur beständig dabei behaftet werden muß, *daß* es rechte und falsche Lehre gibt und das Christliche nicht beliebig ist . . .« (*G. Klein*, Bultmann 410).
171 *Bultmann*, Theologie 306f; vgl. *ders.*, Kirche und Lehre 165f.

gen sich aussprechende Existenzverständnis hin«. Bultmanns Programm – negativ als sog. »Entmythologisierung« und positiv als »existentiale« Interpretation – ist, auch wenn seine Ausführung zu Rückfragen Anlaß gibt[172], von der kirchlichen Praxis »Verkündigung« motiviert und zielt auf sie hin. Die Kirche und ihre Praxis ist der Bezugshorizont auch seines theologischen Denkens. Anders als Barth nimmt er dabei das Problem der Vermittlung des »Kerygmas« an den »modernen Menschen« bewußt an. Ihm geht es darum, »dem Menschen von heute die christliche Verkündigung so verständlich zu machen, daß er dessen inne wird: tua res agitur«. – Die kirchliche Praxis »Verkündigung« ist nicht auf die Predigt im sonntäglichen Gottesdienst beschränkt, sondern ihr Radius prinzipiell ausgeweitet: ». . . ›das Wort verkündigen‹« heißt nicht: »in leeren Großstadtkirchen eine sonntägliche Predigt zu halten, sondern *da* und *so* das Wort verkündigen, daß es gehört werde . . .«. Das kann »in verschiedener Weise geschehen, entsprechend der Verschiedenheit der individuellen Menschen und ihrer konkreten Situation«. Bultmann sieht den »modernen Menschen« nicht nur im Zusammenhang des ihn bestimmenden »Weltbildes«, sondern auch in seiner Entkirchlichung. Er sieht ihn nicht nur individuell, sondern auch kollektiv in seiner jeweiligen Situation. Daß der Adressat der kirchlichen Praxis »Verkündigung« der empirische Mensch der Gegenwart in seinen verschiedenen Dimensionen ist, daß sie ihm nachgehen muß, hat er im Blick. – Deshalb bezieht er auch den »christlichen Unterricht« in seine praktische Orientierung ein. »Denn in seinem eigentlichen Sinne ist dieser ›Unterricht‹ direkter Appell«, »Wortverkündigung«, die die »Entscheidung« des Glaubens herausfordert. Sofern er »der Form nach ein indirekter Appell ist«, hat er aber vorrangig propädeutische Funktion, die zum Verstehen der »Wortverkündigung« hinführt. Bultmann skizziert sie als eine Praxis eigenen Profils[173]. – Die »Wortverkündigung« ist »das einzige Amt der Kirche«. In dieser exklusiven Definition unterscheidet sich Bultmann von Barth[174]. Die »Liebe des Unterrichtenden« in der schulischen »Erziehung« ist notwendige Folge der »Wortverkündigung«. Sie ist zwar von großer pädagogischer Bedeutung, aber Pädagogik ist nicht Gegenstand praktischer theologischer Ori-

172 Vgl. dazu *Hübner*, Entmythologisierung 238ff; *ders.*, Evangelische Theologie, bes. 151ff.

173 »Der Mensch muß dahin gelangen, daß er sich auf sich selbst besinnt, daß er sich fragt, was Menschliches, was Sein ist. Er muß lernen, seine eigenen Fragen zu verstehen, gewahr zu werden, wonach er eigentlich verlangt, was Wahrheit, was Wirklichkeit, was echte Existenz bedeutet. Und sodann: es muß ihm gezeigt werden, was der Sinn des christlichen Glaubens ist, was gemeint ist, wenn der christliche Glaube redet von Gott, von Sünde, von Gnade, wie der christliche Glaube die Situation des Menschen in der Welt versteht« (*Bultmann*, Erziehung 54). Wie Bultmann überhaupt das Vermittlungsproblem, anders als Barth, bewußt annimmt, so auch seine Bedeutung für den Unterricht (vgl. o. 103). – Auch Barth spricht aber ähnlich wie Bultmann davon, daß »der *kirchliche Jugendunterricht* als solcher« zwar »nicht Verkündigung wollen«, aber »an bestimmter, äußerlich kaum abzugrenzender Stelle in Jugend*gottesdienst* übergehen« kann (*Barth*, KD I/1 51).

174 S.o. 89f. – Auch Barth spricht aber davon, daß »das *Sprechen* dem Handeln . . . *vorangeht*« (s.o. 92f).

entierung. Die »Wortverkündigung« bewirkt im Hörer ebenso »Teilnahme an der sozialen Problematik«. Deren Inangriffnahme ist jedoch nicht kirchliche Praxis und unterliegt nicht theologischer Orientierung. ». . . Soziale Arbeit als solche« ist »nicht das Amt der Kirche«. In der exklusiven Definition kirchlicher Praxis als »Wortverkündigung« einerseits und der Konstatierung ihrer Auswirkung in gesellschaftsrelevanten Feldern andererseits melden sich sowohl eine Engführung als auch ein Drängen über sie hinaus. Beides zeigt bereits das Problem der Ekklesiologie Bultmanns, seine Weise der Verfehlung der empirischen Kirche an[175].

Denn Bultmann trennt »zwischen der Ekklesia als einem historischen Phänomen und der Ekklesia als der eschatologischen vom Walten des Geistes geleiteten Gemeinde«. Zwar räumt er ein: »Sofern die eschatologische Gemeinde, die *als solche* unsichtbar ist, sich sichtbar in einer historischen Gemeinschaft darstellt, kann sie sich dem Zwang historischer Gesetze nicht entziehen«. Aber nicht das »historische Phänomen«, die »institutionell organisierte«, sondern allein die »in ihrem Wesen unsichtbare Kirche«, die »Kirche, in der diejenigen verbunden sind, die das Wort glaubend gehört haben und bekennend weitergeben«, die »nur im *Geschehen* wirklich(e)«, die »eschatologische Gemeinde« ist Gegenstand seiner Ekklesiologie. Ihr empirisch-historischer Gegen-stand, an dem sie funktional wird, um ihn theologisch zu identifizieren und seine Praxis theologisch zu orientieren, ist von vornherein aus ihr ausgeklammert[176].
Was hier an den Tag tritt, gleichzeitig aber durch Inkonsequenzen, die sich angesichts der Kirche aufdrängen, in Frage gestellt wird, ist die Bultmanns Theologie durchziehende Trennung zweier »Wirklichkeitsbereiche«, die als »parallele Erscheinungen der Gesamtwirklichkeit« diese zwar zusammen konstituieren, aber zwischen denen es »ein kausales Übergreifen aus dem einen Bezirk in den anderen« nicht gibt[177], ist das »Doppelprinzip«[178] von »Historie« und »Geschichtlichkeit«, »weltlich« und »unweltlich«, »verfügbar« und »unverfügbar«, von im methodischen Zugriff des »Subjekts« auf die Wirklichkeit als »Objekt« auf Verfügung über sie aus seiendem, positivistisch-»uneigentlichem« Denken in Historie, Natur- und empirischen Humanwissenschaften und dem »geschichtlich«-»eigentlichen« Denken der »existentialen« Interpretation. Schon vor *Martin Heideggers* »Sein und Zeit« und seinem Einfluß auf Bultmann begegnet diese Trennung und hält sich bis in die Spätschriften durch.
In der einen Wirklichkeitshinsicht geht es um die »Erfassung dessen in der Geschichte, was objektiv erfaßt werden kann«, »so wie der Mensch seine Umwelt, die Natur, betrachtet und sich betrachtend über sie orientiert«.

175 *Bultmann*, Briefwechsel 25f.170; *ders.*, Neues Testament und Mythologie 20.22.24; *ders.*, Erziehung 54f. Vgl. *Hübner*, Theologie und Religionspädagogik 388ff.
176 *Bultmann*, Theologie 441f; *ders.*, Formen menschlicher Gemeinschaft 272.
177 *Oepke*, Entmythologisierung 171.
178 *Ott*, Heilsgeschichte 8ff.

Solches objektiv Erfaßbare sind »die chronologisch fixierbaren Vorgänge des Gewesenen« oder der Versuch, »eine geschichtliche Persönlichkeit ›psychologisch verständlich‹ zu machen«. Das Ziel solcher »Erfassung« besteht für den »Historiker« darin, daß er »über die Möglichkeiten des psychischen Lebens in seiner Betrachtung verfügt«. Später weitet Bultmann diese Wirklichkeitshinsicht über die Historie hinaus aus. Es ist das an der »modernen Naturwissenschaft« orientierte Denken, das den Menschen in allen seinen Dimensionen zum »Objekt« macht. »Anthropologie« wird nunmehr »zur Biologie«, »menschliche Geschichte . . . als bestimmt durch Klima, geographische Lage und ökonomische Bedingungen« »verstanden«, »Geschichtsschreibung« in »Soziologie« umgeformt. Ziel dieses die Wirklichkeit objektivierenden Zugriffs ist die verfügende »Weltbemächtigung« »in Wissenschaft und Technik«.
In der anderen Wirklichkeitshinsicht geht es um einen *»Dialog«*, ein »Befragen«, eine »höchst persönliche *Begegnung* mit der Geschichte«. In ihr begegnen – Bultmann blickt hier auf Jesus als Beispiel – die »Gedanken« »eines in der Zeit lebenden Menschen« »als die Auslegung der eigenen, in der Bewegung, in der Ungesichertheit, in der Entscheidung befindlichen Existenz«, damit aber »als der Ausdruck für eine Möglichkeit, diese Existenz zu erfassen«. In solcher Begegnung gewinnt der Mensch die »Einsicht in die Geschichtlichkeit des menschlichen Seins«, d.h. er erfährt, daß er in der Begegnung mit einer anderen Existenz-»Möglichkeit« immer wieder »auf dem Spiel steht, durch Entscheidungen geht«, er erfährt sich als *»Sein-Können«*, das in der Begegnung mit einer anderen Existenz-»Möglichkeit«, ob in Ablehnung oder Annahme, stets aufs neue »sich selbst als seine *Möglichkeit* wählt«. Hier ist er nicht »Subjekt« eines an der »modernen Naturwissenschaft« orientierten, auf Verfügung über die Wirklichkeit aus seienden methodischen Zugriffs, mit dem er auch sich selber zum »Objekt« macht, sondern hier ist er Subjekt als Existenz-»Möglichkeit«, durch sie ständig »auf dem Spiel« stehend, weil zur wählenden »Entscheidung« herausgefordert, und deshalb grundsätzlich »seiner Verfügung entnommen«. Ausschließlich in solchem »Dialog mit der Geschichte« ist »das eigentliche Wesen der Geschichte« zu »erfassen«. In diese Wirklichkeitshinsicht, ausformuliert in der an Heidegger anschließenden »existentialen Interpretation«, trägt Bultmann seine Theologie ein.
Zwar wertet Bultmann die objektivierende »Geschichtsbetrachtung« als »immer unentbehrlich« und bezieht in dieses Urteil direkt die Natur-, indirekt die empirischen Humanwissenschaften ein, wenn er feststellt, »daß die menschliche Geschichte nicht abgeschnitten ist von der Natur und ihrer Geschichte«. Aber gleichzeitig wertet er sie als unwesentlich ab, weil sie »das eigentliche Wesen der Geschichte« »verfehlt«. Zwar erkennt er an: »Geschichte kann sowohl als politische wie als ökonomische oder soziale Geschichte verstanden werden«. Diese »Gesichtspunkte« sind alle »berechtigt«, »aber sie sind alle einseitig«; gäbe es nur sie, die Geschichte

wäre ein »sinnloses Gewebe«. Ihnen gegenüber »erhebt sich« deshalb die »Frage«, »ob es nicht einen innersten Kern der Geschichte gibt, durch den die Geschichte ihr Wesen und ihren Sinn gewinnt«. Diese »Frage« stellen heißt erst »von Geschichte im eigentlichen Sinn reden«. Das geschieht aber »nur« da, wo die Menschen, die »wesenhaft Geist« sind, »sich als bewußte und wollende Wesen von der Natur unterscheiden«. Die erst dann bewußte »Geschichtlichkeit des menschlichen Seins« will die »Verwirklichung seiner Eigentlichkeit«. Sie stellt deshalb in der Begegnung mit anderen Existenz-»Möglichkeiten«, mit anderen »Möglichkeiten des Selbstverständnisses« in Geschichte und Gegenwart »die Frage nach dem legitimen Selbstverständnis«. In ihr gründet jeder umfassende Sinnhorizont. Gegenüber dieser ›geistigen‹ wertet Bultmann die andere, auf die »Natur« bezogene Wirklichkeitshinsicht geradezu dualistisch ab. Damit erhalten beide Wirklichkeitshinsichten aber sich gegeneinander abschließenden Charakter. Daß die eine für die andere »immer unentbehrlich« sei, kommt nicht zum Tragen. Einer Theologie, die in diese Denkstruktur eingetragen ist, ist die Diastase zur Empirie von vornherein einprogrammiert.

Bultmann zeigt ihren geistesgeschichtlichen Hintergrund selber an[179], wenn er insbesondere auf den Schleiermacherschüler Wilhelm Dilthey verweist, der »die Geschichtswissenschaft gegen die Naturwissenschaft abzugrenzen sich bemühte«. Dilthey grenzte sich von Naturalismus, Empirismus, Positivismus ab. Denn hier setzt man beim einzelnen und den ihm zugewandten Einzelwissenschaften ein, wie sie in der »Naturwissenschaft« und ihrer Methodologie ihre Ausbildung fanden, und schreitet durch »Zusammenordnung der Fälle zu Ähnlichkeit oder Gleichförmigkeit« zu einer »Totale« der Wirklichkeit fort. Ihr stellte er in genauer Umkehrung die Totale des »objektiven Idealismus«, des »Zusammenschauen(s) der Teile zu einem Ganzen« in Seele und Geist entgegen, der die Geisteswissenschaften und eine von ihm intendierte geisteswissenschaftliche Methode korrespondieren sollen[180]. In Bultmanns Referat: Vom naturwissenschaftlichen ›Erklären‹ »ein(es) der neutralen Beobachtung als bloßes Objekt gegebene(n) Naturphänomen(s)« grenzte Dilthey das geisteswissenschaftliche ›Verstehen‹ ab, in dem »der traditionelle Gegensatz von verstehendem Subjekt und verstandenem Objekt« »verschwindet«. Der Totale einer naturwissenschaftlich erklärenden stellte er die Totale einer geisteswissenschaftlich verstehenden Wirklichkeitshinsicht entgegen. Denn der Mensch ist auf ein »Bedeutungsganzes«, auf »sinnvolle Einheiten« aus, die aus dem in seiner Seele gründenden, durch seinen Geist objektivierten, »seelischen Erlebnis« hervorgehen. Die »Geschichte« ist »das Feld«, auf dem solche »Lebensäußerun-

179 In Bultmanns »Terminologie« »setzt sich jene abendländische Tradition fort, welche das geistige Dasein von der Natur abgrenzt ...« (*Käsemann*, Historisch-kritische Exegese 276).

180 *Dilthey*, Typen der Weltanschauung 115; vgl. *Landgrebe*, Wilhelm Dilthey.

gen der Seele Gestalt gewinnen«. Deshalb ist Geisteswissenschaft Geschichtswissenschaft, Geschichtswissenschaft Geisteswissenschaft. Sie »versteht« die in der Geschichte begegnenden »Lebensobjektivationen«, jenes vom Menschen gesuchte »Bedeutungsganze«, jene »sinnvolle(n) Einheiten«, indem sie in den »Grund des zeugenden und nur in seinen Objektivationen sich offenbarenden Lebens der Seele« »zurückführt«. Es ist »ein individuelles Erlebnis«, »aus dem sie«, die »ja individuelle Erscheinungen« sind, erwachsen. Weil aber der Mensch an der »›allgemeinen Menschennatur‹« Anteil hat, »kraft deren ›in keiner fremden individuellen Äußerung etwas auftreten kann, das nicht auch in der auffassenden Lebendigkeit enthalten wäre‹«[181], vermag er sie zu verstehen. Wie sehr Bultmann in dieser Tradition steht, unterstreicht sein Resümee: »In solchem Verstehen der Geschichte versteht der Mensch sich selbst« – »was der Mensch ist, sagt nur die Geschichte, indem sie an der Fülle der geschichtlichen Gestaltungen die Möglichkeiten menschlichen Seins offenbart«. Obwohl Diltheys »objektiver Idealismus« das seelisch-geistige »Bedeutungsganze« auf die Natur bezog bzw. sie in es einbezog – Bultmann zählt unter den »Lebensäußerungen der Seele« auch die »sozialen und politischen Ordnungen« auf –, den Primat vor der Natur hat der Geist. Er gibt unabhängig von ihr den Horizont eines »Bedeutungsganze(n)« vor und fügt sie ihm ein. Ein »dualistisches Minimum«[182] hält sich deshalb auch in der intendierten Beziehung auf sie durch[183]. Es läßt die Natur, die Empirie an sich und als solche in der geisteswissenschaftlichen Wirklichkeitshinsicht nicht zur Aus- und Mitsprache kommen, sondern verweist sie in die naturwissenschaftliche Wirklichkeitshinsicht. Konflikte, Aporien und Inkonsequenzen, die sich daraus ergeben, zeigen an, daß der »objektive Idealismus« die Beziehung auf die Natur und d.h. die unzertrennbare Gesamtwirklichkeit zwar intendierte, aber nicht erreichte. Dieser geistesgeschichtliche Hintergrund führt vielmehr zur gegenseitigen Abschließung zweier Wirklichkeitshinsichten[184] und zur dualistischen Abwertung der »Natur« gegenüber dem »Geist«. Wer, wie Bultmann, in dieser Tradition die Theologie als Geisteswissenschaft definiert, trägt deren abwertende Abschließung gegen die Naturwissenschaft, die Diastase zweier Wirklichkeitshinsichten, die die Gesamtwirklichkeit jeweils um die andere Wirklichkeitshinsicht verkürzt, von vornherein in sie ein[185].

181 Bultmann vermerkt ausdrücklich, daß Dilthey hier an Schleiermachers Hermeneutik anschließt.

182 *Rothacker,* Geisteswissenschaften 63.

183 Auch den »objektiven Idealismus« betrifft das Urteil: »Den idealistischen Systemen ruht ihr systematischer Zusammenhang in sich und steht in einer tiefen dualistischen Spannung zum sinnlichen Stoff« (*Rothacker,* Geisteswissenschaften 17).

184 »Historisch und systematisch ist der Begriff ›Geisteswissenschaft‹ in Abgrenzung gegenüber den Naturwissenschaften entstanden ... Diese Fixierung auf das Vorbild der Naturwissenschaften ist durch eine besondere wissenschaftsgeschichtliche und geistesgeschichtliche Problemlage hervorgerufen worden, die das Beispiel der Naturwissenschaften als Herausforderung erscheinen ließ« (*Courtin/Haase,* Geisteswissenschaften 162).

185 *Bultmann,* Jesus 7ff; *ders.,* Neues Testament und Mythologie 17; *ders.,* Geschichte und Eschatologie 9.138ff.160.164ff.177f.

In der Ekklesiologie müssen die Folgen an den Tag treten. Denn hier wird die Ausrichtung auf die empirische Kirche unausweichlich. Es liegt in der Konsequenz zweier, sich gegeneinander abschließender Wirklichkeitshinsichten, wenn Bultmann folgendermaßen trennt: »Als *historisches Phänomen* unterliegt die Ekklesia der Gesetzmäßigkeit, der alle historischen Phänomene unterliegen, und ihre Geschichte ist Gegenstand historischer, soziologischer, psychologischer Betrachtung. Ohne Zweifel: Als historische Religionsgesellschaft wird die Ekklesia konstituiert durch ihre Glieder, die in freiem Entschluß ihr beitreten (solange es noch nicht so etwas gibt wie eine ›Volkskirche‹, in die man hineingeboren wird). Aber die Ekklesia selbst versteht sich ganz anders, nämlich als die *eschatologische Gemeinde* der κλητοί, der ἐκλεκτοί, der ἅγιοι . . ., und der Glaubende führt seine Gliedschaft nicht auf seinen Entschluß zurück, sondern auf den Ruf Gottes und auf das Sakrament der Taufe, die ihn (paulinisch formuliert) in das σῶμα Χριστοῦ einfügt«[186]. Das *»ganz anders«* bezeichnet zunächst die Differenz zwischen empirischer Kirche und ihrer Identität *extra nos* als »Leib Christi«, die allein durch den »in der Wortverkündigung« die »eschatologische Gemeinde« wirkenden und in ihr wirkenden »Geist« überwunden wird. Unterhalb seines nicht verfügbaren Wirkens ist von dieser Differenz die Ekklesiologie zur theologischen Identifizierung der empirischen Kirche aufgefordert. Daß Bultmann diesen Ausblick eröffnet, unterstreichen die Näherbestimmungen des »Phänomens« Kirche, das sich als »Religionsgesellschaft«, Freikirche und »Volkskirche« darstellt und »Gegenstand historischer, soziologischer, psychologischer Betrachtung« ist. Der Gegen-stand, auf den theologische Identifizierung bezogen ist, an dem sie funktional wird, ist benannt.

Das *»ganz anders«* bezeichnet aber auch den Einschnitt, der die Wirklichkeitshinsicht der an der naturwissenschaftlichen Methode orientierten Wissenschaften von der Wirklichkeitshinsicht der Geisteswissenschaften, Historie, Soziologie, Psychologie von der Theologie, die empirische von der »in ihrem Wesen unsichtbare(n) Kirche«, der »eschatologischen Gemeinde« trennt. Sie verschließt den eröffneten Ausblick wieder. »Formen menschlicher Gemeinschaft«, zu denen die Kirche zählt, können aus einem sich alternierenden »Interesse« in den Blick genommen werden: entweder dem »soziologische(n)« oder dem »anthropologische(n)«. Bultmann interpretiert letzteres »als die Besinnung auf das menschliche Sein – also meinetwegen: das existentialistische« und zeigt so die geisteswissenschaftliche Wirklichkeitshinsicht an. In sie trägt er auch die Ekklesiologie ein. Dadurch wird diese aber von der Abschließung gegen die andere, an der Naturwissenschaft orientierte, die empirische Kirche historisch , soziologisch und psychologisch analysierende Wirklichkeitshinsicht und ihrer Abwertung mit betroffen. Bultmann wertet nicht nur im Blick auf »die in ihrem Wesen unsichtbare Kirche« die »institutionell organisiert(e)«

186 Hervorhebungen E. Hübner.

Kirche geradezu als *»Entartung«*[187] ab. Der ganze Zusammenhang demonstriert vielmehr ihre generelle Abwertung. In ihm distanziert sich Bultmann von der »konventionellen, offiziellen Gemeinschaft«, in der der einzelne »nur eine Rolle« übernimmt[188]; von der »durch die ›Städte‹ geschaffene(n) Pseudogemeinschaft« »der Konvention wie der Organisation«; von der »Gemeinschaft«, die »das technische Interesse« »stiftet«, und, im Zusammenhang damit, von einer »Kommunikation«, die »sich auf Gespräche von Chauffeuren oder auch Gespräche über Fußballmatches und andere Sportereignisse« »beschränkt«; von der soziologischen Betrachtung der »Gemeinschaft« als Objekt bzw. von Gemeinschafts- und Kommunikationsformen, die das »technische Interesse« des verfügenden Zugriffs auf die Wirklichkeit konstituiert. »Echte menschliche Gemeinschaft« bekommt nur die geisteswissenschaftliche Wirklichkeitshinsicht zu Gesicht. Denn nur in ihr ist der »Wille zum Selbst«, d.h. das Aussein des geschichtlichen Menschen, der »wesenhaft Geist« ist, auf die »Verwirklichung seiner Eigentlichkeit«[189] als »Voraussetzung echter Gemeinschaft« bestimmend. »In der konventionellen, offiziellen Gemeinschaft« und der ihr zugeordneten Wirklichkeitshinsicht, »im ›man‹, wie der Philosoph sagt[190], verliert der Mensch sein Selbst« – in »echter Gemeinschaft« und der ihr zugeordneten Wirklichkeitshinsicht verwirklicht er es. Deshalb »stehen« »nur Menschen, die Personen, d.h. je ein Selbst sind, . . . in echter Gemeinschaft«. Sie kann zwar aus ›unechter‹ Gemeinschaft hervorgehen[191], aber auch diesen Ausblick versperrt die gegenseitige Abschließung und die Abwertung der an der Naturwissenschaft orientierten gegenüber der geisteswissenschaftlichen Wirklichkeitshinsicht. Er signalisiert jedoch die Aporie dieser Bultmanns Ekklesiologie bestimmenden Diastase[192]. Sie überläßt die »organisierte Kirche« der an der Naturwissenschaft orientierten Wirklichkeitshinsicht. Als Teil der geisteswissenschaftlichen Wirklichkeitshinsicht ist sie auf die wahre, »in ihrem Wesen unsichtbare Kirche« fixiert.

187 Hervorhebung E. Hübner.

188 Diesen soziologischen Begriff greift Bultmann bewußt auf.

189 S.o. 111.

190 »Der Philosoph« ist *Heidegger* (vgl. *ders.*, Sein und Zeit I 126ff).

191 »In alledem ist freilich die Möglichkeit echter Gemeinschaft stets gegeben. Im Bereich der Technik als die Möglichkeit von Kameradschaft. Im Bereich der Wissenschaft wird sie sich um so mehr realisieren, je mehr der Forscher als Mensch existenziell an der Sache beteiligt ist, der seine Arbeit gilt, d.h. je mehr er sich dessen bewußt ist, daß alle wissenschaftliche Arbeit letztlich nicht Teilwahrheiten zutage fördern soll, sondern im Dienste der Frage nach der Wahrheit der menschlichen Existenz geschieht, im Dienste eines echten Selbstverständnisses« (*Bultmann,* Formen menschlicher Gemeinschaft 269).

192 »Wären die Menschen sich selbst durchsichtig in ihren Intentionen, so wären nur zwei komplementäre Erkenntnisweisen gerechtfertigt: das szientistische Interesse an der technisch relevanten Erkenntnis der Natur und das hermeneutische Interesse an der intersubjektiven Verständigung über mögliche Sinnmotivationen des Lebens. Aber die Menschen haben bis jetzt weder ihre politisch-soziale Geschichte ›gemacht‹ noch sind ihre sogenannten geistigen Überzeugungen, wie sie in sprachlichen Dokumenten niedergelegt sind, reiner Ausdruck ihrer Intentionen« (*Apel,* Szientistik 38).

Die erste Folge ist, daß die auch von Bultmann intendierte *theologische Identifizierung* der Kirche in die Leere einer »entweltlichten«, von ihrer Empirie absehenden Abstraktion stößt. Zwar legt er »Entweltlichung« theologisch dahingehend aus, sie bedeute, »daß der Mensch sein Selbst nur von Gott empfangen kann«. Aber unter dem Vorzeichen der geisteswissenschaftlichen Wirklichkeitshinsicht hat der Begriff darüber hinaus Bedeutung. Er zeigt an, daß Bultmanns Blickfeld um das der naturwissenschaftlichen Wirklichkeitshinsicht Zugewiesene, um »die Sphäre des Sichtbaren, des Verfügbaren, Meßbaren«, um die empirische Dimension verkürzt ist. »Die Gemeinde, *die Kirche*, ist nicht eine soziologische Größe, eine durch die Kontinuität der Geschichte verbundene Volks- und Kulturgemeinschaft«[193]. Wer so spricht, hat theologischer Identifizierung der Kirche von vorneherein ihren Gegen-stand entzogen[194].
Die zweite Folge der Bultmanns Ekklesiologie bestimmenden Diastase zweier Wirklichkeitshinsichten ist eine Aporie, die seine *theologische Orientierung der kirchlichen Praxis* durchzieht. Einerseits nimmt er die Aufgabe der Vermittlung des »Kerygmas« an den »modernen Menschen« an, die ihn vor dessen Determinierung durch seine individuelle und kollektive »Situation«, besonders durch das naturwissenschaftlich-technische »Weltbild« und die Entkirchlichung in der desintegrierten Volkskirche der Gegenwart führt. Andererseits sind solche Determinierungen aber prinzipiell der an der Naturwissenschaft orientierten Wirklichkeitshinsicht zugewiesen und aus seiner an der Geisteswissenschaft orientierten theologischen Ekklesiologie ausgeklammert. Einerseits spricht er von der »Liebe des Unterrichtenden« in der schulischen »Erziehung« und der »Teilnahme an der sozialen Problematik« als Auswirkung der »Wortverkündigung«. Andererseits verengt er die theologischer Orientierung aufgegebene kirchliche Praxis aber auf die »Wortverkündigung« und entzieht ihr deren Auswirkung. In solchen Aporien manifestiert sich die Unangemessenheit des »Doppelprinzips« (Ott) für die Theologie da, wo sie sich als »Funktion der Kirche« zu bewähren hat: in der kirchlichen Praxis und ihrer theologischen Orientierung.
Ist auch das Ergebnis der Theologie Barths und Bultmanns das gleiche: Verfehlung der empirischen Kirche infolge des sie verbindenden, ihre phi-

193 »Was außerhalb dieses Zirkels [erg. des »Zirkel(s) des Selbstverständnisses«] liegt, kann höchstens in der Weise der verfügbaren Naturgegenstände wirklich sein« (Ott, Heilsgeschichte 152). – »Über die Treffsicherheit des Ausdrucks [erg. »Entweltlichung«] mag sich streiten lassen« (*G. Klein*, Bultmann – ein Lehrer der Kirche 3).
194 *Bultmann*, Theologie 442.444, vgl. 436; *ders.*, Formen menschlicher Gemeinschaft 262f; *ders.*, Bedeutung des Alten Testaments 333; *ders.*, Neues Testament und Mythologie 29. – »*Kirche hat einen zu Welt, zu Zeit und Geschichte asynthetischen Charakter.* Von der menschlichen Leiblichkeit und dem Gesamt ihrer Implikationen, von einer als Prozeß verstandenen, zeitlich erstreckten Geschichte, von einer menschlichen Gemeinschaft mit all ihren Phänomenen der Interaktion, Kommunikation und Erfahrung aus erscheint die Kirche als jenseitige Größe, die das Geschäft der Vermittlung schon hinter sich hat« (*Häring*, Kirche 96).

losophische Tradition aufnehmenden Verständnisses der Theologie als Geisteswissenschaft, die sich im 19. Jahrhundert in Abgrenzung von den Natur- und den an ihnen orientierten empirischen Wissenschaften ausbildete; ist deshalb beiden die sich gegeneinander abschließende Totalisierung zweier Wirklichkeitshinsichten eingeprägt – bei Bultmann gewinnt die Festlegung auf diese Tradition prinzipiellen Charakter, während Barths Intention einer »*Kirchlichen* Dogmatik« sie erkennbar relativiert und prinzipiell auf die empirische Kirche und ihre Praxis zielt. Bei Bultmann und bei Barth signalisieren Inkonsequenzen und Aporien die Unangemessenheit dieses traditionellen Verständnisses der Theologie da, wo sie sich als »Funktion der Kirche« ausweisen muß: in einer funktionalen, praxisfähigen Ekklesiologie. Aber Bultmanns Festlegung macht das auch Barth betreffende Problem prinzipiell bewußt, Barths Intention blickt in eine auch Bultmanns Inkonsequenzen und Aporien aufhebende Zukunft, die sich in seiner auf die empirische Kirche und ihre Praxis zielenden Theologie zwar ankündigt, aber nicht zum Durchbruch kam. Sie wurde zur Unruh, die in der Folgezeit immer neue Anläufe zur Überwindung der Diastase zwischen theologischer Ekklesiologie und ihrem Bezugshorizont: der empirischen Kirche und ihrer Praxis, bewirkte. Hier, das stellte sich immer deutlicher heraus, mußte sich die Wiederentdekkung des apostolischen »Kerygma« von Jesus Christus als »Fundament« der Kirche durch die in beiden Namen repräsentierte theologische Wende der zwanziger Jahre erst noch bewähren.

2.2.3 Dietrich Bonhoeffer

Einen entschiedenen Anlauf zur Überwindung der Diastase zwischen theologischer Ekklesiologie und ihrem Bezugshorizont: der empirischen Kirche und ihrer Praxis, unternahm der junge Dietrich Bonhoeffer am Anfang der dreißiger Jahre. Seine Dissertation »Sanctorum Communio«[195] bietet zusammen mit seiner Habilitationsschrift »Akt und Sein«[196] einen geschlossenen ekklesiologischen Entwurf, dessen Ziel, theologische Ekklesiologie auf die empirische Kirche zu beziehen, bereits der Untertitel der Dissertation: »Eine dogmatische Untersuchung zur Soziologie der Kirche« ankündigt. Das Thema Kirche stand auch später im Mittelpunkt seines theologischen Denkens. Weil alle späteren Äußerungen fragmentarisch blieben, empfiehlt sich aber eine Beschränkung auf die Ekklesiologie der beiden Frühschriften. In ihnen kommen zudem Anknüpfung an die dialektische Theologie insbesondere Barths[197] und An-

195 1930.
196 1931.
197 Obwohl Barth »nach den Zitaten beurteilt, in ›Sanctorum Communio‹ noch eine geringe Rolle« spielt, urteilt Bonhoeffers Freund *Bethge*, Bonhoeffer 114: »Aber Bonhoeffer

lauf zur Überwindung seiner als Desiderat empfundenen Verfehlung der raumzeitlichen empirischen Kirche gleicherweise zum Ausdruck[198].
Es ist Geist der von der dialektischen Theologie vollzogenen Abkehr von der natürlichen Religion des Menschen als ›Fundament‹ der Kirche, wenn Bonhoeffer erklärt: »Nicht eine neue Religion wirbt um Anhänger, das ist das Bild späterer Zeit, sondern Gott hat die Wirklichkeit der Kirche, der begnadigten Menschheit in Jesus Christus gesetzt. Nicht Religion, sondern Offenbarung, *nicht Religionsgemeinschaft,* sondern Kirche«. Er schließt sich direkt an den theologischen Ansatz insbesondere Barths an, wenn er im Vorgriff auf dessen ekklesiologische Konsequenzen, die Barth selber erst später ausarbeitete, als Determinanten einer theologischen Ekklesiologie benennt: »Er (erg. Jesus Christus) ist das Fundament, der Eckstein, der Anfänger, der Baumeister . . ., sie (erg. die Kirche) ist sein Leib, und die Menschen sind Glieder an diesem Leib (1.Kor. 12,2ff.; Röm. 12,4ff.; Eph. 1,23; 4,15f.; Kol. 1,18) . . . Die Verwirklichung geschieht durch den Christusgeist und den heiligen Geist«. Ausdrücklich zieht er daraus die Folgerung: »Der Begriff der Kirche ist nur denkbar in der Sphäre der gottgesetzten Realität, d.h. er ist *nicht deduzierbar*«[199].
Anders als Barth nimmt Bonhoeffer die *»Volkskirche«* als Bezugshorizont theologischer Ekklesiologie an. Sie ist die Gestalt der »empirischen Kirche«, die uns in unserem Raum infolge einer bestimmten Geschichte überkommen und aufgegeben ist. Nur »Verächter der Geschichtlichkeit unserer Kirche«, die sich »nicht an die von Gott als Ernst zu nehmende gemeinten Realitäten« halten, verweigern ihre Annahme. Zwar kann der »Zeitpunkt« kommen, an dem die Kirche »nicht mehr Volkskirche sein darf«. »Volkskirche« ist auch nicht mehr als die in unserem Raum infolge

operiert mit ihm im Rücken«. In AS setzt er sich dann grundsätzlich mit der dialektischen Theologie, insbesondere mit Barth und Bultmann, auseinander. Barth hat später, KD IV/2 725, ausdrücklich seine Sympathie für die Ekklesiologie von SC bekundet und indirekt zum Ausdruck gebracht, wie sehr er sich selber in ihrem theologischen Ansatz wiedererkennt: »Ich gestehe offen, daß es mir selbst Sorge macht, die von Bonhoeffer damals erreichte Höhe hier wenigstens zu halten, von meinem Ort her und in meiner Sprache nicht weniger zu sagen und nicht schwächer zu reden, als es dieser junge Mann damals getan hat«. Daß er aber auch die Eigenständigkeit Bonhoeffers ihm gegenüber empfunden hat, belegen folgende Sätze aus einem Brief: »Neu war mir . . ., daß *meine* Figur ihm [Bonhoeffer] . . . so eindrücklich geworden und geblieben ist . . . Ich habe mich bis jetzt nur für einen der ›Bauern‹, nicht für einen ›Läufer‹ oder gar für einen ›Turm‹ auf seinem Schachbrett gehalten« (*Barth,* Briefe 1961–1968 404).

198 Das hat *H. Müller* in seiner Monographie: Von der Kirche zur Welt 62.65, bereits 1961 gesehen: »In der Gesamtheit der dialektischen Theologie dieser Zeit findet sich die charakteristische Lücke in der Ethik und Ekklesiologie. Diese Lücke bedarf ihrer Ausfüllung – oder der Begründung ihrer Offenhaltung –, als die kirchliche Bedeutung der dialektischen Theologie zunimmt . . . So will er [Bonhoeffer] die Lücke der dialektischen Theologie mit einer Ekklesiologie (und Ethik) füllen, die der Frage nach der Struktur der empirischen Kirche unter Einhaltung der Grenzen der reformatorischen Theologie gerecht wird«.

199 *Bonhoeffer,* SC 104.91.85 (Hervorhebung E. Hübner). – Angesichts dieser »Leitsätze« ist das Urteil von *Feil,* Theologie Bonhoeffers 144: »Trotz der christologischen Aussagen in der Durchführung der Dissertation wird man wohl sagen können, daß ihr Ansatz nicht christologisch bestimmt ist«, fragwürdig.

einer bestimmten Geschichte überkommene und theologischer Ekklesiologie aufgegebene Gestalt der »empirischen Kirche«. Aber »ein solcher Schritt« ist nur »kirchenpolitisch, nicht aber dogmatisch« zu begründen. Ekklesiologie hat nicht eine Alternative zur »empirischen Kirche« zu konstruieren, sondern sie als ihr aufgegeben anzunehmen. Jede Gestalt der »empirischen Kirche« ist *ecclesia permixta* in der Dialektik von »*peccatorum Communio*« und »*Sanctorum Communio*«. Aus jeder empirischen Gestalt kann die »durch den Heiligen Geist aktualisierte Kirche Jesu Christi«, die »gegenwärtig wirklich Kirche« ist, hervorgehen. Die »empirische Kirche ist es ja, in deren Schoß das Heiligtum Gottes, seine Gemeinde, wächst«. Deshalb kann es eine »dogmatisch(e)« Begründung für die Aufkündigung der »Volkskirche« nicht geben. Mit dem Vorsatz einer »Reinigung« der »empirischen Kirche« würde sich theologische Ekklesiologie übernehmen, »denn woher soll sie den Maßstab der Erkenntnis nehmen für das, was Unkraut ist?« Sie bleibt an die »empirische Kirche« gewiesen. Muß aus »kirchenpolitisch(en)« Gründen die »Volkskirche« aufgegeben werden, kann sie auch eine sich dann ausbildende, neue Gestalt der »empirischen Kirche« wiederum nur als ihr aufgegeben annehmen[200].

Ist »Kirche« fundamental nicht »Religionsgemeinschaft«, so besteht doch »ein notwendiger Zusammenhang zwischen Offenbarung und Religion, wie zwischen Religionsgemeinschaft und Kirche«. Bonhoeffer fügt hinzu: »Das wird heute oft verkannt« und denkt dabei in erster Linie an Barth. »Das theologische Recht, mit dem Barth Schleiermacher die ›große Verwechslung‹ von Religion und Gnade zum Vorwurf macht«, darf nicht »vergessen« machen, »daß in der Gemeinde Christi Glaube in Religion Gestalt annimmt, und daher Religion Glaube heißt«. Weil der religiöse Mensch glaubt, manifestiert sich Glaube religiös. Die fundamentale Unterscheidung zwischen »Offenbarung« und »Religion« darf die Manifestation der »Offenbarung« als »Religion« nicht verdecken. Eben das meint Bonhoeffer aber bei Barth zu erkennen[201]. Sicher trifft seine Kritik den »Zusammenhang« »zwischen Religionsgemeinschaft und Kirche« bei Barth[202]. Hier setzt er sich bewußt von ihm ab. Er weitet diese religionssoziologische Dimension der empirischen Kirche in die Geschichte aus, wenn er darauf hinweist, Jesus sei »auch Gründer einer Religionsgemeinschaft« gewesen. Daß die Annahme der »empirischen Kirche« als

200 SC 163ff.153. – Wenn Bonhoeffer nach 1933, *ders.*, Kirchengemeinschaft 224f, die »Bekennende Kirche« als »die wahre Kirche Jesu Christi in Deutschland« bezeichnet, widerspricht er der Ekklesiologie von SC und dem Stellenwert, den er dort mit der »empirischen Kirche« der »Volkskirche« einräumt, grundsätzlich nicht. Jetzt war die Situation eingetreten, in der aus – in der Sprache von SC – »kirchenpolitisch(en)« Gründen die »Volkskirche« aufgegeben werden mußte, weil die »Reichskirchenregierung« sich »durch Lehre und Tat von der christlichen Kirche geschieden« hatte.

201 Er bezieht sich auf *Barth*, Christliche Dogmatik 301ff. In KD I/2 (vgl. bes. 356ff) kommt deutlich zum Ausdruck, daß auch Barth diesen Sachverhalt nicht ignoriert.

202 S.o. 94f.

»Religionsgemeinschaft« in Geschichte und Gegenwart ihrerseits nicht die fundamentale Unterscheidung zwischen »Kirche« und »Religionsgemeinschaft« verdecken darf, bringt der Nachsatz in Erinnerung. Zwar »ist Jesus auch Gründer einer Religionsgemeinschaft, freilich nicht der christlichen Kirche (denn diese gibt es erst nach Pfingsten . . .)«. Indem er sich sowohl von der theologischen Ekklesiologie Barths, die die »Religionsgemeinschaft« empirische Kirche verdeckt, als auch von Schleiermachers Gleichsetzung von »Kirche« und »Religionsgemeinschaft«, die das apostolische »Fundament« der Kirche verdeckt, absetzt, intendiert Bonhoeffer einen Weg, der die »Religionsgemeinschaft« »empirische Kirche«, aber als Bezugshorizont theologischer Ekklesiologie, annimmt[203].
Gleiches gilt von der Desintegration der empirischen »Volkskirche«. Sie nimmt er im neutestamentlichen Bild von »Unkraut und Weizen« an (Mt 13,24-30), wenn er davon spricht, »daß hier noch nicht zwischen Unkraut und Weizen geschieden werden kann, was vielmehr erst am jüngsten Tag offenbart werden wird«. Den Radius der Volkskirche spannt er weit, bis dahin, wo »keine bewußte Absage erfolgt ist«. Innerhalb der Volkskirche differenziert er zwischen ihren getauften Mitgliedern, der »Predigtgemeinde« als »Freiwilligkeitskirche«, der Abendmahlsgemeinde als »rein(er) Freiwilligkeitskirche« oder »Bekennergemeinde« und der »reinen *sanctorum communio*« als dem »kleinste(n) der zwei konzentrischen, soziologisch-geschiedenen Kreise«. Sind die Unterscheidungen auch unpräzise, weil sie soziologische und theologische Kategorien vermengen[204] - Bonhoeffer will die in ihrer Kirchlichkeit desintegrierte, empirische Volkskirche in die theologische Ekklesiologie einbeziehen[205].
Daß er sich, wiederum im Unterschied zu Barth, anschickt, die Kirche auch »soziologisch strukturell zu verstehen«, liegt in der Konsequenz seines Anlaufs zur Überwindung der Diastase zwischen theologischer Ekklesiologie und empirischer Kirche. Beide Frühschriften sind entsprechend durchzogen von dem Wortpaar »Soziologie« und »soziologisch«. Daß den »Verächtern der Geschichtlichkeit unserer Kirche« mit der Bewußtheit ihres geschichtlichen Hintergrundes entgegenzutreten ist, ergibt sich aus ihrer Kritik. Daß beide Hinsichten, die soziologische und die historische, sich ergänzen, drückt der von Hegel entlehnte Begriff »objektiver Geist« als »Verknüpfung zwischen geschichtlichem und gemeinschaftlichem Sinn, zwischen Zeit- und Raumintention einer Gemeinschaft« aus[206].
In dieser empirischen Kirche hat Theologie ihren Ort: »Theologie ist eine Funktion der Kirche« - »theologisches Denken und Wissen ist nur mög-

203 SC 104; AS 132.
204 Auch die »Freiwilligkeitskirche« erscheint einmal als soziologisch faßbare Predigt- und Abendmahlsgemeinde, ein anderes Mal als Synonym für die nur theologisch einzubringende »wesentliche«, »unsichtbare« Kirche.
205 SC 163f.186.
206 SC 14.165.65.

lich als *kirchliches Denken und Wissen*«. Wie umfassend Bonhoeffer diese Ortsbestimmung meint, geht aus einem Vorschlag der Dissertation hervor: »Es wäre gut, eine Dogmatik einmal nicht mit der Gotteslehre, sondern mit der Lehre von der Kirche zu beginnen, um über die innere Logik des dogmatischen Aufbaues Klarheit zu stiften«[207]. Theologie hat ihre Funktion in der Kirche für die Kirche. »Denn die Gemeinde braucht die Theologie«. Auch wenn »dogmatische(s) Wissen positives, auf Seiendes reflektierendes Wissen und somit grundsätzlich systematisch zu umgreifen« ist, auch wenn »theologische Wissenschaft« sich »in der Methode des Denkens« »nicht« von der »profanen Wissenschaft« unterscheidet - nur wenn sie »in unmittelbarem Bezug zur Predigt« steht, »erst in der Gemeinde bekommt das alles seinen besonderen Sinn«. Der ihr »gegebene eigene Gegenstand« ist »das *gesprochene* Wort Christi in der Kirche«, auf das sie als »positive Wissenschaft« kritisch bezogen ist. Die hier aufgenommene Definition Schleiermachers[208] schließt den Bezug der Theologie auf die empirische Kirche ein. Als Inbegriff ihrer Praxis gilt Bonhoeffer die Predigt: »Damit ist Theologie die Wissenschaft, die ihre eigenen Voraussetzungen zum Gegenstand hat, d.h. sie steht zwischen vergangener und zukünftiger Predigt«. Es unterstreicht die theologische Wende von Schleiermacher zu Barth, wenn er diese Aufgabenstellung näher dahingehend erläutert, sie solle die »vergangene Predigt . . . auf die wirkliche Christusperson, wie sie in der Gemeinde predigt und gepredigt wird«, beziehen und »der künftigen Predigt Dogmen« voranstellen, »auf Grund deren sie christlich recht predigen kann«[209]. Es markiert die Wiedereinbringung des von Barth verweigerten Bezugshorizonts der Ekklesiologie Schleiermachers, wenn er die empirische »Volkskirche« als »Religionsgemeinschaft« mit der inhärenten Tendenz der Desintegration bewußt annimmt. Indem er das »systematisch-soziologische Interesse« Troeltschs, des wichtigsten Nachfolgers der Religions-Ekklesiologie Schleiermachers, mit der theologischen Ekklesiologie Luthers und Barths in Beziehung setzt, bricht er aus einer als falsch erkannten Alternative aus[210].

Dennoch trug dieser Anlauf zur Überwindung der Diastase zwischen theologischer Ekklesiologie und empirischer Kirche nicht ans Ziel. Die gleiche Befangenheit im Verständnis der Theologie als Geisteswissenschaft hatte zur Folge, daß auch Bonhoeffer im Ergebnis nicht über Barth und Bultmann hinauskam. Denn nicht durch eine theologische Ekklesiologie, die im Sinne des Worts ›*Funktion* der Kirche‹ ist, indem sie an der empirischen Kirche funktional wird, sondern durch eine Synthese, die theologische und soziologische Kategorien in sich vereint, versuchte er die Diastase zu überwinden.

207 *Feil,* Theologie Bonhoeffers 148, spricht geradezu von »Ekklesiozentrik« in SC.
208 *Schleiermacher,* Kurze Darstellung, § 1 (S. 5; s.o. 25).
209 Vgl. *Barth,* Christliche Dogmatik 18ff.
210 AS 109ff; SC 90.14.

Er spricht, bewußt in dieser Reihenfolge, synthetisierend vom »systematisch-soziologischen Problem der Kirche«. Denn es geht ihm um den »Aufweis der wesentlichen Struktur des Sozialgebildes« Kirche, um eine »Gestaltlehre des Sozialgebildes der Kirche als sanctorum communio«. Das heißt, sein Interesse gilt dem, theologisch zu erhebenden, ›Wesen‹ der Kirche und ihrer, soziologisch zu analysierenden, Empirie nur, sofern sie an ihm partizipiert, sofern es sich in ihr manifestiert. Deshalb grenzt er sich gegen eine rein empirische Analyse der Kirche ausdrücklich ab: »So kann auch das systematisch-soziologische Problem der Kirche nicht in der Frage nach dem empirischen Zusammentritt und seiner psychologischen Motivation . . . bestehen«. Deshalb paart er von vorneherein »Sozialphilosophie und Soziologie« und fährt fort: Sie »sind in der vorliegenden Untersuchung in den Dienst der Dogmatik gestellt«. Auch wenn er Sozialphilosophie und theologische Dogmatik unterscheidet, gegenüber der empirischen Soziologie rücken sie auf eine Ebene. Der Paarung »Sozialphilosophie und Soziologie« entspricht die Paarung Dogmatik und Soziologie. Dabei fällt Sozialphilosophie wie Dogmatik die Aufgabe der Wesensbestimmung eines »Sozialgebildes« zu, der nachgeordneten Soziologie die Beschreibung entsprechender sozialer Strukturen. Damit ist sie aber von vorneherein philosophisch oder theologisch überlagert, in ihr wird von vorneherein wertend selektiert, sie kann sich deshalb von vorneherein nicht empirisch aussprechen[211].

Daraus, daß dieser Versuch der Überwindung der Diastase zwischen theologischer Ekklesiologie und empirischer Kirche dem herkömmlichen Verständnis der Theologie als Geisteswissenschaft entstammt, macht Bonhoeffer keinen Hehl. Über die häufige Erwähnung und teilweise direkte Bezugnahme auf Hegel und Dilthey in den Frühschriften hinaus stellt er gleich zu Anfang thetisch fest: »Sozialphilosophie *und* Soziologie« »sind nicht Natur-, sondern Geisteswissenschaften«. Denn die »Sozialphilosophie« ist als »Geisteswissenschaft von der ursprünglichen Wesensart der Sozialität schlechthin« die »Normwissenschaft«, auf deren »Ergebnissen« die »Soziologie« als »Wissenschaft von den Strukturen der empirischen Gemeinschaften« »aufbaut«. Zwar gesteht Bonhoeffer zu, es sei »prinzipiell möglich, Soziologie zu treiben ohne sozialphilosophische Grundlegung«. Aber der Nachsatz: »solange man sich dieser Grenze bewußt bleibt«, meint nicht nur ihre Bescheidung bei der empirischen Analyse und die Abgrenzung gegenüber »empiristische(n) Theorien«[212]. Bonhoeffer intendiert nicht nur eine sich gegenseitig begrenzende Verhältnisbestimmung, sondern die Unterordnung der empirischen Soziologie unter die geisteswissenschaftliche Sozialphilosophie. Ihre Forschungsgegenstände und -ergebnisse sind von vornherein der Wesensfrage untergeordnet. Die »soziologische Betrachtung« ist »auf die *wesenhaf-*

211 SC 103.153.7.
212 Vgl. dazu K. Barths Verständnis der »exakten Wissenschaft« (s.o. 97).

te Struktur des *geistigen* Phänomens der Gruppe« verengt. Für darüber hinausgehende empirische Analysen bleibt kein Platz. Den philosophischen Hintergrund zeigt der Rückgang auf das »*metaphysische* Schema des Aristoteles«[213] an. Trotz betonter Einbringung der Soziologie schlägt sich auch in Bonhoeffers Methode der Versuch der Geisteswissenschaften des 19. Jahrhunderts nieder, ihre Dominanz über die sich emanzipierenden empirischen Wissenschaften zu behaupten. Hierin unterscheidet er sich nur relativ von Barth und Bultmann[214].
Die Auswirkungen auf die theologische Ekklesiologie zeigen sich auf Schritt und Tritt. Das Verhältnis von Dogmatik und Soziologie der Kirche bestimmt Bonhoeffer in Analogie zum Verhältnis von Sozialphilosophie und empirischer Soziologie. In diesem Sinne vollzieht sich »die vorliegende Arbeit über die *sanctorum communio*« »auf dem Boden christlicher Dogmatik«. Wie die Sozialphilosophie ist die dogmatische Ekklesiologie »Normwissenschaft« »von der ursprünglichen Wesensart der Sozietät«, in diesem Fall der Kirche. *Tertium comparationis* ist das allen empirischen Sozietäten inhärente ›Wesen‹. Das alte Problem des Verhältnisses von Philosophie und Theologie kehrt bei Bonhoeffer in der Spezifikation des Verhältnisses von Sozialphilosophie und dogmatischer Ekklesiologie wieder. Er geht es, katholischer wie idealistischer Tradition folgend, in Anknüpfung an die und theologischer Überbietung der Sozialphilosophie an. Einer so verstandenen Ekklesiologie korrespondiert notwendig eine von vorneherein hinter das dogmatische Vorzeichen gerückte und deren Wesenserhebung untergeordnete »spezifisch *christliche Soziologie*«[215]. Diese Korrelation von sozialphilosophisch definierter Ekklesiologie und »christliche(r) Soziologie« schlägt sich in Bonhoeffers Unterscheidung zwischen »Gemeinschaft« und »Gesellschaft« nieder[216]. In der »Gemeinschaft« ist »das Miteinander als Selbstzweck gewollt«. Den in ihr wirksamen »Willensakt« nennt er »Sinnwillen« und definiert sie demgemäß in unüberhörbar positiver Wertung als »Sinngefüge«. In der »Gesellschaft« ist »das Miteinander letztlich als Mittel zum Zweck gewollt«. Den in ihr wirksamen »Willensakt« nennt er »zweckrationalen Willen« und definiert sie demgemäß in unüberhörbarer Abwertung als »Zweckgefüge«. Das abwertende Gefälle setzt sich in einer spürbaren Allergie gegenüber der »Masse« fort, in der es überhaupt »keine eigentliche soziale Willensverknüpfung« mehr gibt, weil sie ein »Gebilde« ist, das »durch äußere Reizwirkungen hervorgerufen« ist und in dem deshalb »die Grenze der

213 Bei *Simmel*, auf dessen »Soziologie«, 1908, sich Bonhoeffer, SC 13 Anm., u.a. bezieht, wirkt er in den zentralen Kategorien »Inhalt« und »Form« weiter (vgl. ebd. 4ff).
214 Vgl. o. 97ff.109ff; SC 11ff.42.17 (Hervorhebungen E. Hübner).
215 *H. Müller*, Von der Kirche zur Welt 78.73, spricht prägnant von »Unterwerfung der Soziologie unter die Theologie«. »Bonhoeffers methodischer Fehler (liegt) darin, daß er, statt neben die profansoziologische Untersuchung die theologische Untersuchung der Kirche zu stellen, und statt so . . . die theologische und die soziologische, wohl unterschieden zu koordinieren, beide miteinander vermengt . . .«
216 Bonhoeffer bezieht sich hier auf *Tönnies*, Gemeinschaft.

Personhaftigkeit« verlorengeht. Vom personalen »Sinngefüge« über das Personen instrumentalisierende »Zweckgefüge« zur apersonalen »Masse« – die Tendenz ist ebenso offenkundig wie ihre unreflektierte Standortgebundenheit. Sie gewinnt zusätzliche Plastizität, wenn Bonhoeffer der abgewerteten »Gesellschaft« und »Masse« mit den »physischen *Gemeinschaften* des Blutes und Geschlechts«, den »geschichtlichen wie das Volk«, den »Schicksalsgemeinschaften wie Ehe und Freundschaft« entgegentritt. Daß er hier auf gleichen Pfaden wie Bultmann wandelt[217], wird vollends deutlich, wenn er resümiert, »daß nur eine Gemeinschaft ›Kirche‹ werden kann und es werden soll, nie aber eine Gesellschaft«. Auf die Kirche zielt die ganze Argumentation. Auf sie werden nunmehr die von der Sozialphilosophie übernommenen Wesensbestimmungen und -wertungen übertragen. Sie wird zur Verwirklichung des dort positiv Intendierten. Sie ist Inbegriff der »Gemeinschaft«: »Es gibt ... nur *eine* Religion, in der der Gemeinschaftsgedanke wesenhaft mit gesetzt ist, und das ist die christliche«. Denn in ihr ist der Gegensatz zwischen »Gemeinschaft« und »Gesellschaft« in eine »Gemeinschaft« höherer Ordnung aufgehoben. Insofern sie »auf einen Zweck hin organisiert« ist, ist auch sie »Gesellschaft«. Aber dieser »Zweck« ist die »Erreichung des Gottes-Willens«, der »die Gemeinschaft um ihrer selbst, d.h. aber um seinetwillen will«. Daraus folgt die Aufhebung: »Indem aber die Gemeinschaft diese Verwirklichung selbst darstellt, ist sie Selbstzweck«. So ist »Kirche ... Gemeinschaftsgestalt sui generis, Geistgemeinschaft, Lebensgemeinschaft. In ihr sind die soziologischen Grundtypen Gesellschaft, Gemeinschaft und Herrschaftsverband zusammengezogen und überwunden ... Die Beziehung der Personen untereinander ist geistgemeinschaftlich, nicht gesellschaftlich. Gesellschaftlich ist nur die objektive Konstituiertheit der Kirche durch einen letzten Zweck«. Die naheliegende Frage, wo diese Kirche empirisch anzutreffen sei, darf da nicht gestellt werden, wo eine durch eine bestimmte Sozialphilosophie definierte, dogmatische Ekklesiologie ausschließlich mit der wesenhaften »Gestaltlehre des Sozialgebildes der Kirche als *sanctorum communio*« beschäftigt ist und die empirische Soziologie nur so weit zu Wort kommen läßt, wie sie daran partizipiert[218].

217 S.o. 113f.

218 SC 14.12.207.58f.63.67.89.125.199.203f.153. – *Honecker,* Kirche 128, spricht von dem »Versuch« Bonhoeffers, »die Gemeinschaft umfassend sozialphilosophisch zu begreifen« mit der Folge »einer sowohl im Blick auf die Terminologie als auch im Blick auf die sachliche Aussage eklektizistischen Sozialphilosophie«. – *Lange,* Kirche für andere 520, urteilt: »Die Unterscheidung dieser beiden Grundtypen der Vergesellschaftung [der »beiden Sozialtypen Gemeinschaft und Gesellschaft«] – darin ist die neuere Soziologie ziemlich einhellig – ist soziologisch irrelevant, sie hat ideologischen Charakter«. Er fährt fort: »Sie dient in einer Situation des gesellschaftlichen Umbruchs der Unterscheidung, Verteidigung, Stärkung der alten, problematisch gewordenen Sozialstruktur gegen die neueren, des angeblichen Gewachsenen gegen das bloß Gemachte, der geheiligten Ordnung gegen die bloß zweckmäßige Organisation«.

Eine so auf das ›Wesen‹ der Kirche zentrierte theologische Ekklesiologie hat wiederum Dysfunktionalität zur Folge. Sie zeigt sich zuerst in der Funktion der *theologischen Identifizierung* der empirischen Kirche. Während Barth von der Nichtinhärenz des Wesens der Kirche ausgeht[219] und Inkonsequenzen als solche erkennbar bleiben, folgt Bonhoeffer dem sozialphilosophischen Gesetz, nach dem er angetreten ist. Das demonstrieren seine berühmten Sätze: »Die Kirche *ist* Gegenwart Christi, wie Christus Gegenwart Gottes ist. Das Neue Testament kennt eine Offenbarungsform Christus als Gemeinde existierend«[220]. Zwar unterscheidet Bonhoeffer zwischen dem Erhöhten, in dem die Gemeinde bzw. Kirche »schon« »vollendet« ist, und der »empirischen Kirche in der Geschichte«, die durch »Irrtumsfähigkeit und ... Unvollkommenheit in Erkenntnis und Wille« gekennzeichnet ist. Aber nicht die Differenz, sondern die Inhärenz, die »Gegenwart Christi in ihr« oder, noch stärker, Kirche als »der gegenwärtige Christus selbst«, in diesem Sinne »Christus als Gemeinde existierend« sind ihm »die Grundlage für das ganze Verständnis des Kirchenproblems«[221]. In der Bewegung von in Christus »schon« »vollendeter« über die »empirische Kirche in der Geschichte« zur Rückkehr in die in Christus »vollendete« Kirche klingt über sozialphilosophische Wesensinhärenz hinaus außerdem geschichtsphilosophische Wesensverwirklichung an[222]. Dadurch wird die Unterscheidung zwischen Christus und Kirche, Christologie und Ekklesiologie aber relativiert. Christus als extrinsische Identität der Kirche wird von Christus als inhärentem Wesen der Kirche aufgesogen. Bonhoeffer hat diese Tendenz selber bemerkt: »Eine totale Identifikation zwischen Christus und Gemeinde kann nicht stattfinden, da ja Christus zum Himmel gefahren und nun bei Gott ist und wir nur noch auf ihn warten ... Dies bleibt ein ungelöstes Problem!«
Der Inhärenz Christi entspricht die Inhärenz des heiligen Geistes in der Kirche. »Die in der Geschichte wirkliche Kirche beansprucht, den heiligen Geist zu *besitzen,* Wort Gottes und Sakrament wirksam zu verwalten«. Bonhoeffer spricht jedoch auch vom »Wirken ... des heiligen Gei-

219 S.o. 87f.
220 Nach Bonhoeffers Angaben, SC 137.144, stammt die Formel von Hegel. Sie ist »Modifikation des Hegelschen Begriffs« »Gott als Gemeinde existierend«. Er bezieht sich auf Hegels Religionsphilosophie II, hg. von *Marheineke,* 1832, 261. In der zweiten, nach neuen Quellen bearbeiteten Ausgabe von Marheineke von 1840, *Hegel,* Sämtliche Werke, hg. von *E. Glockner,* 1928, 315, lautet sie: »Gott in seiner Gemeinde wohnend«. Unverkennbar wirkt auf Bonhoeffers Ekklesiologie die Verbindung von communicatio idiomatum und Ubiquitätslehre in der lutherischen Christologie ein. Vgl. auch hier Hegel (a.a.O. 338): »Die *lutherische* Fassung ist ohne Zweifel die geistreichste ...« und die folgende Abendmahlslehre. Bei Barth widersetzt sich das sog. Extra-Calvinisticum solchen Identifikationen (vgl. *ders.,* KD IV/1 197).
221 »Nach Ansicht der Kritiker ließ Bonhoeffer ... den Unterschied zwischen Christus und Gemeinde bis zur Identität verschwinden« (*Bethge,* a.a.O.).
222 Der Einfluß Hegels ist unverkennbar. Bonhoeffer erinnert auch an *v. Hofmanns* Heilsgeschichte, in der sich auch Einflüsse Schellings und Schleiermachers niederschlugen. Vgl. dazu: *Hübner,* Schrift und Theologie, bes. 134ff. Auch *Lange,* Kirche für andere 518, hat wohl diesen Kontext im Blick.

stes . . . zur geschichtlichen Aktualisierung der Kirche Jesu Christi«. Beide Hinsichten treffen sich im von Hegel übernommenen »objektiven Geist«[223]. Er, das in der Kirche »Gestalt gewordene Objektiv-Geistige«, ist zwar »mit dem Christusgeist oder dem heiligen Geist nicht identifizierbar«, aber er ist »Christusgeist in der Gestalt des objektiven Geistes«. »Predigt und Sakramentsverwaltung« sind solche »Gestalten, die der heilige Geist aus sich heraus in den objektiven Geist gebar«. »Objektiver« und »heiliger Geist« verhalten sich demnach zueinander wie Wirkung und »Wirken«, wie Gestaltung und Gestalten. Der »objektive Geist« ist Manifestation des Wirkens und Gestaltens des »heiligen Geistes« in der Kirche. Er zeigt ihn als in ihr wirkende und gestaltende Potenz im Prozeß der »geschichtlichen Aktualisierung der Kirche Jesu Christi« an[224]. In diesem Sinne »besitzt« die Kirche den »heiligen Geist«. Er ist ihr inhärent, wie ihr Christus inhärent ist. Seine Inhärenz unterstreicht Bonhoeffer auch dadurch, daß er »heiligen Geist« und »Christusgeist« als Wechselbegriffe benutzt. D.h. aber, auch die Externität des Heiligen Geistes wird in seiner Ekklesiologie von seiner Inhärenz in der Kirche aufgesogen. Wer, wie Bonhoeffer, von der Interpretation *aus*-geht: »Christus und Gemeinde werden von Paulus mehrfach identifiziert (1.Kor. 12,12; 6,15; 1,13)« und ihr entsprechend eine Kirche beschreibt, der ihr Wesen inhärent ist, bei dem hat theologische Identifizierung der empirischen Kirche keine wirkliche Funktion[225].

Auch die *Praxis der Kirche* stellt Bonhoeffer als Manifestation ihres inhärenten Wesens dar. Wie »Predigt und Sakramentsverwaltung« »Gestalten, die der heilige Geist aus sich heraus in den objektiven Geist gebar«, sind, so »verwirklicht« sich auch ihr Korrelat, die »gottesdienstliche Versammlung«, »durch den objektiven Geist der Gemeinde«. Daß das empirische Verhalten der Kirchenmitglieder dem nicht mehr entspricht, ist ihm zwar nicht entgangen, aber er stellt sich dieser Veränderung nicht. Die »Frage nach dem Sinn der Versammlung, im Hinblick auf Nutzen und Notwendigkeit für den Einzelnen«, ist eine falsch gestellte Frage, »die grundsätzliche Verständnislosigkeit für den Gemeindegedanken« zeigt. Sie muß »als dem Tatbestand unadäquat bezeichnet« werden. Bonhoeffers auf das Wesen der Kirche gerichtetes ekklesiologisches Denken verschließt sich diesem empirischen Sachverhalt und seiner praktischen Herausforderung. Lediglich am Rande tauchen auch andere Ausblicke auf. So der Gedanke der Vermittlung des Evangeliums an den Menschen von heute in einer Kirche, die »nicht mehr Volks-, sondern Massenkirche ge-

223 Vgl. SC 64 Anm.
224 »Nur die eschatologische Perspektive bewahrt Bonhoeffer vor einer Identifikation von heiligem Geist und objektivem Geist . . .« (*Honecker*, Kirche 138).
225 SC 158ff.92.94f.103.218.139.153f.91 (Hervorhebung E. Hübner). Vgl.: »Unsere konkrete Kirche in der armseligen, ärgerlichen Gestalt der altpreußischen Union ist die Verwirklichung der wahren Kirche« (*Bonhoeffer*, Das Wesen der Kirche 272).

worden ist«[226]. Hier deutet sich eine Entwicklung an, an deren Ende der »Entwurf einer Arbeit« steht, mit der er »für die Zukunft der Kirche einen Dienst tun zu können« hoffte[227]. Aber es sind auch nicht mehr als Ausblikke, die sich hier auftun. Sie heben nicht auf, daß die wesenszentrierte Ekklesiologie des jungen Bonhoeffer theologische Orientierung der Praxis der Kirche nicht zu leisten vermag, daß sie auch in dieser Hinsicht dysfunktional ist.

Bonhoeffer war angetreten, die Diastase zwischen theologischer Ekklesiologie und empirischer Kirche zu überwinden, die er als Desiderat der ›Dialektiker‹ Barth und Bultmann erkannte. Im Ergebnis kam er nicht nur nicht über beide hinaus, sondern fiel in entscheidenden Hinsichten wieder insbesondere hinter Barth zurück. Seine nach dem Gesetz der Sozialphilosophie durchgeführte »Dogmatische Untersuchung zur Soziologie der Kirche« fixierte die ›dogmatische‹ Ekklesiologie vom Ansatz her auf die ›wesentliche‹ Kirche und überlagerte mit ihr eine wirkliche »Soziologie der Kirche«. So ist auch sie insgesamt das Dokument einer ekklesiologischen Sackgasse.

2.2.4 Helmut Gollwitzer

Das gleiche Interesse an der Überwindung der Diastase zwischen theologischer Ekklesiologie und empirischer Kirche führt bei Helmut Gollwitzer ebenfalls zu einer sozialphilosophischen Überlagerung der Soziologie. Daß der junge Bonhoeffer einer ›bürgerlich-konservativen‹ Sozialphilosophie nahesteht[228], während sich Gollwitzer zu einer ›sozialistisch-progressiven‹ Sozialphilosophie bekennt, bleibt zwar nicht ohne Folgen, hebt diese Gemeinsamkeit aber nicht auf. Bei Gollwitzer ist darüber hinaus die Theologie Barths einschließlich seiner ausgearbeiteten Ekklesiologie noch ausdrücklicher der Ausgangspunkt seines Denkens. Daß Jesus Christus und nicht die Religion des Menschen das »Fundament« der Kirche ist, und Theologie sich auf die empirische Kirche und ihre Praxis bezieht, sind die Voraussetzungen auch seiner jüngsten Schriften, in denen er sich zu Fragen der Ekklesiologie äußerte.
Das geschieht in ständiger, ausgesprochener und unausgesprochener Auseinandersetzung mit Barth. Gollwitzers Kritik bündeln prägnant zwei Fragen: »Wird hier ein Ideal hoch über der Wirklichkeit beschrieben?

226 SC 172.169.181.
227 *Bonhoeffer,* WE 257ff. 1932 spricht Bonhoeffer bereits davon, daß der »Gottesdienst« »nur noch die Nöte der Kleinbürger« kennt. »Nöte der Wirtschaftsführer, der Intellektuellen, der Kirchenfeinde, der Revolutionäre kommen bei ihr nicht vor«. Interessant ist auch, daß er sich gegen das »Apostolikum« im Gottesdienst wendet. »Das Apostolikum reicht als Bekenntnis nicht zu. Hier sind die Fragen der liberalen Theologie und Harnacks bei weitem nicht erledigt« (*Bonhoeffer,* Das Wesen der Kirche 232.258).
228 S.o. 122f.

Sind das Postulate oder Appelle?« Er vermag die deduzierte »wahre«, »wirkliche Kirche« Barths mit der empirischen Kirche nicht zur Deckung zu bringen[229]. Aber er beläßt es nicht bei solchem kritischen Resümee. Das Stichwort, in dem er das Defizit der Ekklesiologie Barths zusammenfaßt und das ihn mit Bonhoeffer verbindet, lautet: »Soziologie«. Es steht für die gesamte Empirie der Kirche und ihre Analyse. Sie in die Ekklesiologie einzubringen ist auch seine Absicht.

Daß er seine soziologische Analyse der empirischen Kirche auf ihre »Klassenabhängigkeit« verengt, zeigt schon das Problem seiner eigenen Ekklesiologie an. Zunächst deckt er aber einen zu berücksichtigenden Aspekt in Geschichte und Gegenwart auf. Neben Karl Marx beruft er sich auf »die Arbeiten von Max Weber und Ernst Troeltsch«[230], »sofern in diesen die historisch-materialistische Fragestellung wenigstens zur Kenntnis genommen« ist. Wenn er unter diesem Aspekt die Kirchengeschichte nach der »Konstantinischen Wende« als eine solche skizziert, in der »die Oberschichten geschlossen in die Kirche« einströmten und »Machtpositionen« einnahmen, erinnert er außerdem an entsprechende Ausführungen Schleiermachers[231]. Daß Barth diese soziologische Seite in seinen kirchengeschichtlichen Exkursen vernachlässigt, ist anachronistisch. Es gibt heute »keine Erlaubnis« mehr, »sich die Dinge leicht zu machen, die genaue Analyse der Abhängigkeiten uns zu ersparen und uns dann über ihre Bedeutung zu täuschen«. Gollwitzer verfolgt die Abhängigkeiten bis zur Standortgebundenheit des Denkens, dem Gegenstand der Wissenssoziologie[232]. Er wendet sie direkt auf Barth an, wenn er von dem »akademisch-bürgerlichen Milieu« und seiner »größere(n) Distanz zum proletarischen Milieu« spricht, in das der Safenwiler Pfarrer als »Theologieprofessor« eintrat[233].

Aber die Verengung der soziologischen Analyse der empirischen Kirche auf ihre »Klassenabhängigkeit« ist kein Zufall, sondern Manifestation der Sozialphilosophie, die Gollwitzer mit Nachdruck vertritt: der ›sozialistisch-progressiven‹. Wie Bonhoeffers ›bürgerlich-konservative‹ überlagert auch sie von vornherein die empirische Soziologie und hindert sie daran, sich auszusprechen. Denn auch ihr fällt die ›Wesens‹-bestimmung und Wertung der Gesellschaft und ihrer Geschichte zu, der nachgeordneten empirischen Soziologie die Beschreibung entsprechender, darüber hinaus – bewußt und gezielt diskreditierend – die Beschreibung nicht ent-

229 S.o. 95ff.
230 S.o. 47f.49.69.76f.
231 S.o. 23f.
232 Das »Interesse an einer Soziologie des Wissens« ist »auf das seinsverbundene Werden der Standorte, von denen aus zu denken einem jeweiligen Zeitalter allein gegeben ist«, aus. Bei der »In-Beziehung-Setzung der geistig-systematischen Standorte zu den sozialen Standorten entsteht erst die eigentümliche denksoziologische Aufgabe« (*Mannheim,* Soziologie des Wissens 254.256).
233 *Gollwitzer,* Reich Gottes und Sozialismus 53f.47f; *ders.,* Kapitalistische Revolution 75ff.

sprechender sozialer Strukturen. Im Begriff ›Wesen‹ konvergieren Idealismus und Materialismus, der seine Abkunft von jenem nicht verleugnen kann[234]. In der sozialphilosophischen ›Wesens‹-bestimmung und Wertung divergieren sie. Wertete Bonhoeffer - ähnlich wie Bultmann - die »zweckrationale Gesellschaft« und die »Masse« ab[235], Gollwitzer wertet sie auf. Ihr gilt nicht nur sein Interesse, er konzentriert es auf sie. Damit löst er die eine Einengung des Blickfelds der empirischen Soziologie aber durch eine andere ab. Die Folgen sind »Pauschalurteil(e)« in der soziologischen Analyse, die der komplexen Empirie nicht gerecht werden, und eine »historisch-materialistische Geschichtsbefragung«, die Gollwitzers Kritik, daß sie »oft zu sehr unter dem Banne ihrer dogmatisch vorausgesetzten These betrieben wurde«, nicht auf sich bezieht[236]. Das Klischee von der »bürgerlichen Geschichtswissenschaft« wird bei ihm zur pejorativen Waffe gegen alles ›Bürgerliche‹ im geistigen »Klassenkampf«. So demonstriert er im »Positivismusstreit in der deutschen Soziologie«[237] als Theologe eine »Immunisierungsstrategie«[238], die unbequeme empirische Anfragen einer unverstellten empirischen Soziologie a priori ausschließt[239].

Wie Bonhoeffer geht Gollwitzer die Überwindung der Diastase zwischen theologischer Ekklesiologie und empirischer Kirche in Analogie zum Verhältnis von vorgeordneter Sozialphilosophie und nachgeordneter Soziologie an. Die Unterschiede folgen aus der ›sozialistisch-progressiven‹ Sozialphilosophie, die ihn bestimmt, und aus der ausgearbeiteten Ekklesiologie Barths, die ihm vorlag und mit der er sich auseinandersetzt. Er referiert zustimmend Barth: »Wer nur auf die Empirie sieht, wird überhaupt nur Scheinkirche zu Gesicht bekommen«. Aber Barths strenge Distinktion zwischen der Nichtidentität der empirischen Kirche und ihrer Identi-

234 Vgl. *Marx,* Thesen über Feuerbach, These 6 (Die deutsche Ideologie 593ff). - »Sehr grundsätzliche Erwägungen veranlassen uns dazu, an jenem Unterschied von Wesen und Erscheinung festzuhalten, der für den offiziellen Empirismus tabu ist« (*Adorno,* Gesellschaftstheorie 80).

235 S.o. 113f.122f.

236 Gollwitzer erliegt diesem »Banne«, wenn er »die Reduktion auf ein Minimum« »sozialistischer Praxis« beim späteren Barth monokausal auf die »größere Distanz zum proletarischen Milieu« des »Theologieprofessors« zurückführt (s.o.). Der pauschal-wissenssoziologischen Analyse entspricht die pauschal-klassenkämpferische Geschichts-, insbesondere Kirchengeschichtsschreibung in Gollwitzers »Die kapitalistische Revolution«. Ein Vergleich mit entsprechenden Arbeiten von Troeltsch macht den Unterschied offenkundig. Er ist durch die Bemerkung: »Wir befragen Vergangenheit und Gegenwart der Kirche hier ja nur unter *einem* Gesichtspunkt« (Kapitalistische Revolution 93) nicht behoben.

237 *Th. W. Adorno u.a.,* Der Positivismusstreit in der deutschen Soziologie, 1969.

238 Hier ist die Anwendung des von *Albert* eingeführten Begriffs, Traktat 96, angemessen. Vgl. *Albert,* Kritizismus 89f: ». . . Tatsachen können . . . durchaus unangenehm werden für Wertüberzeugungen, die bei der Theoriebildung Pate gestanden haben. Eine Auffassung, die solche Prüfungen durch eine entsprechende Ausbeutung der Phrase vom notwendig wertenden, kritischen oder gar parteilichen Charakter des sozialen Denkens umgehen zu können meint, dürfte in hohem Grade irrational sein«.

239 *Gollwitzer,* Kapitalistische Revolution 92.75; *ders.,* Reich Gottes und Sozialismus 46ff.

tät *extra nos*, die alleine das Wirken des Heiligen Geistes überbrückt, der im Zuspruch des Evangeliums von Jesus Christus zukommt, beurteilt er als »Dualismus«. Daß »zwischen diesen beiden Polen *nur* (!) durch das Vertrauen auf das Wunder des Heiligen Geistes« vermittelt wird, genügt ihm nicht. Daß Barth sich theologisch auf eine »erneuerte Predigt« konzentriert, kritisiert er als »einseitige Fixierung auf das Predigtproblem« und äußert den Verdacht, »ob bei Barth hier nicht ... ein Rest von idealistischem Glauben an die Macht des Gedankens« wirksam sei. Abgesehen davon, daß Barth der Predigt zwar Priorität einräumt, sie für ihn aber keineswegs die einzige kirchliche Praxis ist[240], ist ein »idealistischer Rest« in der Ekklesiologie weniger bei Barth als bei Gollwitzer selber wirksam. Denn seine ›sozialistisch-progressive‹ Sozialphilosophie drängt in materialistischer Umkehrung zur Inhärenz des ›Wesens‹ der Kirche[241].
Daß Gollwitzer genau da an Barth anknüpft, wo dieser der Differenz zwischen der Nichtidentität der empirischen Kirche und ihrer Identität *extra nos* sowie dem in ihr beschlossenen Ausschluß einer Inhärenz des ›Wesens‹ der Kirche gegenüber inkonsequent wird, entspricht dieser Tendenz. Das ist da der Fall, wo die von Barth theologisch deduzierte »wahre«, »wirkliche Kirche« und die empirisch »ernstlich so zu nennende Gemeinde« innerhalb der Volkskirche fast ununterscheidbar zusammenrükken[242]. Zwar ist es die theologisch deduzierte »wahre«, »wirkliche Kirche«, die Gollwitzer angesichts der empirischen Volkskirche als Beschreibung eines »Ideal(s)« oder als ohnmächtiges »Postulat« kritisiert, aber daran, daß ihr die »ernstlich so zu nennende Gemeinde« entspricht, knüpft er an. Er wirft Barth vor, sie nicht eindeutig als »sozialistische Gruppen« innerhalb, aber auch außerhalb der Kirche zu benennen. Dabei meint er aus seiner »Kirchlichen Dogmatik« herauslesen zu können, eben sie, die »anarcho-sozialistische, rätedemokratische Gruppe«, die »Kadergruppe« als »revolutionäres Subjekt«, habe er eigentlich gemeint. Seine fehlende Eindeutigkeit läßt aber die Möglichkeit ihrer Gleichsetzung auch mit Gruppen »der verbürgerlicht-kleinbürgerlichen Kirche« offen. Dabei wandern »heute junge Christen« aus ihr aus und »suchen und erfahren« »Gemeinde in eigenen Aktionsgruppen«. Sie »setzen« »statt auf die Kirchengemeinden auf sozialistische Gruppierungen«. Gollwitzer hält Barth nicht Inkonsequenz in der Durchführung seiner ekklesiologischen Methode vor, sondern Inkonsequenz in der Durch-führung der »ernstlich so zu nennenden Gemeinde« bis zu solchen »sozialistische(n) Gruppen«. Auf diese Weise verfehlt er die »wahre«, »wirkliche Kirche« da, wo sie zu finden ist.
Denn das steht für ihn nunmehr fest: Von der »wahre(n)«, »wirkliche(n) Kirche« Barths ist nur im Zusammenhang mit solchen sozialistischen Gruppen zu sprechen. Das »Aufkommen freier christlicher Gruppen«

240 S.o. 89ff.
241 *Gollwitzer*, Reich Gottes und Sozialismus 50.54.56f (Hervorhebung E. Hübner).
242 S.o. 101f.

dieser Art ist »das Ereignis christlicher Kirche« im »Bereich« der »Staatskirche« oder »Volkskirche«. So predigt er: »Christentum ist Kommunismus; Kirche ist Kommune, Kirche ist Gütergemeinschaft«, in idealtypischer Euphorie, was diese Gruppen betrifft, und unter Bagatellisierung des historischen Problems, was die sog. Gütergemeinschaft der lukanischen Apostelgeschichte betrifft[243]. Hier ist »Kirche im Sinne des Neuen Testaments«, denn hier ist ein »neues Gemeinschaftsleben«, das »unentbehrlich zum Jesus-Zeugnis seiner Jünger dazu«-gehört[244]. Hier beginnt jene »neue Art von Gemeinschaft gegenüber den alten von oben nach unten hierarchisch abgestuften Gesellschaften«, jene Gesellschafts-»Utopie«, der »Leib Christi« von Röm 12,4–6[245].
Der positiven Idealtypik der sozialistischen Gruppe als »ernstlich so zu nennende(r) Gemeinde« korrespondiert, wie bei Barth, die negative Idealtypik der »Volkskirche«. Inhäriert der sozialistischen Gruppe tendenziell das ›Wesen‹ der Kirche, so daß sie der »wahren«, »wirklichen Kirche« Barths entspricht – über die Volkskirche urteilt Gollwitzer pauschal und kategorisch: »Eine Staats- oder Volkskirche, die durch Tradition und Kindertaufe große Teile einer Bevölkerung von Geburt an umfaßt, kann nicht Kirche im Sinne des Neuen Testaments sein«. Auch nur die Möglichkeit, zu werden, was sie nicht ist, scheidet aus: »Die Hoffnung auf eine Kirchwerdung der Volkskirchen (Landeskirchen, Parochien) hat keinen Anhalt in den neutestamentlichen Aussagen über die Kirche und ist angesichts der Diskrepanz zwischen neutestamentlicher Gemeinde und Volkskirche eine Illusion, die vom Evangelium nicht gedeckt wird«. Ausschließlich der sozialistischen »Gruppe, in der Kirche Ereignis wird«, ist das Kirche schaffende, »*freie*(!?) Wirken des Heiligen Geistes« vorbehalten! Nirgendwo bei Barth findet sich Vergleichbares. Er, der infolge seines deduktiven Denkwegs ebenfalls die »ernstlich so zu nennende Gemeinde« der »wahren«, »wirklichen« Kirche, ihr volkskirchliches Umfeld dagegen der »Schein«- oder »falschen Kirche« idealtypisch zuordnet und seine Annahme verweigert, hätte sich zu einer solchen Folgerung nicht verstiegen. Erst die Gollwitzer bestimmende ›sozialistisch-progressive‹ Sozialphilosophie drängt ihn auf einen Weg, der die empirische sozialistische Gruppe nicht nur der »wahren«, »wirklichen« Kirche und die empirische Volkskirche der »Schein-« oder »falschen Kirche« zuordnet, sondern den Gegensatz zwischen ihnen bis zur Antithese von Klassenfeinden aufreißt, so daß die »verbürgerlicht-kleinbürgerliche«, »hierarchisch aufgebaute« Volkskirche zur vom Wirken des Heiligen Geistes ausgeschlos-

243 Apg 2,44–47; dazu: *Haenchen,* Apostelgeschichte 157ff.193ff.
244 Über den sozialistisch-sozialphilosophischen Kontext hinaus verweist der Begriff »Gemeinschaft« bei Gollwitzer auch auf die Jugendbewegung. Darauf deutet auch seine Vorliebe für »junge Christen« hin, die geradezu das Argument ersetzen können. – Eine knappe, aber repräsentative Dokumentation der Bedeutung von »Gruppe« und »Gemeinschaft« in Jugendbewegung und Reformpädagogik bietet: *C. W. Müller* (Hg.), Gruppenpädagogik 9–68.
245 *Gollwitzer,* Reich Gottes und Sozialismus 50f.24.27; *ders.,* Vortrupp 115.93.102ff.78.

senen *massa perditionis* wird. Die Aporien stellen sich sofort ein: Auf der einen Seite plädiert Gollwitzer in ungeschichtlicher Direktheit mit dem Neuen Testament für die Kirche als Kleingruppe gegen die geschichtlich gewordene Großgruppe Volkskirche, der er fälschlicherweise zudem die historisch überholte »Staatskirche« als Etikett anheftet – auf der anderen Seite stellt er fest: »Wir können aus der Geschichte des Christentums nicht aussteigen und am Nullpunkt anfangen, d.h. unmittelbar an der apostolischen Zeit anknüpfen«. Auf der einen Seite überlagert seine sozialphilosophische ›Wesens‹-bestimmung und Wertung die empirische Soziologie der Kirche derart, daß von ihren sozialistischen Kleingruppen ausschließlich positive, von ihr als gesellschaftlicher Großgruppe ausschließlich negative Seiten zur Sprache kommen –, auf der anderen Seite stellt er fest: »Kirche ist auch ein Gegenstand der Soziologie«. Auf der einen Seite verweigert er die Annahme der »Volkskirche« und macht aus seiner Abneigung ihr gegenüber keinen Hehl[246] – auf der anderen Seite ist es die volkskirchliche »Kirchenorganisation«, durch die »die kontinuierliche Überlieferung des Evangeliums geschieht«. Sie »verbindet« »die Gruppen, in denen Kirche Ereignis wird, miteinander . . ., über die Trennung von Räumen und Zeiten hinweg«. In ihr sind »diejenigen Menschen zusammengeschlossen . . ., die der Ruf des Evangeliums erreicht hat«, so daß sie »objektiv solche sind, die auf das Ereignis Kirche warten und auf ihr Christsein mit Zuspruch und Anspruch anzureden sind«. Die Häufung der Aporien unterstreicht über Barths Inkonsequenzen hinaus die Tendenz der Gollwitzer bestimmenden Sozialphilosophie. Sie hebt die Differenz zwischen der Nichtidentität der empirischen Kirche in jeder Gestalt und ihrer Identität *extra nos* in lokalisierbaren empirischen Gruppen auf[247].

Wie bei Bonhoeffer wird eine solche theologische Ekklesiologie zwangsläufig dysfunktional. Das betrifft zunächst die Funktion der *theologischen Identifizierung* der empirischen Kirche. In einer Predigt Gollwitzers über 1. Petrus 2,9–10 finden sich Ausführungen, die sie intendieren. In deutlicher Abgrenzung heißt es: »Als Selbstbeschreibung kann man diese Wor-

246 *Gollwitzer,* Reich Gottes und Sozialismus 51, referiert distanziert: »Barth hat auf die empirische Kirche gesetzt«. Denn seine Position ist eine andere: »Es scheint mir richtiger zu sein, sich von einer solchen Kirche nicht von sich aus zu trennen, sondern zu warten, ob und bis sie einen wegen des Protestes gegen ihre Empirie ausstößt, wie Luther es getan hat«.
247 *Ders.,* Vortrupp 114f.117ff.101; Reich Gottes und Sozialismus 50. – »Gollwitzer verbindet seine weithin zutreffende Analyse der kirchlichen Situation und sein berechtigtes Insistieren auf der Kirche als Ereignis mit einem doppelstufigen Kirchenbegriff, der kritische Rückfragen provoziert. Ich möchte sie auf folgenden Nenner bringen: Wird hier nicht die grundlegende theologische Unterscheidung zwischen Kirche als Aktion des auferstandenen Herrn und als Werk des Heiligen Geistes einerseits und all unserem menschlichen Bemühen um die Kirche überlagert oder doch in bedenklicher Weise verzerrt durch eine qualitative Unter-scheidung zwischen Kirche als Gruppe und Kirche als Organisation, die auch durch die einschränkenden Bemerkungen über das Ereigniswerden von Kirche in der Gruppe nicht zurückgenommen ist?« (*Kreck,* Kirche 520f).

te des 1. Petrusbriefs eigentlich nicht formulieren«. Mit anderen Worten: Theologische Ekklesiologie ist nicht Beschreibung einer Kirche, der ihre Identität inhäriert, sie bezieht sich vielmehr auf eine Kirche, von deren bester empirischer Gestalt immer noch gilt: »Das Vertrauen dürfen wir nie setzen auf die Lebendigkeit des Glaubenslebens und die Bruderschaft in einer Kirche. Das kann morgen wieder vorüber sein«. Theologische Ekklesiologie hat aber eine Funktion an dieser empirischen Kirche, die dem Zuspruch des 1. Petrusbriefes entspricht: »Ihr seid das erwählte Geschlecht, die königliche Priesterschaft«. Denn hier »wird . . . eine Ernennung vollzogen zu etwas, was uns Menschen zu hoch ist und wozu wir uns nicht selber machen können, die Ernennung zum Christen und *die Ernennung zur Kirche*«. Dieser »Ernennung«, die die Predigt der empirischen Kirche zuspricht, entspricht ihre theologische Identifizierung, die die erste Funktion der Ekklesiologie an ihr ist. Predigt wie Ekklesiologie verweisen auf die der empirischen Kirche nicht inhärente Identität *extra nos* in Christus, die sie ihr zusprechen, von der her auf die hin sie sie identifizieren können. Daß die empirische Kirche ihr folgt, haben sie nicht in der Hand. Deswegen sind Zuspruch wie Identifizierung nicht sinnlos, sondern unverzichtbar. Aber sie bleiben angewiesen auf das ihnen unverfügbare Wirken des Heiligen Geistes: »Aber die Bewegung vom Alten weg ins Neue hinein, die muß der Geist Gottes selber schaffen«. Das Gesetz der Sozialphilosophie, nach dem Gollwitzer angetreten ist, verhindert jedoch die Durchführung dieser Intention. Auf das ›Wesen‹ der Kirche und eine ihm entsprechende Sozialstruktur zentriert, führt er eben jene *»Selbstbeschreibung«* vor, deren Widerspruch zur ekklesiologischen Grundrichtung des Neuen Testaments er selber eingesteht. »Als Selbstbeschreibung kann man diese Worte des 1. Petrusbriefs *eigentlich nicht* formulieren. *Ich habe es am Anfang getan* . . ., aber es ist eine gefährliche Sache!« Bis in die Übersetzung des Textes aus 1. Petrus 2 hat er »es am Anfang« getan. Denn dort verengt er das textnähere »erwählte *Geschlecht*« von vorneherein auf die »erwählte *Gruppe*«, mit der er alles verbindet, was sich für ihn unter Ausschluß ihres volkskirchlichen Umfelds in der sozialistischen Gruppe zusammenfaßt. Diese »Selbstbeschreibung« einer identischen, sozialistischen Gruppen-Kirche widerspricht der Nichtidentität der empirischen Kirche in jeder Gestalt, die ständiger theologischer Identifizierung bedarf. Eine auch nur partiell identische und eine ständig zu identifizierende empirische Kirche schließen sich aus. Theologische Ekklesiologie als »Selbstbeschreibung« und als Funktion der Kirche lassen sich nicht harmonisieren. Daß Gollwitzer dennoch Ekklesiologie als theologische Identifizierung der nichtidentischen, empirischen Kirche intendiert, zeigt in die Richtung des mit Barth neu einsetzenden Verständnisses der Theologie als Funktion der Kirche, die sich in eine funktionale Ekklesiologie zuspitzt. Daß er zugunsten der ›wesens‹-zentrierten »Selbstbeschreibung« einer identischen, sozialistischen Gruppen-Kirche theologischer Identifizierung den Gegenstand, an dem sie funktional wird – die empirische Kirche und ihre uneingeschränkte soziologische Analyse – entzieht, sind aber das Ergebnis und Dilemma auch seiner Ekklesiologie[248].

Die gleiche Dysfunktionalität setzt sich in der *theologischen Orientierung kirchlicher Praxis* fort. Gollwitzer teilt mit Barth, Bultmann und Bonhoeffer ein engagiertes Interesse an ihr. Aber noch rigoroser als Barth entläßt er typisch volkskirchliche Praxis aus ihr. Ebensowenig wie die Kindertaufe tauchen in seinen letzten Schriften deren praktische Folgen auf: der kirchliche Unterricht und der schulische Unterricht, die Barth immerhin erwähnt. Die Dysfunktionalität bündelt sich in der Abwertung der »Parochie«, der kleinsten lokalen Zusammenfassung der Mitglieder der Volkskirche und dem Praxisfeld der meisten Pfarrer. Sie läßt Gollwitzer unberaten. Aporien, in die diese Tendenz unausweichlich führen muß, deuten sich an, wenn er gleichzeitig der volkskirchlichen »Kirchenorganisation« u.a.die Aufgabe der »kontinuierliche(n) Überlieferung des Evangeliums« zuschreibt. – Der Entlassung der Volkskirche entspricht die Verengung des ekklesiologischen Blickfelds auf sozialistische Gruppen auch und erst recht in der Praxis. Sie verfälscht von vorneherein ihre Erweiterung in das »neue bruderschaftliche Sozialleben«, an dem Gollwitzer besonders liegt. Der Widerspruch zwischen Klassenfeindschaft und Bruderschaft, Klassenkampf und Liebe (ἀγάπη) wird zwar überspielt, bleibt aber unaufhebbar. Der Weg vom Barth der späten »Kirchlichen Dogmatik« – der die Gemeinde dahingehend orientierte, sie habe »den bürgerlichen Menschen weder positiv noch negativ auf seine kapitalistischen, und sie habe den proletarischen Menschen weder positiv noch negativ auf seine sozialistischen Ideen und Kampfstellungen«, sie habe vielmehr »beide energisch darauf anzureden, daß sie als Menschen Kinder Gottes heißen und sein dürfen« – zurück in seine angebliche oder wirkliche sozialistische Jugend, erweist sich als Weg fort vom reifen Ergebnis auf die »Auferbauung« der Gemeinde zielenden Denkens. Der Fort-schritt erweist sich als Rückschritt[249].

Beide, Bonhoeffer und Gollwitzer, erkannten die Diastase zwischen theologischer Ekklesiologie und empirischer Kirche als schwerwiegendes Desiderat der dialektischen Theologie. Bei beiden ist die Außerachtlassung der Soziologie das Stichwort, in dem sie es zusammenfassen und mit deren Einbringung sie die Diastase zu überwinden versuchen. Aber bei beiden ist die Soziologie einer auf das inhärente ›Wesen‹ von Sozietäten und seine Wertung zentrierten Sozialphilosophie nachgeordnet, die sie überlagert und ihre Analysen verkürzt. Daß ihre jeweiligen Sozialphilosophien sich alternieren, hebt diese Gemeinsamkeit nicht auf. So verfehlen auch

248 *Gollwitzer,* Vortrupp 70.69.64 (Hervorhebungen E. Hübner).
249 *Ders.,* Vortrupp 118.111; *Barth,* KD IV/3 1033. Barths Orientierung wird von Gollwitzer als »ziemlich idealistische Anrede« abgetan (Reich Gottes und Sozialismus 47f).

sie die empirische Kirche, an der Theologie, die sich in Ekklesiologie zuspitzt, Funktion gewinnt. Sie kommen beide nicht wirklich über Barth und Bultmann hinaus, ja fallen insbesondere wieder hinter Barth zurück. Denn das geisteswissenschaftliche Vorzeichen, unter dem auch sie denken, hat sich bei ihnen erst recht zum methodisch-prinzipiellen Hindernis auf dem Weg zur empirischen Kirche verfestigt.

2.2.5 Jürgen Moltmann

Auch Jürgen Moltmann stellt in seiner Ekklesiologie[250] der Reduktion Jesu auf den »Gründer der christlichen Religion« das apostolische Evangelium als »Grund« der Kirche entgegen[251]. Sie beginnt mit dem Auftakt: »Dieses Buch will der Orientierung der Kirche dienen«. Eine Einengung auf den theologischen Binnenraum lehnt er ab: Der »theologische Begriff der Kirche (steht) im Dienst der ganzen Christenheit und nicht nur im Dienst der Theologen in der Kirche«. Auch er nimmt die Formel auf: »Theologie ist eine Funktion der Kirche«[252]. Sie ist es dann, wenn sie sich in eine Ekklesiologie zuspitzt, die sich als »Theorie der Kirche« und ihrer Praxis begreift.

Was theologische Ekklesiologie dabei »selbstkritisch und kritisch gegen andere Interessen ... zur Geltung zu bringen hat«, ist »das ›Interesse Christi‹ an seiner Kirche«. Es richtet sich zuerst auf ein ihm entsprechendes »Selbstverständnis der Kirche«. Solche *theologische Identifizierung* steht notwendig in einer »Spannung«. »Intentional« ist sie »auf den ›Gegenstand‹ des Glaubens ausgerichtet«, »funktional« ist sie »durch die Situation bedingt«. Mit anderen Worten: Sie steht in der »Spannung« zwischen der Identität der Kirche, die ihr von Jesus Christus – *extra nos* – zukommt, und ihrer Empirie, die durch die »Situation«, die »jeweilige Zeit«, die »Zeitgeschichte« bestimmt ist. Diese Spannung umgreifen exemplarisch schon die neutestamentlichen »Aussagen über die Kirche, wie ›Leib Christi‹, ›Haus Gottes‹, ›Gemeinschaft der Heiligen‹ usw.«. Auch sie sind intentional »über die Christustitel, an denen sie hängen, auf die Person Jesu und seine Geschichte ausgerichtet«, »funktional aber stehen sie« »in ihrer jeweiligen Zeit«. Deshalb darf theologische Identifizierung nicht verwechselt werden mit einer Deduktion dieser Formeln. In diesem Fall würde »das Christus- und Kirchenbild vergangener Zeiten absolut« gesetzt und »dessen historische Bedingtheit« vergessen. Sie wird aber auch und erst recht da verfehlt, sie ist nicht mehr *theologische* Identifizierung, wo die intentionale Ausrichtung »auf den ›Gegenstand‹ des Glau-

250 *Moltmann*, Kirche in der Kraft des Geistes. Ein Beitrag zur messianischen Ekklesiologie, 1975.
251 *Ders.*, Kirche 86.384.
252 Moltmann übernimmt die Formel bewußt von Barth, Tillich, O. Weber (vgl. Kirche 20 Anm.).

bens« ausgeschieden und die Kirche - historisch, religionsgeschichtlich, soziologisch - »nur aus der Zeitgeschichte« verstanden wird. In diesem Fall »würde sie zur religiösen Widerspiegelung vorhandener Verhältnisse und Bewegungen und sollte ehrlicherweise den Namen Christi aus ihrem Titel streichen«. Theologische Identifizierung umgreift immer beides, die intentionale Ausrichtung auf Jesus Christus, die aber immer schon funktional auf die jeweilige empirische Kirche gerichtet und deshalb »geschichtlich bedingt, zeitlich variabel und« - in solcher Verallgemeinerung allerdings ein problematischer Schritt - »inhaltlich veränderlich« ist. Aus der theologischen Identifizierung der empirischen Kirche resultiert die *theologische Orientierung ihrer Praxis.* »Die Selbstbezeichnung ›Kirche Jesu Christi‹ verlangt, Christus als das Subjekt seiner Kirche anzusehen *und das Leben der Kirche nach ihm auszurichten*«[253]. Daß »Theorie und Praxis« in einer sachgemäßen theologischen Ekklesiologie nicht zu trennen sind, zeigt auch diese zweite Hinsicht[254].

In einer so verstandenen Ekklesiologie kann es nicht um die Alternierung: »Theorie der Kirche« aus theologischem *oder* historischem, religionsgeschichtlichem, soziologischem Interesse gehen. Sie muß vielmehr beide Interessenrichtungen in sich umgreifen und einander so zuordnen, daß der »theologische Begriff der Kirche Christi« sich auf die geschichtlich gewordene, empirische Kirche bezieht. Nur so wird theologische Ekklesiologie »funktional«.

Bei Moltmann finden sich Skizzen der empirischen Kirche. Sie ist in unserem Raum vor allem »Volkskirche« und deshalb »Großkirche«. Daß sie als solche auf dem Hintergrund der Geschichte zu werten ist, übersieht er nicht. Auch nach ihm fiel der Kirche infolge des »durch Kaiser Konstantin eingeleitete(n) Übergangs zur römischen Reichskirche« »die Rolle der öffentlichen Staatsreligion«, der »Religion der Gesellschaft« zu. Eine solche ist auf kontinuierliche Regeneration »im Generationenverband« aus. Die »Kindertaufe« wird zu ihrem »Grundpfeiler«. Sie ist auch die Signatur der aus der Reichs- und Staatskirche hervorgegangenen Volkskirche geblieben. Als »Religion der Gesellschaft« wird sie zum »integrierten Element der sozialen Ordnung« und integriert eine Gesellschaft in dieser Ordnung. Deshalb ist die Volkskirche nicht allein auf ihren historischen Hintergrund, sondern auch auf ihre mit ihm korrespondierende religionssoziologische Funktion hin zu befragen. Ihr »Ritual« stellt »geschichtliche Kontinuität« her, ist »Symbol, das über sich hinausweist« und »steht in sozialen Zusammenhängen und stellt soziale Zusammenhänge her«. Als »Religion der Gesellschaft« hat sie diese Funktion der Rituale übernommen. Diese selber »können, aber sie müssen nicht christlich sein«. Moltmann lehnt zwar die Volkskirche mit diesem historischen Hintergrund und dieser religionssoziologischen Funktion nicht einfach ab, aber ihre

253 Hervorhebung E. Hübner.
254 *Ders.*, Kirche 11.17ff.83f.

zusammenfassende Kennzeichnung enthält ein unüberhörbares Werturteil. Wer von ihr als »unverbindliche(r) Gesellschaftsreligion«, als »pastorale(r) Betreuungskirche für das Volk«, als »territorial geschlossene(r) Betreuungskirche« spricht, dessen historische und religionssoziologische Beschreibung ist von vorneherein von Wertungen überlagert. Daß die Volkskirche als »Großkirche« zur Desintegration tendiert, übersieht Moltmann ebensowenig. »Die Indifferenz gegenüber der Kirche wächst . . . Die Identifikation der Menschen« mit ihr »nimmt schrittweise ab. Die Gottesdienste werden weniger besucht. Wegen der Kirchensteuer oder anderer, an sich unwesentlicher Gründe treten Menschen aus der Volkskirche aus. Die Einflußmöglichkeiten der Kirche auf die Gesellschaft vermindern sich zusehends«. Wenn er aber vom sich ausbreitenden »lautlose(n) Abfall« spricht, tritt eine Tendenz zu pauschalen Schlußfolgerungen an den Tag. Die Desintegration der gesellschaftlichen Großgruppe Volkskirche wird von ihm nicht den heutigen Möglichkeiten der Soziologie entsprechend differenziert und auf ihre Gründe hin befragt. Beidem, der von vorneherein wertenden Überlagerung der historischen und religionssoziologischen Beschreibung der Volkskirche und der Tendenz zu pauschalen Schlußfolgerungen, entspricht die Kürze, mit der Moltmann überhaupt den empirischen Bezugshorizont der Ekklesiologie abhandelt. Sie ist dem Versuch unangemessen, »das Problem, wie theologische Lehre von der Kirche mit empirischen Untersuchungen . . . zu verbinden und zu vermitteln sind«, anzugehen[255].
Dieses Desiderat verbindet Moltmann mit den anderen, der dialektischen Theologie nahestehenden Theologen, die sich der Ekklesiologie zuwandten. Zwar erkennt er schärfer als sie das Problem, wenn er ein Entweder-Oder zwischen theologischer Ekklesiologie und Beschreibung der empirischen Kirche als falsche Alternative beurteilt. Die Ekklesiologie »kann sich . . . ›nach oben‹ wenden und die Konsequenzen aus dem Glauben der Kirche für die Erfahrung und Praxis der Kirche ziehen. Sie kann umgekehrt ›von unten‹ einsetzen und die Kirche als empirischen Gegenstand unter anderen beschreiben und sich dann ›nach oben‹ wenden, um nach dem theologischen Sinn dieses Gegenstands zu fragen. Sie kann also vom ›Wesen‹ der Kirche ausgehen, um dann nach der Wirklichkeit dieses Wesens zu fragen. Sie kann von der ›Wirklichkeit‹ der Kirche ausgehen, um dann nach ihrem ›Wesen‹ zu fragen«. Aber »diese Verteilung auf verschiedene Ebenen . . . löst die Spannung nicht, wenn die Aspekte Widersprüchliches erkennen lassen«. Moltmann legt nahe, die Lösung in einer theologischen Ekklesiologie zu suchen, die im Ausblick auf die Kirche als »Gegenstand des Glaubens« in und an der empirischen Kirche »funktional« wird. Sie nähme die »Spannung« als genuine Orts- und Funktionsbestimmung unterhalb des unverfügbaren Heiligen Geistes an, der sie alleine aufzuheben vermag. Denn in der »Pneumatologie« »muß die Lösung

255 *Ders.*, Kirche 344f.254f.290f.267.13.345.352.35.

des Problems von Glaube und Erfahrung, von Hoffnung und Wirklichkeit und von Wesen und Gestalt der Kirche gesucht werden«. Aber anstatt die Spannung zwischen theologischem Ausblick »nach oben« und empirischer Beschreibung der Kirche »von unten« auszuhalten, »löst« Moltmann sie auf. Er »löst« sie, indem er sie in das »Wesen der Kirche« aufhebt. Aus Ekklesiologie unterhalb des unverfügbaren Heiligen Geistes wird Ekklesiologie, die »Kirche in der Kraft des Geistes«, ihre »Seinsbestimmungen« beschreibt, wird ›wesentliche‹ Ekklesiologie, die »das Wesen schon in der Gestalt und die kommende Gottesherrschaft schon in der geschichtlichen Kirche« »erkennt«[256]. Die auffallend unbekümmerte Verwendung des Begriffs »Wesen«[257] signalisiert einen theologischen Hintergrund.

»Der Sinn der Geschichte Christi offenbart sich den Gottlosen zuerst in ihrer Rechtfertigung und Annahme«. Sie wird als »Evangelium Christi den Sündern, d.h. den gottverlassenen Gottlosen verkündigt«. Aus dieser Bedeutung der Rechtfertigung, dem »*articulus stantis et cadentis ecclesiae*«, folgt für die Ekklesiologie: »Darum kann eine entsprechende Ekklesiologie der wirklichen Kirche auch nicht mit Träumen von der idealen Kirche begegnen, sondern im Kern nur mit der Rechtfertigungslehre«. Zu folgern wäre daraus jene »Spannung« zwischen Kirche als »Gegenstand des Glaubens« und ›wirklicher‹ Kirche, die alleine der im rechtfertigenden Evangelium zukommende, unverfügbare Heilige Geist aufhebt. Moltmann spricht zwar davon[258], aber seine Gedanken sind schon über diese ekklesiologische Weichenstellung hinaus weitergeeilt. Sie weilen bereits da, »wo über das Geschehen der Rechtfertigung hinausgeführt«

256 *Ders.*, Kirche 35.42. – Moltmann meint, die Definition »Seinsbestimmungen« – im Gegensatz zu »Sollensbestimmungen« – den Charismen des Paulus entnehmen zu können. Dieser konstatiert zwar Charismen in der Gemeinde, aber in buchstäblichem Sinn als »Gnadengaben«, die der »eine und derselbe Geist« »wirkt« (1Kor 12,11). Diesseits der damit angezeigten Grenze hat das menschliche Werk des Theologen Paulus seine Funktion. Zu ihm gehören die auf die »charismatische Gemeinde« (Käsemann) ausblickenden »Paränesen«, von denen auch Moltmann spricht. Eine dem entsprechende Orts- und Funktionsbestimmung theologischer Ekklesiologie schließt die am Gegensatz zu »Sollensbestimmungen« gewonnene Definition der Charismata als »Seinsbestimmungen« aber aus (*ders.*, Kirche 322.324). *Käsemann*, Amt und Gemeinde 117, urteilt *unter* dem Vorzeichen: »*Verheißung* (!) des Charismatischen« (Hervorhebung E. Hübner): »Muß nun nicht hinzugefügt werden: Da zunächst die Christen selber im Schatten des ἐν κυρίῳ stehen und Glieder des Christusleibes sind, sind sie alle, sofern es sich wirklich mit ihnen so verhält, auch Charismatiker? Die Fragen stellen, heißt, sie zu bejahen«. – »Vielmehr sind die Charismenlisten der apostolische Wille und Wunsch – so sollte es nach Paulus eigentlich zugehen –, keineswegs aber spiegeln sie die tatsächlich vorhandene charismatische Verfassung der von ihm gegründeten Gemeinde wider« (*Schulz*, Charismenlehre 446). – Vgl. o. 5f.16.

257 Darin unterscheidet sich unter anderem Moltmann von Barth, der diesen Begriff zwar ebenfalls gebraucht, aber die mit ihm gegebene Inhärenz ausdrücklich abzuwehren versucht (vgl. o. 87f.101).

258 In einem Referat der Ekklesiologie Bultmanns formuliert *Moltmann* präzise: »Überträgt man das Geschehen der Rechtfertigung auf das Geschehen der Kirche, dann sind die Aussagen über die Einheit, Heiligkeit und Katholizität der Kirche keine analytischen Urteile über ihren Zustand und ihre Eigenschaften, sondern synthetische Urteile über das, was sie im Heiligen Geist wird und worin sie im Handeln Gottes bewahrt wird« (Kirche 36).

wird, wo es um den »Überschuß der Gnade« über die Rechtfertigung hinaus, um das über sie »hinausgreifende Ziel der Geschichte Christi« geht. Denn: »Die Geschichte des Menschen mit der Geschichte Christi beginnt mit der Vergebung der Sünden und der Befreiung zu neuem Leben ... Aber der Anfang ist nicht selbst schon das Ende. Befreiung führt in das freie Leben. Rechtfertigung führt zur neuen Schöpfung«. Diese Interpretation entfernt die »neue Schöpfung« (2Kor 5,17) als »Ende« vom »Anfang« der Rechtfertigung. Sie fordert dazu auf, den »Anfang« um des »Ende(s)« willen hinter sich zu lassen. Moltmann folgt dieser Aufforderung. Seine »theologischen Finalsätze« zielen über den ›Beginn‹ hinaus auf dieses »Ziel«. Daß er sich daran erinnert, es sei »unrealistisch«, »nicht immer ... mit der Vergebung der Sünden und der Annahme des verlassenen Menschen [zu] beginnen«, kehrt den eingeschlagenen Kurs nicht um. Die Ekklesiologie führt er aus der »Spannung« zwischen Kirche als »Gegenstand des Glaubens« und ›wirklicher‹ Kirche, die alleine der im rechtfertigenden Evangelium zukommende Heilige Geist aufhebt, heraus in die Beschreibung eines Seins der »Kirche in der Kraft des Geistes«, das den »Anfang« der Rechtfertigung hinter sich gelassen hat[259].

Im Hintergrund steht das Auseinandertreten von Kreuz und Auferstehung Jesu Christi, Moltmanns Modifizierung des »Doppelaspekt(s) der Christologie«. Auch hier weiß er sich zunächst wie mit »der herkömmlichen Rechtfertigungslehre« so mit der herkömmlichen Christologie in Übereinstimmung. Aber wenn er die »Denkfigur der paradoxen Identität« Gottes mit dem Gekreuzigten als »einseitig« beurteilt[260] und die ihr entsprechende »Dialektik« der Offenbarung Gottes im Weg eines historischen Menschen an das Kreuz als »ewig« karikiert[261], verweigert er sich der Zentrierung von Kreuz und Auferstehung Jesu Christi auf die kontingente Selbstoffenbarung Gottes. Bei ihm treten Kreuz und Auferstehung in die »trinitarische Geschichte Gottes mit der Welt«, den »realdialektische(n) Prozeß der ankommenden Gottesgerechtigkeit gegen die Sün-

259 *Ders.*, Kirche 46f.51f. – Vgl. dagegen *Käsemann*, Amt und Gemeinde 119: »Der Charismatiker ist der Beweis dafür, daß Paulus nicht grundsätzlich zwischen Rechtfertigung und Heiligung unterschieden hat und Rechtfertigung nicht bloß deklaratorisch versteht ... Die Charismenlehre ist bei ihm die konkrete Darstellung der Lehre vom neuen Gehorsam und ist es als Lehre von der justificatio impii. *Gott macht die Toten lebendig* und baut durch den erobernden Zugriff der Gnade dort sein Reich, wo zuvor die Dämonen und Dämonien herrschten ... Daß die Gottlosen gehorsam und Charismatiker werden, ist *eschatologisches Wunder, Handeln der Gottheit Gottes,* Triumph der Gnade über die Welt des Zorns. *Die Charismenlehre des Paulus ist nichts anderes als die Projektion der Rechtfertigungslehre in die Ekklesiologie hinein ...*« (Hervorhebungen E. Hübner).

260 Hier wendet sich Moltmann gegen *Bultmann*, Zum Problem der Entmythologisierung 197.

261 Hier nimmt Moltmann indirekt gegen Barth Stellung. Zu dessen insbesondere an *Kierkegaard* anschließender Offenbarungsdialektik vgl. Barth, Briefwechsel 27: »... ich behaupte eine dialektische *Relation,* die auf eine nicht zu vollziehende und darum auch nicht zu behauptende *Identität* hinweist«. Barth hat die Offenbarungsdialektik als Grundstruktur auch in der »Kirchlichen Dogmatik« beibehalten. Vgl. dazu seine Fassung der Analogie-Lehre, bes. KD II/1 266ff.

de . . ., der erst in der ›Auferweckung des Leibes‹ und der neuen Schöpfung sein Ende findet«, auseinander. In sie, »die umfassende Denkfigur des dialektischen Prozesses« der Geschichte, der auf die »Auflösung« der »Spannung« »in der neuen Schöpfung« ›hindrängt‹, hebt Moltmann »paradoxe Identität« und »ewige Dialektik« auf. Sie geht von ihrer »Herkunft« in »Christi Hingabe in Leiden und Sterben am Kreuz aus«, die Paulus als »Vergebung der Sünden und die Versöhnung der Sünder durch Gott«, als *Rechtfertigung* auslegt. Sie zielt auf eine »Zukunft«, deren »Eröffnung« der Sinn der »Auferweckung« Christi »von den Toten« und seiner »Erhöhung zum Kyrios« ist, auf die »Zukunft« »neuer Gerechtigkeit, neuen Gehorsams und neuen Glaubens«, auf die *»neue Schöpfung«*. In sie bezieht die »Erfahrung des Heiligen Geistes« ein, der mit ihrer Herkunft, »der Geschichte Christi«, verbindet, die die »neue Schöpfung herauf«-führt, und in die Prospektive ihrer »Zukunft«, »in die Kräfte und Bewegungen der neuen Schöpfung« stellt. An die Stelle der kontingenten Selbstoffenbarung des trinitarischen Gottes ist der »trinitarische Geschichtsprozeß Gottes« getreten, der ihm »als Vater transzendent, als Sohn immanent und als Geist der Geschichte zukunftseröffnend voran ist«. Geschichte ist Heraustreten des trinitarischen Gottes aus sich selbst und Rückkehr in sich selbst »in der Vollendung des innertrinitarischen Gottes«. Als »trinitarischer Geschichtsprozeß« ist Gott »sowohl welttranszendierend wie geschichtsimmanent«. Als ›welttranszendierender‹ ist er Herkunft und Ziel der Geschichte, als ›geschichtsimmanenter‹ ist er ihr Wesen, das sich in ihr auf ihr Ziel hin verwirklicht[262]. Die Geschichte erhält durch ihn finalen und progressiven Charakter. In sie ist die Rechtfertigung integriert. Sie wird zum auf das Ziel, die »neue Schöpfung«, hin nicht erst in der Zukunft, sondern schon in der Gegenwart überholbaren Moment des »trinitarischen Geschichtsprozesses Gottes«. Weil der Heilige Geist die Kirche in ihn einbezieht, ist sie in diese Finalität und Progression der Geschichte eingestellt. »Sieht man . . . von der eschatologischen Zukunft, die in der Geschichte Christi ›schon begonnen hat‹, in die Gegenwart der Kirche, so erkennt man das Wesen schon in der Gestalt und die kommende Gottesherrschaft schon in der geschichtlichen Kirche«. Diese wesentliche, die Rechtfertigung zwar als Moment in sich enthaltende, aber schon hinter sich lassende Kirche in der Progression zur »neuen Schöpfung« ist Gegenstand der Ekklesiologie Moltmanns[263].

262 Das Modell dialektischer Geschichtsphilosophie (Hegel) scheint ebenso durch wie eine auf die Geschichte projizierte Entelechie (Aristoteles).
263 *Moltmann,* Kirche 45ff.33.37.73.49.42; *ders.,* Der gekreuzigte Gott 242.254. – »Das theologische Materialprinzip der Ekklesiologie ist nicht in der Rechtfertigungslehre, mit der sie sich wohl berührt, sondern in der christologisch zentrierten Trinitätslehre zu finden . . . Gott selbst durchläuft den Prozeß seiner Veränderung und damit doch auch Selbstwerdung in den Geschehnissen dieser Welt . . . In die trinitarische Geschichte Gottes ist die Kirche hineingenommen« (*Steinacker,* Die Kennzeichen der Kirche 160.162, zu Moltmann).

Dann fungiert sie aber nicht als *theologische Identifizierung* nichtidentischer, sondern beschreibt wiederum identische Kirche. Sie beschreibt Kirche, die »im Heiligen Geist« »lebt« und »darin selbst Anfang und Angeld der Zukunft der neuen Schöpfung« ist. In diesem Sinne ist sie »charismatische« und »messianische« Ekklesiologie. Zwar wird der Kirche ihre Identität im »apostolischen Wort«, im »Evangelium«, zugesprochen, aber nicht nach der zugesprochenen »Gegenwart« Christi, in der er »kraft seiner identifizierenden Zusage« »die Kirche zur Kirche macht«, blickt Moltmann aus, sondern er geht »von dem Geschehen der Gegenwart Christi aus«, »um die Kirche zu finden«. Zwar korrespondiert dem »Geist« die »Verheißung«, aber er geht »von der ... charismatisch lebendigen Gemeinde aus ...«. Mit einem Wort: Anstatt diesseits der unverfügbaren »Gegenwart Christi«, des unverfügbaren »Heiligen Geistes« die der Rechtfertigung ständig bedürftige, ›wirkliche‹ Kirche theologisch zu identifizieren, beschreibt seine Ekklesiologie identische Kirche in der »Gegenwart Christi«, »in der Kraft des Heiligen Geistes«. Mit Barths Ekklesiologie verbindet Moltmann der deduktive Denkweg. Aber was bei Barth als theologische Inkonsequenz erschien, erscheint bei ihm als theologische Konsequenz seiner »Prozeßtheologie«[264].
Auch Moltmann kann aber nicht übersehen, daß es nichtidentische Kirche gibt. Er behilft sich hier mit einer »doppelten Ekklesiologie«. Auf der einen Seite gibt es die »Gemeindekirche«, die neutestamentliche »Ekklesia«. Sie »ist ihrer Bestimmung und ihrem Wesen nach die *Gemeinde, die sich versammelt*« und in der Folge zur »messianischen Dienstgemeinschaft am Reich Gottes in der Welt«, damit zum »Anfang und Angeld der neuen Schöpfung« wird. Moltmann sucht die Kirche in Geschichte und Gegenwart auf solche »Gemeindekirche«, »Kerngemeinden und Kerngruppen«, »reformerische Sekten«, »Innovationsgruppen in der Großkirche«, »radikale Nachfolgegruppen« hin ab. Auf der anderen Seite gibt es die geschichtlich gewordenen »traditionellen Volkskirchen«. Sie sind amorphe »großkirchliche, übergemeindliche Organisationen« mit einer »unqualifizierten Offenheit für jedermann«, »auf Kompromisse angewiesen«. Wegen ihrer Größe können sie sich nicht ›versammeln‹. Die Folge sind »problematische Verhältnisse«, Degeneration zu »große(n), aufwendige(n) Betreuungskirchen« und, als Korrelat, »Privatisierung des Glaubens«, der »vereinsamte Christ«. Wiederum sucht Moltmann in der Kirchengeschichte von der »Reichskirche« Konstantins an Bestätigungen dieses Klischees. Denn solche »Großkirchen« entsprechen der identischen Kirche seiner Ekklesiologie nicht. Die sich abzeichnende Dichotomie zwischen identischer »Gemeinde-Kirche« und nichtidentischer »Großkirche« ist Folge einer Ekklesiologie, die identische Kirche beschreibt. Nach ihrer Maßgabe selektiert Moltmann innerhalb der empirischen Kirche. Daß er sie in kirchlichen Kleingruppen sucht, ist nur um den

264 *Moltmann,* Kirche 49.52.316.103.141ff; *ders.,* Der gekreuzigte Gott 242.

Preis auf detaillierte empirische Untersuchungen verzichtender Pauschalurteile über die »Großkirche« möglich. Der Verengung der empirischen Perspektive korrespondieren ekklesiologische Aporien. Einerseits entsprechen die benannten Kleingruppen Moltmanns identischer Kirche, andererseits räumt er ein, auch sie seien »ambivalent«. Einerseits verurteilt er nach Maßgabe seiner identischen Kirche die »Volks«- bzw. »Großkirche«, andererseits bejaht er sie als »Massenbasis« für die kirchlichen Kleingruppen[265]. Beides, Verengung der empirischen Perspektive und ekklesiologische Aporien, verrät Unvermögen, nichtidentische Kirche ekklesiologisch anzunehmen[266].

Verfehlung der ersten Funktion der Ekklesiologie, der theologischen Identifizierung empirischer Kirche, zieht die ihrer zweiten Funktion, der *theologischen Orientierung kirchlicher Praxis,* nach sich. Moltmann bildet hierin keine Ausnahme. Die Verdrängung der Volkskirche setzt sich in die spezifisch volkskirchlicher Praxis als Gegenstand theologischer Orientierung fort. Grundgelegt wird sie auch hier in der Ablehnung der Kindertaufe. Moltmann begründet sie ausdrücklich mit der Absicht der Veränderung der »öffentlichen Gestalt und Funktion der Kirche in der Gesellschaft«, sprich: der »traditionellen Volkskirche«, hin zur »messianische(n) Gemeinschaft Christi«, sprich: zur kleinen kirchlichen Aktionsgruppe, dem »Baustein einer Volkskirche, die den Namen verdient«. Dieser Grundrichtung folgt seine theologische Orientierung kirchlicher Praxis auf Schritt und Tritt. Sie äußert sich in theologische Orientierung kaum bemühender Kritik an der Volkskirche in der »Funktion der sozial notwendigen *bürgerlichen Religion*« mit ihrer »religiöse(n) Betreuung des einzelnen und der Familien« sowie der Verwaltung des »religiöse(n) Sinnsystem(s) der Gesellschaft«[267]. Das ist um so verwunderlicher, als Moltmann »ein neues *dialogisches Verhältnis zur Kirche*« aus dem Bedürfnis nach »Information« über »das religiöse Sinnsystem« notiert und dem »Dialog mit den Weltreligionen«, dem »Gespräch mit den Volksreligionen« (!) das Wort redet. Aber dafür tritt er nur im Blick auf die »Mission« und den »ökumenischen Dialog« ein – nicht im Blick auf die nahe, in unserem Raum theologischer Orientierung aufgegebene volkskirchliche Praxis. Diese Grundrichtung äußert sich ebenso in der Beiläufigkeit, in der er die Praxis »Unterricht« abtut. Er ist sich seiner Bedeutung für eine Volkskirche bewußt, aber wenn er ihn in die »Dienstleistungen in Taufe, Unterricht, Trauung, Seelsorge und Beerdigung« einreiht, die »vom

265 »Ohne die Großkirchen haben diese Gruppen keine Massenbasis. Ohne Wirkung auf die weltoffene Kirche verliert die Praxis der Weltverneinung ihren Bezug« (*Moltmann*, Kirche 352). Vgl. zu dieser »Doppelstrategie« auch Gollwitzer (s.o. 131). An Gollwitzers sozialistische Gruppen erinnert Moltmanns Feststellung, daß »die Linie, der die Christenheit in der Welt folgen sollte, auf ›Sozialismus‹ ... hinauszulaufen« scheint (*Moltmann*, Kirche 198).
266 *Moltmann*, Kirche 359ff.350ff.354.357f.
267 Moltmann wendet sich hier, ohne Namensnennung, gegen *Dahm*, Pfarrer 116ff; *ders.*, Religiöse Kommunikation und kirchliche Institution 142ff.

Volk in ›christlichen Ländern‹ vorwiegend an den Knotenpunkten und in den Sinnkrisen des Lebens in Anspruch genommen« werden, wendet er die Kritik an der Volkskirche in der Funktion der Religion unserer Gesellschaft auch auf ihn an. Weder faßt er ihn genauer ins Auge, noch geht er den Möglichkeiten nach, die er für das Kirchewerden der empirischen Kirche eröffnet. Wie er überhaupt die Frage nicht der Erörterung für wert erachtet, wie heute Gemeinde um das Evangelium zu versammeln sei, sondern um das Evangelium »versammelte Gemeinde« voraussetzt, so treten darauf abzielende Aufgabenstellungen kaum in sein Blickfeld. Diese Grundrichtung setzt sich fort, wenn er im Anschluß an Barth[268] - aber so verkürzt, daß der mit der Wirklichkeit der empirischen Kirche unvermittelte, deduzierende Charakter erst recht hervortritt - auf allen Ebenen bis zur »Kirchenverwaltung« von »Ämtern des Geistes« »ausgeht«. Er verweigert jede Auskunft über ihre Verwirklichung in der »Organisation« »Großkirche«. Statt dessen weicht er sofort auf die »charismatisch lebendige Gemeinde« aus, der bei ihm die kleine kirchliche Aktionsgruppe entspricht. Aber auch sie ist nach ihm ja auf die »Massenbasis« »Großkirche« angewiesen. Durch Ausweichen wird er die Frage nicht los. Die theologischer Orientierung aufgegebenen, schwierigen Probleme der Praxis heutiger empirischer Kirche werden insgesamt nicht dadurch aus der Welt geschafft, daß Moltmann sie mit Hilfe einer ekklesiologischen Dichotomie um die volkskirchliche Praxis verkürzt und auf die der kleinen kirchlichen Aktionsgruppe verengt. Wer vom liturgischen bis zum politischen Gottesdienst die ekklesiologisch deduzierte »Exodusgemeinde«, die »messianische Dienstgemeinschaft in der Welt« in die Praxis hinein verlängert, konstruiert die Praxis einer »Elitekirche« unter Ausklammerung der empirischen Kirche und ihrer Widerständigkeit. Trotz Beteuerung des Gegenteils hat er die Mehrheit der Mitglieder der empirischen Kirche aufgegeben[269].

Auch Moltmann intendiert in der Nachfolge der dialektischen Theologie auf dem »Grund« der Kirche, dem apostolischen Evangelium von Jesus Christus, gedachte Ekklesiologie. Ja, er wagt sich in Richtung ihrer Funktion an der empirischen Kirche am weitesten vor. Aber auch bei ihm wiederholt sich der die Ekklesiologie im Umkreis der dialektischen Theologie begleitende Widerspruch zwischen Intention und Durchführung. Auch sein Anlauf zu einer »funktionalen« theologischen Ekklesiologie scheitert an einem wesenszentrierten Denken, von dem sich kein Vertreter dieser Gruppe völlig zu lösen vermochte, das von ihm aber auch theologisch legitimiert wird.

268 S.o. 103f.
269 *Moltmann*, Kirche 258.250f.185.182.183.257.316f.356.361.

2.2.6
Im geisteswissenschaftlichen Zirkel

In der Entschlossenheit, Kirche auf dem »Fundament« des apostolischen Evangeliums von Jesus Christus zu denken, stimmen Barth, Bultmann, Bonhoeffer, Gollwitzer und Moltmann überein. In der Fundamentalfrage geben sie der von Schleiermacher beeinflußten ekklesiologischen Richtung damit den Abschied. Die Religionskritik des 19. Jahrhunderts, die in Nietzsches Verkündigung, »daß ›Gott tot ist‹«[270], ihren Höhepunkt erreichte, nehmen sie ernst und entdecken aufs neue die Ekklesiologie der Reformatoren und über sie die des Neuen Testaments, insbesondere die des Paulus[271].
Den Zirkel, in dem wohl der religiöse Mensch, aber nicht Gott begegnet, wollen sie zu dem sich in Jesus offenbarenden Gott Israels hin aufbrechen, indem sie die Identität der empirischen Kirche nicht in ihr selber, sondern im mit ihr nicht identischen, *extra nos* »für euch« dahingegebenen »Leib« Christi (1Kor 11,24) suchen. Im Ausblick auf ihre extrinsische Identität wollen sie die empirische Kirche theologisch identifizieren. Theologie, die - diese Formel Barths übernehmen sie alle - »Funktion der Kirche« sein soll, spitzt sich bei ihnen in die Intention einer Ekklesiologie zu, die sich funktional auf die empirische Kirche in theologischer Identifizierung und auf ihre Praxis in entsprechender theologischer Orientierung bezieht.

Die Verwirklichung ihrer ekklesiologischen Intention hängt nach ihrem eigenen Urteil *erstens* von der Strenge ab, mit der sie den Ausblick auf die extrinsische *Identität der Kirche,* die theologisches von religionsphilosophischem und geistesmetaphysischem Denken jeglicher Art unterscheidet, offenhalten. Die Absicht kommt in Barths Ablehnung einer Inhärenz des »Wesens« der Kirche ebenso zum Ausdruck[272] wie in Bultmanns Verweis auf ein »jenseitiges Wesen«. Theologische Ekklesiologie vermag weder die Identität der Kirche zu induzieren noch ist es ihre Aufgabe, identische Kirche zu deduzieren. Denn die Kirche auf dem »Fundament« des Evangeliums von Jesus Christus *ist* nicht identisch im Sinne ihr innewohnender Seinsqualität, sondern *wird* identisch durch den im zugesprochenen Evangelium zukommenden Heiligen Geist[273]. Dem entspricht eine

270 S.o. 79.
271 *Calvin,* Institutio IIII, 2,1: Wenn also das Fundament (fundamentum) der Kirche die Lehre der Propheten und Apostel ist, in der den Gläubigen befohlen wird, ihr Heil auf Christus allein zu gründen - wie soll denn das Bauwerk noch weiter Bestand haben, wenn man dies Fundament wegnimmt? Die Kirche muß also notwendig zusammenbrechen, wo diese Hauptsumme der Gottesverehrung, die sie allein aufrecht erhalten kann, dahinfällt (*Calvin,* Unterricht, übers. v. O. Weber, 42).
272 S.o. 87f.
273 Die Renaissance reformatorischer Ekklesiologie ist unverkennbar. Vgl. *Luther:* »Dominus . . . congregat credentes in unum, ut *fiat* ecclesia« (WA 30 II 688, 5f. Hervorhebung E. Hübner). - »Besondere Beachtung verdient . . . wie Luther . . . die Frage nach dem ›esse‹ der Kirche auf Erden mit einem ›fiat‹ beantwortet. Die Kirche ›in terra‹ ist immer im ›Werden‹ . . .« (*Haar,* Initium Creaturae Dei 50).

Ekklesiologie, die von der Verheißung ihrer Identität *»extra nos«* her auf sie hin die empirische Kirche theologisch identifiziert[274]. Nicht in ontologisierende Beschreibung identischer, sondern in funktionale Identifizierung nichtidentischer Kirche, die sich in entsprechende Orientierung ihrer Praxis verlängert, spitzt sich folgerichtig eine Theologie zu, die sich als »Funktion der Kirche« begreift. In ihr ist von empirischer als nichtidentischer Kirche auszugehen, die immer aufs neue auf den Anfang des Wirkens des Heiligen Geistes angewiesen, die immer Kirche im Werden ist[275]. Wie ihre Identität, so liegt auch deren Kontinuität nicht in ihr selber, sondern *»extra nos«* in dem Gott, der sich in dem »für euch« dahingegebenen »Leib« Christi offenbart. Alles das bündelt sich in Barths Ablehnung einer Inhärenz des »Wesens« der Kirche. Aber den von dieser ekklesiologischen Richtung dennoch fast durchweg verwendeten Begriff »Wesen« konstituiert die Inhärenz. Schon an Platons Wesen (οὐσία) hat die Erscheinungswelt insofern Anteil (μέθεξις), als sie seine Erinnerung (ἀνάμνησις) veranlaßt[276]. Mit Ciceros lateinischer *»essentia«* geht die platonisch-aristotelische Wesens-Inhärenz nicht nur bei Thomas von Aquin in die Theologie ein. Sie gilt auch für die mit ihr zusammenhängende *substantia* und *subsistentia*[277]. Diese Begriffe koinzidieren in der Inhärenz des »Wesens«, der Identität *in* den Dingen und Erscheinungen[278]. Weil ihm diese Implikation bewußt war, lehnt Barth eine Inhärenz des »Wesens« der Kirche ab. Er knüpft wieder an Luther an, der über den Begriff ὑπόστασις *(substantia)* in Hebr 3,14 urteilt: »Gewiß ist, daß der Gläubige an dieser Stelle die Philosophen-›Schuhe von den Füßen ziehen‹ muß ...«[279]. Dennoch verfängt er sich im Widerspruch zwischen Ablehnung und Konstitution des Begriffs »Wesen« durch die Inhärenz. Einerseits bleibt bei ihm die Intention immer erkennbar, den Ausblick auf

274 »Die Aufgabe der Theologie ... ist es, die Tatbestände in der eschatologischen Ausrichtung zu halten. Was heißt aber eschatologische Ausrichtung der Dinge? Es heißt alles verstehen vom Akt Gottes her, das Seiende nicht in seiner »quidditas« und »qualitas«, sondern in seinem Herkommen von Gottes Tun und in seinem Hingehen auf Gottes Tun sehen« (*Link*, Ringen Luthers 99).

275 Die »Grundlegung des ›initium‹ ist nicht bloß ein einmaliger Akt, sondern zugleich ein dauerndes Geschehen, d.h. ein fortwährendes Handeln Gottes am Menschen ... das ›initium‹ ... ein Geschehen *am* Menschen, dessen dauernder Urheber der ewige Gott ist« (*Haar*, Initium Creaturae Dei 38f). – »Ihm [Luther] geht es immer um die prima gratia, die Anfangsgnade. Damit ist nicht nur gesagt, daß das neue Leben von Anfang bis Ende ausschließlich Gottes Werk sei, sondern daß es zwischen diesem Anfang und diesem Ende keinen Punkt gibt, wo Gottes Gnade nicht immer anfängliche Gnade, prima gratia bliebe« (*Link*, Ringen Luthers 90).

276 Vgl. *Platon*, Phaidon 100 C f.

277 Alle Begriffe kommen bei Luther vor. *Vogelsang*, Luthers Hebräerbrief 5 Anm., unterscheidet: »Ich übersetze hier und im folgenden konsequent: essentia = Sein; substantia = Wesen; subsistentia = Wesenheit«.

278 »In den genannten ... Identifikationen ... bleibt erhalten, daß e. [essentia] das Eigentliche eines jeden Gegenstandes ausdrücken soll, das, was ein Ding zu dem macht, was es ist, und zwar unter ontologischem, sprachlichem und unter logischem Gesichtspunkt« (*J. Klein*, Art. Wesen 1654).

279 »Certum est hoc loco solvenda esse philosophiae calciamenta de pedibus fidelium ...« (*Luther*, Hebräerbrief, hg. v. J. Ficker, 44,9ff. Übers. E. Vogelsang 60).

die extrinsische Identität der Kirche offenzuhalten, andererseits unterliegt er der Eigengesetzlichkeit des Begriffs »Wesen«, wenn er aus der Christologie ›wesentliche‹ Kirche deduziert, die die empirische Kirche überlagert. Bultmanns »jenseitiges Wesen« ist ein kategorialer Widerspruch. Bonhoeffers Formel: »Christus als Gemeinde existierend« tendiert im Gefolge seines Interesses am »Aufweis der wesentlichen Struktur des Sozialgebildes Kirche«[280] so offenkundig zur Wesensinhärenz, zu intrinsischer Identität der Kirche, daß er die »totale Identifikation zwischen Christus und Gemeinde« als »ein ungelöstes Problem« anzeigen muß. Gollwitzer erinnert zwar daran, daß die Identität der Kirche *extra nos* zukommt, wenn er darauf hinweist, daß sich in der Predigt »die Ernennung zur Kirche« vollzieht, verfällt aber selber dem »eigentlich« zu Vermeidenden, Ekklesiologie als »Selbstbeschreibung« ›wesentlicher‹ Kirche zu entwerfen[281]. Wie Bonhoeffer leitet ihn dabei ein sozialphilosophisches Interesse. Moltmann schließlich bringt einerseits noch einmal programmatisch die Intention dieser Richtung zum Ausdruck, wenn er von einer Ekklesiologie spricht, die auf den extrinsischen »›Gegenstand‹ des Glaubens« bezogen sein und an der empirischen Kirche »funktional« werden soll, andererseits ist er derjenige, dessen Ekklesiologie nicht nur ebenfalls im »Wesen der Kirche« zentriert und ›wesentliche‹ Kirche deduziert, sondern der darüber hinaus beides theologisch legitimiert. Bleibt bei Barth, Bultmann, Bonhoeffer und Gollwitzer der Ausblick auf die extrinsische Identität der Kirche als leitende Intention ihrer Ekklesiologie immer erkennbar, Moltmanns in den progressiven »trinitarische(n) Geschichtsprozeß Gottes« eingestellte Kirche schließt Wesensinhärenz ein. Aber was bei ihm an den Tag tritt, ist die Tendenz auch der anderen Vertreter dieser ekklesiologischen Richtung. Den Widerspruch zwischen ihrer Intention, den Ausblick auf die extrinsische Identität der Kirche offenzuhalten, und der den Begriff »Wesen« konstituierenden Inhärenz bewältigten auch sie nicht. In der Konkurrenz zwischen theologischer Intention und philosophischer Konstitution des verwendeten Begriffs setzt sich letztere bei ihnen allen mehr oder weniger durch. Zwei von ihnen benennen die Ursache: die Eintragung auch der Ekklesiologie in das Verständnis evangelischer Theologie als wesenszentrierter Geisteswissenschaft (Bultmann) – ihre Orientierung an der geisteswissenschaftlichen »Sozialphilosophie«, die an der »wesenhafte(n) Struktur des geistigen Phänomens der Gruppe« interessiert ist (Bonhoeffer). Bultmann und Bonhoeffer verweisen beide auf Dilthey, den Schüler Schleiermachers und Begründer sich

280 Hervorhebungen E. Hübner. – »Die Kirche hat ... im Verlauf ihrer Geschichte sich selbst auch *sozialphilosophisch* zu begreifen ... versucht, d.h. sie hat ihre empirische Erscheinung nicht nur mit der Glaubensgröße Kirche reflektierend in Verbindung gesetzt, sondern auch theoretisch von ihrem ›Wesen‹ her zu deuten unternommen« (*Ernst Wolf*, Art. Kirche 625).

281 Obwohl er, soweit ich sehen kann, als einziger der Genannten den Begriff »Wesen« nicht verwendet, trifft er die Tendenz auch seiner ekklesiologischen Skizzen.

von der Naturwissenschaft abgrenzender Geisteswissenschaft. Die Wesensschau seines »objektiven Idealismus« verweist wiederum auf den Idealismus – Hegels sowie seiner »historisch-materialistischen« Umkehrung Einfluß in den Ekklesiologien Bonhoeffers, Moltmanns sowie Gollwitzers ist kein Zufall – und über ihn hinaus auf die abendländische Geistesgeschichte bis zu ihrer einen Wurzel, der Frage der griechischen Metaphysik und Ontologie nach dem Sein des Seienden, dem Wesen der Dinge und Erscheinungen[282]. Die bewußte und unbewußte Unterordnung der Theologie unter die im metaphysisch, ontologisch und logisch geladenen Begriff »Wesen« zentrierende Geisteswissenschaft hindert Barth, Bultmann, Bonhoeffer, Gollwitzer und Moltmann in der Ekklesiologie an der Verwirklichung ihrer Intention. Denn sie relativiert ihre theologische Voraussetzung, die strenge Wahrung der Identität der Kirche *»extra nos«*. Die Verwirklichung ihrer ekklesiologischen Intention hängt *zweitens* davon ab, daß sie zur empirischen Kirche mit ihrer Praxis durchdringen. Sie ist der Bezugshorizont einer sich in die Ekklesiologie zuspitzenden Theologie als »Funktion der Kirche«. Barth, Bultmann, Bonhoeffer, Gollwitzer und Moltmann bemühen sich darum. Aber nicht nur der unterschiedliche Grad ihrer Bemühung, sondern auch Korrekturversuche in dieser Hinsicht weisen darauf hin, daß sie sie nur eingeschränkt wahrnehmen. Von vorneherein engen theologische Wertungen ihr Blickfeld ein bis dahin, daß sowohl die historische als auch die empirische, insbesondere soziologische Analyse der Kirche auf Distanz stoßen. Aber auch da, wo sie, wie Bonhoeffer und Gollwitzer, ausdrücklich eine »Soziologie der Kirche« fordern, verhindert das Vorzeichen, unter das sie sie rücken, ihre uneingeschränkte Verwirklichung. In Paarung und Reihenfolge »Sozialphilosophie und Soziologie« bei Bonhoeffer drückt sich das Vorzeichen sozialphilosophischer Wertung, hinter das die empirische Soziologie rückt, am deutlichsten aus. Nach diesem Modell entworfener Ekklesiologie eignet das Vorzeichen theologischer Wertung, unter das die Empirie der Kirche und ihre Analyse rücken, als Denkstruktur. Sie manifestiert sich durchweg einerseits in der Verengung des ekklesiologischen Blickfelds auf die sog. Kerngemeinde, die je nach Standort als gottesdienstliche Gemeinde, sozialrevolutionäre Gruppe oder Kombination beider beschrieben wird, und ihrer Idealisierung; andererseits in der tendenziellen bis vollzogenen Ausblendung der Volkskirche aus dem ekklesiologischen Blickfeld und ihrer Perhorreszierung. Die gleiche Ursache, die die theologische Voraussetzung der ekklesiologischen Intention dieser Gruppe, die strenge Wahrung der extrinsischen Identität der Kirche, relativierte, ver-

282 »Von seiner [Hegels] Philosophie des Geistes haben ... die deutschen Geisteswissenschaften ihren Namen geerbt ... Immer wieder tauchen ... bestimmte gemeingeisteswissenschaftliche Fragen auf: wie ist das Wesen der Religion oder Kunst ohne historisches Material zu finden, wie andererseits diese Geschichte ohne Wesensbegriff angreifbar? ... Ganz typisch sind ... alle Versuche auf Unterscheidungen zwischen ›Wesen‹ und ›wahrem Wesen‹, Wesenszügen im engeren und weiteren Sinn« (*Rothacker,* Geisteswissenschaften 20.33.63).

hinderte die uneingeschränkte Wahrnehmung ihres Bezugshorizonts, der empirischen Kirche: die Unterordnung der Theologie einschließlich der Ekklesiologie unter die wesenszentrierte Geisteswissenschaft. Bonhoeffer stellt für seine unter dem Vorzeichen der »Sozialphilosophie« auf den »Aufweis der wesentlichen Struktur des Sozialgebildes Kirche« ausgerichtete »Soziologie der Kirche« ausdrücklich fest, sie sei nicht Natur-, sondern Geisteswissenschaft. Das Erbe Diltheys in dieser Abgrenzung der Geisteswissenschaften von den Natur- und empirischen Humanwissenschaften verbindet ihn mit Bultmann. Dieser trägt die Ekklesiologie so ausschließlich in die Geisteswissenschaften ein, daß sie sich einer historisch-empirischen Betrachtungsweise der Kirche prinzipiell verschließt. Im Extrem tritt an den Tag, was auch die Tendenz Barths, Bonhoeffers, Gollwitzers und Moltmanns ist: eine drohende Diastase zwischen theologischer Ekklesiologie und empirischer Kirche. Sie hindert die Vertreter dieser Richtung wiederum an der Verwirklichung ihrer ekklesiologischen Intention. Denn die bewußte und unbewußte Unterordnung der Theologie unter die wesenszentrierte Geisteswissenschaft tendiert nicht nur zur Deduktion ›wesentlicher‹ Kirche, sondern läßt auch deren Empirie bestenfalls in ›wesens‹-bestimmter Selektion zur Geltung kommen. Beides bedingt einander. So verstellt sie auch ihren Bezugshorizont, die uneingeschränkt wahr- und als ihr aufgegeben anzunehmende, empirische Kirche.

Die Folgen treten da an den Tag, wo sich Theologie als »Funktion der Kirche« ausweisen muß. Durchweg alle Vertreter dieser Richtung intendieren als Hauptfunktion der Ekklesiologie die *theologische Identifizierung* der empirischen Kirche. Die Tendenz zur Deduktion ›wesentlicher‹ Kirche und zur nur selektiven Wahrnehmung der empirischen Kirche verhindert aber die Entfaltung ihrer Intention. Grenzt Barths »ernstlich so zu nennende Gemeinde« nahezu an identische Kirche, deren theologische Identifizierung sich erübrigt, so ist die Volkskirche von verheißener Identität nahezu ausgeschlossen, so daß sich ihre theologische Identifizierung ebenfalls erübrigt. Gleiches gilt von der Barths »ernstlich so zu nennende Gemeinde« abwandelnden »sozialistischen Gruppe« Gollwitzers sowie von Moltmanns »Gemeindekirche« auf der einen und der »Großkirche« Volkskirche auf der anderen Seite. Auch in Bonhoeffers an der Sozialphilosophie ausgerichteter Ekklesiologie hat theologische Identifizierung der empirischen Kirche keine Funktion. Und Bultmanns »in ihrem Wesen unsichtbare Kirche« stößt in die Leere einer buchstäblich »entweltlichten«, von der empirischen Kirche absehenden Abstraktion.

Diese Dysfunktionalität wiederholt sich bei der *theologischen Orientierung der Praxis* der empirischen Kirche. Barths theologische Orientierung ist auf die Praxis der »ernstlich so zu nennenden Gemeinde« verengt. Spezifisch volkskirchlich Praxis taucht bei ihm nur am Rande und in der Regel von vorneherein diskreditiert auf. Gollwitzer und Moltmann setzen diesen Trend fort. Verengt ersterer die theologische Orientierung auf die Praxis »sozialistischer Gruppen«, so letzterer auf die der »Gemeindekirche«. Volkskirchliche Praxis ist für beide kein Gegenstand theologischer Orientierung. Bultmann konzentriert sie unter Entlassung ihrer sozialen und pädagogischen Auswirkung ausschließlich auf die »Wortverkündigung«. Dieser Verengung erliegt auch Bonhoeffer. Er ist es aber auch, der seinen Blick über die Kerngemeinde hinaus auf die »Massenkirche« fallen läßt und so wenigstens die Frage nach einer ihr entsprechenden Praxis und ihrer theologischen Orientierung anklingen läßt. Sie beleuchtet grell das Defizit der theologischen Orientierung kirchlicher Praxis durch die Vertreter dieser Richtung. Zu einer der modernen »Massenkirche« (Bonhoeffer) oder »Großkirche« (Moltmann) entsprechenden Praxis und ihrer theologischen Orientierung dringen sie nicht durch.

Barth, Bultmann, Bonhoeffer, Gollwitzer und Moltmann intendieren in bewußter Abkehr von Schleiermacher und seinen Nachfolgern Ekklesiologie auf dem »Fundament« des apostolischen Evangeliums von Jesus Christus. Weil sie sich jedoch nicht mit gleicher Entschlossenheit vom herkömmlichen Verständnis der Theologie als wesenszentrierter Geisteswissenschaft zu lösen vermochten, trug ihr Durchbruch nicht ans Ziel. Induzierten sie auch gerade nicht wie Schleiermacher ein all-gemeines, inhärentes »Wesen« der Kirche, so deduzierten sie doch ›wesentliche‹ Kirche. Der darin beschlossenen Konsequenzen vermochten sie sich nur mit Mühe zu erwehren. Es ging ihnen um in Identifizierung empirischer Kirche und Orientierung ihrer Praxis sich zuspitzende »Theologie« als »Funktion der Kirche« – infolge ihres deduktiven Denkwegs endeten sie aber in beiden Hinsichten in mehr oder weniger dysfunktionaler Ekklesiologie. In der Aporie tritt an den Tag, daß auf dem »Fundament« des apostolischen Evangeliums dem Verweis auf die extrinsische Identität der Kirche folgende und zu intrinsischer ›Wesens‹-Identität tendierende Ekklesiologie inkommensurabel sind. Allein die strenge Aus-Richtung auf das *extra nos* der Identität der Kirche, des sich in Jesus offenbarenden Gottes Israels, und auf das verheißene Wirken seines im zugesprochenen apostolischen Evangelium zukommenden Heiligen Geistes – und der ebenso strenge Widerspruch zu jeglicher ›Wesens‹-Identität vermag ihre ekklesiologische Intention zu verwirklichen. Sie befreien theologische Ekklesiologie zu angstloser Wahrnehmung und vorbehaltloser Annahme der ihr aufgegebenen empirischen Kirche. Sie disponieren sie damit zu ihrer Funktion, die empirische Kirche theologisch zu identifizieren und ihre Praxis theologisch zu orientieren.

3

Ausblick

Im Rückblick auf repräsentative Ekklesiologien der evangelischen Theologie seit Schleiermacher schälten sich zwei Richtungen heraus, die die Überschriften »Die Kirche als Religionsgesellschaft« und »Die verfehlte empirische Kirche« anzeigen. Ihre Entwicklung aus Einzeldarstellungen soll der Gefahr der Schematisierung entgegenwirken, ohne auf die Hervorhebung des jeweils Kennzeichnenden zu verzichten. Die Richtung, die die Kirche auf eine Religionsgesellschaft reduziert, ist auf dem ›Fundament‹ der mit einem Gottesbewußtsein angeblich identischen Religion des Menschen entworfen. Sie nimmt die empirische »Volkskirche« wahr und als theologischer Ekklesiologie aufgegeben an. Die Richtung, die die empirische Kirche verfehlt, ist auf dem apostolischen »Fundament« der Kirche (1Kor 3,11) entworfen. Sie nimmt die empirische »Volkskirche« nur eingeschränkt wahr und als theologischer Ekklesiologie aufgegeben nicht an. Die beiden Richtungen repräsentieren eine fundamentale Alternative theologischer Ekklesiologie. Sie ist aber nicht identisch mit der Annahme oder Nichtannahme der empirischen »Volkskirche«. Barths Definition der Theologie als einer »Funktion der Kirche« schließen sich, meistens wörtlich, Bultmann, Bonhoeffer, Gollwitzer und Moltmann an. Aber auch Schleiermachers und, teilweise, seiner Nachfolger Theologieverständnis ließe sich so definieren, was Tillich auch ausdrücklich tut. Sie stimmen darin überein, daß Theologie aus der empirischen Kirche hervorgeht und sich auf sie bezieht. Die empirische Kirche ist ihr vorgegeben. Auf sie bezieht sie sich als ihren Gegen-stand. Davon ist die »Volkskirche« nicht auszunehmen. Aber sie bezieht sich als Theologie auf die empirische Kirche. Deshalb kann sie der Frage nach dem Fundament der Kirche nicht ausweichen. Denn die Kirche muß sich stets aufs neue ihrer Identität vergewissern, will sie nicht zum Spielball ihr fremder Interessen und Bedürfnisse werden. Denn sie bedarf der ständigen Orientierung ihrer Praxis, soll diese nicht zum Mittel für fremde Zwecke und zum leeren Betrieb entarten. Sie bedarf der Vergewisserung ihrer Identität und der Orientierung ihrer Praxis durch die Theologie, will sie sich nicht als Kirche verlieren. Theologie ist »Funktion der Kirche« in dieser doppelten Hinsicht. Diese Definition schließt an das Neue Testament an, auch wenn es den Begriff Theologie noch nicht verwendet. Sie schließt an das Neue Testament an, aber um »Funktion der Kirche« einer anderen geschichtlichen Zeit zu sein.

3.1

Die Kirche des Glaubens

»(Credimus) in Spiritum Sanctum, Dominum et vivificantem ... Et unam sanctam catholicam et apostolicam ecclesiam«[283] – Wir glauben an den Heiligen Geist, den Herrn, der lebendig macht ... und die eine, heilige, allgemeine und apostolische Kirche. Eine Kirche, die das bekennt, unterscheidet zwischen sich, der Kirche in Raum und Zeit, und der Kirche des Glaubens. Sie unterscheidet zwischen sich und der Kirche des Glaubens, die sie an sich und als solche nicht ist, sondern wird durch den »Heiligen Geist, den Herrn, der lebendig macht«. Auf sie, die Kirche des Glaubens, hin, um ihretwillen ist die Kirche in Raum und Zeit.
Als sich die Großkirche im Laufe ihrer Geschichte in Konfessionen aufspaltete, hielten diese mit den altkirchlichen Symbolen an der Kirche des Glaubens fest. Inmitten der zerspaltenen Kirche in Raum und Zeit halten sie gemeinsam nach der »una sancta catholica et apostolica ecclesia« des Glaubens Ausschau[284]. Sofern sich von »ökumenischer Theologie« sprechen läßt[285], ist sie in diesem gemeinsamen Ausschauen aufzusuchen. Aber nicht erst die Welt-Ökumene, sondern schon die Kirche vor Ort, nicht erst der Dialog mit der benachbarten, sondern schon der Dialog in der eigenen Konfession zeigen, wie die Kirche in Raum und Zeit immer wieder die Kirche des Glaubens verdeckt. Hat Theologie als »Denken des Glaubens« »den Glauben als Glauben zu bewahren«[286], so gilt das auch

283 Das sog. Symbolum Nicaeno-Constantinopolitanum (Text: D 86). Vgl. das sog. Symb. Apostolicum: Credo in Spiritum sanctum sanctam ecclesiam catholicam (Text: D 6). Auch die lutherischen Bekenntnisschriften orientieren sich an einer lateinischen Übersetzung des griechischen Textes, die, mit Ausnahmen, mit der des Denzinger übereinstimmt (BSLK, 26f). Die Übereinstimmung betrifft insbesondere die Auslassung der Präposition »εἰς« bzw. »in« vor »ecclesiam«. Harnack erinnert daran, »daß nach damaligem Sprachgebrauch das ›in‹ lediglich als Exponent des Accusativverständnisses gelten konnte«, aber auch daran, daß »die Auslassung der Präposition ›in‹ vor ›ecclesiam‹ nicht zufällig« ist. »Auch diese Variante geht auf die augustinische Theologie zurück, letztlich aber auf die noch ältere abendländische Abneigung, irgend etwas anderes als den dreifaltigen Gott als Objekt des religiösen Glaubens im höchsten Sinne zu bekennen« (*Harnack,* Konstantinopolitanisches Symbol 14).
284 Röm. Katholizismus: s.o. Anm. 283. – Orthodoxer Katholizismus: »Die orthodoxe katholische ist die Fortsetzung der Alten Kirche ... Die Alte Kirche aber ist ... durch die Sieben Ökumenischen ... Synoden ... organisiert ... worden« (*Karmiris,* zit. nach: *Fahlbusch,* Kirchenkunde 210). – Lutherische Reformationskirchen: Die »Churfürsten, Fürsten und Stände Augsburgischer Konfession« nehmen in die »Concordia« von 1580 die »drei Haupt-Symbola oder Bekenntnis des Glaubens Christi in der Kirchen einträchtiglich gebraucht« auf (BSKL 1ff). – Reformierte Kirchen: Confession de foy, 1559, Art. 1/5; Ecclesiarum Belgicarum Confessio 1561, XI; Confessio et exspositio simplex orthodoxae fidei (Confessio Helvetica posterior), 1566, XI (Texte: *Niesel,* Bekenntnisschriften und Kirchenordnungen 67.123.238f).
285 *Huber,* Kirche 95.
286 *Jüngel,* Theologische Wissenschaft und Glaube 30.

für die theologische Ekklesiologie. Der ständigen Gefahr, die Kirche des Glaubens aus dem Blick zu verlieren[287], wirkt sie dann entgegen, wenn sie bei ihr einsetzt.
Einem ökumenischen Brauch folgend[288], soll das am Leitfaden des altkirchlichen Symbols geschehen. Jedoch kann eine lediglich fortlaufende Auslegung der sog. »notae ecclesiae« die Unterscheidung einebnen, auf die hier alles ankommt: die Unterscheidung zwischen dem Attribut »apostolisch« auf der einen und den übrigen Attributen auf der anderen Seite. Denn sie weist auf das apostolische »Fundament« (1Kor 3,11) hin, auf dem die eine, heilige, allgemeine und – die andere Dimension des Attributs »apostolisch« – zu den Menschen gesandte Kirche des Glaubens auferbaut ist[289]. Dieser Weisung ist Folge zu leisten.

1. Die »apostolische« Kirche ist auf dem apostolischen »Fundament« (1Kor 3,11) erbaut. Die fundamentale Bedeutung der »durch die zwölf Apostel [überlieferten] Lehre des Herrn«[290] zeitigte die im 2. Jahrhundert einsetzende Kanonisierung als apostolisch geltender unter Ausscheidung nicht als solcher geltender Schriften[291]. Als von den Aposteln gepredigtes, danach schriftlich überliefertes »fundamentum fidei«[292] setzte sich die Kirche mit dem Kanon ihr fundamentales Sachkriterium. Das apostolische ist das befremdende Evangelium: ». . . wir aber verkündigen Christus als den Gekreuzigten, den Juden ein Ärgernis, den Heiden eine Torheit« (1Kor 1,23). Das »Ärgernis« der »Zeichen« fordernden Juden und das Urteil »Torheit« der »Weisheit« suchenden Heiden stimmen in dem Verlangen nach Aufhebung seiner Fremdheit durch Unterordnung unter einsichtige Maßstäbe überein[293]. Dabei weist die Paarung »Juden« und »Heiden« über die bestimmten Adressaten einer bestimmten Situation hinaus[294]. Als das fremde kommt das apostolische Evangelium zum Menschen.

287 *Slenczka* (Gottesvolk und Volkskirche 192ff) kritisiert aus diesem Grunde: *Hild* (Hg.), Wie stabil ist die Kirche?
288 U.a. auf evangelischer Seite: *Barth*, KD IV/1 746ff; *Moltmann*, Kirche 336ff; *Ebeling*, Dogmatik III 371ff; *Huber*, Kirche 87ff. Auf röm.-katholischer Seite: *Schmaus*, Katholische Dogmatik III/1 542ff; *Küng*, Die Kirche 313ff.
289 »Die *Apostolizität* nimmt eine Sonderstellung innerhalb der vier Eigenschaften der Kirche ein. Zwar gilt von einer jeden dieser Eigenschaften, daß sie nur mit den drei anderen verwirklicht ist . . . In dieser Zusammengehörigkeit und Einheit der vier Eigenschaften hat die Apostolizität jedoch . . . eine besondere Stellung . . . die Apostolizität (hat) die Bedeutung der Eigenschaft, auf der die anderen Eigenschaften der Kirche in eigentümlicher Weise aufruhen . . .« (*Schlink*, Der kommende Christus 97f).
290 Διδαχὴ κυρίου διὰ τῶν δώδεκα ἀποστόλων. – So die Einleitung einer Schrift aus dem 1. bzw. dem Anfang des 2. Jh.s.
291 »Die Apostolizität einer Schrift entscheidet darüber, ob diese für die Kirche verbindlich ist . . . Fand man . . ., daß Schriften dem Kanon der Wahrheit entsprachen, dann war damit ihre Autorität gesichert, galten sie dementsprechend als apostolisch« (*Marxsen*, Einleitung in das Neue Testament 288). Zu den verwickelten Problemen der Kanonbildung vgl. auch *Vielhauer*, Urchristliche Literatur 774ff.
292 *Irenaeus*, Adv. haereses III 1,1.
293 »Sie muten Gott zu, sich ihren Kriterien zu unterwerfen« (*Conzelmann*, Erster Korinther 62).
294 Sie »ist ein jüdisches Äquivalent zur griechischen Klassifizierung: ›Griechen und Barbaren‹« (*Conzelmann*, Erster Korinther 62).

Dem fremden apostolischen Evangelium entspricht der fremde Geist Gottes, der zum Menschen kommt. »Was kein Auge gesehen und kein Ohr gehört hat und in keines Menschen Herz aufgestiegen ist . . ., das hat uns Gott durch den Geist offenbart . . . Der psychische Mensch aber nimmt nicht an, was des Geistes Gottes ist, denn es ist ihm Torheit, und er kann es nicht erkennen . . .« (1Kor 2,9.10.14). Paulus greift hier die Sprache der gnostisch geprägten Korinther auf, um den ›Geist‹ (πνεῦμα) – in der Gnosis das zwar »unweltliche«, aber nicht fremde »Selbst« des Menschen, sein »jenseitige(r) Selbstkern« und deshalb ihm verfügbares »Prinzip seiner vorzunehmenden Entweltlichung«[295] – radikal zu überbieten. Denn er spricht wie von dem fremden apostolischen Evangelium so von dem dem Menschen fremden, unverfügbaren Geist Gottes. Schon das Alte Testament kennzeichnet ihn so. Zum Menschen-Geist, der nicht, wie in der griechischen Metaphysik, seine zum Göttlichen aufsteigende Möglichkeit, sondern lediglich seine natürliche Lebensmöglichkeit ist, die ihn mit dem Tier verbindet (Gen 6,17; 7,15), muß Gottes Geist hinzukommen[296]. Nur Messias-König und Gottesknecht sind Träger des Gottes-Geistes (Jes 11,2; 42,1ff). Hier knüpft das Neue Testament an. Der irdische Jesus *war* als Träger des Geistes Gottes unter den Menschen (Mt 12,28; Mk 1,8; Lk 4,1.14.18; vgl. Mt 1,20 / Lk 1,35; Mk 1,10 u.a.). Als Geist des erhöhten Kyrios *ist* der Geist Gottes, der den gekreuzigten Jesus auferweckt hat, unter den Menschen (Röm 1,4; 8,11; 8,9; 2Kor 3,17)[297]. Der Geist Gottes *wirkt* »lebendig machend« an den Menschen (1Kor 12,11; Röm 8,11; 1Kor 15,45)[298].

Fremdes apostolisches Evangelium und fremder Geist Gottes entsprechen sich, sind jedoch nicht identisch. Wo das apostolische Evangelium zu-kommt, bittet es um Glauben (2Kor 5,20). Wo der Geist Gottes zukommt, wirkt er Glauben[299]. Das Zu-Kommen des apostolischen Evangeliums ist auf das Zu-Kommen des Geistes Gottes angewiesen. Auch wenn Paulus »pflanzte« und »Apollos begoß«, Gott ist es »der wachsen läßt« (1Kor 3,6 u. 7)[300]. Sein Geist aber »weht, wo er will . . ., du weißt nicht, woher er kommt und wohin er geht« (Joh 3,8)[301]. Er läßt nicht über sich verfügen.

Zu-kommendes, fremdes apostolisches Evangelium und zu-kommender, fremder Geist wirken zusammen. Der Geist Gottes kommt im zu-kom-

295 *Jonas*, Gnosis I 179f.

296 So ausdrücklich bei den frühen Propheten, meistens unausdrücklich bei den Schriftpropheten. Vgl. Hes 9,7; Mich 3,8; *v. Rad*, Theologie des Alten Testaments II 69.

297 Vgl. ἐν Χριστῷ und ἐν πνεύματι als Wechselbegriffe. Diesen Sachverhalt bringt der von der Westkirche rezipierte, von den Reformationskirchen beibehaltene, dagegen von der Ostkirche abgelehnte Zusatz zum trinitarischen Symbol zum Ausdruck: Et in Spiritum Sanctum . . ., *qui ex Patre Filioque procedit* (D 86). Im Hintergrund steht *A. Augustin*.

298 Mit dem trinitarischen Symbol gesprochen: er ist der »vivificans«.

299 S.u. 158f.

300 S.o. 11.16.

301 »Das wunderbare Wirken des Geistes ist an keine berechenbare Regel gebunden« (*Bultmann*, Das Evangelium des Johannes 10).

menden apostolischen Evangelium zum Menschen. Er kommt in der Wortverkündigung (Gal 3,2; 1Thess 1,5). Er kommt in Taufe und Abendmahl als zeichenhafter Verkündigung (1Kor 12,13; 11,26)[302]. Er, der »Geist des Glaubens« (2Kor 4,13; vgl. 1Kor 2,4 u. 5; Joh 3,6), wirkt den »Glauben«, der aus dem Hören (Röm 10,17) zum Menschen kommt[303]. Der von ihm gewirkte Glaube empfängt ihn gleichzeitig als Kraft, die das Leben des Menschen bestimmt (Röm 15,13; Gal 5,25; Apg 2,38; 9,17; 19,2).
Fremdes apostolisches Evangelium und fremder Geist wirken zusammen die Kirche. Denn Kirche ist, wo das apostolische Evangelium Menschen verkündigt wird, von ihnen geglaubt wird und ihr Leben bestimmt. Ihre Verkündigung des apostolischen Evangeliums ist auf das Zu-Kommen des Geistes Gottes, ihr Glaube ist auf sein Wirken, ihr Leben ist auf seine Kraft angewiesen. Kirche ist, wo der Geist Gottes ist[304]. Deshalb werden die Kirche als »Tempel Gottes« (1Kor 3,16), als »geistliches« (πνευματικός) »Haus« (1Petr 2,5), ihre Glieder als solche, in denen »der Geist Gottes wohnt«, als »lebendige Steine« bezeichnet. Das trinitarische Symbol entspricht dem Neuen Testament, wenn es die »una sancta catholica et apostolica ecclesia« da ortet, wo der »Spiritus Sanctus«, der »Dominus et vivificans« ist. Vom im zu-kommenden apostolischen Evangelium zukommenden Geist gewirkten zu von ihm zu wirkenden Glauben, ἐκ πίστεως εἰς πίστιν (Röm 1,17), unter dem Horizont des Glaubens ist von der Kirche zu sprechen. »(*Credimus*) in Spiritum Sanctum, Dominum et vivificantem ... Et unam sanctam catholicam et apostolicam ecclesiam«.

»... Ich glaube die Kirche« (Credo Ecclesiam) heißt es in einer Enzyklika Pius' X.[305]. In »Lumen gentium«, der »Dogmatischen Konstitution über die Kirche« des Zweiten Vatikanischen Konzils, lautet die offizielle deutsche Übersetzung von: »Christi Ecclesia, quam in *Symbolo* ... profitemur«: »Kirche Christi, die wir im *Glaubensbekenntnis* ... bekennen«[306]. Und Luther spricht für die Reformationskirchen, wenn er schreibt: »Sie [die Kirche] wil nicht ersehen, sondern ergleubt sein«[307]. Der Gleichklang bedeutet aber nicht, daß sie auch einmütig von der Kirche unter dem Horizont des Glaubens sprechen.
Pius X. fährt fort: »... Ich glaube die Kirche ..., erbaut über Petrus, dem Fürsten der apostolischen Hierarchie, und seinen Nachfolgern auf unbegrenzte Zeit« (Credo ecclesiam ... super Petrum, apostolicae hierarchiae

302 Vgl. die Geisttaufe in der lukanischen Apg.
303 Vgl. *Jüngel,* Paulus und Jesus 43f.274f; *ders.,* Theologische Wissenschaft und Glaube 22f.
304 »ubi enim ecclesia ibi et spiritus; et ubi spiritus dei, illic ecclesia et omnia gratia« (*Irenaeus* Adv. haereses IV 24,1). – »›Kirche ist dort und allein dort, wo der Geist Gottes ist‹: so lautet die erste und entscheidende Regel« (*Sauter,* Die Kirche in der Krisis 60f).
305 D 2145.
306 Zweites Vatikanisches Konzil. Deutsche Übersetzung im Auftrag der deutschen Bischöfe (= *Lumen gentium*) 8,2 (Hervorhebung E. Hübner).
307 WA DB 7 421,3.

principem, eiusque in aevum successores aedificatam). »Lumen gentium« spricht von der »einzigen Kirche Christi«, »die wir im Glaubensbekenntnis . . . bekennen«. Die Kirche ist die römisch-katholische. Aus »Ich glaube die Kirche« ist unversehens ›Ich glaube an die römisch-katholische Kirche‹ geworden. Kirche des Glaubens, der »Leib Christi«[308], und diese Kirche in Raum und Zeit sind identisch, »der mystische Leib Christi und die Römisch Katholische Kirche (sind) ein und dasselbe« (unum idemque)[309]. Denn das Evangelium ist durch die Apostel und die bis in die Gegenwart reichende, ununterbrochene Kette ihrer Nachfolger (successio apostolica) in die römisch-katholische Kirche eingegangen[310]. Denn sie ist mit Jesus Christus wesen-haft verbunden. Die Verbindung kann im Organismusgedanken[311], metaphysisch[312], ontologisch-analogisch[313] und ontologisch-sakramental[314] beschrieben werden. Denn der Heilige Geist wohnt ihr wesen-haft inne. Seine Einwohnung kann ebenfalls im Organismusgedanken[315] und ontologisch-sakramental[316] beschrieben werden. An die Stelle des zu-kommenden apostolischen Evangeliums, der Verkündigung des gekreuzigten und auferweckten Jesus Christus, tritt die An-wesenheit Jesu Christi. In den Nachfolgern der Apostel, zuerst in den Bischöfen, an ihrer Spitze im Nachfolger des Petrus, und, von ihnen auf sie übertragen, in den nachgeordneten priesterlichen Ämtern, in der priesterlichen Hierarchie[317], *ist* Jesus Christus an-wesend[318]. An die Stelle des im zu-kommenden apostolischen Evangelium zu-kommenden, unverfügbaren Heiligen Geistes treten seine Einwohnung und damit die Verfügung über ihn. Den Nachfolgern der Apostel, der priesterlichen Hierarchie, ist der Heilige Geist übertragen und wird von ihnen übertragen[319]. Nicht

308 S.o. 5f.
309 Pius XII., D 3019.
310 *Lumen gentium* 20, 1 u. 2.
311 »Christus« als »das Haupt der Kirche«, seines »Leibes«. Pius XII., D 2288.
312 ». . . in der Kirche [erg. als ›Leib Christi‹ ist] das Prinzip des übernatürlichen (supranaturalis) Lebens«. Leo XIII., zit. nach *Honecker,* Kirche 57.
313 ». . . wie in Christo Göttliches und Menschliches wohl zu unterscheiden, aber doch auch Beides zur Einheit verbunden ist, so wird er auch in ungetheilter Ganzheit in der Kirche fortgesetzt« (*Möhler,* Symbolik 333). – Die Kirche ist »eine einzige komplexe Wirklichkeit, die aus menschlichem und göttlichem Element zusammenwächst. Deshalb ist sie in einer nicht unbedeutenden Analogie dem Mysterium des fleischgewordenen Wortes ähnlich« (Ideo ab non mediocrem analogiam incarnati verbi mysterio assimilatur) (*Lumen gentium* 8,1).
314 »Denn Christus ist das Urbild aller Sakramentalität. ›Die Kirche ist hienieden das Sakrament Jesu Christi, wie Jesus Christus in seiner Menschheit das Sakrament Gottes‹« (*Semmelroth,* Die Kirche als Ursakrament 30). – Vom Sakrament gilt, »daß das Symbol die sichtbare Form der heiligen Sache und unsichtbaren Gnade ist« (D 876).
315 »Der heilige Geist (ist) ihre Seele« (D 2288).
316 »Auferstanden von den Toten (vgl. Röm 6,9) hat er seinen lebendigmachenden Geist (Spiritum suum vivificantem) in die Jünger hineingesandt (immisit) und durch ihn seinen Leib, die Kirche zum allumfassenden Heilssakrament gemacht« (*Lumen gentium* 48,2).
317 Von ἱερὰ ἀρχή: heiliger Ursprung.
318 »In den Bischöfen, denen die Priester zur Seite stehen, ist also inmitten der Gläubigen der Herr Jesus Christus, der Hohepriester, anwesend (adest)« (*Lumen gentium* 21,1).
319 ». . . die Apostel (sind) mit einer besonderen Ausgießung des herab kommenden Heiligen Geistes von Christus beschenkt worden (vgl. Apg 1,8; 2,4; Joh 20,22–23). Sie hinwieder-

mehr ist der Spiritus Sanctus Dominus et vivificans der Kirche, sondern die Kirche domestiziert ihn und verwaltet sein Leben[320]. Eine solche Kirche glaubt letztlich nicht an den im zu-kommenden apostolischen Evangelium zu-kommenden Heiligen Geist, sondern an sich selbst[321]. Als »hierarchisch geordnete«, »übernatürliche und geistliche« (supernaturalis ... et spiritualis), »vollkommene Gesellschaft« (societas perfecta), die »in sich selbst und durch sich selbst alles besitzt« (possideat)[322], verstellt sie den Blick auf die Kirche in Raum und Zeit, die ständig und ganz und gar, als sog. Klerus und sog. Laien gleichermaßen, des im zu-kommenden apostolischen Evangelium zu-kommenden Heiligen Geistes bedürftig ist. In den letzten Jahren meldet sich in der römisch-katholischen Theologie Kritik an dieser Ekklesiologie. Wenn *Hans Küng* das »›Ich glaube *an* Gott, *an* den Heiligen Geist‹ ... von einem ›Ich glaube die Kirche‹« abhebt, wenn er »Bezeichnungen der Kirche als ›gottmenschliches‹ Wesen, ›gottmenschliche‹ Wirklichkeit mißverständlich und irreführend« nennt, wenn er anstatt von »apostolischer Sukzession« von »Konfrontation der Kirche und all ihrer Glieder mit diesem apostolischen Zeugnis« spricht, wenn er die Kirche als »Geistgeschöpf« definiert[323], stellt er ihre Determinanten in Frage. Es bleibt abzuwarten, ob der in einer so langen Geschichte institutionell und ekklesiologisch ausgebildete Widerspruch gegen die Kirche des Glaubens an den »Spiritus Sanctus, den Dominus et vivificans« sich dieser Kritik öffnet[324]. Küng selber ist zu fragen, ob er seine Kritik bis zum Ende durchdenkt. Er behält »die Unterscheidung von Wesen und Gestalt der Kirche« als »eine notwendige« zur Gewinnung eines ekklesiologischen »Kriteriums«, einer »Norm« bei[325]. Behält er damit nicht auch das begriffliche Korrelat einer »katholisch-sakramentale(n) Einheit« bei, die »eine *ontologische,* und zwar eine wesenhaft übernatürliche

um übertrugen (tradiderunt) ihren Helfern durch die Auflegung der Hände die geistliche Gabe (vgl. 1Tim 4,14; 2Tim 1,6–7), die in der Bischofsweihe bis auf uns gekommen ist ... (es) ist ... klar, daß durch die Handauflegung und die Worte der Weihe die Gnade des Heiligen Geistes so übertragen (conferri) und das heilige Mal so eingeprägt (imprimi) wird, daß die Bischöfe in hervorragender und sichtbarer Weise die Stelle Christi selbst ... einnehmen und in seiner Person (in eius persona) handeln« (*Lumen gentium* 21,2).

320 »So kann ... der Eindruck entstehen, daß der Heilige Geist mittels Weihe und kanonischer Sendung bischöflich verwaltet, kanalisiert und kontrolliert wird ...« (*Fahlbusch,* Kirchenkunde 67).

321 »Was die Kirche in dem Glauben an Christus und dem darin gründenden *Glauben an sich selbst* bejaht, wird in der dogmatischen Theologie von der Kirche, in der Ekklesiologie ... entfaltet« (*Schmaus,* Kath. Dogmatik III/1 18. Hervorhebung E. Hübner). Im 4./5. Jahrhundert wurde eine solche Entwicklung noch als mögliche Gefahr empfunden. »Vor allem die altkirchlichen Autoren Rufin von Aquileja und Faustus von Riez heben hervor, daß es nur bei den göttlichen Personen selbst einen ›Glauben *an*‹ gebe. Jedoch heißt es im Glaubensbekenntnis nicht: ›Ich glaube *an* die heilige Kirche‹, sondern ›Ich glaube die heilige Kirche‹« (*Huber,* Kirche 88).

322 *Lumen gentium* 20,1; Leo XIII., D 3167 (Hervorhebung E. Hübner).

323 *Küng,* Die Kirche 44.283.421f.323.

324 Skepsis bleibt hier geboten. Vgl.: Ein Gutachten aus dem Vatikan 32ff. Am 15. 12. 1979 wurde Küng die kirchliche Lehrbefugnis (missio canonica) entzogen.

325 Ebd. 16.

Seinseinheit, das Consortium divinae naturae«[326] beschreibt, der ihr Wesen inhäriert? Mit einer Ekklesiologie unter dem Horizont des Glaubens an den im zu-kommenden apostolischen Evangelium zu-kommenden Heiligen Geist ist sie inkommensurabel.
Kurz und bündig erhob Luther gegen jede Identifikation von sichtbarer und geglaubter Kirche Einspruch: die Kirche »wil nicht ersehen, sondern ergleubt sein«[327]. Calvin schloß sich ihm an, wenn er sich gegen die mißverständliche Rede vom Glauben an die Kirche wandte[328]. Gerade in diesem Einspruch manifestierte sich der Anspruch der Reformatoren gegenüber der römisch-katholischen Kirche, »das [wir] bei der alten Kirche blieben, ja das wir die rechte alte Kirche sind, ihr aber von vns, das ist von der alten Kirche abtrünnig geworden, eine neue Kirche angericht habt wider die alte Kirche«[329]. Der Einspruch ist weder zeitgeschichtlich einzuschließen noch konfessionell einzuschränken.
Sichtbare und geglaubte Kirche sind nicht identisch, aber in der sichtbaren will die Kirche geglaubt sein. »So ist die Kirche nicht ohne Ort und Gestalt und dennoch sind Gestalt und Ort nicht die Kirche«[330]. In der sichtbaren will die Kirche geglaubt sein, denn in ihr wird das verheißungsvolle apostolische Evangelium verkündigt. »Denn die Kirche wird geboren durch das Wort der Verheißung (verbo promissionis) durch den Glauben, durch dasselbe wird sie ernährt und bewahrt, das ist, sie wird durch die Verheißungen Gottes errichtet (promissiones Dei constituitur), nicht die Verheißungen Gottes durch sie«[331]. Weil in seinem Zu-Kommen der Heilige Geist zu-kommt, der den Glauben und mit ihm die Kirche wirkt, ist es »*Wort* der Verheißung«[332]. Weil in seinem Zu-Kommen der Heilige Geist zu-kommt und nicht verfügbarer Besitz wird, ist es »Wort der *Verheißung*«[333]. In der sichtbaren will die Kirche im Modus der Verheißung geglaubt sein. Im Modus der Verheißung will in der sichtbaren die Kirche aber auch geglaubt sein. Im Modus der Verheißung, d.h. im Glauben an den dreieinigen Gott, nicht im Glauben an die Kirche, denn die Kirche

326 *Wagner,* Corpus christi mysticum beim jungen Luther 97.
327 S.o. Anm. 307.
328 *Calvin,* Institutio IIII, 1.2: »... so möchte ich doch lieber der Eigenart der Rede folgen, die besser geeignet ist, um die Sache zum Ausdruck zu bringen (quae aptior sit rei exprimendae), statt nach Formeln zu haschen, mit denen die Sache ohne Grund verdunkelt würde (obscuretur)« (*Calvin,* Unterricht IV, übers. v. O. Weber, 3).
329 WA 51 478f; – »Unsere Kirche ist von Gottes Gnaden der Apostel Kirche am nähesten und ähnlichsten« (WA TR 4172 FB). – Vgl. *Ernst Wolf,* Einheit der Kirche 124ff.
330 »Ita sine loco et corpore non est Ecclesia, et tamen corpus et locus non sunt ecclesia« (WA 7 720,2).
331 WA 6 560f.
332 »Indem das Wort gehört wird, wird der Heilige Geist gegeben, welcher durch den Glauben das Herz reinigt, Röm 10. ›Glaube aus dem Hören‹ ...« (WA 14 681,20). – »Solchen Glauben zu erlangen, hat Gott das Predigtamt eingesetzt, Evangelium und Sakrament geben, dadurch er, als durch Mittel, den heiligen Geist gibt .. .« (CA V, in: BSLK 57,2).
333 »... wird der Heilige Geist gegeben ..., freilich nicht allen, die hören, sondern bei denen es Gott wollte. Der Geist nämlich weht, wo er will, nicht wo wir wollen« (Spiritus enim spirat, ubi vult, non ubi nos volumus) (WA 14 681, a.a.O.). – »... den heiligen Geist gibt, welcher den Glauben, wo und wann er will (ubi et quando visum est Deo), in denen, die das

»wird durch die Verheißungen Gottes errichtet, nicht die Verheißungen Gottes durch sie«[334]. - In der sichtbaren will die Kirche geglaubt sein, denn die geglaubte ist in der sichtbaren Kirche verborgen. Denn Gott[335], Jesus Christus[336], der Heilige Geist[337], die sie schaffen, regieren und lebendig machen, sind in der Kirche verborgen. Sie sind aber nicht in ihr verborgen wie das Wesen in der Erscheinung. Gott, Jesus Christus, Heiliger Geist kommen im verkündigten apostolischen Evangelium zur Kirche, sie sind nicht in ihr enthalten. In der sichtbaren ist die geglaubte, nicht eine wesentliche Kirche verborgen. Die in der sichtbaren verborgene Kirche will geglaubt, aber nicht als Wesen einer ontologisierten Kirche induziert bzw. deduziert werden[338]. Diese Ekklesiologie gibt den unverstellten Blick auf die Kirche in Raum und Zeit frei. »Im Blickfeld der Augen« (in conspectu oculorum) sind hier »Schande, Schwäche, Ohnmacht, äußerste Verächtlichkeit in allen Gläubigen«[339]. Im Blickfeld sind ebenfalls die, »die nur der Zahl nach Gläubige sind, die nicht in der Kirche wohnen, sondern Gäste in ihr sind«[340]. Sie gibt den unverstellten Blick auf die Kirche in Raum und Zeit frei, weil die Kirche des Glaubens, das »Geschöpf des Wortes Gottes« (creatura verbi dei)[341], ihr Denken bestimmt. Weil sie im Modus der Verheißung denkt, ist sie nicht wirklichkeitsblind[342].

Die Ekklesiologie der Reformatoren dachte mit dem Neuen Testament und dem trinitarischen Symbol die Kirche unter dem Horizont des Glaubens an den im zu-kommenden apostolischen Evangelium zu-kommenden Heiligen Geist. Wenn insbesondere Luther ihn auf den Begriff Verheißung brachte, weitete er zwar den Wortgebrauch des Neuen Testamentes aus[343], dachte aber gerade so in seiner Blickrichtung. Die Kirche des Glaubens ist die Kirche der Verheißung. Ekklesiologie unter dem Horizont des Glaubens ist im Modus der Verheißung zu denken. Das Leben,

Evangelium hören, wirket ...« (CA V, a.a.O.) - »*Erst* muß das Wort gehört werden; *danach* erst ... wird der Geist kommen. Dieser zeitliche Abstand bringt zum Ausdruck, daß zwischen dem Geist und dem Wort nicht eine zwangsläufige, metaphysische Verbindung besteht, sondern der Zusammenhang von Verheißung und Erfüllung, von Gebet und Erhörung« (*Prenter,* Spiritus creator 129).

334 Vgl. *Calvin,* Institutio IIII, 1,6.

335 Die »Verborgenheit Gottes« (latibulum dei) »ist die Kirche und die selige Jungfrau, weil in beiden (Gott) verborgen ist und die Kirche ist verborgen bis heute« (WA 3 124,35).

336 »Deshalb wird die Kirche Reich des Glaubens genannt, weil unser König nicht gesehen, sondern geglaubt wird« (WA 2 239,28).

337 »Wie das Fleisch sichtbar ist, der Geist aber verborgen (occultus), so ist die Kirche verborgenes Leben (vita occulta), die Welt aber im Sichtbaren« (WA 3 203,23).

338 Der Ausdruck »unsichtbare« Kirche (ecclesia invisibilis - vgl. z.B. WA 4 81,12; *Calvin,* Institutio IIII, 1,7) hat Anlaß gegeben, sie als ›unsichtbares‹ Wesen der sichtbaren Kirche zu interpretieren.

339 WA 4 239f.

340 WA 4 24,35; vgl. *Calvin,* Institutio IIII, 1,13-22.

341 WA 6 560f, a.a.O.

342 »So kan sie (die Kirche) Gott auch mit gebrechen und allerley mangel verbergen, das du must drüber zum Narren werden, und ein falsch vrteil uber sie fassen. Sie wil nich ersehen, sondern ergleubt sein« (WA DB 7 421,1).

343 ἐπαγγελία τοῦ πνεύματος (Gal 3,14) bzw. πνεῦμα τῆς ἐπαγγελίας (Eph 1,13) stehen nicht direkt in ekklesiologischem Zusammenhang.

ohne das sie sich erübrigt, ist der Kirche in Raum und Zeit verheißen. Unverstellte Wahrnehmung und uneingeschränkte Annahme der Kirche in Raum und Zeit, ohne an ihr zu verzweifeln oder sich an sie zu verlieren, ist im Modus der Verheißung eröffnet. Auch in der Theologie gibt es irreversible Erkenntnisfortschritte. Der Versuch, die reformatorische mit einer Ekklesiologie der Identifikation von Religionsgesellschaft und Kirche zu überholen, hat sich als Rückschritt in Richtung jener Identifikation von sichtbarer und geglaubter Kirche erwiesen, deren römisch-katholische Ausprägung den reformatorischen Einspruch herausgefordert hatte. Solchen Identifikationen ist die Aufhebung der Verheißung in eine Ontologie der Kirche gemeinsam, der ihr Wesen inhäriert. Die Unvereinbarkeit ontologisierender Ekklesiologie mit Ekklesiologie im Modus der Verheißung trat aber auch im Widerspruch zwischen Intention und Durchführung in der dialektischen Theologie und ihrem Umkreis an den Tag. Denn sie schloß sich zwar bewußt an die Reformation an, blieb aber im Verständnis der Theologie als wesenszentrierter Geisteswissenschaft stekken[344]. Ekklesiologie im Modus der Verheißung wartet auf kein Mirakel oder dispensiert das Denken, sondern spannt es an, um an ihrem Teil dem Verheißenen den Weg zu bereiten. An ihrem Teil, d.h. in einer Theorie, die auf das Zu-Kommen des apostolischen Evangeliums zielt, in dem der Glauben und Kirche wirkende Heilige Geist zu-kommt, »ubi et quando visum est Deo« (wo und wann es Gott gefällt). »Denn wo man nicht von Christo predigt, da ist kein heiliger Geist, welcher die Kirche machet, berufet und zusammen bringet«[345].

2. Das formale Zu-Kommen des apostolischen Evangeliums, in dem der gegenwärtige Geist Gottes zu-kommt, entspricht dem materialen Zu-Kommen des »Wortes vom Kreuz« als den Menschen rechtfertigende Gottes-Gerechtigkeit (1Kor 1,17 u. 18; Röm 1,16 u. 17)[346]. Sie kommt im in Wort und Sakrament verkündigten apostolischen Evangelium zum Menschen (2Kor 5,20 u. 21)[347]. Den Glauben an sie wirkt der in ihm (Gal 3,2) zu-kommende Geist Gottes (Gal 5,5)[348]. Der Glaube an sie empfängt den Geist als zu ihm entsprechendem Leben bestimmende Kraft (Röm

344 Die Warnung vor einem »*Diktat* der Metaphysik« ist in der Ekklesiologie besonders angebracht, »*kritische*« Prüfung ihrer »Sprache« dringend geboten! (*Jüngel*, Gott als Geheimnis 49).

345 CA V, in: BSLK 57,2; Großer Katechismus, in: BSLK 655,29.

346 Zur sachlichen Parallelität beider Stellen vgl. *Jüngel*, Paulus und Jesus 29ff. – *Küng*, Rechtfertigung 214, meint dagegen, die »Glaubenswahrheit der Rechtfertigung« trete in 1 und 2Kor in den »Hintergrund«.

347 Die Taufe Röm 6 korreliert damit, daß Paulus »die mit der Äonenwende und der Taufe als deren Projektion im Einzelleben geschenkte Freiheit von der Sündenmacht« »verkündigt« (*Käsemann*, Römer 154).

348 »Der Glaube ist als eschatologisches Phänomen auch nicht die *subjektive* Voraussetzung für den Empfang des πνεῦμα, sondern, wie Gal 3,2 lehrt, auf die Predigt bezogen, in der die δικαιοσύνη θεοῦ als λόγος τοῦ σταυροῦ zu Worte kommt, welches Wort den Glauben möglich macht« (*Jüngel*, Paulus und Jesus 43 Anm.).

8,10)[349]. Wo sie im verkündigten apostolischen Evangelium als geistgewirkter Glaube und im Glauben wirkender Geist zu Menschen kommt, ist Kirche.
Das *» Wort vom Kreuz «* ist die den Menschen rechtfertigende Gottes-Gerechtigkeit (Röm 4,25; 5,18). Gott, der Jesus »aus den Toten erweckte« (Röm 10,9), hat sein Kreuz sprechend, zum »Wort Gottes« (λόγος τοῦ θεοῦ) gemacht[350]. »Gott sprach gerecht« in ihm (Röm 8,33; vgl. 3,25f; 5,9f)[351]. Er hat in ihm »unter uns das Wort von der Versöhnung aufgerichtet« (2Kor 5,19). Er spricht gerecht in ihm. Er läßt unter uns die Aufforderung ergehen: »Laßt euch mit Gott versöhnen« (2Kor 5,20). Das »Wort vom Kreuz« ist die den Menschen rechtfertigende *Gottes-Gerechtigkeit*. Gerechtigkeit ist ein forensischer Begriff. Aber hier definiert sie nicht das »Gesetz« (Röm 10,5; Gal 5,21), sondern das »Wort vom Kreuz«. Es definiert die sich in seinem »Werk« beweisende »eigene« (Röm 10,3) als Selbst-Gerechtigkeit des in sich selbst verkrümmten Menschen (homo incurvatus in seipsum) »unter der Sünde« (Röm 7,14), der auch mit Göttern »gottlos« (Röm 4,5)[352], auch in theistischer Religion ›Atheist‹ (Eph 2,12)[353] ist. Es definiert die Gerechtigkeit des »Einen« (1Kor 8,4), der »wahrhaft« Gott ist (1Kor 14,25), als »Gemeinschaftstreue«[354], die das Verhältnis zum in sich selbst verkrümmten, gottlosen, atheistischen Menschen »unter der Sünde« aus »Liebe« (Röm 5,8; 8,39)[355] und »Gnade« (Röm 5,21) nicht aufkündigt. Wie er sich im Bund mit Israel zum Menschen verhalten hat[356], so verhält er sich im Kreuz Jesu, dem »Erweis seiner Gerechtigkeit« (Röm 3,25), zu ihm. Im Bund mit Israel bestimmt er, »was Gerechtigkeit ist und wer gerecht ist«[357]. »Jetzt« (Röm 3,26), im Kreuz Jesu, hat er gehandelt, »damit wir in ihm Gottes Gerechtigkeit werden« (2Kor 5,21). Der »alleine die endgültige Gerechtigkeit zu verwirklichen vermag«[358], macht den gerecht, der sie nicht verwirklicht[359]. Er

349 »Der uns geschenkte Geist . . . (ist) lebendigmachend, was Gerechtigkeit angeht. Er wirkt jenes 6,14ff beschriebene Leben in Gerechtigkeit« (*Käsemann*, Römer 214, zu Röm 8,10).
350 »Es ist ein unbestrittener Terminus für das *Eine* Wort Gottes geworden, das er in dem Geschehen in Jesus und in der Botschaft von diesem gesprochen hat und spricht« (*Kittel*, Art. λέγω 114).
351 Übers. von *Käsemann*, Römer 234.
352 »Gottlos ist mehr als ›unfromm‹« (*Käsemann*, Römer 104, zu Röm 4,5). »Das Gerechtfertigtwerden widerfährt nicht dem Frommen, dem nur noch etwas an der Gerechtigkeit fehlt, sondern dem Gottlosen, dem Sünder im radikalen Sinne, als welcher ausnahmslos jeder gilt, ob Heide oder Jude« (*Ebeling*, Dogmatik III 199).
353 »Νυνὶ ἐν Χριστῷ erweist sich ihre keineswegs götterarme Vergangenheit als eine Zeit, in der sie noch ἄθεοι waren (Eph 2,12)« (*Jüngel*, Vom Tod des lebendigen Gottes 121).
354 *Käsemann*, Gottesgerechtigkeit bei Paulus 187 (vgl. *v. Rad*, Theologie AT I 377).
355 »Liebe ist . . . die Gestalt, die Gottes Gerechtigkeit eigen ist. Nehme ich hier das Moment der Liebe weg, habe ich es nicht mehr mit *Gottes* Gerechtigkeit zu tun« (*Marxsen*, Gerechtigkeit 26).
356 Paulus knüpft Röm 3,25 an dieses Verhältnis an. Er zitiert ein »judenchristliche(s) Bekenntnisfragment« (*Käsemann*, Gottesgerechtigkeit bei Paulus 189).
357 *v. Rad*, s.o. Anm. 354.
358 *H. H. Schmidt*, Rechtfertigung 411.
359 »Die Weissagungen Jeremias und Hesekiels . . . (gehen) von der Erkenntnis der totalen Unfähigkeit Israels zum Gehorsam aus« (*v. Rad*, Theologie AT II 282).

macht ihn gerecht durch sein ihn rechtfertigendes »Ja« (2Kor 1,19f). Es bestätigt und erneuert das Verhältnis, in dem der Mensch sein Leben hat[360]. Er macht ihn gerecht durch sein ihn recht-fertigendes »Ja«. »Der die Toten lebendig macht und das Nichtseiende ruft, daß es sei« (Röm 4,14), schafft im Menschen, der sein Leben verfehlt, ihm entsprechendes, richtiges Leben[361]. Recht-fertigung ist »jetzt« schon durch das schöpferische »Wort vom Kreuz« bewirkte[362] »neue Schöpfung« (2Kor 5,17; Gal 6,15). »Neue Schöpfung« ist »jetzt«, vor der eschatologischen Zukunft, noch eingebunden in das rechtfertigende »Wort vom Kreuz«. Das »Wort vom Kreuz« ist die *den Menschen rechtfertigende* Gottes-Gerechtigkeit. Sie ist nicht *iustitia activa* (selbst geschaffene Gerechtigkeit) des sich selbst verwirklichenden und sich damit selbst rechtfertigenden Menschen »unter der Sünde«[363]. Sie ist von dem rechtfertigenden »Einen«, der »wahrhaft« Gott ist, empfangene Gerechtigkeit *(iustitia passiva)* des im Glauben (Röm 1,17) wahrhaften Menschen[364]. Sie wird nicht zu seiner Seinsqualität[365], sondern bleibt vom schöpferischen »Wort vom Kreuz« dem ›hörigen‹[366] Menschen zugesprochene *iustitia aliena* (einem anderen gehörige Gerechtigkeit). »Sünder und Gerechter zugleich« (simul peccator et iustus) erfährt er aber ihre Wirklichkeit[367]. Als den Menschen rechtfertigende Gottes-Gerechtigkeit ist das »Wort vom Kreuz« rechtes, richtiges Leben zu-sprechendes *verbum externum* (von außen zu-kommendes Wort) Gottes des Schöpfers.

Als genuine Auslegung des apostolischen »Fundaments« der Kirche

360 »Die Verwendung des Rechtsbegriffs soll einzig herausstellen, daß Gott . . . bundesgemäße Gnade übt« (*Schrenk*, Art. δικαιοσύνη 207).

361 »Rechtfertigung des Gottlosen« ist »Vorwegnahme der Auferweckung von den Toten, die wie kein anderes Ereignis creatio ex nihilo genannt zu werden verdient und die eschatologische Wiederholung der ersten Schöpfung darstellt«. Sie ist »Restitution der Schöpfung«, »im Stande der Anfechtung vorweggenommene Auferweckung« (*Käsemann*, Römer 115, zu Röm 4,17).

362 »Die einzige Kontinuität zwischen Gott und seinem Werk ist das Wort« (*v. Rad*, Theologie AT I 147, zu Gen 1).

363 »Das Unterfangen, Gott gegenüber Selbständigkeit zu bewahren, ist die Grundsünde« (*Käsemann*, Römer 191f).

364 »extra se coram deo propter Christum« (Käsemann, Römer 228). – »nos extra nos esse« (*Jüngel*, Paulus und Jesus 38).

365 »Gerechtigkeit ist . . . als Gerechtigkeit des Menschen keine ἕξις . . .« (*Jüngel*, Paulus und Jesus 38).

366 Vgl. *Käsemann*, Römer 170; vgl. *Luther*: »Derselbigen [erg. des »heilige(n) Häuflein und Gemeine auf Erden . . . unter einem Häupt, Christo, durch den heiligen Geist zusammenberufen«] bin ich auch ein Stück und Gelied . . . *dadurch, daß ich Gottes Wort gehört habe und noch höre,* welchs ist der Anfang hineinzukommen« (Großer Katechismus, in: BSLK 657 27ff. Hervorhebung E. Hübner).

367 Zu Luthers Formel vgl. WA 2 497, 13; WA 56 270,9ff.271,24ff.272,7ff. Sie enthält »die Ankündigung einer neuen Existenz, die sich aber bereits dadurch bemerkbar macht, daß sie den Menschen in sich, in diese ihre Zukunft hineinreißt« (*Iwand*, Luthers Theologie 74). »Vorausgesetzt ist . . . die menschliche Erfahrung, daß ein Wort ein Geschehen zu bewirken vermag, wie sie sich deutlich in Ps 33,9 spiegelt, vgl. auch Mt 8,9« (*Westermann*, Genesis I 153, zu Gen 1,3). »Der Mensch kommt zu seinem Recht, er gerät in seine Richtigkeit; es wird ihm das Richtige zuteil und er selbst wird ein ›Richtiger‹, ein rechter Mensch« (*Dantine*, Die Gerechtmachung 66).

(1Kor 3,11)[368] verlangt es Folgerungen. Ob »die iustificatio impii wie ein mathematischer Ausdruck vor der Klammer« steht[369], entscheidet darüber, daß von der Kirche des Glaubens und nicht nur von einer Religionsgesellschaft die Rede ist. Allein im Hören des »Wortes vom Kreuz« empfängt die auch als Religionsgesellschaft gottlose, atheistische Kirche in Raum und Zeit die sie zur Kirche des Glaubens rechtfertigende Gottes-Gerechtigkeit[370].

Das formale Zu-Kommen des apostolischen Evangeliums, in dem der gegenwärtige Geist Gottes zu-kommt, entspricht bei den Reformatoren dem materialen Zu-Kommen des »Wortes vom Kreuz« als den Menschen rechtfertigende Gottes-Gerechtigkeit. Nach Luther sind wir »in der Kirche der eine Leib Christi« nicht »von Natur«, sondern »von außen«. Von Natur ist das »Gesicht der Kirche« das »einer Sünderin«[371], die der Rechtfertigung bedarf. Zwingli legt Epheser 5,25ff dahingehend aus, daß die Kirche »ohne Runzel und Makel nicht aus sich selbst, sondern durch Christi Guttat« sei[372]. Calvin hebt die Ständigkeit der Rechtfertigung hervor, die der Kirche zuteil wird, derer sie demnach bedarf. Es ist »wahr, daß der Herr Tag für Tag daran arbeitet, ihre Runzeln zu glätten und ihre Flecken abzuwaschen«[373]. Die Form entspricht diesem Inhalt.
Gegenwärtig entdeckt die römisch-katholische Theologie erneut nicht nur generell[374], sondern auch speziell für die Ekklesiologie die Bedeutung der Rechtfertigung. *Karl Rahner* überbietet die Feststellung von Sündern in der Kirche mit der »Glaubenswahrheit«, die Kirche sei »selbst sündig«,

368 Vgl. *Schrage,* Die Frage nach der Mitte 415ff; *Jüngel,* Paulus und Jesus 33. »... die einzelnen Schriften der Bibel drücken dieselben Sachverhalte verschieden aus, weil sie an bestimmten Orten im Blick auf bestimmte Menschen in ihren Denk- und Sozialstrukturen geschrieben sind. So wird z.B. die Rechtfertigungsbotschaft, die Paulus in Begriffen wie ›Gottesgerechtigkeit‹ entfaltet, in den synoptischen Evangelien als Tischgemeinschaft Jesu mit den Sündern dargestellt, während der Ausdruck ›Gerechtigkeit‹ für sie etwas anderes meint als für Paulus« (*Hollweg,* Theologie und Empirie 347). »Articulus iustificationis est magister et princeps, dominus, rector et iudex super omnia genera doctrinarum, qui conservat et gubernat omnem doctrinam ecclesiasticam, et erigit conscientiam nostram coram Deo« (*Luther,* WA 39 I 205,2ff). Die Rechtfertigung »ist nicht eine Doktrin, die ihre Zeit hätte, sie ist das evangelium aeternum. Und dem modernen Geschlecht ist sie in ihrer befreienden Strenge vielleicht nötiger und heilsamer als irgendeiner früheren Generation« (*Holl,* Was hat die Rechtfertigungslehre dem modernen Menschen zu sagen? 567).
369 *Dantine,* Die Gerechtmachung 108.
370 »Wahre Kirche steht und fällt mit dieser Predigt der iustificatio impiorum« (*Müller,* Evangelische Dogmatik I 228).
371 »Ita nos in ecclesia sumus unum corpus Christi, sed externum non natura« (*Luther,* Disputationen 795). »Facies ecclesiae est facies peccatricis« (WA 40 II 560, 10).
372 »Quae sine ruga est et macula, non su opte ingenio talis est, sed *Christi* beneficio: sic enim inquit *Paulus:* Dilexit ecclesiam – *Christus* videlicet – et tradicit seipsum pro ea, ut ipsam sanctificaret ... En tibi, unde sancta sit, pura et ab omni ruga levigata. *Christus* tradidit seipsum pro ea, ut seipsum sanctificaret« (*H. Zwingli,* CR vol. XC 745f, übers. v. F. Blanke u.a., Zwingli Hauptschriften, Bd. 10 4f). Zwingli spricht »hier kühn und konsequent von der Rechtfertigung der Kirche als ganzer parallel zu der des Einzelnen« (*Locher,* Landeskirche 40).
373 »quotidie operari in rugis eius expoliendis, maculisque abstergendis« (*Calvin,* Institutio IIII, 1,17).
374 Vgl. bes. *Küng,* Rechtfertigung.

»eine sündige Kirche«[375]. Küng stellt die Weichen in Richtung materialer Ekklesiologie unter dem Vorzeichen der Rechtfertigung: »Die wirkliche Kirche ist nicht nur menschliche Kirche, sondern zugleich sündige Kirche. Die Kirche sind ja wir: wir allesamt gerechtfertigte und doch immer wieder sündige Menschen, wir, die Gemeinschaft der gerechtfertigten und doch immer wieder neu auf Vergebung angewiesenen Menschen«[376]. Er ist es auch, der von »Gottes Gerecht*erklärung*« als dem »Verbum Dei efficacissimum« spricht, davon, sein »Urteil« sei »das schöpferische Fiat des Allmächtigen«, so daß »*Gottes* Gerechterklärung zugleich und in einem Akt Gerecht*machung*« ist. Sein Ergebnis, »daß gerade in der Rechtfertigungslehre ... heute wieder grundsätzliche Übereinstimmung besteht zwischen katholischer und evangelischer Theologie«[377], beansprucht auch für die Ekklesiologie Geltung. Aber die römisch-katholische Ontologie einer Kirche, der ihr Wesen inhäriert, widerspricht diesem Vorhaben. Spricht Küng einerseits von »Gottes Gerechterklärung«, die »zugleich und in einem Akt Gerechtmachung« ist, so referiert er andererseits nicht nur die »Gerechtmachung, die die Gerechtsprechung voraussetzt«, als von der protestantischen »Gerechtsprechung, die Gerechtmachung einschließt«, zu unterscheidende römisch-katholische Position. Ob es das schöpferische »Wort vom Kreuz« ist, das als gerecht sprechendes »in einem Akt« gerecht macht, oder ob die Gerechtmachung ein die Gerechtsprechung hinter sich lassender, von ihr ablösbarer zweiter Akt ist, ob auch die Gerechtmachung zugesprochene *iustitia aliena* ist oder zu einer Seinsqualität des Menschen wird, bleibt unklar[378]. Um so klarer vertritt *Heinrich Schlier* in Auslegung von Epheser 5,25ff – der gleichen Stelle, die Zwingli und Calvin auf die Rechtfertigung als Vorzeichen materialer Ekklesiologie hin auslegten – für die Kirche, den ›Leib Christi‹, die »Gleichung σῶμα + κεφαλή = Χριστός«, die ihre Umkehrung »Christus = Leib + Haupt einschließt«. Er unterstreicht diese wesen-hafte Verbundenheit mit Christus, diese Wesens-Inhärenz ontologisch-sakramentaler Ekklesiologie[379], wenn er feststellt, die Kirche sei »nicht« das »Gegenüber« Christi[380]. Ein mit der Kirche wesen-haft verbundener, ihr inhärenter, mit Luther gesprochen: ihr »von Natur« einwohnender Christus entzieht ihr aber den sie »von außen« Rechtfertigenden. Einem mit der Kirche wesen-haft verbundenen, ihr inhärenten, mit Luther gesprochen: ihr »von Natur« einwohnenden Christus korrespondiert wohl eine Kirche, in der es Sünder gibt, die der Rechtfertigung bedürfen, aber nicht eine Kir-

375 *Rahner,* Kirche der Sünder 14ff.
376 *Küng,* Die Kirche 209.
377 *Ders.,* Rechtfertigung 211.276.
378 Daß Küng unterstellt, auch Barth meine, »daß der Mensch seinshaft verändert wird«, jedoch einräumen muß, bei ihm suche man »vergeblich die aristotelisch-scholastische Ausdrucksweise« (*Küng,* Rechtfertigung 201.254), trägt kaum zur Klarheit bei.
379 *Käsemann* kritisiert an Schlier, »daß er den Text ontologisch befragt und aus seiner Wesensschau heraus interpretiert« (Interpretationsproblem des Epheserbriefs 258).
380 *Schlier,* Der Brief an die Epheser 91.279.

che, die, mit Rahner gesprochen, »selbst sündig« ist und der Rechtfertigung bedarf. Das römisch-katholische Vorhaben, die sündige Kirche, die der Rechtfertigung bedarf, damit sie ›Leib Christi‹ *wird*, in der materialen Ekklesiologie zur Geltung zu bringen ist aufmerksam zur Kenntnis zu nehmen. Zur Kenntnis zu nehmen ist aber auch, daß mit der Ontologie einer Kirche, der ihr Wesen inhäriert, in der formalen die materiale Ekklesiologie einer »eigentlichen Kirche« korreliert[381], die als wesentlich sündlose der Rechtfertigung nicht bedarf, die ›Leib Christi‹ *ist*[382]. Die Form entspricht diesem Inhalt. Sie widerspricht einer materialen Ekklesiologie unter dem Vorzeichen der Rechtfertigung.
Bei den Reformatoren konvergieren materiale und formale Ekklesiologie im Modus der Verheißung. Ihn intendiert auch die Ekklesiologie der dialektischen Theologie und ihres Umkreises. Unter dem Vorzeichen des »Wortes vom Kreuz« als den Menschen rechtfertigende Gottes-Gerechtigkeit öffnete sie das bei Schleiermacher und seinen Nachfolgern auf die Religionsgesellschaft Kirche in Raum und Zeit reduzierte ekklesiologische Blickfeld wieder für die Kirche des Glaubens. Unter diesem Vorzeichen führte sie die sich auch im römischen Katholizismus Geltung verschaffende »Glaubenswahrheit« von der »selbst sündig(en)« auf die Wurzel der auch als Religionsgesellschaft »gottlosen« Kirche in Raum und Zeit zurück, um gerade in ihr den rechtfertigenden »Einen«, der »wahrhaft« Gott ist, zu Wort kommen zu lassen. Sie demonstriert so die unverminderte Aktualität materialer Ekklesiologie unter dem verheißungsvollen Vorzeichen der Rechtfertigung. Aber verhaftet an die wesenszentrierte Geisteswissenschaft schränkte sie in der formalen Ekklesiologie den Modus der Verheißung ein. Ihre Deduktion ›wesentlicher‹ Kirche verdrängte die ›unwesentliche‹ Volkskirche in Raum und Zeit[383]. Sie nahm sie als ihr unter dem verheißungsvollen Vorzeichen der Rechtfertigung aufgegeben nicht an. Die Einschränkung in der formalen zog die in der materialen Ekklesiologie nach sich. Das verheißungsvolle Vorzeichen der Rechtfertigung duldet aber keine Einschränkung. Die Rechtfertigung gilt der an sich und als solcher »gottlosen« Kirche in Raum und Zeit. Sie ist *creatio ex nihilo* (Schöpfung aus dem Nichts). Von ihrer Verheißung ist keine Kirche in Raum und Zeit, kein Teil von ihr und kein MitGlied in ihr ausgenommen. Theologische Ekklesiologie entspricht ihr dann, wenn sie auch formal ohne Einschränkung den Modus der Verheißung zur Geltung bringt. Dann muß sie in eine Theorie einmünden, die dem verheißungsvollen »Wort vom Kreuz« als den Menschen rechtfertigende Gottes-Gerechtigkeit den Weg zur ganzen jeweils aufgegebenen

381 *Rahner*, s.o. Anm. 375.
382 Zur Einpassung der Rechtfertigung in die ontologische Denkform vgl. die Definition der »gratia« im sog. Catechismus Romanus: »non solum per quam peccatorum fit remissio, sed divina *qualitas* in anima *inhaerens*« = »(Gnade) ist nicht nur das, wodurch die Vergebung der Sünden geschieht, sondern eine der Seele *einwohnende* göttliche *Qualität*« (Catechismus ex Decreto Concilii Tridentini 59).
383 Eine Ausnahme bildet Bonhoeffer (s.o. 117ff).

Kirche in Raum und Zeit, die bei uns Volkskirche ist, zu allen ihren Teilen und zu jedem Mit-Glied bereitet.

3. »(Credimus) in Spiritum Sanctum, Dominum et vivificantem . . . *Et unam sanctam catholicam et apostolicam ecclesiam*« – wo die rechtfertigende Gottes-Gerechtigkeit im verkündigten apostolischen »Wort vom Kreuz« als geistgewirkter Glaube und im Glauben wirkender Geist zu Menschen kommt, da ist die »eine, heilige, allgemeine und apostolische Kirche«. Ihre Attribute sind nicht verfügbarer Besitz, vorweisbare Seinsqualität, rühmbare Leistung der Kirche in Raum und Zeit, sondern Wirkungen des »Heiligen Geistes, des Herrn, der lebendig macht«, in ihr, die ihnen ständig widerspricht[384]. Sie sind keine inhärenten »Wesenseigenschaften«[385], sondern Folge des rechtfertigenden Glaubens in einer »selbst sündig(en)«, auch als Religionsgesellschaft »gottlosen« Kirche in Raum und Zeit. Sie sind schon jetzt Attribute der Kirche des »Glaubens«, aber noch nicht Seinsqualitäten der Vollendung des »Schauens« (2Kor 5,7). Der Kirche in Raum und Zeit sind sie im Hörbereich des schöpferischen »Wortes vom Kreuz« als »neue Schöpfung« verheißen.
Sowohl 1. Korinther 4,20 als auch Römer 14,17 setzt Paulus die βασιλεία τοῦ θεοῦ zur Gemeinde so in Beziehung, daß er zwar nicht vom kommenden Gottesreich, aber von der gegenwärtigen Gottesherrschaft in ihr spricht[386]. Die Kirche ist nicht das »Reich Gottes«. Ihre Gegenwart ist nicht seine Zukunft. Aber seine Zukunft bestimmt ihre Gegenwart »in Kraft« (δύναμις), »im heiligen Geist«[387]. Der »im Geist gegenwärtige Christus« bewirkt in ihr gegenwärtige Gottesherrschaft[388]. Geistgewirkter Glaube an das rechtfertigende »Wort vom Kreuz« und im Glauben »neue Schöpfung« wirkender Geist gehören zusammen. Geistgewirkte Rechtfertigung weitet sich in geistgewirkte Heiligung aus (1Kor 1,30; 6,11). »Heiligung durch den Geist« (2Thess 2,13; 1Petr 1,2; Röm 15,16; vgl. 1,4) ist es, wenn er »Frucht« (Gal 5,22), »Geistesgaben« (Röm 1,11;

384 Sie beziehen sich »auf einen kirchlichen Zustand, der, anstatt sie zu bestätigen, zu ihnen voller Widerspruch ist« (*Ebeling,* Dogmatik III 369).

385 *Schmaus,* Kath. Dogmatik III/1 542. – Folgerichtig spricht der röm.-katholische Dogmatiker von der »Fähigkeit der Kirche, alle Menschen und Völker zur Erfüllung ihres Wesens zu bringen« als »eine(r) ihr immanente(n) Wesenseigentümlichkeit«, von der »Entfaltung des ihr immanenten Lebens«, von »den ihr von Christus eingeschaffenen Gesetzen« (*Schmaus,* Kath. Dogmatik III/1 605.607). Zur ontologischen röm.-kath. Ekklesiologie s.o. 153ff.162f.

386 »Die βασιλεία τοῦ θεοῦ aber ist hier wie Röm 14,17 die Gemeinschaft der Gläubigen . . ., nicht aber das Gottesreich als jenseitiges in seiner Vollendung« (*Heinrici,* Der 1. Korintherbrief 136).

387 »Es handelt sich . . . um das Gegenwärtigwerden der Endzeitereignisse« (*Wendland,* Korinther 30). ». . . das Eschaton bestimmt die Gegenwart« (*Conzelmann,* Art. χαίρω 359 Anm. 90). ». . . die Gottesherrschaft (hat) antizipierende Wirklichkeit gewonnen« (*Käsemann,* Römer 361).

388 *Grundmann,* Art. δύναμαι/δύναμις 313. – Verschiedene Autoren unterscheiden nach Eph 5,5 (Kol 1,13) das gegenwärtige »Reich Christi« in Gemeinde und Kirche vom zukünftigen Gottesreich.

1Kor 12,1), oder – unmißverständlicher Hinweis auf die »Gnade« (χάρις) Gottes, die sich im rechtfertigenden »Wort vom Kreuz« manifestiert, in dessen Verkündigung der heilige Geist zukommt – »Gnadengaben« (χαρίσματα) wirkt. Durch ihn wird aus einer infolge Beachtung bzw. Mißachtung von Speisevorschriften in ihrer Gemeinschaft gefährdeten (Röm 14,17)[389], damit dem »Reich Gottes« widersprechenden Gemeinde »charismatische Gemeinde«[390]. Durch ihn wird aus einer diesen Attributen ständig widersprechenden Kirche in Raum und Zeit die »eine, heilige, allgemeine und apostolische Kirche« des Glaubens[391]. In der Kirche in Raum und Zeit bleibt die »eine, heilige, allgemeine und apostolische Kirche« des Glaubens angefochten. Der Kirche in Raum und Zeit bleibt die »eine, heilige, allgemeine und apostolische Kirche« des Glaubens vor allem aber verheißen. Anfechtung und Verheißung begleiten die Kirche des Glaubens in der Kirche in Raum und Zeit. Erst »wenn das Vollendete kommt, wird das Stückwerk aufhören« (1Kor 13,10)[392].
Der in der Verkündigung des rechtfertigenden »Wortes vom Kreuz« zur Kirche in Raum und Zeit kommende, die »eine, heilige, allgemeine und apostolische Kirche« des Glaubens wirkende Heilige Geist fordert und begrenzt die menschliche Aufgabe, an ihrer »Auferbauung«[393] mitzuwirken. Seine verheißene Gabe fordert »*Mitarbeiter* Gottes« (1Kor 3,9; 1Thess 3,2; vgl. 1Kor 16,16; 2Kor 6,1). Wie der Heilige Geist durch menschliche Verkündigung des rechtfertigenden »Wortes vom Kreuz« zur Kirche in Raum und Zeit kommt, so erbaut der heiligende Geist auf diesem »Fundament« (1Kor 3,11) durch menschliches Tun die »eine, heilige, allgemeine und apostolische Kirche« des Glaubens. Bei »der Oikodome« »vollzieht sich ... das Handeln Gottes unter menschlichem Tun«. Seine verheißene Gabe begrenzt die Mitarbeit an »*Gottes* Bau« (1Kor 3,9; vgl. Apg 20,32; Röm 14,20). Wie die menschliche Verkündigung des rechtfertigenden »Wortes vom Kreuz« nicht darüber verfügt, daß der Heilige Geist zur Kirche in Raum und Zeit kommt, so hängt auf diesem »Fundament« die »eine, heilige, allgemeine und apostolische Kirche« des Glaubens erbauendes menschliches Tun davon ab, daß der heiligende Geist es bewirkt. Das »logische Subjekt ist immer Gott«, »ob nun das Grammatikalische der Apostel, die Gemeinde oder ein einzelner Christ ist«[394]. In beiden Hinsichten bleibt die menschliche Aufgabe unter dem Vorzeichen der verheißenen Gabe des Heiligen Geistes[395].

389 Vgl. o. 13ff.
390 S.o. 12f.
391 Von Rechtfertigung und Heiligung als Korrelaten spricht auch *Schmaus*. Er verselbständigt dann aber die Heiligung und ontologisiert sie, wenn er die »Heiligkeit der Kirche eine ontische bzw. eine ontologische, eine seinshafte« nennt (Kath. Dogmatik III/1 632).
392 »Stückwerk« sind nach 1Kor 13,8ff ausdrücklich die dort genannten »Gnadengaben«.
393 Zur »Auferbauung« vgl. o. 7ff.
394 *Vielhauer*, Oikodome 109.108.114.
395 »Einheit, Heiligkeit, Katholizität und Apostolizität sind also nicht nur Gaben, die der Kirche aus Gottes Gnade zukommen, sondern zugleich Aufgaben, von deren verantwortlicher Erfüllung Entscheidendes abhängt« (*Küng*, Die Kirche 319).

»Credimus unam ecclesiam« - wir *glauben* die eine Kirche, wir schauen eine Vielzahl von Kirchen[396]. Bereits zur Zeit des Neuen Testaments wurde ihre Einheit zum Problem. Das belegen gerade jene Stellen, die sie mit Nachdruck betonen (Joh 10,16; 17,20ff; 1Kor 1,13; Eph 4,4-6.13)[397]. Erst recht läßt sich die spätere Geschichte der Kirche als die ihrer fortschreitenden Aufspaltung schreiben. Die ökumenische Gegenbewegung des 20. Jahrhunderts hat sie wohl aufhalten, aber bisher nicht umkehren können. Es gibt eine legitime Vielfalt der Kirche infolge der Verschiedenheit der Räume, in denen sie sich vorfindet, mit ihrer jeweiligen Geschichte, Sprache, Religion, Kultur, ihrem jeweiligen Sozialsystem. Die eine Kirche des Glaubens meint nicht Monotonie und Uniformität. Daß »der Leib nicht ein Glied, sondern viele« ist (1Kor 12,14), gilt nicht nur für die einzelnen in einer Gemeinde, sondern auch für die einzelnen Gemeinden. Es gibt daneben aber eine illegitime Vielheit voneinander getrennter, sich mehr oder weniger gegenseitig ausschließender Kirchen. Es gibt schließlich - auch das gehört hierher - eine solche Verschiedenheit des Bekenntnisses (confessio) und der Theologie innerhalb einer Kirche, daß ihre Spaltung latent ist[398]. Diese illegitime Vielheit ist »ein Skandal« im Sinne des neutestamentlichen σκάνδαλον[399], ein ›Ärgernis‹, das an die Glaubwürdigkeit der Kirche in Geschichte und Gegenwart rührt. Denn sie widerspricht dem »*einen* Leib« Christi (1Kor 10,17; 12,13; Eph 4,4; Kol 3,15). »Ist Christus zerteilt?« (1Kor 1,13). Den Widerspruch beheben die in der Zerteilung unausdrücklich, aber auch ausdrücklich sich selbst rechtfertigenden Kirchen in Raum und Zeit nicht. Den Widerspruch behebt allein der sie rechtfertigende, »für euch« hingegebene »Leib« Christi (1Kor 11,24). Seiner Verkündigung, der Verkündigung des rechtfertigenden »Wortes vom Kreuz«, ist das Kommen des »einen Geistes« zu den zerteilten Kirchen in Raum und Zeit verheißen, der in ihnen auf diesem »Fundament« als einigender Geist den »einen Leib« (Eph 4,4: ἓν σῶμα καὶ ἓν πνεῦμα), die eine Kirche des Glaubens durch ihr entsprechendes Tun erbaut. Es entspricht ihr, wenn es den »einen Leib« bezeugt[400], indem es wie die Verschiedenheit der einzelnen in der Kirche so die Verschiedenheit der einzelnen Kirchen nicht verkennt, aber dazu ›auffordert‹, »mit al-

396 Nach *Fahlbusch*, Kirchenkunde 231, umfaßt der Oekumenische Rat der Kirchen, dem die röm.-katholische Kirche nicht angehört, gegenwärtig »annähernd 300 Mitgliedskirchen«.

397 Vgl. *Ebeling* (Dogmatik III 369): »Eben deshalb muß die Einheit der Kirche so emphatisch ausgesagt werden, weil sie so radikal in Frage gestellt ist«.

398 Ein Beispiel aus jüngster Zeit sind verschiedene Verlautbarungen der »Bekenntnisbewegung ›Kein anderes Evangelium‹« seit 1966.

399 *Barth*, KD IV/1 754. - σκάνδαλον kommt im Neuen Testament im Zusammenhang der Gefahr »einer Spaltung der Gemeinde« (*Stählin*, Art. σκάνδαλον 355f) vor. »Anstoß und Ärgernis« (Röm 14,13) bereiten die »Starken« den »Schwachen« in der Gemeinde mit der Gefahr der Zerstörung dieses »Werkes Gottes« (Röm 14,20), bzw. des Verlustes der Anteilhabe der »Schwachen« am ›Leib Christi‹ (1Kor 8,11; s.o. 14).

400 »Alle Bemühung um die Einheit der Kirche kann bestenfalls nur diejenige Einheit bezeugen, die von Christus her dessen Leib bestimmt« (*Ebeling*, Dogmatik III 374).

ler Demut und Sanftmut, mit Geduld einander in Liebe« zu ›ertragen‹ (Eph 4,4) – indem es die Gegensätze zwischen den geteilten Kirchen nicht übersieht, aber versachlicht und, der Begrenztheit und Bedingtheit menschlichen Denkens eingedenk, sich bemüht, sie im Dialog fruchtbar zu machen – indem es von seiner Partikularkirche nicht absieht, aber sie relativiert.

»Credimus sanctam ecclesiam« – wir *glauben* die heilige Kirche, wir schauen eine »selbst sündig(e)« Kirche. Die dunklen Seiten ihrer Geschichte füllen Bände. Ihre gegenwärtigen Versäumnisse und ihr Versagen sind offensichtlich. Ihre Zerteilung erscheint als ihre unübersehbare Widerlegung. Eine »selbst sündig(e)« Kirche in Raum und Zeit widerspricht der heiligen Kirche des Glaubens. Sie sperrt sich gegen eine »seinshafte« Ontologisierung der »Heiligkeit der Kirche«[401] auch in quantifizierender Relativierung. Weder heilige Stätten, Institutionen, Kulte, Riten und Ämter noch »Heilige«, wie sie die römisch-katholische Kirche auf Grund ihres Verhaltens posthum feststellen zu können meint, sparen eine »seinshaft« heilige, »eigentliche Kirche«[402] aus. Finden sich im Alten Testament noch Spuren der »Heiligkeit« von Stätten, Institutionen, Kulten, Riten und Ämtern als »Eigenschaft«[403], das Neue Testament schließt sie völlig aus (vgl. Mk 7,1ff par; 1Kor 8–10)[404]. Zwar werden die Glieder der Gemeinde als »Heilige« bezeichnet und angeredet (Röm 1,7; 2Kor 1,1), aber nicht auf Grund eigenen Verhaltens, sondern als »Geheiligte in Christus Jesus« (1Kor 1,2), auf Grund des Verhaltens des »Heiligen Gottes« (Mk 1,24 par). Er selber, der »durch sein eigenes Blut das Volk« ›heiligt‹ (Hebr 13,12; vgl. 2,11; Joh 17,19), behebt den Widerspruch zwischen einer »selbst sündig(en)« Kirche in Raum und Zeit und der heiligen Kirche des Glaubens. Der Sprachgebrauch des Hebräerbriefs steht dem »für euch« hingegebenen »Leib« Christi, dem rechtfertigenden »Wort vom Kreuz« des Paulus nicht nur nahe[405], sondern Heiligung erscheint in ihm geradezu als Wechselbegriff für Rechtfertigung[406]. So haben ihn die Reformatoren aufgenommen, wenn sie zwischen Rechtfertigung und Heiligung nicht genau unterschieden[407]. Das wird besonders deutlich in Luthers Kommentar zu Galater 1,2 von 1531. Bis in die einzelnen Formulie-

401 S.o. Anm. 391.
402 S.o. 162f.
403 *Widengren*, Religionsphänomenologie 41; vgl. *Procksch*, Art. ἅγιος 89. Zu bedenken ist aber das »Merkwürdige . . ., daß die von Jahwe gesetzte Sphäre der Heiligkeit gerade in der Priesterschrift gar nichts Stabiles hat. Sie war ja nicht an die Heiligkeit eines sozusagen heiligen Ortes gebunden, sondern sie war eine Heiligkeit immer auf Abbruch« (*v. Rad*, Theologie AT I 277).
404 »›Unreine Hände‹ . . . sind nicht ›beschmutzte‹ Hände, sondern solche, die nach den strengen Vorschriften des Gesetzes . . . rituell unrein geworden sind. Erst durch die zeremoniellen Waschungen, wie sie Priestern obliegt, werden sie rein« (*Lohmeyer*, Markus 139, zu Mk 7,1ff). – Zum Götzenopferfleisch in 1Kor 8–10 s.o. 13ff.
405 In den triadischen Reihungen 1Kor 1,30; 6,11 könnte er sich bereits ankündigen.
406 Heiligung »ist ein zentraler soteriologischer Begriff« (*Stählin*, Art. Heiligung II 180). »Der Begriff hat . . . einen forensischen . . . Pol« (*Joest*, Art. Heiligung III 180).
407 Vgl. o. 161: Zwinglis und Calvins Auslegung von Eph 5,25ff.

rungen hinein spricht er hier von der Heiligkeit der Kirche in Analogie zu ihrer Rechtfertigung: »Die christliche Heiligkeit ist eine passive, nicht eine aktive. Niemand soll sagen, er sei heilig durch seine Lebensweise ... Ich und Du, wir sind heilig, Kirchengemeinde, Stadtgemeinde, das Volk ist heilig nicht durch eigene, sondern durch fremde, nicht durch aktive, sondern durch passive Heiligkeit«[408]. So verweist das dem griechischen Wort für Kirche - *ekklesia* (ἐκκλησία, lat. ecclesia) - nahestehende[409], betonte[410] und umfassende Attribut der Kirche des Glaubens selber auf die Rechtfertigung, die sie schafft, der gegenüber keines ihrer Attribute verselbständigt werden, die keines hinter sich lassen kann. Das Kommen des die heilige Kirche des Glaubens wirkenden »heiligen Geistes« zur »selbst sündig(en)« Kirche in Raum und Zeit ist der Verkündigung des rechtfertigenden »Wortes vom Kreuz«, des »für euch« hingegebenen »Leibes« Christi, dessen, der »durch sein eigenes Blut das Volk« ›heiligt‹, verheißen[411]. Als heiligender Geist erbaut er auf diesem »Fundament«[412] durch ihr entsprechendes Tun die »charismatische Gemeinde« von Römer 12,9-12[413], das »heilige Volk« (1Petr 2,9), den »Tempel Gottes, der heilig ist« (1Kor 3,17), die »Gemeinschaft der Heiligen«[414], die heilige Kirche des Glaubens, die »Liebe, Freude, Geduld, Freundlichkeit, Güte, Treue, Sanftmut, Selbstbeherrschung« (Gal 5,22f) auszeichnen.

»Credimus catholicam ecclesiam« - wir *glauben* die alle umfassende, allgemeine Kirche, wir schauen zwar über alle Erdteile verbreitete, aber eine Minderheit gebliebene[415], an Gleichgültigkeit ihrer Mitglieder zunehmende, in Bekenntnis *(confessio)*, Dogma und Theologie nicht übereinstimmende Kirchen. Das aus dem Griechischen (καθολικός) stammende Attribut ist als einziges nicht dem Neuen Testament entnommen[416]. Das erschwert seine Interpretation, entbindet aber nicht von der Bemühung um sie auf dem als rechtfertigendes »Wort vom Kreuz« explizierten, apostolischen »Fundament«. Zuerst belegt ist es in den Ignatiusbriefen[417]:

408 »Christiana sanctitas est passiva, non activa. Nemo dicat se sanctum esse per suum genus vitae ... ego, tu sancte sumus, Ecclesia, Civitas, populus sanctus est non sua sed aliena, non activa sed passiva sanctitate« (WA 40 I 70, 1, 19).

409 Vgl. ἐκ - κλησία mit den »berufenen (κλητοί) Heiligen« (Röm 1,7; 1Kor 1,2).

410 Vgl. die Verdoppelung im sog. Apostolicum: Credo ... sanctam Ecclesiam catholicam *sanctorum* communionem (Gemeinschaft der Heiligen) (D 6).

411 Deshalb gesteht *Luther* auch der römischen Kirche seiner Zeit das Attribut »heilig« zu, obwohl sie in seinen Augen »schlimmer ist als Sodom und Gomorrha«. Denn sie hat »die Stimme und den Text des Evangeliums« (vox et textus Evangelii) (WA 40 I 69, 23).

412 »Jetzt aber, befreit von der Sünde und Gott dienstbar geworden, habt ihr eure Frucht zur Heiligung« (Röm 6,22). »Rechtfertigung beansprucht den ganzen Menschen in all seinen Möglichkeiten und Beziehungen ... In der Heiligung geht es um diese Intention und Dimension der Rechtfertigung ...« (*Käsemann,* Römer 174, z.St.). »Wir haben ... Rechtfertigung nicht als isolierte Amnestieerklärung, sondern in ihrer die Aktivierung des Menschen einschließenden Kraft verstanden« (*Joest,* Fundamentaltheologie 54).

413 S.o. 12f.

414 S.o. Anm. 410.

415 Vgl. Karte der Religionen und Missionen der Erde, RGG V, ³1961, nach Sp. 1056; *Aland,* Geschichte der Christenheit II 421ff.

416 Apg 4,18, der einzigen Stelle, an der es auftaucht, steht es in anderem Zusammenhang.

417 ... ὅπου ἂν ᾖ Ἰησοῦς Χριστός, ἐκεῖ καθολικὴ ἐκκλησία (An die Smyrnäer VIII 2).

»Wo Jesus ist, da ist die *alle umfassende* Kirche.« Die »über die ganze Welt (verbreitete) katholische Kirche«[418] folgte dem Auftrag, das Evangelium allen zu verkündigen (Mk 16,15; Mt 28,19f), denn Jesus Christus, den Gott »für uns alle hingegeben hat« (Röm 8,32; vgl. 2Kor 5,14), ist »aller Herr« (Röm 10,12; Apg 10,36). Aber der Ausbreitung des Christentums in den ersten Jahrhunderten, die zu seiner beherrschenden Stellung in Europa und, von ihm ausgehend, in Amerika und Australien führte, steht die Diaspora in Asien und Afrika und die Ausbreitung des Marxismus in der Neuzeit gegenüber mit dem statistischen Ergebnis der Minderheitensituation und der Stagnation. In den christlichen Großkirchen nimmt zudem die Gleichgültigkeit ihrer Mitglieder zu. Den Widerspruch zur alle umfassenden Kirche des Glaubens beheben weder auf Quantität fixierter missionarischer noch auf Qualität fixierter kirchlicher Aktivismus, ihn behebt alleine der, den Gott »für uns alle hingegeben hat«. Seiner Verkündigung, der Verkündigung des rechtfertigenden »Wortes vom Kreuz«, ist das Kommen des Geistes zur Minderheitenkirche in Raum und Zeit verheißen, der als ›alles lehrender‹ Geist (Joh 14,26) auf diesem »Fundament« die alle umfassende als alle angehende Kirche des Glaubens durch ihr entsprechendes Tun erbaut[419]. Es entspricht der einladenden Unübersehbarkeit dieser »Stadt auf dem Berg« (Mt 5,14), wenn es darauf bedacht ist, wie »untereinander« so »allen« »Gutes« zu tun (1Thess 5,15; vgl. Gal 6,10) – wenn es sein Interesse auf alle ausdehnt – wenn es sich mit allen beschäftigt.

»Wo Jesus ist, da ist die *allgemeine* Kirche«. Diese zweite Interpretation ist in der ersten enthalten, weil die alle umfassende als alle angehende Kirche des Glaubens von der Frage nach ihrer Identität begleitet wird. Zwischen identitätsloser Anpassung und ihren Auftrag verfehlender Selbstbezogenheit muß sie ihren Weg finden. Schon früh verband sich mit dem Attribut ›katholisch‹ die auf dem apostolischen »Fundament« rechtgläubige[420], die identische Kirche. Die allgemeine ist nicht die Summe der Kirchen in Raum und Zeit, sondern die identische Kirche des Glaubens in ihnen. Wir *glauben* die allgemeine Kirche, wir schauen in Bekenntnis, Dogma und Theologie nicht übereinstimmende Kirchen. Den Widerspruch behebt kein konfessioneller Partikularismus, der die eigene mit der allgemeinen Kirche identifiziert und den Eintritt in sie fordert[421], auch nicht in

418 τῆς κατὰ τὴν οἰκουμένην καθολικῆς ἐκκλησίας (Martyrium Polykarps VIII 1).

419 Trotz der Tendenz zur »rein esoterischen Bestimmung des Zusammenlebens der Gläubigen« ist in den johanneischen Schriften das »Dasein« der Kirche »die ständige Konfrontation der Offenbarung mit der Welt, an die damit das Angebot des Glaubens ergeht« (*Conzelmann*, Theologie des NT 387).

420 Vgl. Martyrium Polykarps XVI 2.

421 »... es gibt nur eine einzige Kirche, die sich legitimerweise von Christus ableitet. Sie ist identisch mit der römisch-katholischen«. *Schmaus* stimmt folgerichtig der Instructio »De motione occumenica« von 1949 zu: »Keineswegs darf man verschweigen oder mit zweideutigen Worten verschleiern, was die katholische Kirche sagt ... über die einzig wahre Union durch die Rückkehr der Dissidenten zur einen wahren Kirche Christi« (Katholische Dogmatik III/1 548f.620).

der abgeschwächten Form eines Vorrangs der historischen »Mutterkirche« von ihren »Tochterkirchen«[422]. Ihn behebt weder eine Quantifizierung der allgemeinen Kirche nach Maßgabe dessen, »was überall, was immer, was von allen geglaubt wurde«[423], noch ihre Ontologisierung nach Maßgabe eines all-gemeinen Wesens[424]. Den Widerspruch behebt alleine der, den Gott »für uns alle hingegeben hat« und der »aller Herr« ist. Seiner Verkündigung, der Verkündigung des rechtfertigenden »Wortes vom Kreuz«, ist das Kommen »des Herrn, der der Geist ist« (2Kor 3,17), zu den in Bekenntnis, Dogma und Theologie nicht übereinstimmenden Kirchen in Raum und Zeit verheißen, der in ihnen auf diesem »Fundament« die allgemeine, die identische Kirche des Glaubens durch ihr entsprechendes Tun erbaut. Es entspricht ihr, wenn in ihm »Freiheit« von »selbstsüchtiger und selbstwillige(r) Existenz«[425] ›herrscht‹ – wenn es Identität weder für eine Partikularkirche beansprucht noch in ihr sucht, sondern bei dem, der als »aller Herr« Identität verleiht, ohne mit einer Kirche identisch zu werden – wenn es ihn in Bekenntnis, Dogma und Theologie intendiert – wenn es Bekenntnis, Dogma und Theologie nicht verabsolutiert, sondern im Ausblick auf ihn, eingedenk der Begrenztheit und Bedingtheit menschlichen Denkens[426], sich der Aufforderung des *ecclesia semper reformanda* (die Kirche immer zu reformieren) öffnet.

»Credimus apostolicam ecclesiam« – wir *glauben* die apostolische, mit dem apostolischen »Wort vom Kreuz« zu den Menschen gesandte Kirche, wir schauen in Raum und Zeit eine das »Wort vom Kreuz« immer wieder verkehrende und den Menschen vorenthaltende Kirche. Das Attribut lenkt zum Ausgangspunkt, zum apostolischen »Fundament« der Kirche des Glaubens, zurück. Wer es für die Kirche in Raum und Zeit in Anspruch nimmt, auf die es in historischer apostolischer Sukzession überkommen sei[427], verkennt seinen Charakter als Attribut der Kirche des Glaubens. Abgeleitet ist es vom neutestamentlichen Apostel (ἀπόστολος,

422 So *Küng,* Die Kirche 362ff.

423 *Vincenz von Lerinum,* Commonitorium 2 3.

424 »Die innere (Katholizität) betrifft die Fülle der Wahrheit und der Heilsgüter. Man kann sie auch die heilsontologische nennen« (*Schmaus,* Kath. Dogmatik III/1 603).

425 *Schlier,* Art. ἐλεύθερος 496.

426 »Mithin wird in keiner christlichen Kirche, die des Vorsprungs der Wahrheit vor ihrer menschlichen Erkenntnis eingedenk bleibt, die Frage der Wahrheit ihres Seins jemals eine definitive Erledigung finden: Die Unermeßlichkeit ihrer Frage spiegelt den die ganze Weltgeschichte kennzeichnenden Unterschied zwischen Wahrheit und Erkenntnis, sofern er dennoch den Unterschied von wahrer und falscher Kirche nicht verschlingt« (*Geyer,* Wahre Kirche? 470).

427 S.o. 154. – »Die Apostel haben die ihnen von Christus übertragenen Aufgaben an andere weitergegeben, so daß diese in einer ununterbrochenen Reihe bis zu den jeweils gegenwärtigen Bischöfen gelangt (ist) ... Für den Bischof von Rom läßt sich die ununterbrochene Nachfolgereihe, die apostolische Sukzession am deutlichsten nachweisen« (*Schmaus,* 625f). – »Apostolisch und also wahre Kirche wäre dann einerseits eine Sache, deren man sich durch historisch-kritische Prüfung dieser Überlieferung versichern und schließlich im günstigsten Fall durch Ausgrabung gewisser apostolischer Überreste endgültig versichern könnte. Es ist klar, daß es dazu des Heiligen Geistes und des Glaubens nicht bedürfe ...« (*Barth,* KD IV/1 799).

s. auch ἀποστέλλειν). Jesus, der von Gott ›Gesandte‹ (Joh 3,17 und a.a.O.), *der* Apostel (Hebr 3,1), sendet *die* Apostel (Joh 17,18). Was sie vor allen anderen auszeichnet, ist das unmittelbare »Wort vom Kreuz« an sie, die Zeugen des Auferstandenen (Gal 1,11 u. 12; 1Kor 15,7 u. 8)[428], als apostolisches »Fundament« (1Kor 3,11) der Kirche. Was sie mit allen anderen verbindet, ist die Angewiesenheit auf das »Wort vom Kreuz«, das apostolische »Fundament« der Kirche. ›Von sich aus‹ ist Paulus un-›geeignet‹ zum Apostel (2Kor 3,5; 1Kor 15,9)[429]. Den Widerspruch behebt alleine die »Gnade« Gottes, die sich im rechtfertigenden »Wort vom Kreuz« manifestiert[430]. In ihm kam der Geist zu von sich aus ungeeigneten Menschen, der glaubende Apostel (2Kor 4,13; Joh 20,22)[431] und bevollmächtigend in den glaubenden Aposteln (Mk 6,7 par; Lk 10,16; 2Kor 12,12) wirkte. Deshalb verbindet Paulus, der »klassische Vertreter des Apostolats im Neuen Testament«[432], »Gnade und Apostelamt« (Röm 1,5) direkt miteinander[433]. Der Apostolat ist ›Gabe‹ der rechtfertigenden »Gnade« (χάρις: Röm 12,3; 15,15; 1Kor 3,10; Gal 2,9), Prototyp der »Gnadengabe« (χάρισμα)[434]. Von sich aus ist die Kirche in Raum und Zeit wohl eine Religionsgesellschaft, aber nicht die apostolische, mit dem apostolischen »Wort vom Kreuz« zu den Menschen gesandte Kirche des Glaubens. Den Widerspruch behebt alleine die »Gnade« Gottes, die sich im apostolischen, rechtfertigenden »Wort vom Kreuz« manifestiert. Seiner Verkündigung ist das Kommen des Geistes zu einer das »Wort vom Kreuz« immer wieder verkehrenden und den Menschen vorenthaltenden Kirche in Raum und Zeit verheißen. Er erbaut auf diesem »Fundament« die mit der »Erkenntnis« (1Kor 1,5; 12,8; 2Kor 8,7) der »Lehre der Apostel« (Apg 2,42) begabte charismatische Kirche[435], die ein angeblich wesensinhärenter *»character sacramentalis« (character indelebilis)* nicht verbürgt[436], die apostolische, mit dem apostolischen »Wort vom Kreuz« zu den Menschen gesandte Kirche des Glaubens, die durch apostolische Sukzession historisch nicht zu sichern ist, durch ihr entsprechendes Tun.

428 »Der Offenbarungsanspruch des paulinischen Evangeliums ist in der direkten Übermittlung durch Jesus Christus an den Apostel begründet« (*Schlier,* Galater 18, z.St.). – »Wer ist Apostel? Wichtig ist, daß *alle* Apostel den auferstandenen Christus sahen. Das ist also für den Begriff des Apostels bestimmend« (*Conzelmann,* 1.Korinther 305, z.St.).

429 Vgl. die Petrus-Darstellung der synoptischen Evangelien, bes. Mk 8,31ff par; Mk 14,66ff par.

430 »Der Apostel ist nicht ein Held oder ein Genie, sondern ein gerechtfertigter Sünder unter anderen Sündern« (*Küng,* Die Kirche 417).

431 »Ostern und Pfingsten fallen also zusammen« (*Bultmann,* Das Evangelium des Johannes 537, zu Joh 20,22).

432 *Rengstorf,* Art. ἀπόστολος 438.

433 »Fast ein Hendiadyoin« (*Käsemann,* Römer 12).

434 S.o. 11ff.165.

435 S.o. 12f.

436 D 960.964. »Ausschlaggebend ist . . ., daß das Wirken des Geistes nicht mit institutionellen Vollzügen identifiziert wird, sondern daß diese für die Freiheit des Geisteswirkens einen sachgerechten Rahmen abgeben, der die Entfaltung der Charismen ermöglicht . . .« (*Ferdinand Hahn,* Charisma und Amt 448).

Es entspricht ihr, wenn es in der vom Neuen Testament intendierten »Lehre der Apostel« bleibt, wenn es das apostolische »Wort vom Kreuz« nach-denkt und den Menschen ihres jeweiligen Raumes und ihrer jeweiligen Zeit vermittelt[437].

Die vier Attribute der Kirche des Glaubens verweisen alle auf das der Verkündigung des rechtfertigenden »Wortes vom Kreuz« verheißene Zukommen des Geistes, der sie in der Kirche in Raum und Zeit wirkt. Sie sind im Sinne des Wortes ›Attribute‹[438], ›Zuteilungen‹ (διαιρέσεις: 1Kor 12,4 u. 11) des verheißenen Geistes. Ursprung wie Kontinuität liegen im Geber, nicht im Empfänger. Der herkömmliche Begriff *›notae‹*[439], ›Kennzeichen‹ der Kirche, legt das Mißverständnis von »Wesenseigenschaften der Kirche« nahe[440], deren Ursprung zwar im Geber, deren Kontinuität aber im Empfänger liegt. Ist die Verkündigung des rechtfertigenden »Wortes vom Kreuz«, der das Kommen des Geistes zur Kirche in Raum und Zeit verheißen ist, die fundamentale Praxis der Kirche, so ist das die »eine, heilige, allgemeine und apostolische Kirche« des Glaubens erbauende Tun, das der Geist bewirkt, die aus ihr folgende Praxis der Kirche. Mit Barth[441] muß theologische Ekklesiologie in eine Theorie einmünden, die nicht nur der Verkündigung des verheißungsvollen rechtfertigenden »Wortes vom Kreuz«, sondern auch dem der »einen, heiligen, allgemeinen und apostolischen Kirche« des Glaubens entsprechenden Tun den Weg bereitet[442].
Die »eine, heilige, allgemeine, apostolische Kirche« des Glaubens ist weder eine *»Platonica civitas«*[443] noch verfügbarer Besitz, vorweisbare Seinsqualität, rühmbare Leistung der Kirche in Raum und Zeit. Die »eine, heilige, allgemeine, apostolische Kirche« des Glaubens ist »neue Schöpfung« des im rechtfertigenden »Wort vom Kreuz« zu-kommenden Heiligen Geistes in der »selbst sündig(en)«, auch als Religionsgesellschaft

437 »Der christlichen Lehre (ist) ungemein mehr Beachtung und Gewicht beizumessen als bisher, freilich (ist) sie auch sprachlich und vor allem lebensmäßig auf neue Weise zu vermitteln« (*Ebeling,* Dogmatik III 377).
438 Von lat. attribuere = zuteilen.
439 Von lat. notare = kennzeichnen.
440 S.o. 162f. Es »wird deutlich, daß die Wesenseigenschaften der Kirche zugleich Kennzeichen sind ... Sie sind konstitutive Elemente der Kirche und bringen sie zugleich als Kirche Christi zur Erscheinung« (*Schmaus,* Kath. Dogmatik III/1 544). Dieses ontologisierende Verständnis wurde von den Reformatoren in Anwendung der Rechtfertigungslehre auf die Ekklesiologie grundsätzlich aufgehoben (vgl. *Ernst Wolf,* Einheit der Kirche 132ff).
441 Vgl. o. 90.92f.
442 »Die Charismenlehre des Paulus ist ... die direkte ekklesiologische Entsprechung zur Rechtfertigungsbotschaft« (*Schulz,* Charismenlehre 454). »Der bestimmenden und begrenzenden *Kraft des evangelischen Grundes* korrespondiert der bestimmte und begrenzte *Charakter der mimetischen Praxis* einer christlichen Kirche« (*Geyer,* Wahre Kirche? 477). »... nicht, daß Jesus Christus nur Wort und Sakrament in Dienst nimmt und nicht auch die anderen ... Zeugnisäußerungen, um auch in ihnen durch den Heiligen Geist als der Herr gegenwärtig an und in der Kirche zu handeln« (*Weth,* Theologische Ekklesiologie nach 1945 182, zu Barmen III). S.o. Anm. 31.
443 Apologie VII, in: BSLK 238, 21.

»gottlosen« Kirche in Raum und Zeit der ›alten‹ Schöpfung. Sie ist weder als ontologische, noch – im ›Wesen‹tlichen auf das Gleiche hinauslaufende – sozialphilosophische *»societas perfecta«* zu definieren, zu beschreiben und zu programmieren[444]. Sie ist allein im Ausblick auf den der Verkündigung des rechtfertigenden »Wortes vom Kreuz« verheißenen Heiligen Geist Gottes des Schöpfers aussagbar. Er macht sie aber erfahrbar als »Anzahlung« (2Kor 1,22; Eph 1,14) eines umfassenden »Horizonts der Hoffnung« (Röm 8,24–26)[445]. Die fundamentale Praxis menschlicher Verkündigung des rechtfertigenden »Wortes vom Kreuz« und die aus ihr folgende Praxis die »eine, heilige, allgemeine und apostolische Kirche« des Glaubens erbauenden menschlichen Tuns bleiben in der Kirche in Raum und Zeit ebenso auf sein Kommen angewiesen wie in ihre Orientierung einmündende theologische Theorie[446].

444 S.o. 155. Ist die erste die Tendenz der herkömmlichen römisch-katholischen und analoger Ekklesiologien, so die zweite, über Konfessionsgrenzen hinaus, die vieler ›moderner‹ Ekklesiologien. Mißverständlich formulierte hier auch Barmen III. »Man wird also die Rede von der ›Gemeinde von Brüdern‹ nicht im Sinne einer christlichen Sozialstruktur mißverstehen dürfen ... Daß diese Aussagen von der eschatologischen Kirche gemacht werden ..., sollte ... unterstrichen werden« (*Dinkler,* Die ekklesiologischen Aussagen des Paulus 135).

445 Übersetzung *Käsemann,* Römer 219. »Die Verheißung der Zukunft Gottes bedeutet, daß die uns in der Gegenwart geschenkte Erfüllung in der Gemeinschaft mit Gott auch die endgültige Bestimmung unseres Lebens zum Ausdruck bringt« (*Hollweg,* Theologie und Empirie 351).

446 Evangelische Theologie »kann ihr Recht nur davon erwarten, daß Gott sie ins Recht setzt ... ist, eben von ihrem Gegenstand dazu bestimmt, *bescheidene* Wissenschaft« (*Barth,* Einführung 13). »Praktische Theologie ist von der Pneumatologie her und auf die Pneumatologie hin zu denken. Sie reflektiert das Praktisch-Werden Gottes«. Deshalb nimmt sie einen »Standpunkt ... zwischen Pfingsten und Pfingsten«, einen »Ort ..., der von einem Geschehen her auf ein Geschehen hin bestimmt ist« ein. Sie darf »hoffen auf die Verheißung des Geistes«, »ob das Wort kommt, das uns der Geist entdeckt, steht allemal in der Freiheit des Geistes«. R. Bohrens Konzeption der Praktischen Theologie im Ausblick auf den verheißenen, aber unverfügbaren heiligen Geist, der die Kirche des Glaubens wirkt, ist der Intention nach die einer »bescheidenen Wissenschaft« (Barth). Aber dann wechselt er den »Standpunkt«. Unter Bezug auf die Frage 53 des Heidelberger Katechismus: »Der Heilige Geist ›ist auch mir gegeben‹« heißt es jetzt: »Der Ort dieser Begabung, das ist mein Standpunkt«. Auf ihm wird wie Theologie überhaupt, so auch Praktische Theologie zwangsläufig unbescheidene Wissenschaft. Jetzt ist sie »zu verstehen als Verständigung über die vom Geist begabte Kirche«. Sie »reflektiert ›den heiligen Geist als Gemeinde existierend‹ (Hegel)«. Was für den Metaphysiker Hegel denkbar ist, sollte für den Theologen Bohren undenkbar sein. Barths Eingrenzung der mißverständlichen Frage 53 des Heidelberger Katechismus hätte ihn warnen können: »Dieses mir Gegebensein des Heiligen Geistes kann keinen Augenblick statisch verstanden werden« (*Barth,* Heidelberger Katechismus 79). Aber anstatt auf den »Standpunkt ... zwischen Pfingsten und Pfingsten« zurückzukehren, kritisiert er auf dem metaphysisch-pneumatologischen »Standpunkt« E. Jüngels theologisch-pneumatologische These: »Die Verwirklichung der Wiederholung des Wortes Gottes als Ereignis zu je seiner Zeit liegt *jenseits* der Grenzen der Theologie in der durch den Heiligen Geist gewährten Praxis selbst« (*Jüngel,* Das Verhältnis der theologischen Disziplinen 56) als »für die theologische Theoriebildung irrelevant« und »doketisch«. Merke: »Indem der Geist den einzelnen begabt und indem der einzelne ein endliches Wesen und ein Sünder ist, neigt der Geistbegabte dazu, seine Gabe absolut zu setzen und damit den eigenen Horizont zu kanonisieren ... Jeder Charismatiker hat darum eine gewisse Neigung zum Papsttum« (*Bohren,* Daß Gott schön werde 14.77f.122f.206.22.80).

3.2

Die Kirche in Raum und Zeit

Von der verheißenen Kirche des Glaubens bestimmte theologische Ekklesiologie auf dem apostolischen »Fundament« (1Kor 3,11) gibt unverstellt den Blick auf die Kirche in Raum und Zeit frei[447]. Um sie in den Blick zu bekommen, ist »der kombinierte Akt der Wahrnehmung und des Denkens« erforderlich, dessen Ziel es ist, »Phänomene festzustellen, zu ordnen, zu verknüpfen, zu erforschen, zu verstehen und darzustellen«. Solche »*reine* Wissenschaft« unterscheidet sich »von der Theologie« dadurch, »daß sie sich an den Phänomenen genügen läßt«[448]. Der Weg der Kirche durch Raum und Zeit kommt durch die allgemeine Geschichtswissenschaft und die spezielle Kirchengeschichte in den Blick[449]. Ihre besondere Prägung in unserem Raum verlangt darüber hinaus die Berücksichtigung der »rechtshistorischen Forschung«[450]. Die »Notwendigkeit der Zusammenschau und des Methodenpluralismus« in der Geschichtsschreibung erfordert im Blick auf das soziale Gebilde Kirche vor allem aber »die Rücksicht auf soziologische Faktoren«[451]. Die gegenwärtige Kirche in Raum und Zeit ist dann vorrangig Gegenstand der Soziologie, einer auch als Religions- und Kirchensoziologie empirischen Humanwissenschaft[452].

Infolge seiner Geschichte und soziokultureller Gegebenheiten ist die Kirche in unserem Raum immer noch Volkskirche. Der »Begriff« ist allerdings »überaus vieldeutig«[453] und verlangt genauere Eingrenzung. Zu ihr verhilft Martin Doernes soziologische Unterscheidung »zwischen einem *Seinsbegriff* und einem *Sollbegriff* der Volkskirche«[454]. Als »Sollbegriff« füllt sie die Annalen des 19. und der ersten Jahrzehnte des 20. Jahrhunderts. Er zeigt einmal in Richtung einer Nationalkirche. Der Einheit der deutschen Nation sollte die Einheit der Kirche entsprechen. Der Bogen

447 S.o. 157.
448 *Barth*, KD III/2 12f. Der betreffende Exkurs befindet sich im Kapitel: »Der Mensch im Kosmos«. Zu den ausgebliebenen Folgerungen für die empirische Kirche s.o. 97ff.
449 »Im Falle der Kirchengeschichte besteht schon rein stofflich eine so enge Verknotung mit der allgemeinen Geschichtswissenschaft, daß die Vorstellung alleiniger Zuständigkeit der Theologie gar nicht aufkommen kann . . . (es) setzte sich . . . die Auffassung unbestritten durch, daß Kirchengeschichte genau so zu betreiben sei wie Geschichtswissenschaft überhaupt« (*Ebeling*, Studium der Theologie 76f).
450 *Mikat*, Bemerkungen 10.
451 *Wichelhaus*, Kirchengeschichtsschreibung und Soziologie 1.
452 »Die Abgrenzung der Religionssoziologie gegen die Theologie erfolgt auf der Grundlage des empirisch-positiven Charakters der Soziologie« (*Kehrer*, Religionssoziologie 10).
453 *Doerne*, Volkskirche? 8. »Der Begriff ›Volkskirche‹ ist wenig präzise« (*Hild* [Hg.], Wie stabil ist die Kirche? 22).
454 A.a.O. 4.

spannt sich vom Wartburgfest 1817 bis zur Gründung der »Deutschen Evangelischen Kirche« unter einem »Reichsbischof« 1933[455]. Er zeigt aber auch in Richtung einer lebendigen Volkskirche. Die »Bildung unserer evangelischen zur wahren Volkskirche« erhob ihr markanter Vertreter, Johann Hinrich Wichern, auf dem Wittenberger Kirchentag 1848 zum Programm[456]. Dieses Ziel konnte sich ebenso mit dem nationalkirchlichen verbinden wie eine staats-»freie lutherische Volkskirche« fordern[457]. Beiden Tendenzen ist ein Programm gemeinsam, das besagt, was Volkskirche sein *soll.* Trotz eines kritischen Rückblicks und eines Fragezeichens hinter dem Titel: »Volkskirche – Kirche der Zukunft« erinnern die Eingangssätze der »Leitlinien« der »Vereinigten Evangelisch-Lutherischen Kirche Deutschlands« von 1977 an diesen programmatischen Charakter: »Kirche als Volkskirche ist ein zentrales Thema für die Zukunft. In neuer Weise sind wir uns der Fülle des Auftrags bewußt, die darin liegt, daß unsere Kirche in einem theologisch weiten und geistlich offenen Sinne Volkskirche ist«[458]. An solcher »nachdrücklich(en)« Verwendung des »Begriffs« Volkskirche übt das »Votum« der »Evangelischen Kirche der Union« von 1981 dann auch Kritik[459], ohne seinerseits einen gegenläufigen programmatischen Unterton ganz unterdrücken zu können[460]. So oder so, ein Programm lenkt den Blick von der Kirche in Raum und Zeit ab. Von der verheißenen Kirche des Glaubens bestimmte theologische Ekklesiologie lenkt ihn dagegen auf die Kirche in Raum und Zeit, wie sie ist, nicht auf einen »Sollbegriff«, wohl aber auf den »Seinsbegriff« Volkskirche. Statt durch auf- oder abwertende Vor-urteile den Blick auf sie zu verstellen, gibt sie den Blick auf sie frei. Statt in eine imaginäre Zukunft blickt sie auf ihre Gegenwart. Daß sowohl die Programme einer Nationalkirche als auch die einer lebendigen Volkskirche scheiterten, erhält Signalbedeutung. Wichern fand sich am Ende wieder auf den »Tatbestand der Volkskirche« (A. Adam) als das »Naturfundament« zurückgeworfen, das wir »haben«[461]. Theologische Ekklesiologie, die auf theologische Identifizierung und praktische Orientierung der Kirche eines bestimmten Raumes in einer bestimmten Zeit zielt, ist auch heute noch an ihn gewiesen.
Er soll im Blick auf die evangelische Volkskirche in der Bundesrepublik Deutschland unter drei Gesichtspunkten entfaltet werden:

455 Nicht nur die Spaltung der evangelischen Kirche in die lutherische und reformierte Konfession sowie in verschiedene Landeskirchen, auch die »Spaltung Deutschlands in das protestantische und katholische« wurde als »irrig, falsch, unglückselig« beklagt (aus den »Jenaischen Grundsätzen und Beschlüssen zur Wartburgfeier«, zit. nach *A. Adam,* Nationalkirche und Volkskirche 37).
456 *Wichern,* Rede 235.
457 So der Titel einer 1870 erschienenen Schrift von Theodosius Harnack.
458 *Lohff, Mohaupt* (Hg.), Leitlinien 11.
459 *Burgsmüller,* »Gemeinde von Brüdern« 2 27.
460 Der Einfluß der Ekklesiologie Barths ist hier trotz Differenzierungen und Korrekturen unverkennbar, s.o. 104f.
461 *Wichern,* Mitarbeit der Kirche 1226. Die »große Volkskirche (trat) an die Stelle des Ideals der wahren Volkskirche«. »Das Ideal der Volkskirche war auf den Tatbestand der Volkskirche zurückgeführt« (*Adam,* Nationalkirche und Volkskirche 152.154).

1. Die Volkskirche als Ergebnis der Geschichte,
2. die gegenwärtige Volkskirche und
3. die gegenwärtige Volkskirche als Herausforderung theologischer Ekklesiologie.

1. Die Volkskirche als Ergebnis der Geschichte in den Blick zu nehmen heißt, der Entstehung eines sozialen Gebildes in der Geschichte nachzugehen. Damit tritt der sozialgeschichtliche Gesichtspunkt in den Vordergrund. Das scheint selbstverständlich zu sein, ist es aber immer noch nicht[462]. Für die Entstehung der Volkskirche wichtige »soziologische Faktoren« müssen deshalb vor allem indirekt erschlossen werden[463].
Es ist ein Allgemeinplatz, die Volkskirche auf die ›konstantinische Wende‹ zurückzuführen, die die Entstehung der christlichen Staatskirche einleitete. Erst in letzter Zeit finden über diesen üblichen *terminus a quo* hinaus Entwicklungen Beachtung, die der christlichen Gemeinde und Kirche eine Struktur gaben, die sie für die ›Wende‹ disponierten. Diese läßt sich nicht mehr als heteronomer Eingriff in eine autonome soziale Größe begreifen, sondern ist Teil jener gesellschaftlichen Wechselwirkungen, die nicht zuletzt den Gang der Geschichte ausmachen. Vom Urchristentum an ist die Kirche von ihnen bestimmt[464]. Für die weitere Entwicklung von besonderem Interesse sind dabei das »palästinische Urchristentum« auf der einen und das »hellenistische Urchristentum« auf der anderen Seite. In ersterem waren »die entscheidenden Autoritäten« »heimatlose Wan-

462 »Die Verflochtenheit des Christlichen in die jeweilige kulturelle und gesellschaftliche (!) Gesamtkonstellation (ist) mit in Anschlag zu bringen« (*Bornkamm,* Kirchengeschichtsverständnis 462). Aber noch immer finden sich in der Kirchengeschichtsschreibung Spuren einer Einstellung, wie sie besonders deutlich in einer Anmerkung von K. Holl zum Ausdruck kommt. Mit Blick auf keinen Geringeren als M. Weber spricht er abschätzig vom »Versuch, eine ›Religionssoziologie‹ über gewisse Selbstverständlichkeiten hinaus durchzuführen« (*Holl,* Luther und die Schwärmer 435 Anm.). Auch Troeltschs bahnbrechende, wenn auch nicht unproblematische Untersuchungen (s.o. 46ff) bewirkten »Zurückhaltung der Disziplin gegenüber solchen Anregungen«, erg.: »Kirchengeschichte unter soziologischen Gesichtspunkten« zu schreiben (*Wichelhaus,* Kirchengeschichtsschreibung und Soziologie 7). G. Theißen sieht sich auch heute noch genötigt, sein Vorhaben »religionssoziologischer Analyse des Urchristentums« gegen »Vorwürfe« zu verteidigen, die »religionssoziologischer Forschung« in der Kirchengeschichte die »Legitimität« bestreiten (*Theißen,* Jesusbewegung 12f).

463 Im »Handbuch der deutschen Wirtschafts- und Sozialgeschichte muß W. Conze für den Teil »Religion und Kirche« der »Sozialgeschichte 1800–1850« noch 1976 (!) feststellen: »So reichhaltig die Literatur über die theologischen und geisteswissenschaftlichen Grundlagen und über die politischen Bezüge dieser ›Erneuerung‹ (erg. der Kirchen) ist, so fehlt es doch noch fast völlig an sozialgeschichtlicher Sicht« (*Conze,* Sozialgeschichte 1800–1850 471).

464 Daß es nicht allein von ihnen bestimmt wird, stellt *Theißen,* auf den sich das Folgende stützt, ausdrücklich fest: »Sofern über Analogien auf soziale Ursachen zurückgeschlossen wird, beschränkt sich die soziologische Analyse auf Typisches, Wiederkehrendes und Analoges. Erklärt werden jene Züge, die die Jesusbewegung mit Erscheinungen der Umwelt gemein ... (hat), nicht aber das Individuelle und Unverwechselbare der Jesusbewegung« (Jesusbewegung 34). Theißens Näherbestimmung des »Individuelle(n) und Unverwechselbare(n) der Jesusbewegung« läßt Fragen offen. Das kann die Berechtigung seiner soziologischen Untersuchung aber nicht berühren.

dercharismatiker« mit einem ethischen »Wanderradikalismus«, »der sich nur unter extremen und marginalen Lebensbedingungen praktizieren ließ«. Ihre gesellschaftliche »Außenseiterrolle« entsprach ihrer »eschatologischen Naherwartung«. Neben ihnen gab es »›Ortsgemeinden‹, seßhafte Sympathisantengruppen«, die »weniger radikal« als sie waren. Hier machten sich bereits andere soziologische Bedingungen, »die domestizierenden Auswirkungen von Beruf, Familie und Nachbarschaftskontrolle bemerkbar«. Damit bildeten sie die Brücke für den »Übergang ... zum hellenistischen Urchristentum«. In ihm »verlagerte sich das Gewicht ... auf die Ortsgemeinden«. Denn das »hellenistische Urchristentum« breitete sich insbesondere in den hellenistischen Städten mit ihrem »hohen Grad lokaler und sozialer Mobilität, ... Zwang zur Kommunikation zwischen verschiedensten Menschen, ... Bedürfnis nach Integration« aus. Sie »waren der neuen Botschaft gegenüber offener«, ihre soziologischen Bedingungen deshalb »für das Urchristentum günstiger« als das damalige Palästina. Die ethische Aufmerksamkeit richtete sich hier »primär« auf die »Interaktionen innerhalb der Ortsgemeinde«, wie die paulinischen Briefe erkennen lassen. Daß das keineswegs die Aufgabe der »eschatologischen Naherwartung« zur Folge haben mußte, zeigt der »eschatologische Vorbehalt« des Paulus, der als »Wanderprediger« noch zu den »Wandercharismatikern« gehörte. Von ihnen ging auch die Trägerschaft der eschatologischen Hoffnung auf die Ortsgemeinde über. Dieser Entwicklung parallel lief die Parusieverzögerung, die enttäuschte Naherwartung der Wiederkunft Christi. Entsprach die gesellschaftliche »Außenseiterrolle« von »Wandercharismatikern« der »eschatologischen Naherwartung«, so entsprach die am Gesellschaftssystem teilhabende Ortsgemeinde der durch die Parusieverzögerung veränderten Lage. Nicht der in Palästina vorgebildete »Sektentypus«, sondern der »Kirchentypus« (Troeltsch), der sich in den hellenistischen Ortsgemeinden ausbildete, setzte sich durch. Daß die eschatologische Hoffnung trotz der veränderten Lage in ihnen weiterwirkte, belegen der Hebräer- und 2. Petrusbrief (Hebr 4,1ff; 2Petr 3,4ff). Daß sie aber auch hinter das die Ortsgemeinden kennzeichnende Interesse an »sozialer Interaktion« zurücktreten konnte, zeigen die bezeichnenderweise die Sozialordnung der Umwelt nicht antastenden »Haustafeln« im deuteropaulinischen Kolosser- und Epheserbrief (Kol 3,18ff; Eph 5,22ff). Beide Möglichkeiten sind im sich ausbildenden ›Kirchentypus‹ enthalten. Deshalb trat in der Kirchengeschichte der »Sektentypus« auch immer wieder als eschatologisches Korrektiv auf[465]. Aber der »Kirchentypus« entsprach sowohl den soziologischen als

465 Troeltsch hebt am Beispiel der Täufer und Spiritualisten seine »eschatologische Hoffnung« und »radikale Ethik der Bergpredigt« hervor. Analog zu den »Wandercharismatikern« des »palästinensischen Urchristentums« (Theißen) gab es hier »Apostolische Wanderprediger«, die mit der »Predigt vom Gottesreich« durch das Land zogen. Der Sektentypus verstand sich als Antityp zum »Kirchentypus« und beschränkte sich »auf kleine Gemeinden« (*Troeltsch*, Protestantisches Christentum 506ff).

auch den theologischen Bedingungen der Zeit. Er zeichnete die weitere Entwicklung vor. »Kirchentypus« heißt Institutionalisierung, »institutionelle Normen wie Amt, Kanon und Glaubensbekenntnis« ausbilden; heißt die Ortsgemeinden übergreifende und zusammenfassende Organisation. Da sittliches Niveau, soziale Integrationskraft, Bewährung in »massive(n) Verfolgungen« hinzu kamen, war er für die kommende ›Wende‹ disponiert. »Bei seiner Neuorganisation des Reiches konnte Konstantin auf eine kleine, gut organisierte christliche Minderheit zurückgreifen, die sich in kritischen Situationen bewährt hatte, um dem Staat auch bei zunehmendem sozialen Druck inneren Halt zu geben«[466].

Die ›konstantinische Wende‹ umfaßt einen längeren geschichtlichen Prozeß. Als Konstantin I. (306–337), dem als *pontifex maximus* auch die Aufsicht über die religiöse Institution oblag, die christliche Kirche privilegierte, waren die Weichen in Richtung einer christlichen Staatskirche gestellt. Aber er mußte auf die nichtchristliche Mehrheit der Bewohner des Reiches Rücksicht nehmen. Erst 380 erließ Theodosius ein Gesetz, das seinen ›Willen‹ zur Annahme der christlichen Religion durch »alle Völker« des Reiches bekundete[467]. Ob sein *»volumus«* eine Rechtspflicht zum Ausdruck brachte oder nicht: »Wesentlich ist, daß sich unter diesen Umständen die Auffassung gefestigt hat, die Zugehörigkeit zur Kirche sei ein von der öffentlichen Ordnung vorausgesetztes Verhältnis, das für den normalen Rechtsstatus des Reichsangehörigen kennzeichnend sei«[468]. Im 6. Jahrhundert brachte Justinian, nunmehr mit der ›Nachhilfe‹ von Unterdrückung und Verfolgung der nichtchristlichen Reste sowie Massen›bekehrungen‹ mit erzwungener Taufe bei Androhung der Todesstrafe, die Entwicklung zur Staatskirche zum Abschluß. Von der Privilegierung der christlichen Kirche durch Konstantin I. an war sie politisch-gesellschaftlich motiviert. Sie lag »im Interesse der Reichseinheit«[469]. Es erklärt die sich bis zu Zwangsmaßnahmen steigernden Mittel ihrer Durchsetzung, die kein Urteil über den Glauben der Kaiser, wie es auch ausfällt, zu bagatellisieren vermag. Aber es handelte sich um eine geschichtliche Entwicklung, angesichts derer andere Möglichkeiten nicht nur Gedankenspiel bleiben, sondern der Folgerichtigkeit nicht abzusprechen ist. Hatte schon der Eintritt in die hellenistische »›große‹ Welt«[470] den Horizont der christlichen Gemeinde und Kirche erweitert, jetzt wurde sie selber Bestandteil der ›großen Welt‹. Das brachte nicht nur positive, sondern auch negative Möglichkeiten, spezifische Gefahren mit sich. Dieser Ambiva-

466 *Theißen*, Jesusbewegung 15.20ff.106ff.
467 »Cunctos populos, quos clementiae nostrae regit temperamentum, in tali volumus religione versari, quam divinum Petrum apostolicum tradidisse Romanis religio usque ad nunc ab ipso insinuata declarat quamque pontificem Damasum sequi claret et Petrum Alexandriae episcopum vivum apostolicae sanctitatis ...« (zit. nach *Pirson*, Mitgliedschaft 161 Anm. 3).
468 *Pirson*, Mitgliedschaft 142.
469 *Schultze*, Konstantin d. Gr. 768.
470 *Theißen*, Jesusbewegung 110.109.

lenz war die Kirche aber von ihrem Eintritt in die Geschichte an ausgesetzt. In historischer Perspektive erscheinen sie als neue Herausforderung der Kirche auf ihrem Weg durch Raum und Zeit.
Als Staatskirche übernahm sie an Stelle der bisherigen religiösen Institution die Funktion der *religio publica*, deren Notwendigkeit für die innere Stabilität im antiken Staat unbestritten war. Sie konnte nur von *einer* Religion wahrgenommen werden[471]. Die Übernahme war für die christliche Kirche folgenreich. Als Religion der Gesellschaft mußte sie nunmehr ihr Verhältnis zur Religion und den Religionen, ein in ihrer Botschaft von Hause aus angelegtes Thema, neu bestimmen. Das Ergebnis mußte nicht funktionell und institutionell unterschiedslose Anpassung an ihre nichtchristlichen Vorgänger sein. Von nun an war diese Gefahr jedoch latent. – Als Staatskirche mußte sie ihr Verhältnis zum Staat und seinen Repräsentanten neu bestimmen. Das Ergebnis mußte nicht widerspruchslose Unterordnung sein. Von nun an war jedoch auch diese Gefahr latent. Die Rolle Konstantins I. im Streit um das christologische Dogma zeigt sie an. Er eröffnete, leitete und beeinflußte die Synode von Nicäa 325 in seinem, dem »Interesse der Reichseinheit« entsprechenden Interesse an der dogmatischen Einheit der Kirche. Aber neben dieser Tendenz zum Cäsaropapismus gab es anfangs auch im Osten des Reichs Kritik am Kaiser als Glied der Kirche[472]. Während sie hier später verstummte und der Cäsaropapismus sich so durchsetzte, daß der ›Byzantinismus‹ zu seinem Synonym wurde[473], blieb sie im Westen wach. Daß die Päpste den Titel des *pontifex maximus* für sich reklamierten, ist ein Indiz. Sie traten dem Kaiser zunächst mit dem Anspruch eines Nebeneinander, im Mittelalter sogar mit dem der Überordnung der geistlichen über die weltliche Macht, der Umkehrung des Cäsaropapismus in die Theokratie, entgegen. Über die Reformation hinaus erhielt sich im Westen ein Bewußtsein der latenten Gefahr, die einer Staatskirche vom Staat droht. – Selbst die mit dem Staatskirchentum verbundene »Prämisse, daß die Kirchenzugehörigkeit im Normalfall für den Status einer Person als rechtsfähiger Person erforderlich sei«, mit der Kehrseite, daß die »persönliche Entscheidung zur christlichen Religion ... nicht mehr unbedingt Glaubensentscheidung, sondern ... vielfach Anpassung an die obwaltenden Verhältnisse« war[474], konnte als Herausforderung angenommen werden. Die Kritik an der Kindertaufe verfängt hier nur bedingt. Abgesehen davon, daß sie schon vor-

471 »Die Idee ... eines konfessionslosen Staates ist dem Altertume fremd. Es stand aber außerhalb jeder Möglichkeit, das Gemeinwesen mit dem sittlich-religiösen Inhalt zweier nicht nur verschiedener, sondern aufs schärfste sich ausschließender Religionen in irgendeiner geschickten Verteilung zu erfüllen« (*Schultze*, Konstantin d. Gr., a.a.O.).
472 Vgl. *Aland*, Kaiser und Kirche von Konstantin bis Byzanz, 1955.
473 Es war hier »nicht möglich, grundsätzlich zu sagen, wo das Recht des Herrschers aufhörte und das eigenste Gebiet der Kirche begann ... So innig wie nur möglich haben sich ... die beiderseitigen Institutionen durchdrungen ... Wie willig dabei die Kirche den Staat unterstützte, das spürt man daran, daß unter diesem Einfluß die Religiosität selbst eine gewisse Abwandlung erlitt« (*Holl*, Kirchliche Bedeutung Konstantinopels 415).
474 Vgl. o. *Schleiermacher* 23f.

her geübt wurde, mußte sie nicht »zum bloßen Vollzugsorgan einer durch außerkirchliche Vorgänge bewirkten Zuordnung des einzelnen zur Kirche werden«. Ebenso konnte sich die Kirche auf die in einer Großorganisation latente Desintegration einstellen. Tatsächlich fing der sich ausbildende Charakter einer Heilsanstalt allerdings die vielen Mitglieder so auf, daß »das personale Element der Kirche dem allgemeinen Bewußtsein verloren ging«[475]. Insgesamt bestätigt die Ambivalenz der Möglichkeiten die neue Herausforderung, die ihre Entwicklung zur Religion der Gesellschaft, zur Staats- und Großkirche für die christliche Kirche bedeutete. Ob sie ihr ihrer Botschaft gemäß entsprach, blieb die sie von nun an begleitende, immer wieder offene Frage.

Diese sich im Osten des römischen Reiches als mehr oder weniger spannungslose »Symphonia«, im Westen als spannungsvolles »Corpus Christianum« darstellende Beziehung zum Staat mitsamt den einer Religion der Gesellschaft und Großorganisation immanenten strukturellen Tendenzen hat den Weg der Kirche bis in die Gegenwart geprägt. Auch die Reformation wurde nicht zum Anlaß durchgreifender Änderung. Als innerkirchliche Reformbewegung befand sie sich von Anfang an in den Fußstapfen des Staatskirchentums westlicher Prägung. Nach der Kirchenspaltung wurde sie bis zum Bauernkrieg von einer alle Schichten umfassenden Volksbewegung getragen, die Ansatz einer Freiwilligkeitskirche hätte werden können, so daß sich keinesfalls pauschal von den reformatorischen Kirchen als Folge obrigkeitlicher ›Revolution von oben‹[476] sprechen läßt. Aber die Verhältnisse ließen eine Entwicklung zur Freiwilligkeitskirche nicht zu. Sie wurde zusätzlich durch den spiritualistischen und besonders durch den täuferischen »Sektentypus« blockiert, dessen Versuch, in Münster die chiliastische Utopie eines »Königsreichs Zion« zu verwirklichen, schreckliche Folgen hatte. So vollzog sich auch die reformatorische Kirchenorganisation innerhalb des die Gesellschaft des »heiligen römischen Reiches deutscher Nation« religiös integrierenden staatskirchlichen Modells. Der Grundsatz des Augsburger Religionsfriedens von 1555: »cuius regio, eius religio« – die Konfession des Landesherrn bestimmt die seiner Untertanen – besiegelte es als den »Kirchentypus«, der auch die Reformation überdauerte. In ihrem Lager beschränkte er sich nicht auf die lutherischen Landeskirchen, sondern bestimmte ebenso die zwinglianische und calvinistische Kirche. Erst wenn die Verhältnisse es erzwangen, wie in Frankreich, griff der Calvinismus zum »Not-Ideal einer Freikirche«[477]. Auf den ersten Blick änderte sich im Ergebnis lediglich die »Repräsentation der einen heiligen Kirche« in nach den Territorien des Reichs verschiedenen Konfessionskirchen. Die »personale Identität von Rechtsgemeinschaft und Kirche« blieb in ihnen erhalten[478]. Aber es ver-

475 *Pirson,* Mitgliedschaft 141f.
476 Vgl. o. 23f.
477 *Troeltsch,* Protestantisches Christentum 561.
478 *Pirson,* Mitgliedschaft 144.

stärkte sich das Bewußtsein der im Staatskirchentum beschlossenen Herausforderung, auch wenn der Versuch der Reformatoren, seinen Gefahren entgegenzuwirken, oft genug »Theorie« blieb, der gegenüber »die Macht der Tatsachen« sich als »stärker« erwies[479].
Luther unterschied nicht nur grundsätzlich das Verhältnis des christlichen Glaubens zur Religion und den Religionen als das zwischen wahrer und falscher Religion[480], er wandte diese Unterscheidung auch auf die sich ausbildende lutherische Landeskirche an. Als Religion der Gesellschaft eines Territoriums bot sie die Gelegenheit, »die deutsche Messe und Gottis dienst« »ynn den Kirchen für allem volck ... darunter viel sind die noch nicht gleuben odder Christen sind« als »eine offentliche reytzung zum glauben und zum Christethum« zu halten. Dabei ist sein Blick auf »die ienigen« gerichtet, »so mit ernst wollen Christen seyn und das Euangelion mit hand und munde bekennen«, auf das Ziel wahrer Religion, der Kirche des Glaubens. Sie zu schaffen ist der allem »volck« geltenden Predigt des rechtfertigenden Evangeliums verheißen[481]. Trotz gelegentlichen Schwankens hat Luther dem sich entwickelnden Landeskirchentum nicht den Weg verstellt, war der »Sektentypus« für ihn keine Alternative zu diesem »Kirchentypus«. »Secten machen taug und hilfft nicht darumb ist kein rad übrig denn das Euangelion predigen«[482]. Obwohl Calvin Luthers Unterscheidung zwischen wahrer und falscher Religion teilte, obwohl auch nach ihm die Predigt des rechtfertigenden Evangeliums die Kirche des Glaubens schafft, trat bei ihm neben die Verheißung der Kirche des Glaubens die *»disciplina«*, die Kirchenzucht, als Mittel ihrer Verwirklichung. Durch sie wurde die Kirche des Glaubens auch zum »Sollbegriff« der Kirche in Raum und Zeit[483]. – Was das Verhältnis zum Staat und seinen Repräsentanten betrifft, so widersetzte sich Luther sowohl dem Cäsaropapismus als auch der Theokratie. Er nahm seinen Kurfürsten lediglich als ›Notbischof‹[484] für die kursächsische Kirchenvisitation in Anspruch. Visitationen sind Aufgabe der Bischöfe. Da römisch-katholische Bischöfe

479 *Holl*, Kirchenregiment 379.
480 »Distingue ergo inter religiones omnes mundi a Christo, qui soll vber Mosen sein, remissio peccatorum et gratia soll etwas grosseres sein quam cultus in toto mundo« (WA 40 II 452). »Brevitur, nihil periculosius in mundo falsa religione seu iddolatria. Haec enim fons est malorum sub nomine totius bonitatis« (WA 5 142, 30). »Sic erigere nos contra omnes alias religiones possumus et consolari corda nostra hanc esse solam religionem, quam nos profitemur« (WA 25 98, 24). »Una igitur religio, unus Dei est cultus: credere remissionem peccatorum gratuitam sine operibus ...« (WA 25 287, 12).
481 S.o. 156f.158ff.
482 WA 19 74, 22.24; WA 19 75, 1.5; WA 10 II 39, 18.
483 ... die *Zucht*... bewirkt (qua [!] fit), daß die Glieder des Leibes ... miteinander verbunden leben« (*Calvin*, Institutio IIII, 12, 1, übers. v. O. Weber. Hervorhebung E. Hübner). Zwar spricht auch Luther von Kirchenzucht, aber als einer Lebensäußerung der verheißenen Kirche des Glaubens (vgl. WA 19 75, 5). – »Die paulinische Verbindung von Indikativ und Imperativ hat sich bei Calvin unter der Hand dahin verschoben, daß der Imperativ zur Begründung des Indikativs geworden ist: Du sollst Bekennergemeinde werden: darum gebe ich dir eine Ordnung, als ob du schon eine wärest« (*Rückert*, Volkskirche bei Calvin 185).
484 WA 53 255, 5; 256, 3.

nicht verfügbar, evangelische noch nicht eingesetzt waren, bat er den Kurfürsten als *praecipuum membrum ecclesiae* – als hervorragendes Glied der Kirche –, nicht in Wahrnehmung einer Amtspflicht der »weltlichen Obrigkeit«, sondern »aus christlicher Liebe« vorübergehend als Bischof zu fungieren und die Visitation anzuordnen. Ausdrücklich wandte er sich beim Bürgermeister und Rat von Zwickau dagegen, aus ihrem Amt Machtansprüche über die Kirche abzuleiten: »ihr der Kirchen Herr nicht seid«[485]. Daß er das Recht der Gemeinden betonte, ihre Pfarrer selber zu wählen, liegt auf der gleichen Linie. Aber die Eigengesetzlichkeit des staatskirchlichen Modells setzte sich gegen seinen Einspruch durch[486]. Aus einer kirchlichen Notkonzeption wurde die im evangelischen Deutschland bis 1918 währende Institution des landesherrlichen Kirchenregiments. Der Gedanke einer Theokratie konnte da nicht aufkommen, wo weltliches und geistliches Regiment gegeneinander abgegrenzt werden und ihr Zusammenhang gerade in der Wahrnehmung ihrer je eigenen Aufgabe besteht[487]. Daß Abgrenzung aber waches Interesse am weltlichen Regiment nicht ausschloß, zeigen Luthers Bezeichnung der weltlichen »gewallt als eyn sonderlicher gottis dienst« und sein Wunsch, es wäre »wol gutt vnd nott ..., das alle fürsten rechte gutte Christen weren«[488]. Dagegen ist bei Calvin eine theokratische Tendenz unverkennbar. Sie kommt besonders deutlich in der von ihm betriebenen Verurteilung des Antitrinitariers Michael Servet durch den Genfer Rat und seiner Verbrennung zum Ausdruck[489].

Auch die Herausforderung einer Großkirche mit der in einer solchen Großorganisation latenten Desintegration nahmen die Reformatoren an. Die »personale Identität von Rechtsgemeinschaft und Kirche« setzte sich in ihren Landeskirchen zwar fort, aber »das in der Reformation wieder entdeckte Verständnis für die personale Struktur der Kirche, für ihre Eigenschaft als Communio« blieb nicht ohne Auswirkung. In Korrespondenz mit dem »von der abendländischen Rechtsordnung vorausgesetzt(en) ... getaufte(n) Mensch(en)«[490] leistete das römisch-katholische Verständnis der durch den Vollzug wirkkräftigen Kindertaufe *(ex opere operato)* der Gefahr Vorschub, daß sie zum »Vollzugsorgan« staatskirch-

485 WA 26 197, 25; Erlanger Ausgabe, Briefwechsel 8 370, 9.

486 »Erging die Visitation einmal in des Kurfürsten Namen, so erschien dieser trotz allem, was geredet werden mochte, als derjenige, dem auch die geistlichen Angelegenheiten befohlen sind ... Vollends da für ein landesherrliches Kirchenregiment schon Überlieferungen aus vorreformatorischer Zeit vorhanden waren« (*Holl,* Kirchenregiment 379).

487 Vgl. WA 22 122, 12; WA 43 198, 17; WA 17 I 149, 23. – »Der wesentliche Unterschied zwischen seiner [Luthers] und der kirchlich-mittelalterlichen Anschauung liegt darin, daß nach ihm der Zusammenhang nicht erst künstlich, durch rechtliche Unterwerfung der einzelnen Lebensgebiete unter das Gesetz der sichtbaren Kirche geschaffen zu werden braucht. Die Einheit ist vorher schon da ... sie wird gerade dann am besten bewahrt, wenn jedes ›Ampt‹ sich innerhalb seiner Grenzen hält« (*Holl,* Kirchenregiment 347).

488 WA 11 257ff.

489 *Rückerts,* Volkskirche bei Calvin 179, Urteil, »im Genf Calvins« könne »von Theokratie keine Rede« sein, überzeugt nicht.

490 *Pirson,* Mitgliedschaft 144.143.

licher Interessen wurde. Das reformatorische Taufverständnis wirkte ihr entgegen. Hier wurde die Kindertaufe zum »Siegel« der »Verheißung« *(promissio)*, die im »Glauben« wirksam wird, wies sie über die Aufnahme in die Landeskirche als Religionsgesellschaft eines Territoriums hinaus auf die verheißene Kirche des Glaubens[491]. Im Gegensatz zu den Wiedertäufern hielten die Reformatoren zwar an ihr und der durch sie bewirkten Regeneration des Landeskirchentums fest, aber sie taten das um ihrer Verheißung willen, die allen Menschen gilt und dem Glauben immer voraus ist. Aus der Kindertaufe ging wiederum die Forderung nach Unterricht im Glauben hervor: »wiewohl man niemand zwingen kann noch soll zum Glauben«, muß er um der Verheißung der Taufe willen erteilt werden. Daß das römisch-katholische Taufverständnis seine Vernachlässigung nach sich zog, war in Luthers Augen kein Zufall. Als *»visitator«* hatte er »gesehen, daß der gemeine Mann doch so gar nichts weiß von der christlichen Lehre«. Deshalb verfaßte er den »Kleinen Katechismus« und bat darum, ihn »in die Leute, sonderlich in das junge Volk (zu) bringen«. Gewidmet ist er den »Pfarrherrn und Predigern«, von denen »leider viel ... fast ungeschickt und untüchtig sind zu lehren«. Er erlegte ihnen die Lehre als das außer dem »predigtampt« wichtigste Amt »des Worts« auf. Seine Vernachlässigung fällt mit unter das Urteil: »wo aber das wort nicht gehet da mus schlechte geistlikeit sein«. Nicht nur die »Pfarrherrn und Prediger«, auch die »Lerer« und »Schülmeister« bezog er in diese Verantwortung ein. Da »der grössest hauffe der elltern leyder ... nicht weys wie man Kinder zihen und lernen soll«, müssen auch in dieser Hinsicht die »hohen und nydern schulen« eintreten. Deshalb ist ihre »fürnehmst und gemeynist lection ... die heylig schrifft«. Wo sie »nit regieret da rad ich fürwar niemand das er sein kind hin thue«[492]. Denn Kindertaufe und Glaubensunterricht sind in einer Landeskirche Wegbereiter der Kirche des Glaubens, der *»communio sanctorum«*, der »Gemeinschaft der Heiligen«. Auf sie, die verheißene charismatische Bruderschaft der Christen in den Landeskirchen, die keinen Unterschied untereinander macht (Luther), auch wenn sie die bürgerliche Ordnung mit ihren verschiedenen Besitzverhältnissen nicht aufhebt (Calvin)[493], blickten die Reformatoren mit ihren Versuchen, der latenten Desintegration ihrer Mitglieder entgegenzuwirken. Sie verkannten die Widerstände nicht[494], aber sie ließen sich nicht von ihnen lähmen.

491 *Calvin*, Institutio IIII, 16,9; – »an dem Glauben ligt es als miteynander, der allein macht, das die sacrament wircken« (WA 2 715, 30; vgl. WA 6 533, 12).
492 BSLK 504.501.502; WA 30 II 528, 7.11.12; WA 15 34, 10; WA 6 461, 11; 462, 2.
493 WA 12 297, 2; *Calvin*, Institutio IIII, 1,3. Vgl. aber Luther: »Ich glaub, das yn dißer Gemeyne odder Christenheyt alle dinge gemeyn seynd, und eyns yglichen gutter des andern eygen und niemant ichts eygen sey ...« (WA 7 219, 11).
494 Vgl. etwa Luther: »Es war wol gut, das mans noch anfieng, wenn Leut darnach weren, da ein statt als diße hie geteylt würd in vier oder fünff stück, geb yeglichem ein prediger und Diaconum, die da güter außteylten und versorgten kranck lewt und drauff sehen, wer da mangel leyde. Wir haben aber nicht die person dartzu, darumb traw ichs nicht anzufahen, so lang, bis unser Herr gott Christen macht« (WA 12 693, 33).

Allerdings lehrte die weitere Entwicklung, daß sie die Eigengesetzlichkeit des Staatskirchentums insgesamt unterschätzt hatten. In den lutherischen Landeskirchen wiederholten sich erst recht »alle die Unterschiede und Gegensätze . . ., die das Volk damals zerspalteten«. Aus dem Landesherrn als ›Notbischof‹ wurde nicht nur die Institution des landesherrlichen Kirchenregiments, diese hatte darüber hinaus zur Folge, daß »die Landesherren die größten materiellen und politisch-sozialen Nutznießer der Reformation in Deutschland gewesen« sind. Vom »reiche(n) Bürgertum« der Städte gilt Entsprechendes. Es erlangte »ein Gewicht wie niemals zuvor«. Aber »von einer demokratischen Sozialgestalt des Altcalvinismus« läßt sich ebensowenig sprechen. Die kirchliche Verdoppelung der gesellschaftlichen »Unterschiede und Gegensätze« im reformatorischen Staatskirchentum wird besonders anschaulich im Patronatsrecht, das die Fürsten in den lutherischen Landeskirchen dem Adel beließen. Er hatte »hier wieder ein Mittel in der Hand, die Gemeinden seine Machtvollkommenheit fühlen zu lassen, viel mehr, als es in katholischer Zeit möglich gewesen war«. Pauschalurteile sind sicher unzulässig[495]. Aber da jetzt alles »davon ab«-hing, »ob die bestimmenden Gewalten, im großen die Fürsten, im kleinen die Patrone, innerlich tüchtig waren oder nicht«, mußte sich die Verführung ihrer »Herrschergelüste« und gesellschaftlichen Privilegien auf die Kirche verhängnisvoll auswirken. Die »adligen Patrone« neigten dazu, »als Pfarrer« anzustellen, »wer ihnen gerade recht war«. Adel und Bürgertum erbaten die Privatkommunion mit Begründungen wie der, »er und seine Tochter« müßten anderenfalls »unter den Bauern und Mägden . . . stehen«. Die Beispiele ließen sich vermehren. Diese »Einwirkung der damaligen gesellschaftlichen Zustände« förderte die »Entmündigung der Gemeinde, ihre Passivität, ja ihre Ohnmacht im kirchlichen Leben«. Sie bewirkte »grollende Abkehr des Volkes von der neuen Kirche« und Abwanderung zu den Sekten. Dadurch, »daß die Theologen als Hofprediger und Professoren die einflußreichsten Berater der Fürsten wurden«, wurde ihr kaum gewehrt. Als Anwälte des Volkes gewannen sie, »die die eigentliche Leitung der Kirche in Händen hatten«, keinen feststellbaren Einfluß. Im 18. Jahrhundert konnte der »geistliche« nicht mehr »als der gebildete Stand schlechthin gelten«, denn inzwischen hatte sich, auch als Fernwirkung der Reformation, »ein gebildeter Mittelstand« entwickelt. Der Bildungsunterschied wirkte sich ebenfalls gesellschaftlich aus. In der Kirche führte er dazu, daß der Gebildete der Aufklärung zunehmend »völlige Religionsfreiheit oder richtiger Freiheit von der Religion in Anspruch« nahm, während »für das niedere Volk . . . die Religion gut genug« war[496]. Nicht nur war es zur Passivität auch in der Kirche

495 Auch P. Drews, der Initiator einer auf Quellenstudien beruhenden ev. Kirchenkunde, neigt zu ihnen. Fasziniert vom »Sollbegriff« Volkskirche gerät ihm ihr »Seinsbegriff« bisweilen zur Negativfolie.

496 Vgl. F. Schleiermacher: »Nur daß Ihr mich nicht ungehört zu denen verweiset, auf die Ihr als auf rohe und ungebildete herabsehet, gleich als wäre der Sinn für das heilige wie eine

verurteilt, seine Zugehörigkeit zu ihr wurde außerdem Mittel zum Zweck der Erhaltung der durch den Bildungsunterschied verstärkten gesellschaftlichen Hierarchie[497]. Zu Karl Marx' berühmter These von der »Religion« als »Opium des Volks« und ihrer Resonanz im Proletariat des 19. Jahrhunderts ist dann nur noch ein Schritt. Paul Drews bündelt die Herausforderung, die zwar nicht nur die reformatorischen Kirchen, aber sie in besonderem Maße über Deutschland hinaus wie ein Schatten begleitete: »Unsere Kirche, das Ergebnis einer volkstümlichen Bewegung ohnegleichen, von Anfang an hineingezogen in den politischen, ständischen, sozialen und Bildungsgegensatz, (hat) die Fühlung mit dem gesamten Volk nicht zu gewinnen vermocht«[498].

Im 19. Jahrhundert begann sich das Ende konfessionell einheitlicher Territorialstaaten fast im gesamten, 1806 durch Niederlegung der Krone aufgelösten »heiligen römischen Reich« abzuzeichnen. Diese Entwicklung war durch die konfessionelle Toleranz im Preußen des 18. Jahrhunderts und das Toleranzpatent Josephs II. für Österreich von 1781 vorbereitet. Durch die Säkularisierung der geistlichen Territorien und die Mediatisierung kleinerer, bisher reichsunmittelbarer Territorien und Reichsstädte zu Bestandteilen der größeren Fürstentümer löste sich die »personale Identität von Rechtsgemeinschaft« und territorialer Konfessionskirche auf[499]. Ihr politisches Interesse gebot den Fürsten, nunmehr das den Konfessionen Gemeinsame hervorzuheben[500]. Gewann einerseits Toleranz an Boden, so wurde andererseits die Frage nach dem Bekenntnis der Kirche relativiert. Als Religion zur Erhaltung und Förderung entsprechender ›Moral‹ hatte der Staat zwar weiterhin Interesse an beiden großen christlichen Konfessionen, aber ihre mit der Aufklärung einsetzende Unterordnung unter die natürliche Religion des Menschen als Motiv seiner Sittlichkeit

veraltete Tracht auf den niederen Theil des Volkes übergegangen, dem es alleine noch zieme in Scheu und Glauben von dem unsichtbaren ergriffen zu werden ... Oder wenn Euch etwa durch diese Reden nur ins Ohr gesagt werden soll, was Ihr dem Volke zu Liebe zu thun habt: wie solltet denn Ihr, die Ihr dazu berufen seid, die anderen zu bilden und sie Euch ähnlich zu machen, damit anfangen, daß Ihr sie betrügt, und ihnen etwas als heilig und wesentlich nothwendig hingebt, was Euch selbst höchst gleichgültig ist, und was nach Eurer Überzeugung auch sie wieder wegwerfen können, sobald sie sich auf dieselbe Stufe erhoben haben, die Ihr schon einnehmt?« (*Schleiermacher,* Ueber die Religion 154.164).

497 »Bildungsbesitz wird neben ökonomischem Besitz und neben politischem Machtbesitz eine weitere Status-Basis für die Zugehörigkeit zur Oberschicht« (*Gollwitzer,* Kapitalistische Revolution 80).

498 *Drews,* Einfluß der gesellschaftlichen Zustände 376ff.382f.395f.392.408; *Zorn,* Sozialgeschichte 1500–1648 492.468; *Marx,* Kritik der Hegelschen Rechtsphilosophie 99.

499 S.o. 178.189.

500 In Bayern etwa erklärte der König, »daß die katholische Religion weder nach der Reichsverfassung noch nach der Landesverfassung ein Erfordernis für die Ansässigkeit in Bayern« sei. »Haben nicht alle christlichen Religionen eine gemeinschaftliche Moral, eine gemeinschaftliche Lehre? Können sie nicht als gute Bürger einerlei Gesetzen gehorchen, wenn sie schon an verschiedenen Altären beten?« (zit. nach *H. Hermelink,* Christentum i. d. Menschheitsgeschichte I 147).

schien deutlich durch[501]. Die Staatsgewalt nahm zeitweise noch einmal geradezu cäsaropapistische Züge an. Die Selbständigkeit kirchlicher Institutionen einschließlich der Verfügung über ihre Finanzen wurde aufgehoben. Schleiermacher deckte aber das Restaurative der Epoche auf, wenn er in dieser Staatskirche bereits die Anzeichen des Übergangs in eine sprachlich, ethnisch und kulturell »individualisierte Partialorganisation« »Volkskirche« erkannte[502]. Nach der Revolution von 1848 wurde den Kirchen erneut Selbständigkeit in ihren Angelegenheiten *(ius in sacra)* bei Aufrechterhaltung staatlicher Kirchenhoheit *(ius circa sacra)* zugestanden. In Preußen wurde der Aufbau einer Kirche von unten, die Presbyterial- und Synodalverfassung im Rheinland und in Westfalen von 1835, zunächst nur für diese Provinzen anerkannt. Erst 1873 wurden in allen altpreußischen Provinzen Gemeindekirchenräte, Kreis- und Provinzialsynoden und 1876 eine Generalsynode zugelassen. Diese Ergänzung der staats-kirchlichen Konsistorialverfassung wirkte als Impuls über Preußen hinaus. Aber das landesherrliche Kirchenregiment, der Landesherr als *Summus episcopus* der evangelischen Landeskirchen, mit Ausnahme Österreichs und der Schweiz, blieb. Ungleich stärker als die römisch-katholische Kirche blieben sie ihm untergeordnet, auch da, wo er, wie in Sachsen und Bayern, römisch-katholisch war. Eine Trennung von Kirche und Staat kam bis 1918 nicht zustande. Die staatliche Privilegierung der Kirchen konnte Desintegrationserscheinungen besonders im evangelischen Teil der Bevölkerung aber nicht aufhalten. Sind Unterlagen auch spärlich, die vorhandenen sprechen eine deutliche Sprache. Um 1840 nahmen in Berlin von 500 000 Einwohnern »kaum mehr als 30 000, größtenteils Frauen, an den Gottesdiensten teil«. 1880 lag der Gottesdienstbesuch »in den meisten Staaten oder Provinzen nicht höher als 20%«, »in der Propsteisynode Plön« betrug er »1879–1888 nur 4,3%«. Auch der Abendmahlsbesuch ging »zwischen 1862 und 1910 zurück – am stärksten in der Rheinprovinz von 41% auf 21%, am wenigsten in Bayern von 77% auf 59%«. Demgegenüber wurden die kirchlichen Passageriten, die Kasualien Taufe, Trauung und Beerdigung, »fast allgemein in Anspruch genommen«. Anders verhielt es sich bereits in Berlin. Hier wurden 1910 »von 19 803 ganz oder halb ev. Brautpaaren nur 9 443 kirchlich getraut«. Zu größeren Austrittsbewegungen kam es erst »in den Jahren 1906–1914« »im Zusammenhang mit der Verschärfung des Kampfes der Sozialdemokraten und des Kampfes gegen die Sozialdemokratie«. Die

501 Von Preußen urteilt S. Haffner: »Kaum katholisch geworden, wurden die Preußen Protestanten; und kaum protestantisch, wurde ihnen eine religiöse Toleranz aufgenötigt, die auch die protestantischen Bekenntnisse wieder relativierte. Darf man sich wundern, daß dort, wo bei älteren Völkern die Religion ihren festen Platz hatte, in Preußen eine gewisse Leere entstand, und daß in diese Leere etwas eindrang, was man eine bloße Pflichtreligion oder Staatsethik nennen könnte?« (*Haffner*, Preußen 84).

502 S.o. 24.

»jährlichen Austritte« betrugen »im Durchschnitt dieser Jahre« 16000–17000[503].
Es gab aber auch Erweckungsbewegungen im Kirchen-›volk‹, unter Bauern, Handwerkern und Arbeitern, vor allem im Osten Preußens auch unter Gebildeten und im Adel. Sie wandten sich vom Rationalismus und Idealismus in Kirche und Theologie ab und dem Rechtfertigungs-›Glauben der Väter‹ unter Betonung der persönlichen Erfahrung von Sünde und Erlösung zu. In ihren Zusammenkünften predigten ›Laien‹. Die ›Erweckten‹ erinnern an den »Sektentypus«, verblieben in der Regel aber in den Landeskirchen. Durch ›erweckte‹ Pfarrer gewannen sie Einfluß in ihnen. Eine Tendenz zur Freikirche blieb jedoch latent. Methodistische Gruppen wanderten aus der württembergischen Landeskirche aus und schlossen sich der bischöflichen Methodistenkirche an. Zunahme und Wachstum der Freikirchen sind im 19. Jahrhundert unübersehbar. Außer den Methodisten sind neben den konfessionellen, altlutherischen und altreformierten Freikirchen, die sich um der ›reinen‹ lutherischen bzw. reformierten Lehre willen von den Landeskirchen lossagten, die Baptisten und Freien evangelischen Gemeinden zu nennen. 1834 wurde in Hamburg die erste Baptistengemeinde gegründet. 1888 gab es bereits 165 Gemeinden mit etwa 32000 Mitgliedern in Deutschland. Einer der Gründe für die Zunahme der kleinen freikirchlichen Gemeinden war die Anonymität der großen volkskirchlichen Gemeinden in den Städten. Als Typus ist die Freikirche da konstitutiv, wo, wie bei den Baptisten und den Freien evangelischen Gemeinden, die wahre Kirche der Gläubigen als »Sollbegriff« der Kirche in Raum und Zeit angestrebt und die Landeskirche abgelehnt wird, weil sie Gläubige und Ungläubige umfaßt und die Kindertaufe übt. Es gab auch ein positives Verhältnis zu den Landeskirchen. So bei der Methodistenkirche. Die aus der böhmischen Brüderkirche hervorgegangene Herrnhuter Brüdergemeine ermöglicht heute Doppelmitgliedschaft in einer evangelischen Landeskirche. Die konfessionellen Freikirchen hatten Verbindung mit konfessionsverwandten Landeskirchen. Daß schließlich auch Freikirchen zu landeskirchlichen Erscheinungsformen tendieren, zeigt die Übung der Kindertaufe in der Methodistenkirche an. Was Otto Mayer 1906 für die USA feststellte, »daß die großen evangelischen ›Denominationen‹ ... keine Vereine sind, sondern richtige Volkskirchen«[504], kündigte sich auch in unserem Raume an, der Übergang nicht nur der Staatskirche, sondern auch der Freikirchen in Volkskirchen, die einen Großteil der Bevölkerung eines Territoriums oder eine »größere Anzahl von Angehörigen« umfassen[505].

503 *Conze,* Sozialgeschichte 1800–1850 482; *ders.,* Sozialgeschichte 1850–1918 667f; *Heussi,* Kompendium 583.
504 *Meyer,* Art. Staat und Kirche 724.
505 »Eine Volkskirche setzt immer eine größere Anzahl von Angehörigen voraus; sonst kann jene Atmosphäre des Selbstverständlichen für den einzelnen nicht entstehen« (*Meyer,* Art. Staat und Kirche 725). Die Daten über die Freikirchen sind: *Fahlbusch,* Kirchenkunde 142ff, entnommen.

Die mit der Hervorhebung des den großen Konfessionen Gemeinsamen zusammenhängende Relativierung des kirchlichen Bekenntnisses traf auf eine evangelische Theologie, die den Ansatz bei der natürlichen Religion der Aufklärung in der Modifikation der Romantik und des Idealismus beibehalten hatte. Schleiermacher zog ihn in die Ekklesiologie aus, wenn er das Christentum als die vollkommene Religionsgemeinschaft zu erweisen suchte. Auch darin wurde er zum »Kirchenvater des 19. Jahrhunderts«[506]. Bei allen Unterschieden besteht hier fundamentale Übereinstimmung zwischen ihm und Hegel, der die Theologie des 19. Jahrhunderts ebenfalls maßgeblich beeinflußte[507]. Der in der Funktion der Kirche als Religion der Gesellschaft beschlossenen Herausforderung begegnete diese Theologie nicht mehr mit der reformatorischen Unterscheidung zwischen wahrer und falscher Religion, Religionsgesellschaft und Kirche des Glaubens. Zwar hielten ›erweckte‹ Kreise an der reformatorischen Ekklesiologie unter dem Vorzeichen der Rechtfertigung fest[508], fanden aber wenig Resonanz unter den Gebildeten und gewannen kaum Einfluß auf die Universitätstheologie[509]. In ihr setzte sich die der Unterordnung Jesu Christi unter die natürliche Religion des Menschen entsprechende Reduktion der Kirche auf eine Religionsgesellschaft durch. Sie entschärfte von vorneherein die Herausforderung, der sich die Kirche als Religion der Gesellschaft gegenüber sah.

Die Erwartung, als Staatskirche entsprechende ›Moral‹ zu erhalten und zu fördern, traf nicht nur auf eine Kirche, die ihr entsprach. Rothes transitorisches Verständnis der Kirche als Durchgangsstadium auf dem geschichtlichen Weg zum vollendeten »Staat« repräsentierte auch eine theologische Strömung. Hinter ihm stand Hegel[510]. Aber auch Schleiermachers Distanzierung vom Staatskirchentum wird durch seinen auf das Reich Gottes zielenden Entwicklungsgedanken relativiert[511]. Die Gefah-

506 So im Titel von: *Lülmann*, Schleiermacher der Kirchenvater des 19. Jahrhunderts. S.o. 35.

507 »In *dieser* Reihe (der Religionen) ist die christliche die letzte und höchste. In ihr kommt das letzte Ziel aller Wahrheitserkenntnis unter den allgemeinen Bedingungen, durch die das Wesen der Religion bestimmt wird, das Selbstbewußtsein des absoluten Geistes zu sein, zu seiner vollendeten Verwirklichung ... Insofern ist das Christentum die *offenbare Religion* ... Für offenbare Religion gleitet Hegel an einer Stelle auch schon ... das ... Wort *absolute Religion* aus der Feder« (*Hirsch*, Geschichte IV 480).

508 S.o. 187.

509 Die »Erweckung« »ist auf dem Felde der Theologie jedenfalls nicht etwa darin fruchtbar geworden, daß sie es verstanden hätte, der Lehre von der Rechtfertigung, vom Glauben, vom Worte Gottes, auf die sie sich laut genug und gewiß ehrlich genug beriefen, eine zeitgemäße Bedeutung zu verschaffen. Einem Schleiermacher ... hatte ein Tholuck nichts auch nur einigermaßen Gleichwertiges gegenüberzustellen« (*Barth*, Protestantische Theologie 468). Instruktiv für die Spiegelung der theologischen Lage in einem Gebildeten der Zeit sind die entsprechenden Passagen (»Theologica«) in: *W. v. Kügelgen*, Lebenserinnerungen des Alten Mannes in Briefen an seinen Bruder Gerhard 1840–1867.

510 S.o. 43.

511 S.o. 23f.25.39. »Faßt man mit Schleiermacher erstens das Christentum als die Religion, in der alle Frömmigkeit auf die Tätigkeit des Menschen im Reich Gottes als der Gesamtheit aller sittlichen Zwecke der Menschheit sich bezieht und zweitens die erscheinende

ren einer Staatskirche und eines landesherrlichen Kirchenregiments wurden kaum noch gesehen, die Forderung nach Erhaltung der »christlichen Kirche« im »christlichen Staat« dagegen programmatisch erhoben[512]. Dem Staat, dem die »Zweckgemeinschaft« Kirche dient, wurde »metaphysische«[513], der Nation, dem »Volk« religiöse Qualität zugeschrieben. »Ein Volk zu sein, ein Gefühl zu haben für eine Sache, mit dem blutigen Schwert der Rache zusammen zu laufen, das ist die Religion unserer Zeit«, schrieb Ernst Moritz Arndt zur Zeit des Freiheitskrieges gegen Napoleon. Widerspruch aus Kirche und Theologie war selten[514]. Welche Ziele der letzte König von Preußen als Landesherr und *Summus episcopus* gegen Ende des 19. Jahrhunderts in seiner Landeskirche verfolgen konnte, zeigt ein Erlaß zum Religionsunterricht von 1889. Er soll »der Jugend die Überzeugung ... verschaffen«, daß »die sozialdemokratischen Irrtümer und Entstellungen« »den göttlichen Geboten und der christlichen Sittenlehre widersprechen«[515]. Daß die Arbeiterschaft sich von einer Kirche abwandte, die sich so darstellte, kann kaum verwundern.
Trafen die im Status der Religion der Gesellschaft und der Staatskirche beschlossenen Herausforderungen im 19. Jahrhundert auf eine Kirche

Kirche als das durch den Geist Christi bestimmte in der geschichtlichen Welt wirkende Gesamtleben der Erlösten, so kann man ... gegen Rothe höchstens den Einwand erheben, daß er die dem allgemeinen sittlichen Leben zugrunde liegende Religiosität etwas überschätzte und umgekehrt die unmittelbare sittliche Gestaltungskraft der religiös-kirchlichen Gemeinschaft nicht hoch genug anschlage. Richtig bliebe dann aber auf jeden Fall, daß die verfaßte *Kirche nur Mittel zum Ziel eines über sie hinausgehenden Gemeinschaftslebens* ist...« (*Hirsch*, Geschichte V 169. Hervorhebung E. Hübner).

512 So der Staatsrechtslehrer, Mitbegründer der konservativen Partei, Mitglied des Ev. Oberkirchenrats und des Central-Ausschusses der Inneren Mission *F. J. Stahl:* »Die konservative Partei ... will den christlichen Staat in der Art und wie er sich geschichtlich und dem Maße des vorhandenen Glaubens entsprechend gebildet hat: ausschließliches öffentliches Ansehen und öffentlicher Schutz der christlichen Kirche, christliches Eherecht, christliche Volkserziehung und Verwaltung der christlichen Schule durch die christliche Kirche, Erfordernis des christlichen Glaubensbekenntnisses für die öffentlichen Ämter und für die Teilnahme an der Landesvertretung« (zit. nach *Hermelink,* Christentum i.d. Menschheitsgeschichte II 342).

513 So der Neutestamentler und Religionspädagoge R. Kabisch, dessen Buch: »Wie lehren wir Religion?« bis 1923 sechs Auflagen erlebte. Er lehnt das Verständnis des Staats als bloße »Rechtsschutzgemeinschaft« ab, bekennt sich zur »Idee des Staates« im Sinne des Idealismus und der »Romantik« und fährt fort: »Gerade die moderne Staatsrechtslehre, die auf völlig exakten Grundlagen aufbaut, ist darin einig, daß der Staat als Persönlichkeit aufzufassen sei, und zwar nicht etwa in symbolischem, sondern in metaphysischem Sinne ... weiß, daß die Religion nicht nur in der Anlage des Menschen als eine allgemein menschliche Funktion vorgebildet ist, sondern auch in ihrer Entwicklung, die ... am lebendigsten in Zweckgemeinschaften vor sich geht ..., für das öffentliche wie für das Privatleben von ... unvergleichlich segensreicher Kraft ist ..., deswegen erteilt er Religionsunterricht« (*Kabisch,* Wie lehren wir Religion? 14ff).

514 Einer, der widersprach, war *F. Tholuck:* »Deutsches Volk! Auch Du hast in diesen letzten Jahren ... Deine hohen Ideen zu Deinen Götzen gemacht und bist vom lebendigen Gott abgefallen. Götze ist alles, worauf ein Volk neben und außer dem lebendigen Gott seine Hoffnung setzt. Vaterland und Freiheit, Deutschlands Einheit und Volksvertretung und wie die Losungsworte heißen mögen, Götzen sind es, sobald Ihr Eure Hoffnung darauf setzt neben und außer dem lebendigen Gott« (dieses und das Zitat von *E. M. Arndt* zit. nach *K. D. Schmidt,* Grundriß 516.518).

515 Zit. nach *Helmreich,* Religionsunterricht in Deutschland 117.

und Theologie, die hinter die Intentionen der Reformation zurückfielen – die Herausforderung einer Großkirche, ihre latente Desintegration, wurde angesichts manifester Erosionserscheinungen erkannt. Das gilt für die Theologen Schleiermacher, Rothe, Troeltsch[516] und andere wie für den Kirchenmann Wichern. Obgleich der programmatische »Sollbegriff« einer lebendigen Volkskirche scheiterte, zeigt Wicherns Zielangabe für Kirchenleitung und Innere Mission sowohl Einsicht in die Verfaßtheit der »große(n) vorhandene(n) Volkskirche«[517] als auch Leitlinien ihr entsprechender kirchlicher Praxis. Es sollte darum gehen, »daß zuletzt im Umkreis der evangelischen Kirche kein Glied derselben mehr sei, das nicht das lautere Wort Gottes in rechter, d.h. gerade ihm sich eignender Weise hörte und die ihm sich darbietende Gelegenheit zu diesem Hören fände, auch ohne sie zu suchen«[518]. Die in einer entstehenden Großstadt- und Industriegesellschaft sprunghaft wachsenden Probleme waren in das Blickfeld getreten. Zur Durchdringung der Anonymität riesiger Großstadtgemeinden forderte Emil Sulze ihre Verkleinerung[519]. Einer durch das landesherrliche Kirchenregiment analog zum Staat organisierten Pastorenkirche – in der ersten Hälfte des 19. Jahrhunderts waren nicht nur in Preußen die Pfarrer noch mittelbare Staatsbeamte – und einer als Pastoraltheologie auf das Amt des Pastors verengten Praktischen Theologie wurde, in Aufnahme bereits bei Schleiermacher vorhandener Ansätze[520], die charismatische Gemeinde des Neuen Testaments, die das ›Volk‹ einbeziehende Gemeindekirche entgegengestellt. Vereine für verschiedene Zwekke und Bedürfnisse sollten ihr in der Großkirche den Weg ebnen[521]. Einer sich immer mehr differenzierenden Großstadt- und Industriegesellschaft sollte schließlich differenzierte Verkündigung entsprechen. Wichern gab selber ein Beispiel, wenn er die Wort-Verkündigung durch die Tat-Verkündigung ergänzte, die Diakonie für soziale Notstände des sich bildenden Proletariats und asoziale Randgruppen. Aber die Verquickung des Programms einer lebendigen Volkskirche mit konservativ-nationalkirchlichen Tendenzen ließ Versuche scheitern, die Arbeiterschaft für die Kirche zurückzugewinnen. Entgegen der Absicht ihres Gründers, des Hofpredigers Adolf Stoecker, wurde die »Christlich-Soziale Partei« für sie

516 S.o. 21.41f.45.46.
517 S.o. Anm. 461.
518 *Wichern*, Denkschrift 307.
519 Es ist »festzustellen, daß Gemeinden, wenn sie wirklich ihre Aufgaben lösen sollen, unbedingt klein sein müssen. Je kleiner, um so besser, da es sich ja eben darum handelt, jedes einzelne Mitglied zu beachten und zum Gottesdienst zu erziehen« (*Sulze*, Gemeinde 36).
520 S.o. 29.
521 »Die Charismen sind nicht ausgestorben in der Gemeinde, sie harren nur der Erwekkung und Inanspruchnahme. Männer und Frauen, Jünglinge und Jungfrauen mögen in kirchlich geleiteten und dem Organismus der K. angegliederten Vereinen oder durch Einzelaufträge und Einzelarbeiten herangezogen und zu Nutz und Erbauung der Gemeinde verwendet werden« (*Achelis*, Praktische Theologie II 366f). Eine Aufstellung kirchlicher Vereine im 19. Jh. findet sich in: *Schuster*, Art. Vereinswesen 1316f. Einblick in die Vereine gibt: *Pönnighaus*, Kirchliche Vereine.

keine Alternative zur Sozialdemokratie. Angesichts der Arbeitermassen nahm sich auch die Mitgliederzahl der von Ludwig Weber gegründeten Evangelischen Arbeitervereine von 80000 im Jahr 1896 bescheiden aus[522]. Das 19. Jahrhundert hatte die Herausforderung der sich in der Staatskirche abzeichnenden »große(n) vorhandene(n) Volkskirche« zwar erkannt, ein programmatischer »Sollbegriff« verstellte aber noch ihre unbestechliche Wahrnehmung.

Das Jahr 1918 brachte mit dem Ende der Monarchie das Ende des landesherrlichen Kirchenregiments in Deutschland. Die verbliebenen Landeskirchen mündeten in das, was sich bereits im 19. Jahrhundert abgezeichnet hatte, in Volkskirchen, die sich weiterhin durch die Kindertaufe regenerierten. Zum ersten Mal in ihrer vierhundertjährigen Geschichte mußten sie ihre Angelegenheiten selber in die Hand nehmen. Zwar traf sie das Ende der Monarchie so, daß viele, gerade unter den Pfarrern, es kaum verwanden und sich nur schwer in die neuen Verhältnisse schickten[523]. Es wurde aber auch als die »große Wende der Dinge« verstanden, aus der die »Konsequenz« eines »Neubau(s)« der Kirche zu ziehen sei[524]. Wieder hieß »Neubau« nicht Anfang an einem Punkt Null. Die jahrhundertelange staatskirchliche Vergangenheit wirkte nach. Mit dem Jahr 1918 war die »personale Identität von Rechtsgemeinschaft und Kirche« in Deutschland verfassungsrechtlich erloschen, faktisch blieb sie in den beiden christlichen Großkirchen, die mehr als 90% der deutschen Bevölkerung umfaßten, aber erhalten. Als Volkskirchen verblieb ihnen die Funktion einer Religion der Gesellschaft[525]. Die staatskirchliche Vergangenheit wirkte auch darin nach, daß die Kirche 1918 zwar frei vom Staat, aber keine Freikirche wurde. Als der dem Räteflügel der Sozialdemokratie angehörige preußische Minister Adolf Hoffmann sich 1918 anschickte, die Staatszuschüsse an die Kirchen und den Religionsunterricht als ordentliches Lehrfach in den Schulen abzuschaffen, traf die so praktizierte Trennung von

522 *Conze*, Sozialgeschichte 1850–1918 667.

523 Vgl. aus der Eröffnungsrede des Deutschen Evang. Kirchentages in Dresden 1919: »Die Herrlichkeit des deutschen Kaiserreiches, der Traum unserer Väter, der Stolz jedes Deutschen ist dahin ... Wir können nicht anders als hier feierlich es bezeugen, welch reicher Segen von den bisherigen engen Zusammenhängen von Staat und Kirche auf beide – auf den Staat und die Kirche – und durch beide auf Volk und Vaterland ausgegangen ist. Und wir können weiter nicht anders, als in tiefem Schmerz feierlich zu bezeugen, wie die Kirchen unseres Vaterlandes ihren fürstlichen Schirmherren, mit ihren Geschlechtern vielfach durch eine vielhundertjährige Geschichte verwachsen, tiefen Dank schulden, und wie dieser tiefempfundene Dank im evangelischen Volk unvergeßlich fortleben wird« (zit. nach *Scholder*, Kirchen 4f).

524 Mit dem »Sturz der Monarchie« »war das stärkste Band zerschnitten, das die Kirche an den Staat gebunden hatte. Sie war mit einem Schlage rechtlich freier geworden als zuvor. Denn die Kirchengewalt des Königs konnte nur an die Kirche selber anheimfallen. Sie war zugleich innerlich freier geworden. Einem republikanischen Staat gegenüber konnten die Rücksichten nicht mehr gelten, die auf den König genommen werden mußten. Ein Neubau der kirchlichen Verfassung, eine Neubildung aller Kirchenbehörden war die notwendige Konsequenz aus dieser großen Wendung der Dinge« (*Dibelius*, Kirche 75f).

525 Es ist deshalb mißverständlich, mit *D. Goldschmidt* die Begriffe »Volkskirche« und »Gesellschaft« zu alternieren (in: *Schloz*, Thema Volkskirche 258).

Staat und Kirche, besonders was den schulischen Religionsunterricht betrifft, nicht nur auf katholischer, sondern auch auf evangelischer Seite auf zum Teil heftigen Widerspruch. Er wirkte sich politisch aus. Die für das sozialistische Trennungsmodell erforderliche Mehrheit in der Nationalversammlung kam nicht zustande. An seine Stelle trat eine besondere deutsche Spielart der Trennung von Staat und Kirche, die ohne die staatskirchliche Vergangenheit kaum denkbar gewesen wäre. Nach Artikel 137 der Weimarer Reichsverfassung bestand zwar »keine Staatskirche« mehr, aber die Kirchen erhielten den Status einer Körperschaft des öffentlichen Rechts[526]. Ihnen wurde zugestanden, »nach Maßgabe der landesrechtlichen Bestimmungen Steuern zu erheben«. Der Religionsunterricht wurde in Artikel 149 als »ordentliches Lehrfach der Schulen mit Ausnahme der bekenntnisfreien (weltlichen) Schulen« anerkannt. Schließlich wirkte die staatskirchliche Vergangenheit darin nach, daß die Landeskirchen mit ihren – den staatlichen nachgebildeten – Behörden das landesherrliche Kirchenregiment überdauerten. Sie waren der Ausgangspunkt aller strukturellen, verfassungs- und verwaltungsrechtlichen Entscheidungen. Vor dem weiteren Weg stand der Paragraph 1 der Verfassung des »Deutschen Evangelischen Kirchenbundes« von 1922 als Vorzeichen. Er bestimmte als Zweck des Zusammenschlusses die »Wahrung und Vertretung der gemeinsamen Interessen der deutschen evangelischen Landeskirchen« und formulierte ausdrücklich den »Vorbehalt der vollen Selbständigkeit der verbündeten Kirchen in Bekenntnis, Verfassung und Verwaltung«[527]. Auf diese Kirche traf die Machtergreifung Adolf Hitlers und der Nationalsozialistischen Deutschen Arbeiterpartei 1933. Sie betraf das Verhältnis der Kirche zum Staat, ihre Funktion als Religion der Gesellschaft und ihre Struktur als Volkskirche gleichermaßen.

Ihr Verhältnis zum Staat war zunächst von der herkömmlichen Staatstreue geprägt. Dem offenkundigen »Willen« der neuen Regierung »zur Zentralisierung des Reiches« entschlossen sich die Leitungsgremien des Kirchenbundes mit einer Kirchenreform zu entsprechen, deren Ziel die »Reichskirche« war. Die Landeskirchen schlossen sich trotz »unverminderter Abneigung . . . gegen alle Reichskirchenpläne« nicht aus[528]. Zwei

526 »Die Verfassungsgarantie des Art. 137 V WRV ist . . . die Festschreibung eines . . . dezidierten Sonderstatus der Kirchen im allgemeinen Verbandspluralismus. Von Verfassung wegen werden die öffentlich-rechtlichen Kirchen deutlich vom privatrechtlich verfaßten Ensemble der übrigen Öffentlichkeitsträger abgehoben«. »Diese Qualifizierung sollte das Besondere, die Eigenart der Kirchen konstitutionalisieren . . .« (*Meyer-Teschendorf,* Körperschaftsstatus 518.524). »Er [der »Begriff« »Körperschaft des öffentlichen Rechts«] bedeutete die ›Absage an das staatskirchenrechtliche Modell radikaler Trennung von Staat und Kirche‹ und den Entschluß, in Deutschland zu einer eigenen, den deutschen Verhältnissen entsprechenden Regelung dieser Frage zu kommen, zu einem ›System der Trennung eigener Art‹« (*Scholder,* Kirchen 33).

527 Zit. nach *Scholder,* Kirchen 27f.

528 »Es bestand im protestantischen Bewußtsein der Zeit ein so enger Zusammenhang zwischen Reich und Kirche, daß man sich den Neubau des Reichs nicht ohne einen gleichzeitigen Neubau der Kirche vorstellen konnte« (*Scholder,* Kirchen 356f).

Gruppierungen standen sich gegenüber. Die eine strebte eine vom Staat unabhängige Reichskirche an, da sie die Gefahr sah, daß »das, was wir uns erkämpft haben, eine gewisse Bewegungsfreiheit gegenüber Reich und Staat, verlorengeht«[529]. Die andere stand dem Nationalsozialismus nahe. Bereits 1932 hatte sie sich als Glaubensbewegung »Deutsche Christen« gesammelt. Sie forderte »die Gleichschaltung von Staat und Kirche«[530]. Während die einen unter den obwaltenden Umständen den Rückfall in staatskirchliche Verhältnisse fürchteten, war das Ziel der anderen eine Kirche, »die die Hoheit des nationalsozialistischen Staates aus Glauben anerkennt«, mit der unverkennbaren Tendenz einer »Rückbildung ... in den Zustand des reinen Staatskirchentums«[531]. Diese Konstellation führte zu Eingriffen des Staates in die evangelische Kirche zugunsten der »Deutschen Christen« und ihrer Zielsetzung. Sie übertrafen die Auswüchse des landesherrlichen Kirchenregiments der Vergangenheit. Einsetzung eines Staatskommissars für die evangelischen Landeskirchen Preußens - Besetzung des Gebäudes des Kirchenbundamtes durch die SS - massive Wahlhilfe Hitlers und seiner NSDAP bei den entscheidenden Kirchenwahlen u.a. waren Stationen auf dem Wege des Wehrkreispfarrers Ludwig Müller, Hitlers »Bevollmächtigtem für die Angelegenheiten der evangelischen Kirchen«, zum Amt eines »Reichsbischofs«. Am 27. September 1933 wurde er »einstimmig von der Ersten Deutschen Nationalsynode zum Reichsbischof« der am 11. Juli 1933 durch eine neue Verfassung an die Stelle des Kirchenbunds von 1922 getretenen »Deutschen Evangelischen Kirche« gewählt. Der Berichterstatter fährt fort: »Das protestantische Deutschland hat seinen Führer.«[532] Trotz der beiden Gruppierungen bestimmten zunächst nicht eindeutige Fronten, sondern der Kompromiß das Erscheinungsbild der evangelischen Kirche. Der entscheidende Wahlsieg der »Deutschen Christen« kam nicht von ungefähr[533]. Eine kirchliche Opposition bildete sich erst langsam.

Noch 1933 gründete Martin Niemöller den »Pfarrernotbund«. 1934 schlossen sich die nicht zu den »Deutschen Christen« gehörigen Kirchenführer, Landeskirchen und Gemeinden zur »Bekenntnisgemeinschaft der

529 So der damalige württembergische Kirchenpräsident Wurm auf einer Sitzung des Kirchenausschusses am 2./3. März 1933 (zit. nach *Scholder,* Kirchen 289).

530 So in einem Aufruf der Berliner Reichsleitung der »Deutschen Christen« vom 30. 4. 1933 (zit. nach *Scholder,* Kirchen 400).

531 Aus: »Die evangelische Reichskirche nach den Grundsätzen der ›Deutschen Christen‹« (zit. nach *Scholder,* Kirchen 400), und: »Von rechter Kirchenordnung. Eine Denkschrift«, 1945 (zit. nach *Stein,* Denkschrift 18f).

532 So im Blatt der »Deutschen Christen«: Evangelium im Dritten Reich 2/1933 (zit. nach *Scholder,* Kirchen 625).

533 »Auch wenn man alle Umstände dieser Wahl in Rechnung stellt, bleibt der 23. Juli 1933 für die evangelische Kirche ein bestürzendes Datum. Er machte offenbar, wie leicht die Kirche durch eine politische Theologie zu verführen war, wenn diese sich mit der politischen Macht und der politischen Mode verband. Denn bei aller Unklarheit im einzelnen bedeutete die Widerstandslosigkeit der Kirche in diesem Augenblick eben doch auch eine Anerkennung des Weges, den die Deutschen Christen bisher gegangen waren« (*Scholder,* Kirchen 569).

DEK« (Deutsche Evangelische Kirche) zusammen. Sie stellte sich im April als »rechtmäßige Evangelische Kirche in Deutschland« vor, die sich »dafür verantwortlich« wußte, »das Bekenntnis unserer Väter zu hüten und die Verfassung der DEK zu schützen«[534]. Ihre Konstituierung erfolgte auf der ersten Bekenntnissynode in Wuppertal-Barmen vom 29. bis 31. Mai 1934. Gemeinsam erteilten Lutheraner, Reformierte und Unierte mit einer »Theologischen Erklärung« der deutschchristlichen Theologie eine Absage. In der DEK bestand von jetzt an faktisch ein Schisma. Die zweite Bekenntnissynode in Berlin-Dahlem im Herbst bildete folgerichtig einen »Rat der DEK«, aus dem eine »Vorläufige Leitung der DEK« hervorging. Als der Staat noch einmal versuchte, in die Kirche durch Einsetzung eines mit der Leitung der DEK beauftragten Reichskirchenausschusses einzugreifen, brachen aber latente Spannungen auf zwischen lutherischen, ›intakten‹ Landeskirchen und dem ›radikalen‹ Flügel der »Bekenntnisgemeinschaft«, dem vor allem die Mitglieder aus ›zerstörten‹ Landeskirchen angehörten. Während die einen, die sich um den »Rat der Evangelisch-lutherischen Kirche Deutschlands« sammelten, mit dem Reichskirchenausschuß zusammenarbeiteten, verweigerten die anderen die Zusammenarbeit und bildeten eine neue »vorläufige Leitung«. Seit 1941 versuchte der württembergische Landesbischof Wurm beide Flügel wiederzuvereinen. War seinem Versuch auch nur mäßiger Erfolg beschieden, so konnte doch die evangelische Kirche nach dem Zweiten Weltkrieg an ihn anknüpfen. Beiden Flügeln war eines gemeinsam: die Entscheidung für das Verbleiben in der »Deutschen Evangelischen Kirche«. Den von Bonhoeffer und anderen 1933 angeratenen Weg in die Freikirche beschritten sie nicht[535]. Mit der Signatur einer »Vorläufigen Leitung« blieb auch die »Bekennende Kirche« im engeren Sinne bis 1945 in der Kontinuität einer seit 1919 vom Staat freien Kirche, die aber keine Freikirche war[536].

Unter Berufung auf ihre Funktion als Religion der Gesellschaft – hier hieß es: des ›Volkes‹ – brach mit den »Deutschen Christen« eine völkische Religion in die evangelische Kirche ein. In ihr traten mögliche Folgen der schon im 19. Jahrhundert vorherrschenden Unterordnung Jesu Christi unter die natürliche Religion des Menschen an den Tag. Jesus Christus wurde nun der völkischen Religion untergeordnet. »Gottes Geschichte

534 Zit. nach *Ernst Wolf*, Bekennende Kirche 984.

535 »Die Freikirche kann nur der wollen, wer in der Fiktion lebt, sie stünde uns als eine mögliche Form zur Verfügung. Das tut sie aber ebensowenig, wie uns die Kirchenstruktur des Mittelalters als Möglichkeit zur Verfügung steht« (*Asmussen*, Volkskirche 291).

536 Vgl. die im Januar 1945 vom Preußischen Bruderrat verabschiedete »Denkschrift« »Von rechter Kirchenordnung«, die sich in ihrer »Einleitung« in diesen Zusammenhang stellt (*Stein*, Denkschrift 169f). Auch für die Zeit nach dem Zweiten Weltkrieg war offensichtlich dieser Kirchentypus in Aussicht genommen. Anders läßt sich das 1943 von der »Bekennenden Kirche« verfaßte »Dokument« »Kirche und Schule« nicht verstehen. Es sah die »Allgemeine christliche Staatsschule« und den Religionsunterricht – »besser ›Christenlehre‹« – als »ordentliches Lehrfach« in ihr vor (*Horn*, Kirche, Schule und Staat 123f).

kennt vorlaufende Offenbarung und vorlaufende Gnade«, die »aus bloßer christologischer Verengtheit befreit« und da zu finden ist, »wo wir heute von Blut und Boden, von Rasse und Vererbung, von Ehre und Gemeinschaft, von wahrem Sozialismus, von Opfer und Pflicht reden«[537]. Was der Theologe Emanuel Hirsch noch auf einem gewissen sprachlichen Niveau ausdrückte, hörte sich in der Rede des Berliner »Gauobmanns« Reinhold Krause auf der Sportpalastkundgebung der »Deutschen Christen« am 13. November 1933 so an: Wir müssen uns »schämen«, »das innerste Religiöse vom Juden anzunehmen« – an die Stelle der »Sündenbock- und Minderwertigkeitstheologie des Rabbiners Paulus« soll die »reine Jesuslehre« treten – es gilt, sich zu hüten »vor einer übertriebenen Herausstellung des Gekreuzigten«. Jetzt wurde die Volkskirche auf eine Gesellschaft völkischer Religion und d.h. »heldische(r) Frömmigkeit« und »artgemäße(n) Christentums« reduziert[538]. Der Unterschied zu Alfred Rosenbergs, des Chefideologen der NSDAP, Buch »Der Mythus des 20. Jahrhunderts« und zu Jakob Wilhelm Hauers »Deutscher Glaubensbewegung« war nur noch ein gradueller. Auf dem Hintergrund einer solchen Theologie war der Versuch, den sog. Arierparagraphen für Pfarrer einzuführen, folgerichtig. Daß die Kirche wie nur selten in ihrer Geschichte herausgefordert war, demonstrierten die Massenaustritte aus der Glaubensbewegung »Deutsche Christen« und ihre Spaltung nach der Sportpalastkundgebung.

Als Programm spielte die Volkskirche bei den »Deutschen Christen« eine größere Rolle als im 19. Jahrhundert. Bereits in ihren »Richtlinien« von 1932 taucht das Ziel einer »lebendigen Volkskirche« auf. »Das Gesicht des neuen Deutschland soll das eines christlichen Volkes sein!« heißt es in einer Verlautbarung ihrer Leitung im Herbst 1933. Auch die Zeitschrift der oppositionellen »Jungreformatorischen Bewegung« sprach aber davon, daß »im Dritten Reich der Weg zur Volkskirche unter dem Evangelium frei geworden« sei. Dieses Programm, verbunden mit dem Ruf zur »Volksmission«, fand in der evangelischen Kirche immer noch Resonanz. Die »Deutschen Christen« vermochten mit ihm manchen in ihre Reihen zu locken. Es verband sich bei ihnen, wie im 19. Jahrhundert, mit dem Ziel einer Nationalkirche. Aber ihre »Reichskirche« erbaute sich aus »Volkstum und Rasse«. Sie war von zeitgenössischen Theologen vorgedacht, die, wie Paul Althaus, davon sprachen, »den deutschen Kirchen« sei das »Volk« »als Volkstum« »anvertraut«, und deshalb müßten sie »ein Auge und ein Wort haben für die jüdische Bedrohung unseres Volkstums«. Von hier führt ein gerader Weg zu einer Kommentierung der »Richtlinien« der »Deutschen Christen« von 1932: Sie rufen »zum Kampf für eine wahrhaft deutsche Kirche. In ihre Gemeinschaft hinein gehören aber nur wahrhaft deutsche Christen. Dazu zählt jeder blutsdeutsche Volksgenosse ...

537 *Hirsch,* Die gegenwärtige Lage 117; *ders.,* Weg der Theologie 12f.
538 Zit. nach *Scholder,* Kirchen 703ff.

Nicht aber gehört dazu der getaufte Jude«[539]. Die Volkskirche war zum Programm einer völkischen Religion geworden.
Der Desintegrationsprozeß der evangelischen Großkirche hielt nach 1918 an. Wie vor dem Ersten Weltkrieg kam es in der Weimarer Republik zu einer erneuten Austrittswelle, die 1920 mit etwa 314000 Austritten, 1926 mit 201500 und 1931 mit etwa 244000 ihre Höhepunkte erreichte[540]. Um so mehr muß auffallen, daß sich 1933 geradezu ein Umkehrungsprozeß anzubahnen schien. Allein in Sachsen und Thüringen traten 28000 Personen in die evangelische Kirche ein und nur 9800 aus. Vielerorts fanden Massentrauungen und -taufen statt[541]. Eine nachträgliche Motivforschung ist nicht möglich. Auch wenn Anpassungsmechanismen an die scheinbar positive Einstellung des neuen Staates zur Kirche und Übereinstimmung mit den »Deutschen Christen« anzunehmen sind, bleibt festzuhalten, daß eine bemerkenswerte Anzahl distanzierter Kirchenmitglieder sich auf mit ihrer Mitgliedschaft verbundene Konsequenzen ansprechen ließ. Die Welle ebbte so schnell ab, wie sie gekommen war. Aber trotz der immer deutlicher zu Tage tretenden Kirchenfeindlichkeit des nationalsozialistischen Staates gehörten 1939 »noch 94,5% der Reichsbevölkerung christlichen Kirchen an und bezeichneten sich nur 3,5% als ›gottgläubig‹ und 1,5% als glaubenslos«[542]. Daß es gelang, bekennende Gemeinden zu sammeln, die zusammen mit ihren Pfarrern die Basis des Kirchenkampfs bildeten, zeigt darüber hinaus eine immer noch vorhandene Bereitschaft zu kirchlichem Engagement.
Die Herausforderung der völkischen Religion der »Deutschen Christen« wurde allen voran von Barth als Folge der Unterordnung Jesu Christi unter die natürliche Religion des Menschen und der Reduktion der Kirche auf eine Religionsgesellschaft im 19. Jahrhundert theologisch begriffen[543]. Er und ihm nahestehende Theologen erteilten beidem eine Absage. Sie boten sich der »Bekenntnisgemeinschaft der DEK« bei der Formulierung ihres die völkische Religion abwehrenden Bekenntnisses als theologische Sachverständige an. Die grundlegende erste These der »Theologischen Erklärung zur gegenwärtigen Lage der Deutschen Evangelischen Kirche« von 1934 trägt Barths Handschrift: »Jesus Christus, wie er uns in der heiligen Schrift bezeugt ist, ist das eine Wort Gottes ... Wir verwerfen die fal-

539 Zitate nach *Scholder,* Kirchen 141f.262f.698; Junge Kirche, 1/1933, 50.
540 »Eine Minderheit nur ... wahrt das kirchliche Erbe der Väter. Die große Mehrzahl derer, die es noch mit dem Christentum halten, ist längst den Weg zum Sonntagschristentum und weiter den zum Christentum der festlichen Gelegenheiten gegangen« (*Dibelius,* Kirche 198f). Die statistischen Angaben entstammen dem Kirchenstatistischen Amt der EKD (zit. nach *Hild* [Hg.], Wie stabil ist die Kirche? 15). Auch in der römisch-katholischen Kirche zeigten sich analoge Erscheinungen: »1932/33 galten aufgrund der Osterkommunionsstatistik nur noch 61–62% der Katholiken im Reich als praktizierend und bekenntnistreu« (*Zorn,* Sozialgeschichte 1918–1970 913).
541 Nach *Scholder,* Kirchen 664.
542 *Zorn,* Sozialgeschichte 1918–1970 915.
543 S.o. 83f.

sche Lehre, als könne und müsse die Kirche ... außer und neben diesem einen Worte Gottes auch noch andere Ereignisse und Mächte, Gestalten und Wahrheiten als Gottes Offenbarung anerkennen.«[544] Aufs neue entdeckten Kirche und Theologie die sich aktuell ausweisende Gültigkeit ihres apostolischen »Fundaments«. Daß es wieder an die Stelle des religiösen ›Fundaments‹ trat, hob die Herausforderung, die in der Funktion der Volkskirche als Religion der Gesellschaft liegt, nicht auf. Mit Ausnahme Bonhoeffers nahmen Barth und die ihm nahestehenden Theologen sie nicht an[545]. Die Reduktion der Volkskirche auf eine Religionsgesellschaft wurde abgelöst von der Ignorierung der Volkskirche als Religionsgesellschaft.

Schloß die Zielsetzung der »Deutschen Christen« die Rückkehr zu der seit Weimar aufgehobenen Staatskirche ein, so hielt die »Bekenntnisgemeinschaft der DEK« an der von der Weimarer Verfassung vollzogenen Trennung von Staat und Kirche fest, die den endgültigen Schritt von der Staats- zur Volkskirche markiert. Angesichts der Reklamation der Volkskirche als Programm der »Deutschen Christen« sah sie sich aber zu einer Klärung des Begriffs gezwungen. Als Programm lehnte sie die Volkskirche ab. An ihre »Tatsache« sah auch sie sich gewiesen[546]. Für sie war die »geschichtlich gewordene« Volkskirche der Adressat der »Predigt des ihr aufgetragenen Wortes«, das die verheißene »heilige allgemeine Kirche, die wir glauben«, wirkt. So kam über der Klärung des Begriffs Volkskirche auch die reformatorische Unterscheidung zwischen Territorialkirche und Kirche des Glaubens wieder in Sicht[547]. Angesichts der Herausforderung eines totalen Staates sah sich die »Bekenntnisgemeinschaft« ebenso dazu gezwungen, über die juristische Trennung hinaus ihr Verhältnis zum Staat und ihre Aufgabe in ihm theologisch zu bestimmen. Sie tat es mit der fünften These der »Theologischen Erklärung« von Barmen 1934. In ihr trat sie seinem Totalitätsanspruch entgegen: »Wir verwerfen die falsche Lehre, als solle und könne der Staat über seinen besonderen Auftrag hinaus die einzige und totale Ordnung menschlichen Lebens werden ...«[548]. Damit, daß dem eindeutigen Wort auch die eindeutige Tat entsprach, tat sie

544 *Niesel,* Bekenntnisschriften und Kirchenordnungen 335. Zur Vorgeschichte vgl. *Ch. Barth,* Bekenntnis im Werden. Neue Quellen zur Entstehung der Barmer Erklärung, 1979.
545 S.o. 94f.117ff.
546 S.o. 175. »... die Frage der Volkskirche (wird) nicht durch eine neue programmatische Füllung des Begriffs ›Volkskirche‹ beantwortet ..., sondern nur durch das Ernstnehmen der Tatsache ›Kirche‹ und der Tatsache ›Volk‹« (*Asmussen,* Volkskirche 294).
547 *Asmussen,* a.a.O. – Es »muß klar werden, daß die uns geschichtlich gewordene Kirche ... die irdische Gestalt ist, in der ihren Gliedern die heilige allgemeine Kirche, die wir glauben, für diese Zeit gegeben ist« (*Stein,* Denkschrift 189). In Entsprechung zur Unterscheidung zwischen Volkskirche und Kirche des Glaubens unterschied auch das »Dokument« »Kirche und Schule« der Bekennenden Kirche von 1943 zwischen der »Allgemeine(n) christliche(n) Staatsschule«, die »dem Umstand Rechnung« trägt, »daß in der Regel die Mehrzahl der Eltern und der Lehrer nicht christlich im strengen Sinn des Wortes« ist, und der »Schule mit der Bibel«, »die danach strebt, daß wirklich Christus herrscht in ihrem ganzen Geist und Leben« (*Horn,* a.a.O.).
548 *Niesel,* Bekenntnisschriften und Kirchenordnungen 336.

sich schwerer[549]. Dennoch bahnte sich in ihrem Verhältnis zum Staat eine neue Entwicklung an. Sie begann, die Reste staatskirchlicher Mentalität abzulegen, ihre eigene Aufgabe im Staat zu erkennen und wahrzunehmen.
Versuche von Kirchenmännern und Theologen, die empirische Volkskirche in den Blick zu bekommen, gab es seit der Zeit vor dem Ersten Weltkrieg[550]. Aber 1935 mußte Hans Asmussen vermerken: »Man hat ... eine Volkskirche, in welcher über die Struktur von Volk und Kirche so gut wie gar nicht nachgedacht wird. Wenn man von Kirche spricht, liegt das Interesse wesentlich bei den Fragen der Lehre und der Sakramentsverwaltung«[551]. Trotz ihrer gerade im Kirchenkampf manifesten Herausforderung fehlte es an theologischer Einsicht in die Bedeutung der Empirie der Volkskirche für die »Fragen der Lehre« von der Kirche. Den Mangel dokumentiert die »Denkschrift« der Bekennenden Kirche: »Von rechter Kirchenordnung«. Sie wiederholt zwar die Forderung nach Verkleinerung der Gemeinden, aber nicht mit dem Akzent der Durchdringung der Anonymität von Großstadtparochien, sondern mit dem lebendiger Kerngemeinden nach dem Vorbild bekennender Gemeinden im Kirchenkampf. Die »Gesamtkirche« tritt zwar in Erscheinung, aber nicht als Bezugshorizont entsprechender kirchlicher Praxis, sondern als Amtskirche, in ihren Ämtern und synodalen Organen. Ihre Desintegration ist zwar präsent, aber die Ursachenforschung reicht über eine monokausale Beschuldigung der »bürokratische(n)« »Arbeitsweise« der Kirchenbehörden nicht hinaus[552].

Die Volkskirche überdauerte den Zusammenbruch des »Dritten Reiches«. Zwar fand sie sich 1945 in einer veränderten Lage, aber nicht in der damals viel beschworenen ›Stunde Null‹ vor. Wie 1918 waren die landes- bzw., in Restpreußen, provinzialkirchlichen Institutionen und Admini-

549 Angesichts der ersten Judenverfolgungen 1933 blieb die Kirche »als ganze ... stumm« (*Scholder,* Kirchen 340). Als Bonhoeffer dem konspirativen Widerstand gegen Hitler beitrat, war er als Vertreter der Kirche nicht nur fast alleine auf weiter Flur, er mußte auch auf jede Rückendeckung der Bekennenden Kirche verzichten (vgl. *Bethge,* Bonhoeffer 893).
550 U.a. s.o. *Troeltsch,* 46; *Göhre,* Drei Monate Fabrikarbeiter und Handwerksbursche; *Gebhardt,* Zur bäuerlichen Glaubens- und Sittenlehre; *Drews,* Der Einfluß der gesellschaftlichen Zustände auf das kirchliche Leben (s.o. 184f); *Dehn,* Proletarierjugend; *ders.,* Religiöse Gedankenwelt der Proletarierjugend; *ders.,* Proletarische Jugend. Auch O. Dibelius sprach 1926 von der Kirche »als soziologischem Problem« und benutzte statistische Angaben, um die »Lage« der Kirche zu präzisieren (*O. Dibelius,* Kirche 82.89ff). Bereits 1907 verwies C. Clemen auf »Nordamerika«, wo man zur Erkundung der »Gründe« des »tatsächliche(n) Verhalten(s) unserer Zeitgenossen zu den kirchlichen Einrichtungen« ihnen »auch bestimmte Fragen zur schriftlichen Beantwortung vor«-legt. In Deutschland muß er »Zurückhaltung in diesen Dingen«, gegenüber dieser Befragungs-»Methode«, konstatieren (*Clemen,* Methode der praktischen Theologie 244f).
551 *Asmussen,* Volkskirche 289.
552 *Stein,* Denkschrift 189ff.187. »Die erzwungene Ausschaltung der Kirche aus dem Raum des öffentlichen Lebens schien erträglicher zu werden, wenn man sie als Lebensgesetz der ›Kirche unter dem Kreuz‹ auslegte, wenn die der Christenheit auferlegte Sendung ... einstweilen hinter die Selbstbewahrung einer ›reinen Gemeinde‹ zurückgestellt werden konnte« (*Doerne,* Gegenwärtiger Stand der praktischen Theologie 410).

strationen übrig geblieben sowie die Kirchenkanzlei der DEK, die angesichts der Aufteilung des Deutschen Reiches in Besatzungszonen als einzige »gesamtkirchliche Behörde« besondere Bedeutung gewann[553]. Wie 1918 wurden sie der Ausgangspunkt der weiteren Entwicklung. Auch die Bekennende Kirche im engeren Sinne vermochte auf sie kaum als eigene Gruppe, sondern durch ihre Beteiligung an neugebildeten Kirchenleitungen Einfluß zu gewinnen[554]. Die Alternative einer Freikirche wurde von Niemöller zwar erwogen, fand aber auch in ihr keinen ungeteilten Beifall. Wie sehr die geschichtliche Kontinuität über den Zusammenbruch hinweg die Entscheidungen bestimmte, zeigt ein Schreiben des auf der Kirchenkonferenz in Treysa im August 1945 konstituierten vorläufigen Rates der Evangelischen Kirche in Deutschland (EKD) an die Alliierte Kontrollbehörde von 1946. In ihm erklärte er, »daß die Evangelische Kirche in Deutschland (EKD) dieselbe kirchliche Körperschaft darstellt, wie die bisher durch die Verfassung vom 11. Juli 1933 geordnete Deutsche Evangelische Kirche (DEK). Die Organe dieser Deutschen Evangelischen Kirche (DEK) sind mit dem Zusammenbruch des nationalsozialistischen Staates endgültig fortgefallen. An die Stelle dieser Organe ist nach dem Beschluß der Kirchenversammlung der von Herrn Landesbischof D. Wurm geleitete Rat der Evangelischen Kirche in Deutschland (EKD) getreten«[555]. Wenn Wurm in Treysa »die Restauration der Zustände von vor 1933 ... wie die ›Losung ... der revolutionären Geschichtslosigkeit‹« ablehnte[556], brachte er zum Ausdruck, was die kirchlichen Entscheidungen der Zeit bestimmt und die Erhaltung der evangelischen Kirche als Volkskirche zur Folge hatte. Für diesen Weg sprach nicht nur die geschichtliche Kontinuität, sondern auch die Erwartung, wie sie sich besonders seitens der Flüchtlinge auf die Kirche richtete, mitten im Zusammenbruch »Heimat« zu gewähren[557]. Diese erste Phase nach 1945 schloß die Kirchenversammlung von Eisenach ab. Die Wahl des Tagungsortes zeigt den Versuch, die sich abzeichnende Spaltung Deutschlands in einen östlichen und einen westlichen Teil zu ignorieren. Sie verabschiedete am 13. Juli 1948 einstimmig eine »Grundordnung der Evangelischen Kirche in Deutschland«. Da die »Reichskirche« durch die »Deutschen Christen«

553 *Smith-von Osten,* Von Treysa nach Eisenach 27. »Es gab 1945 keinen Zusammenbruch der evangelischen Kirche, es gab für die Kirche keine Stunde Null. Vielmehr erwies sich die Kirche in ihren landeskirchlichen Institutionen als der stabilste Faktor der unmittelbaren Nachkriegszeit« (ebd. 18).

554 So im Gebiet der Altpreußischen Union in der Rheinprovinz, in Westfalen, Berlin-Brandenburg, Schlesien (*Smith-von Osten,* Von Treysa nach Eisenach 144 Anm.). So in Hessen und Nassau, wo Niemöller 1947 Kirchenpräsident wurde.

555 Zit. nach *Smith-von Osten,* Von Treysa nach Eisenach 168.

556 Zit. nach *Smith-von Osten,* Von Treysa nach Eisenach 113.

557 Vgl. *Smith-von Osten,* Von Treysa nach Eisenach 213. »Die Kirchenbesucherzahlen bewegten sich auf ungewöhnlich hohem Niveau, Gottesdienste pflegten städtische Ereignisse zu sein. Es war, als stützte sich die Bevölkerung in ihrem politisch und wirtschaftlich desorganisierten Zustand auf die einzig heile Institution, der die Unterdrückung durch Hitler zudem eine quasi-politische Legitimation verliehen hatte. In der Orientierungslosigkeit bot sie sozialen Halt, Zuspruch und Deutung« (*Schmidtchen,* Was den Deutschen heilig ist 198).

diskreditiert war, sah sie keine andere Möglichkeit, als wieder an den Status von 1922, an einen »*Bund* lutherischer, reformierter und unierter Kirchen« anzuknüpfen. Er schloß die akute Gefahr des landeskirchlichen Konfessionalismus und Egoismus ein und ging an der durch die Flüchtlingsströme verursachten Veränderung der gesellschaftlichen Verhältnisse vorüber, die die konfessionelle Einheitlichkeit der Landeskirchen in Frage stellte. Er hielt sich aber dafür offen, »als bekennende Kirche die Erkenntnisse des Kirchenkampfs über Wesen, Auftrag und Ordnung der Kirche zum Ausdruck zu bringen«[558].
Mit der Gründung der Bundesrepublik Deutschland (BRD) im Westen und der Deutschen Demokratischen Republik (DDR) im Osten im Jahre 1949 erhielt die Teilung Deutschlands rechtliche Gestalt. Die politische und gesellschaftliche Realität begann ihre Ignorierung auch durch die »Evangelische Kirche in Deutschland« einzuholen. Die Einsicht, daß »unter den gegebenen Bedingungen, daß nämlich zwischen der DDR und der BRD nicht eine beliebige Staatsgrenze, sondern die Grenze zweier antagonistischer Gesellschaftsordnungen verläuft« und die »Staatsgrenzen der Deutschen Demokratischen Republik . . . auch die Grenzen der kirchlichen Organisationsmöglichkeiten (bilden)«[559], führte 1969 zur Gründung eines Bundes der Evangelischen Kirchen in der DDR und zur Beendigung ihrer Zugehörigkeit zur Evangelischen Kirche in Deutschland. Diese beschränkte sich nunmehr auf die Bundesrepublik Deutschland. Der volkskirchliche Charakter beider deutscher Bundeskirchen wurde durch die neuen Verhältnisse aber nicht aufgehoben. Wenn ihn auch Artikel 140 des Grundgesetzes der Bundesrepublik Deutschland, in Wiederaufnahme der entsprechenden Bestimmungen der Weimarer Verfassung, durch die Einräumung des Status einer Körperschaft des öffentlichen Rechts weiterhin unterstützte, während Artikel 39 der Verfassung der Deutschen Demokratischen Republik von 1968 den Kirchen wohl die selbständige Ordnung »ihre(r) Angelegenheiten«, aber nicht mehr den Körperschaftsstatus zubilligte, so schien er doch auch hier durch. Desintegrationstendenzen, die sich in der DDR krasser auswirkten als in der BRD, widerlegen ihn noch nicht. Ob ihn die »Entwicklung hin zur Freiwilligkeitskirche« einer bestimmten Größenordnung schon alterniert, ist eine Frage der Definition. Sie zeigt aber an, wie verschiedene gesellschaftliche Konstellationen auf das Ergebnis eines gemeinsamen geschichtlichen Weges einwirken[560].

558 Grundordnung der Evangelischen Kirche in Deutschland vom 13. Juli 1948, Art. 1, in: *Lingner,* EKD. Struktur und Verfassungsreform 199.

559 So die DDR-Bischöfe A. Schönherr und M. Mitzenheim (zit. nach *Kretzschmar,* Die Kirche in ihrer sozialen Gestalt 81f).

560 G. Kretzschmar spricht einerseits davon, daß in der DDR »die Entwicklung hin zur Freiwilligkeitskirche unübersehbar« sei, konstatiert andererseits aber »volkskirchliche Reste«. Er wertet sie als »großartige Chance . . ., geöffnete Türen und stabile Brücken zu haben, um das kirchliche Angebot unter das Volk zu bringen« (*Kretzschmar,* Die Kirche in ihrer sozialen Gestalt 113)! Zur Unterscheidung zwischen Volks- und Freikirche s.o. 187.

Die Volkskirche, die einen Großteil der Bevölkerung eines Territoriums umfaßt und sich durch die Kindertaufe regeneriert, ist das geschichtliche Ergebnis von Wechselwirkungen, denen das soziale Gebilde Kirche in jeweiligen gesellschaftlichen Konstellationen ausgesetzt war. Ihr Weg vom palästinischen über das hellenistische Urchristentum zum »Kirchentypus«, zur Staats- und schließlich zur Volkskirche läßt sich im Rückblick sozialgeschichtlich erklären. Er läßt sich jedoch nicht geschichtsphilosophisch verklären. Sein Ergebnis ist aber, wie jedes geschichtliche Ergebnis, der Gegenwart überkommen und aufgegeben. Davon absehen, hieße aus der Geschichte austreten und sich der durch sie gestellten Aufgabe entziehen. Die Kirche ist davon nicht auszunehmen[561]. Auch ihre Reformationen vollzogen sich im Zusammenhang der Geschichte und im Angesicht ihrer Herausforderungen[562]. Sowenig sich die Volkskirche im Rückblick aus geschichtsphilosophischen Prämissen deduzieren läßt, sowenig läßt sie sich im Vorblick als Programm postulieren. Auch in Zukunft wird die Kirche wechselnden gesellschaftlichen Konstellationen ausgesetzt sein, die es verbieten, sich auf einen Typus festzulegen[563]. Gegenwärtig ist uns in unserem Raum die aus der Geschichte überkommene Volkskirche mit ihren strukturellen Herausforderungen einer Religion der Gesellschaft, einer – auch nach ihrer Trennung vom Staat – Großorganisation von gesellschaftlichem Gewicht und der in einem solchen Sozialsystem latenten Desintegration aber immer noch aufgegeben.
Die Volkskirche ist nicht identisch mit der Kirche des Glaubens. Der Rückblick in die Geschichte illustriert diesen Sachverhalt. Sie teilt ihn mit der Freikirche. Auch der Volkskirche gilt jedoch die Verheißung der Kirche des Glaubens. Der Rückblick in die Geschichte bietet keinen Anlaß zu der Annahme, die konstitutiven »äußerliche(n) Zeichen« *(externae notae)* der Kirche, daß »das Evangelium rein gepredigt und die heiligen Sakrament laut des Evangelii« gereicht werden, seien auf die Freikirche zu beschränken[564]. Ihnen ist das Kommen des Heiligen Geistes verheißen, der die Kirche des Glaubens wirkt. Die Erfüllung der Verheißung, die Kirche des Glaubens, entzieht sich sozialgeschichtlicher Identifikation und Verifikation[565]. Aber wie von der verheißenen Kirche des Glaubens be-

561 »Was die Kirche ist, läßt sich nicht über ihre geschichtliche Verwirklichung hinweg dekretieren« (*Ebeling,* Dogmatik III 346).

562 H. Faulenbachs Interpretation von »Reformation« als »›Überspringen‹ von Geschichte« ist mißverständlich (*Faulenbach,* Schuld und Hoffnung 33). »... die Kirche (hat) das Neue nie anders als unter den Bedingungen des ›Alten‹ darstellen und aktivieren können« (*Marsch,* Institution im Übergang 171).

563 »Wir haben kein Recht, uns an alte Formen zu klammern, ebensowenig wie wir ein Recht haben, sie von uns aus zu zerstören« (*Asmussen,* Volkskirche 294).

564 Apologie VII, CA VII, in: BSLK 234, 30.60,1 (vgl. *Calvin,* Institutio IIII, 1,9). »Diese notae bezeugen die Existenz der Kirche ..., indem sie sie begründen« (*Ernst Wolf,* Einheit der Kirche 133).

565 J. Dantines Aufzählung: »Wahre Kirche ist Kirche, in der das Evangelium rein gepredigt und gelebt wird« (*Dantine,* Die Kirche vor der Frage nach ihrer Wahrheit 86) nivelliert die ekklesiologisch entscheidende Distinktion der Reformation zwischen den »externae notae« der Kirche in Raum und Zeit und den durch den in ihnen zukommenden heiligen Geist

stimmte theologische Ekklesiologie den unverstellten Blick auf die Kirche in Raum und Zeit freigibt, so darf in ihr umgekehrt die Kirche in Raum und Zeit den Blick auf die verheißene Kirche des Glaubens nicht verstellen. Deshalb ist hier eine *Metabasis eis allo genos* geboten. Daß die Verheißung kein leeres Versprechen ist, glaubt und erfährt der Glaube. Beides weitet er auf die Kirche aus. Bestimmte An-»Zeichen« der Kirche in Raum und Zeit, die auch der Unglaube wahrnehmen kann[566], glaubt er als erfüllte Verheißung der Kirche des Glaubens. Mitten auf dem geschichtlichen Weg, der die Volkskirche zeitigte, konnte die Apologie der Augsburger Konfession davon sprechen, »daß, obwohl die Menge der Gottlosen groß ist, dennoch die Kirche existiert und Christus verbürgt, was er der Kirche verheißen hat, die Sünden zu vergeben, (das Gebet) zu erhören, den heiligen Geist zu geben«[567]. Es besteht kein Grund, die derzeitige Volkskirche von diesem Glauben auszunehmen.

2. Für die Analyse der gegenwärtigen evangelischen Volkskirche in der Bundesrepublik Deutschland stehen zum ersten Mal genauere religions- und kirchensoziologische Daten zur Verfügung. Bereits über einen Zeitraum von mehr als zwanzig Jahren sich erstreckende, von verschiedenen Meinungsforschungsinstituten durchgeführte Repräsentativbefragungen kontrollieren sich gegenseitig und lassen inzwischen Trends erkennen. Eine gewisse Variationsbreite der erfragten Daten ist dabei einzukalkulieren. Mit Hilfe des Ermittlungs-, Meinungs-, Nachrichten-, Informationsdienstes (Emnid), des Instituts für Absatzforschung (ifak) und des Instituts für Demoskopie Allensbach (IfD) wurden 1958 von der Arbeitsgemeinschaft der Evangelischen Jugend Deutschlands (Wölber), 1967 vom Magazin »Der Spiegel« (Spiegel 67), 1972 von der Evangelischen Kirche in Deutschland, der Evangelischen Kirche in Hessen und Nassau und dem Evangelischen Gemeindeverband Frankfurt/Main (EKD), 1973 von der Vereinigten Evangelisch-Lutherischen Kirche Deutschlands (VELKD), 1974/75 von Gerhard Schmidtchen und 1980 wiederum vom »Spiegel« (Spiegel 80) solche Repräsentativbefragungen durchgeführt. Auf sie stützt sich das Folgende[568]. Zwar gab es Befragungen schon um die Jahrhundertwende, aber während damals die »Methoden ... zu wünschen

gewirkten »notae« der Kirche des Glaubens. »Alle ... Zeichen« sind »nicht attributiv im Sinne einer ... Seinsbeschreibung, die vom Geschehen absieht. Das Sein der Kirche ist ein Geschehen des Heiligen Geistes, deshalb sind Luther nur Aussagen über die Kirche möglich, die einen Vorgang ausdrücken« (*Steinacker,* Die Kennzeichen der Kirche 115). S.o. 157f.

566 Die »Kennzeichen der Kirche« müssen so sein, daß »... der irrende natürliche Mensch sie erkennen kann, auch wenn er die Wirkungen, die in dieser Gesellschaft geschehen, und die Attribute, die der Glaube ihr gibt, in ihrem inneren Gehalt überhaupt nicht beurteilen kann« (*Steinacker,* Die Kennzeichen der Kirche 114).

567 Apologie VII, in: BSLK 235,49 (Übersetzung).

568 *Wölber,* Religion ohne Entscheidung. Volkskirche am Beispiel der jungen Generation; *Harenberg* (Hg.), Was glauben die Deutschen? Die Emnid-Umfrage. Ergebnisse. Kommentare; *Hild* (Hg.), Wie stabil ist die Kirche? Bestand und Erneuerung. Ergebnisse einer Meinungsbefragung; *Schmidtchen,* Gottesdienst in einer rationalen Welt. Religionssoziologische Untersuchungen im Bereich der VELKD; Der Spiegel, Umfrage 1980 67ff. Hinzu

übrig« ließen[569], sind sie heute so verfeinert worden, daß eine undifferenzierte Bestreitung ihrer Stichhaltigkeit unmöglich ist und sie in einer im Sinne des Worts gegenwärtigen theologischen Ekklesiologie nicht ignoriert werden können[570]. Die Statistik der Kirchenaustritte veranlaßte die Evangelische Kirche in Deutschland, eine Repräsentativbefragung ihrer Mitglieder durchzuführen. Denn über die Statistik hinaus wollte sie Motive für den Austritt erkunden. Die Methoden der Repräsentativbefragung ermöglichen eine Annäherung an Motive, Einstellungen, Überzeugungen, Urteile, die sich hinter der Statistik verbergen. Allerdings bedürfen ihre Ergebnisse der Interpretation. Die »Mehrdeutigkeit empirischer Befunde und die Interessenbedingtheit der Deutungen«[571] verbietet eine ungeprüfte Übernahme vorgegebener und verlangt gegebenenfalls eigene Interpretationen.

Angesichts der steil ansteigenden Kurve der Kirchenaustritte von 44000 im Jahr 1967 auf mehr als das Viereinhalbfache, auf 203000, im Jahr 1970 muß das Resümee der Repräsentativbefragung der EKD überraschen: »Was die Beziehungen der Mitglieder zum System und die des Systems zu den Mitgliedern anlangt, ist die Stabilität nach wie vor erstaunlich groß«. Einzelergebnisse erhärten es. Die direkte Frage, ob eine Neigung zum Austritt aus der Kirche bestehe, verneinen 1972 84%, nur 7% bejahen sie eindeutig (EKD). Aber 1980/81 geht auch ihr Prozentsatz wieder auf 2,7% zurück (Ev.-Luth. Landeskirche in Braunschweig)[572]. Mit diesem Ergebnis korrespondiert der Prozentsatz derjenigen, die ihre Kinder taufen lassen wollen. 1958 waren es 84% (Wölber), 1972 82% (EKD)[573]. Er bestätigt, daß ca. 80% ihre Kirchenmitgliedschaft gegenwärtig nicht in Frage stellen und sie auch in der nächsten Generation erhalten wissen möchten. Das Bild korrigieren jedoch Fragen nach der persönlichen Einstellung zur Kirche. Bereits die noch verhältnismäßig allgemeine Frage nach der Verbundenheit mit der Kirche beantworten 1958 76% positiv, 8% weniger als diejenigen, die keine Neigung zum Kirchenaustritt bekunden (Wölber). 1972 sind es nur noch 37%, die sich »sehr«

kommen: *Schmidtchen,* Zwischen Kirche und Gesellschaft. Forschungsbericht über die Umfragen der Gemeinsamen Synode der Bistümer in der Bundesrepublik Deutschland; *ders.,* Was den Deutschen heilig ist. Religiöse und politische Strömungen in der Bundesrepublik Deutschland, sowie einige weitere Untersuchungen.

569 *Marhold,* Fragende Kirche 33.

570 Ein bezeichnendes Beispiel der Ignorierung gibt R. Slenczka. Soll sein Urteil: »Die Statistiken selbst sind für Laien kaum verständlich« dazu dienen, sich der eigenen Anstrengung in dieser Hinsicht zu entziehen? (*Slenczka,* Gottesvolk und Volkskirche 192). In seinen 1981 erschienenen »Grundfragen der Ekklesiologie« erwähnt W. Kreck immerhin eine der genannten Befragungen als »repräsentativen Lagebericht«. Ergebnisse gehen allerdings auch in sie kaum ein (*Kreck,* Grundfragen 40).

571 *Schloz,* Erneuerung 27f.

572 Allerdings ist hier einschränkend anzumerken, daß 25% der Befragten Katholiken waren, deren signifikant stärkere Bindung an die Kirche aus allen Befragungen hervorgeht.

573 1967 ermittelte der Spiegel 63% Evangelische, die eine Nottaufe für »wichtig« halten (*Harenberg* (Hg.), Was glauben die Deutschen? 52). Die Vermutung ist erlaubt, daß bei der nicht so speziellen Frage nach der Kindertaufe sich ähnliche Prozentsätze ergeben hätten wie in den anderen Befragungen.

oder »ziemlich«, 31%, die sich »etwas« mit der Kirche verbunden fühlen. Im Vergleich mit denjenigen, die Austrittsabsichten verneinen, ergibt sich jetzt eine Differenz von 14% und sogar von 45%, werden die nur »etwas« Verbundenen abgezogen (EKD). Der Scheck auf die Zukunft ist nicht dadurch gedeckt, daß die Befragungen eine die Kirche als Volkskirche tangierende Austrittsbewegung zur Zeit nicht erkennen lassen[574]. Denn die aus der Geschichte überkommenen, das Sozialsystem Volkskirche kennzeichnenden Strukturmerkmale erweisen sich auch in der Gegenwart als Herausforderungen. Das gilt von ihr als Religion der Gesellschaft ebenso wie von ihrem als Erbe der Staatskirche verbliebenen gesellschaftlichen Gewicht einer Großorganisation und der in einem solchen Sozialsystem latenten Desintegration. Die Analyse bestätigt die Konstanz dieser strukturellen Herausforderungen.

Noch wird der Volkskirche die Funktion der *Religion der Gesellschaft* zugeschrieben. Aber 1958 bejahen zwar 87% einen Glauben an »transzendente Mächte«, aber nur 56% den an einen »persönliche(n) Gott, himmlische(n) Vater«, an den »traditionelle(n) Begriff«. Von diesen lassen sich wiederum nur bei 16% kirchliche Gottes-»Vorstellungen« im engeren Sinn ausmachen[575]. Mit der Frage nach der Gottes-»Vorstellung« korreliert die nach der Gottessohnschaft Jesu. Sie bejahen 1958 62% der evangelischen Befragten. Ihr entsprechen aber nur 16% der Gottes-»Vorstellungen«. Die verbleibenden 46% stimmen auffällig überein mit 43%, die die Frage nach ihnen mit »weiß ich nicht, keine Angaben, kann ich nicht ausdrücken« beantworten. D.h. selbst bei der überwiegenden Mehrheit derer, die die »Gottessohnschaft« Jesu bejahen, bleibt ihre Korrelation mit der Gottes-»Vorstellung« unbegriffen (Wölber)[576]. Daß zehn Jahre später, 1967, an »Gott« 68%, an ein »Höheres Wesen« 72% glauben, ist für die evangelischen Kirchenmitglieder nur bedingt aussagekräftig. Denn die betreffende Frage differenziert nicht zwischen den Konfessionen. Das gilt besonders für die 94%, bei denen die Bejahung »Gottes« mit der »Bedeutung Jesu« als »Gottes Sohn« korreliert. Auch diese Zahlen sprechen nicht für eine Trendänderung. Dagegen meldet sich in dem Ergebnis, daß sogar 2% »Praktizierende Protestanten« (dazu zählen sich 28,5% der Kirchenmitglieder) »weder« an »Gott« »noch« an ein »Höheres Wesen« glauben, etwas Neues[577]. Bis in die Reihe der »Praktizieren-

574 *Wölber,* Religion 147f; *Hild*(Hg.), Wie stabil ist die Kirche? 8.288.86.114.184; Frankfurter Allg. Zeitung, 16. 5. 1981.
575 Die »Vorstellung« von »Liebe, Barmherzigkeit, Beschützer« haben 12%, von »Dreieinigkeit« 2%, von »Richter« 2%.
576 Solcher »Widerspruch ... ist ... eine klare Beschreibung der religiösen Systemlosigkeit« (*Wölber,* Religion 52).
577 1958 gaben 7% an, »andere Vorstellungen« zu haben als »Persönlicher Gott himml. Vater« oder »allgemeine Schicksalsmacht höheres Wesen«. Auch in diesem Prozentsatz kann sich Atheismus verbergen. Die vorgegebene Frage verhindert aber Klarheit in dieser Hinsicht. Außerdem korreliert sie nicht mit »Praktizierenden Protestanten« (*Wölber,* Religion 168).

den« hinein vereinbaren Evangelische ihre Kirchenmitgliedschaft mit Atheismus (Spiegel 67). 1972 begründen sie zwar 48% ausdrücklich mit dem Glauben an Gott. Ihnen stehen aber 20% gegenüber, die ebenso ausdrücklich äußern, bei ihnen treffe das »überhaupt nicht« zu. »Diese Abwehr *muß* nicht bedeuten, daß einer nicht an Gott glaubt«, sie kann es aber bedeuten. Ein neuer Trend zeichnet sich ab: Der Anteil derer, die nicht an Gott glauben, steigt (EKD). Ihn bestätigen Befragungen von 1974/75. Jetzt vertreten insgesamt 13% und sogar 6% der »Protestanten«, die die Kirche besuchen, den Standpunkt: »Es gibt keinen Gott«. Zwar bleiben danach ca. 87% übrig, die irgendeinen Gottesglauben haben, von ihnen verstehen ihn aber 29% als »bildhaften Ausdruck für die Möglichkeit des Menschen, nach dem Guten und Vollkommenen zu streben«. Nur bei 28% korreliert er mit der Auffassung: »Jesus Christus ist Gottes Sohn. Er hat den Menschen Gottes Wort verkündigt ...« (IfD). 1980 sinkt der Anteil derer, die erklären, an Gott zu glauben, auf 39%, der Anteil derer, bei denen Gottesglaube und Glaube an Jesus als »Gottessohn und Erlöser« korrelieren, auf 21%. Dieser Trend wird in Zukunft nicht nur anhalten, sondern sich voraussichtlich verstärken. Denn zu den 42% bis 43% 18- bis 29jährigen, die an Gott glauben (Spiegel 80), verhalten sich 64,4% »junge Christen« komplementär, die nach einer fast gleichzeitigen Befragung der Ev.-Luth. Landeskirche in Braunschweig »überhaupt keine Abhängigkeit von göttlicher Führung gegeben sahen«. Demgegenüber bejahen 57% über 50jährige (Spiegel 80) und, nach einer anderen Befragung, zwischen 60% und 70% über 60jährige Evangelische einen Gottesglauben. Für die Mehrheit gehört demnach zur Kirchenmitgliedschaft zwar ein Gottesglaube, aber der Anteil derer steigt, die ihn indirekt und direkt ablehnen. Er muß nicht mit dem Glauben an Jesus Christus als »Sohn Gottes«, der »den Menschen Gottes Wort verkündigt«, korrelieren. Die Mitglieder, für die nicht nur ein Gottesglaube, sondern auch seine Korrelation mit dem Glauben an Jesus Christus konstitutiv ist, sind eine Minderheit. D.h. aber: Für die Mehrheit schließt die Mitgliedschaft in der Volkskirche wohl ihre Anerkennung als theistische, zunehmend aber auch atheistische Religion der Gesellschaft mit christlichen Versatzstücken, aber nicht als Kirche im engeren Sinne ein[578].

Dieses Ergebnis wird von anderer Seite gestützt. Das »äußere Zeichen« der Verkündigung des Evangeliums von der Rechtfertigung des Sünders »ohn Werk des Gesetzes durch den Glauben«, des »Artikels, mit dem« für die Reformation »die Kirche steht und fällt« *(articulus stantis et cadentis ecclesiae),* stößt selbst bei 76% der 28,5% »Praktizierenden Protestanten« heute auf Unverständnis. In direktem Widerspruch zu den Reformatoren, die konfessorisch urteilen, wer glaube, »Gnad zu verdienen,

578 *Wölber,* Religion 167.154; *Harenberg* (Hg.), Was glauben die Deutschen? 62f.65.95; *Hild* (Hg.), Wie stabil ist die Kirche? 138; *Schmidtchen,* Was den Deutschen heilig ist 68.73; Der Spiegel, Umfrage 1980, 71.67; Frankfurter Allg. Zeitung, 16. 5. 1981; *Becker,* Kirche und ältere Generation 69.

der verachtet Christum und sucht sein eigen Weg zu Gott wider das Evangelium«[579], bejahen sie die Frage: »Glauben Sie, daß gute Werke eines Menschen Gott gnädig stimmen?« Mit ihnen stimmen 53% und sogar 77%, werden 24% hinzugerechnet, die einschränken: »könnte sein«, zusammen, die den Menschen für »im Grunde genommen gut« halten. Auch wenn 1967 62% »Praktizierende« und 33% Evangelische insgesamt, 1974 52% »Praktizierende« und 28% Evangelische insgesamt die »Gottessohnschaft« Jesu bejahen, Aufmerksamkeit verdienen diejenigen, bei denen im gleichen Zeitraum die Ansicht ermittelt wurde, Jesus, der »nur ein Mensch ist«, sei ein »Vorbild«, einer, nach dessen »Lehre, wie wir leben sollen«, »wir uns auch heute noch richten können«. Sie machen 1967 32% »Praktizierende« und 43% Evangelische insgesamt, 1974 38% »Praktizierende« und 43% Evangelische insgesamt aus. Denn die Zustimmung zu einer solchen »Vorbild«-Christologie entspricht einem Verständnis der Volkskirche, das ihr als Religion der Gesellschaft die Zuständigkeit für Entwicklung und Pflege der religiös-sittlichen Dimension des Menschen zuschreibt. Sie ist eine Zustimmung auf Abruf. 1967 äußern 6% »Praktizierende« und 19% Evangelische insgesamt, 1974 4% »Praktizierende« und 20% Evangelische insgesamt, für sie habe Jesus »heute keine Bedeutung« mehr, »das Christentum« könne ihnen »nicht mehr viel sagen«. Auch dieser Trend wird voraussichtlich anhalten. Jugendliche, »die am Gottesdienst teilnehmen, ohne sich der Kirche als gläubige Mitglieder verbunden zu fühlen«, sind »großenteils Anhänger des Symbolismus«. Jesus ist für sie Symbol religiös-sittlichen Menschentums, so wie sie es jeweils verstehen. Läßt er sich nicht mehr in diesem Sinne verwerten, wird er zur »historische(n) Figur . . ., deren Relevanz erloschen ist«[580].

Daß die Mehrheit der Volkskirche wohl die Funktion der Religion der Gesellschaft mit christlichen Versatzstücken, aber nicht die der Kirche im engeren Sinne zuschreibt, spiegelt sich im Teilnahmeverhalten der Mitglieder wider. 36% Evangelische, unter den zur Wahl stehenden »Erwartung(en) gegenüber dem Kirchgang« der höchste Prozentsatz, nannten 1958 die »Predigt« »das Wesentliche am Gottesdienst«. In ihm schlägt sich die Erinnerung daran nieder, daß nach reformatorischem Verständnis die Predigt des den Menschen rechtfertigenden Evangeliums Kirche konstituiert. Auch gaben 1958 30% an, »einmal im Monat oder öfter« in die Kirche zu gehen. Da eine »Stichprobe«, die nach dem Kirchgang »am letzten Sonntag« fragte, lediglich 19% Gottesdienstbesucher erbrachte, dürfte der tatsächliche Prozentsatz niedriger liegen (Wölber). Im Vergleich zu 1958 sank in der Folgezeit der Gottesdienstbesuch signifikant.

579 CA XX, BSLK 74,4; Schmalkaldische Artikel, BSLK 415, 88. Vgl. ebd.: »Auf diesem Artikel ist alles erbaut und gegründet, was wir . . . in unserem Leben gelehrt, bezeugt und gelebt haben« (BSLK 416,23 [Übersetzung]). S.o. 158ff.

580 *Harenberg* (Hg.), Was glauben die Deutschen? 81.85; *Schmidtchen,* Was den Deutschen heilig ist 47.72; *ders.,* Gottesdienst in einer rationalen Welt 76.

Nach einer auf Zählsonntagen basierenden Statistik fiel er von 7,3% 1963 stetig bis auf 5,6% 1971. In den Zahlen sind die Kindergottesdienstbesucher, ca. 25%, jedoch mit enthalten. Da Zählsonntage nicht die Fluktuation der Kirchgänger erfassen[581], ist die EKD-Befragung von 1972 ein Korrektiv. Nach ihr gaben insgesamt 24% an, »jeden oder fast jeden Sonntag in die Kirche zu gehen« bzw. »mehrmals oder mindestens einmal im Monat«. Auf die einzelnen Sonntage umgelegt ergibt das einen Prozentsatz von 11% bis 12% regelmäßiger Gottesdienstbesucher. Auch hier dürfte der tatsächliche Gottesdienstbesuch aber niedriger liegen. Selbstbild und Verhalten weichen oft voneinander ab (EKD)[582]. Das bestätigt eine andere Umfrage. Sie ergab lediglich 8% »Protestanten«, die 1972 »jeden« oder »fast jeden Sonntag« zur Kirche gingen. Drei Jahre später, 1975, waren es nur noch 6% (IfD). Das ›vorläufige Endergebnis‹ dieses Trends liegt bei 4% für 1980 (Spiegel 80). Den Evangelischen kennzeichnet im Durchschnitt die Nichtteilnahme am sonntäglichen Predigtgottesdienst[583]. Hier interessieren jetzt nicht die Ursachen, sondern die Tatsache als solche. Die Mehrheit sucht die Begleitung der Volkskirche nicht mehr in dieser sie als Kirche konstituierenden Funktion. Sie sucht sie nur noch in den verchristlichten, den »Lebenszyklus« begleitenden Passageriten, den Kasualien Trauung, Taufe, Konfirmation und Beerdigung, und in den den »Jahreszyklus« begleitenden kirchlichen Hauptfesten, allen voran Weihnachten. Die Prozentsätze der Teilnehmer sind hier unverhältnismäßig höher als die der sonntäglichen Gottesdienstbesucher. 1958 hielten 53% »die Trauung für notwendig«, 71% würden ihre Kinder »sicher«, 13% »vermutlich« taufen lassen, 19% hielten die »Christmesse« für »wesentlich beim Weihnachtsfest« (Wölber). 1967 äußerten 77% Evangelische und Katholiken die Ansicht, die Kirche solle sich »vor allem« um »Taufen, Hochzeiten usw.« »kümmern« (Spiegel 67). 1972 gaben zwar lediglich 15% Evangelische an, »nur aus Anlässen wie Hochzeit, Taufe, Begräbnis« in die Kirche zu gehen, der tatsächliche Prozentsatz dürfte aber höher liegen. Denn 82% der Befragten votierten für die Kindertaufe, 41% hielten die Konfirmation für einen »der großen feierlichen Höhepunkte des Lebens« und 45% begründeten ihre Kirchenmitgliedschaft damit, daß sie »auf kirchliche Trauung oder Beerdigung nicht verzichten« möchten. 22% bekundeten, »nur an besonderen kirchlichen Feiertagen«

581 »Unregelmäßiger oder jedenfalls nicht lückenloser Gottesdienstbesuch ... kann sich dann nicht angemessen ausdrücken« (*Hild* [Hg.], Wie stabil ist die Kirche? 47). Hilds Prozentsätze widersprechen sich, wenn sie für 1971 einmal 4,8% (ebd.), ein anderes Mal 5,6% (a.a.O. 13) angeben.

582 »Die Neigung, sich im Sinne dieser Normen etwas ›höher‹ einzuschätzen, als es den Tatsachen entspricht, ist auch bei sorgfältiger Befragungstechnik nicht völlig auszuschließen« (*Hild* [Hg.], Wie stabil ist die Kirche? 47f).

583 In »überwiegend evangelisch(en)« Wohnorten fiel es 1967 71% auf, wenn »man zur Kirche« geht, und nur 21%, wenn man »nicht geht«. Fast genau umgekehrt fiel es in »überwiegend katholisch(en)« Wohnorten 28% auf, wenn man geht, 65%, wenn man nicht geht (*Harenberg* [Hg.], Was glauben die Deutschen? 60).

in die Kirche zu gehen (EKD). 1975 lautet die Antwort auf die Frage »Wo fühlen sich Protestanten ... von der Kirche unterstützt?« auf dem ersten Rangplatz, bei 75%: »bei wichtigen Familienereignissen (Geburt, Hochzeit, Tod)« und auf dem zweiten Rangplatz, bei 60%: »welchen Sinn Feiertage haben (Weihnachten, Ostern, Pfingsten usw.)« (IfD). Daß 1980 19% Evangelische und Katholiken angeben, »nur an besonderen Feiertagen«, und 45%, »nur bei Familienfeiern oder gar nicht« in die Kirche zu gehen, bestätigt den Trend (Spiegel 80). Den Evangelischen kennzeichnet die fast ausschließliche Teilnahme an Veranstaltungen, die die Volkskirche in ihrer Funktion als Religion der Gesellschaft anbietet. Denn Passageriten *(rites de passages)* verweisen ebenso auf einen religionsgeschichtlich weit zurückreichenden und religionssoziologisch fast überall nachweisbaren Hintergrund wie religiöse Feste aus ihrem oder anderem Anlaß – wie dem des Naturjahrs, wichtiger Daten der Gesellschaft, des Staates, der Religion. Sie sind von der Volkskirche ablösbar und auf andere Institutionen übertragbar, wie die Abnahme kirchlicher Trauungen bei gleichzeitiger Aufwertung der standesamtlichen Trauung und besonders deutlich die fast völlige Verdrängung der Konfirmation durch die Jugendweihe in der DDR zeigen[584].

Eine Volkskirche, der die Mehrheit wohl die Funktion der Religion der Gesellschaft mit christlichen Versatzstücken, aber nicht die der Kirche im engeren Sinn zuschreibt, zeigt nach innen wie nach außen ein diffuses Profil. Innen herrscht eine »Religion des Meinens« vor, so daß sie den Anblick einer »Kirche ohne Entscheidung« bietet. In einen noch feststellbaren »religiöse(n) Grundkonsensus« ist der Meinungs-»Pluralismus« der modernen Gesellschaft so eingegangen, daß er die Züge eines religiösen »Synkretismus« angenommen hat[585]. Nach außen verwischen sich die Grenzen zwischen den Konfessionen. Aufschlußreich ist hier sowohl die Rückkehr Evangelischer zu vorreformatorischen Positionen als auch das Eintreten von 44% »Protestanten« und 50% »Katholiken« »für gemeinsamen evangelisch-katholischen Religionsunterricht« (Spiegel 80). Es verwischen sich aber auch die Grenzen zu anderen Religionen. 1958 gaben 51% an, »mehrere Religionen«, 39%, »nur das Christentum« führe »zu Gott« (Wölber). 1967 bezeichneten 31% Evangelische und Katholiken ihren Glauben als den »einzig richtig(en)«, aber 35% verneinten das (Spiegel 67). 1980 waren es nur noch 16% Evangelische, die »den Glauben ihrer Kirche für den einzig richtigen« hielten (Spiegel 80). Enttäuscht

584 *Wölber,* Religion 79.186.188f.156f; *Hild* (Hg.), Wie stabil ist die Kirche? 13.46.48.49.86.160.238; *Schmidtchen,* Was den Deutschen heilig ist 88.84; Der Spiegel, Umfrage 1980, 71.78; *Harenberg* (Hg.), Was glauben die Deutschen? 38.

585 Die modernen Menschen »existieren ... als geplagte Schweizer Pfarrer, französisch sprechende Araber, die auch Moslems sein möchten, amerikanische Universitätsstudenten, die sich die Paperbackausgabe des tibetanischen Totenbuchs beschaffen können, Ex-Juden und Neo-Hindus und all die übrigen, die (wie) wir dem Zugriff des Pluralismus ausgesetzt sind. *Das* ist der Bereich, in dem sich religiöse Erfahrung und religiöse Reflexion empirisch abspielt« (*Berger,* Der Zwang zur Häresie 101).

die Volkskirche die an sie als Religion der Gesellschaft gerichteten Erwartungen, ziehen ihre Mitglieder die Konsequenz der inneren mit der Tendenz zur äußeren Emigration. Ein Indikator ist der Grad der Verbundenheit mit der Kirche. Bereits 1958 gaben ca. 35% an, nur eine geringe »Bindung« an sie zu haben (Wölber). 1972 erklärten 20%, mit ihr »kaum«, 12%, »überhaupt nicht mit ihr verbunden« zu sein (EKD). 1975 lag der Prozentsatz der gering Verbundenen bei 22%, derer, für die sie »gar nichts« bedeutete, bei 16% (IfD). Daß proportional zur Abnahme des Verbundenheitsgrades der Prozentsatz derer abnimmt, die für die Kindertaufe votieren, kann auf eine latente Tendenz zur äußeren Emigration hindeuten. Ein ergänzender Indikator ist das Unbehagen an der »Inkongruenz« zwischen kirchlichem und allgemein-gesellschaftlichem »Wertsystem«. Sie kommt in fast allen Befragungen bis 1980 besonders in Fragen der Ehescheidung bzw. der kirchlichen Trauung Geschiedener, des Schwangerschaftsabbruchs, überhaupt der Sexualethik zum Ausdruck. Von den Mitgliedern wird sie als »Konflikt« »mit christlicher Überlieferung oder dem, was sie dafür halten«, erlebt mit der Folge, daß sie »die Beziehung zu ihr auf«-geben, des Auszugs »aus dem Denk- und Überzeugungssystem der Kirche«. Wie niedrig die Schwelle in die äußere Emigration in andere religiöse »Anschauungssysteme« geworden ist,kündigt eine politisch orientierte »Gesellschaftsreligion«[586], in der sich christliche mit marxistischen Elementen synkretistisch vermischen und deren Anhänger vor allem Jugendliche sind, ebenso an wie eine spirituell orientierte neue Religiosität, in der sich ebenfalls christliche mit anderen, besonders asiatischen Elementen synkretistisch vermischen und deren jugendliche Anhänger sich entweder in »Alternativen Gruppen«[587] absondern oder in wiederum synkretistische Jugendsekten abwandern[588].

Schon nach der Zahl ihrer Mitglieder ist die Volkskirche eine *Großorganisation* von gesellschaftlichem Gewicht. Hinzu kommt die deutsche Spielart der Trennung von Staat und Kirche, die ihr den privilegierten Status einer Körperschaft des öffentlichen Rechts einräumt. Zwar wird das Recht der Erhebung einer Kirchensteuer und deren Einziehung durch die staat-

586 »In dem Maße, in dem die Menschen nicht mehr das Heil durch die Kirche repräsentiert sehen, suchen sie es in der Veränderung der Gesellschaft. In dem Maße, in dem die Gesellschaft konkretisierten Heilscharakter gewinnt, muß sie zwangsläufig religiöse Züge annehmen. Wir sind wahrscheinlich die Zeugen der Entstehung einer neuen Gesellschaftsreligion« (*Schmidtchen,* Gottesdienst in einer rationalen Welt 21).
587 »Der Entwurf eines alternativen Lebens und Bewußtseins selbst ist religiös. Jenseits der vorfindlichen gesellschaftlichen Wirklichkeit, sie transzendierend, sucht man Sinn und Selbstverwirklichung« (*Mildenberger,* Einführung 3). »Alles wird in der Gruppe intensiv erlebt ... Man macht Erfahrungen im Menschlichen, wie man sie im Normalleben kaum machen kann, man kompensiert einen Mangel mit Überdosen ... Die Exzentrizität scheint inzwischen zum Ersatz verlorener Transzendenz geworden zu sein« (*Bolewski,* Alternative Gruppen 3.10).
588 *Wölber,* Religion 168.55f.161; *Harenberg* (Hg.), Was glauben die Deutschen? 58; *Hild* (Hg.), Wie stabil ist die Kirche? 183.184.91; *Schmidtchen,* Was den Deutschen heilig ist 80.86; *ders.,* Gottesdienst in einer rationalen Welt 68.21; Der Spiegel, Umfrage 1980 71.

lichen Steuerbehörden von mehr als der Hälfte der Mitglieder abgelehnt[589], aber nicht der Status und die in ihm beschlossenen Einflußmöglichkeiten der Kirche in Staat und Gesellschaft. Die Forderung einer radikaleren Trennung von Staat und Kirche durch Aufhebung des Körperschaftsstatus, die die Freie Demokratische Partei 1973 erhob[590], findet in Meinung und Verhalten der Mehrheit der Mitglieder keinen ersichtlichen Anhalt. Lediglich 11% Evangelische und 12% insgesamt meinten 1967, »Die Evangelische Kirche« habe »zuviel Einfluß« (Spiegel 67). 1980/81 hielten es über 70% Evangelische sogar ausdrücklich »nicht für gut, wenn die Kirche ihre Bedeutung verlieren würde« (Ev.-Luth. Landeskirche in Braunschweig). Nicht ein radikaleres, sondern das Weimarer Trennungsmodell eines »freiheitlich-demokratische(n) Rechtsstaat(s)«, der »neutral und pluralistisch« ist und aus diesem Grunde die »Freiheit der Bürger« auch dadurch »gewährleistet und unterstützt«, daß er »freie Träger und Verbände«, »gesellschaftlich relevante Gruppen«, zu denen die Kirchen gehören[591], »mitverantwortet«, wird dann auch als bewußter oder unbewußter Hintergrund einzelner Voten erkennbar. So wird der mit diesem Trennungsmodell zusammenhängende Religionsunterricht als ordentliches, aber abwählbares Lehrfach an staatlichen Schulen im Befragungszeitraum von der Mehrheit nicht in Frage gestellt. 1958 bekundeten 64% Schüler und Studenten und 57% Berufstätige »aus eigenem Entschluß Interesse am Religionsunterricht« (Wölber). Selbst als am Ende der 60er und Anfang der 70er Jahre ein vergleichsweise hoher Prozentsatz sich von ihm abmeldete, erklärte sich nach einer Schülerbefragung 1968 »die Mehrzahl der Schüler für den Religionsunterricht als ordentliches Lehrfach im schulischen Fächerkanon«. Eine Elternbefragung erbrachte 1969 das gleiche Ergebnis, und 1970 ergab eine Umfrage an Gymnasien Westfalens lediglich 4,6% evangelische Schüler insgesamt und 14% Oberstufenschüler, die sich von ihm abgemeldet hatten. Daß 1972 sich 38% dafür aussprachen, die Bemühung der evangelischen Kirche »um die Erziehung der Kinder« »sollte so bleiben«, wie sie ist, und 43% meinten, sie »sollte stärker zutreffen«, könnte indirekt auch eine Bejahung des Religionsunterrichts einschließen (EKD). 1980 votierten 44%

589 1972 votierten 52% Evangelische für »Freiwillige Zahlungen« und 47% für die »Kirchensteuer wie bisher« (*Hild* [Hg.], Wie stabil ist die Kirche? 97). Undifferenziert nach Konfessionen votierten 1980 52% für »Kirchensteuer wie bisher« und 48% für »Freiwillige Zahlungen« (Der Spiegel, Umfrage 1980 78). Die Umkehrung der Prozentsätze bedeutet kaum eine Trendwende. Sie ist vermutlich auf einen höheren Prozentsatz Katholiken zurückzuführen, der für die Kirchensteuer eintrat.

590 Freie Kirche im freien Staat. Die Thesen des FDP-Sonderausschusses; Beschluß der Bundesdelegierten der Deutschen Jungdemokraten vom 28. 1. 1973.

591 *Schlaich,* Radikale Trennung und Pluralismus 440ff. »Die Grundrechte, die kulturellen Interessen der Bürger, das Engagement der Christen legitimieren das Staatskirchenrecht und die fördernde Haltung des Staates gegenüber den Kirchen und Religionsgesellschaften als den korporativen Trägern eben dieses Engagements der Christen . . . Die Kirchen stehen in diesem Modell nicht zusammen mit dem Staat der Gesellschaft gegenüber . . ., die Kirchen sind vielmehr Teil der Gesellschaft. Bei diesem pluralistischen Modell kommt alles darauf an, daß die Kirchen auch weiterhin gesellschaftlich relevante Gruppen bleiben« (ebd. 443f).

Evangelische »für gemeinsamen evangelisch-katholischen Religionsunterricht«, jedoch dürfte der Prozentsatz derer, die überhaupt für ihn eintreten, höher liegen (Spiegel 80). Im gleichen Zeitraum wurde dann auch in einer anderen Befragung ermittelt, daß sogar 83% den »Religionsunterricht in der Schule« befürworten (Ev.-Luth. Landeskirche in Braunschweig). Auch die diakonisch-sozialen Aktivitäten der Volkskirche - Betreuung von Alten, Gebrechlichen, Behinderten, Unterhaltung von Kindergärten und Krankenhäusern - finden Zustimmung in Prozentsätzen, die von 80% bis über 90% reichen (EKD). Beides, die Zustimmung zu einem der Volkskirche eingeräumten Schulfach an staatlichen Schulen und zu ihren gesellschaftsrelevanten diakonisch-sozialen Aktivitäten, zeigt, daß ihr über die Funktion der Religion der Gesellschaft im engeren Sinne hinaus Funktionen eingeräumt werden, die ihr Gewicht in Staat und Gesellschaft unterstreichen[592].
Dieses Ergebnis gilt jedoch nicht uneingeschränkt. Bei genauerem Hinsehen stellt sich vielmehr heraus, daß die Befragten schon einer vorrangigen Zuständigkeit der Kirche in diakonisch-sozialen Funktionen die Zustimmung verweigern. Die Prozentsätze derer, die sie bejahen, liegen mit Ausnahme der »Betreuung von geistig und körperlich Behinderten« unter 10%. Von Alleinzuständigkeit kann erst recht keine Rede sein. Hier stimmen nur 0% bis 2% zu. Merklich höher liegen dagegen die Prozentsätze, die einer vorrangigen oder sogar Alleinzuständigkeit des Staates bei diesen Funktionen zustimmen. Die meiste Zustimmung, um 50%, findet die Zuständigkeit »von Staat und Kirche gleichermaßen«. D.h. selbst die aus der Geschichte überkommene, »angestammte und vertraute Kompetenz der Kirche im Bereich sozialer Dienste« wird »bestätigt - *und* relativiert«. Das Bemerkenswerte ist die Relativierung. Sie erklärt sich zunächst aus dem geschichtlichen Hintergrund. Auch im 19. Jahrhundert gab es zwischen Staatskirche und Staat keine strikte Abgrenzung in sozialen Funktionen. Aber die merklich höheren Prozentsätze, die einer vorrangigen oder sogar Alleinzuständigkeit des Staates zustimmen, zeigen in Richtung eines weiterreichenden Trends. Gegeneinander abgegrenzte Funktionszuweisungen gab es zwischen Staat und Staatskirche schon immer: Jenem wurde die Politik, dieser die Religion zugewiesen. Auch heute schlägt sich das in den Stellungnahmen noch deutlich nieder[593]. Neu ist, daß nunmehr auch »angestammte« Funktionen der Kirche zwar noch zugewiesen werden, sie im Urteil ihrer Mitglieder für sie aber keine spezifische Kompetenz besitzt, so daß sie sie als übertragbar ansehen mit einer Tendenz endgültiger Zuweisung an andere Träger. Der »Staat« ist dabei lediglich Re-

592 *Harenberg* (Hg.), Was glauben die Deutschen? 28f; Frankfurter Allg. Zeitung, 16. 5. 1981; *Wölber,* Religion 168f; *Bargheer,* Das Interesse der Jugendlichen und der Religionsunterricht 91.95; Religionslehrer 1970, 30; *Hild* (Hg.), Wie stabil ist die Kirche? 211; Der Spiegel, Umfrage 1980 71.

593 48% Evangelische waren 1972 dafür, daß eine Stellungnahme der Kirche »zu politischen Fragen« »weniger zutreffen« sollte (EKD). 1974 kritisierten 33%, die Kirche mische sich »zu stark in die Politik ein«, 22%, sie sei »zu eng mit dem Staat verbunden« (IfD).

präsentant eines Spektrums von Möglichkeiten[594]. Der gleiche Vorgang wie bei den diakonisch-sozialen Funktionen ist erst recht in der Zuweisung der Erziehung, Bildung, »Kontrolle von Fernsehen u. Rundfunk« zu beobachten. Die Systemtheorie bringt ihn auf den Begriff. Die Kirche ist einbezogen in den Prozeß der soziokulturellen »Evolution«, der Zunahme der »Komplexität der Gesellschaft« und der ihr entsprechenden »Differenzierung des Gesellschaftssystems« auf »funktionsspezifische Bildung von Teilsystemen« hin. Er schließt prognostisch die Möglichkeit der Ausgliederung der Volkskirche bisher noch zugewiesener Funktionen und, proportional dazu, die ihrer Reduktion oder Konzentration auf die Funktion der Religion der Gesellschaft im engeren Sinn ein[595].

Die in dem Sozialsystem Volkskirche latente *Desintegration* bestätigen und präzisieren die Befragungen ebenfalls. Unter Rückgriff auf Einzelergebnisse entwarf Hans-Otto Wölber 1958 eine »Reliefkarte der Religiosität«, eine Strukturierung praktizierter Kirchenmitgliedschaft. Er unterscheidet eine »äußerste Kirchlichkeit bei 80 bis 90% der Befragten«. Ihre »obere Grenze« zieht er bei »nur noch formaler Teilnahme am Religionsunterricht« und an der Taufe, ihre »untere Grenze« bei »nicht mehr nur formale(r) Teilnahme am Unterricht«. Diese Gruppe ist mit einem Prozentanteil von 40% bis 50% durch den »Entschluß gelegentlichen Gottesdienstbesuches« und »erkennbare Bestätigung dogmatischer Aussagen« gekennzeichnet, in sich also noch einmal zu differenzieren. Außer dieser bei weitem größten Gruppe gibt es »einen aktiven religiösen Kern«, den Wölber vorsichtig auf »3 bis 6%« schätzt, und eine ungefähr ebenso kleine Gruppe »aktive(r) Stellungnahme gegen Glaube und Kirche usw.«. »Überblickt man die Gesamtheit der Befragten, so rechnen sich 80 bis 90% in irgendeiner Weise der Kirche zu . . . Wenige Prozent sind deutliche Kirchengegner und wenige Prozent im profilierten Sinne ideologisch kirchentreu« (Wölber). 1967 lag der Prozentsatz der »Praktizierenden«, d.h. »mindestens einmal im Monat« den Gottesdienst besuchenden »Protestanten« bei 28,5%. Innerhalb dieser Gruppe ermittelte die Befragung 1,8%, deren Profil kirchliche »Normenerfüllung« und »Übereinstimmung mit der Kirche in wichtigen Glaubensfragen« ist. Allerdings nicht nach Konfessionen differenzierende Ergebnisse der Befragung unter anderen nach dem Glauben an die Verbalinspiration der Bibel und an die von der historisch-kritischen Bibelwissenschaft in Frage gestellte Historizität bestimmter neutestamentlicher Wundergeschichten rücken diese »Bekenntnis-Protestanten« in die Nähe der 1966 gegründeten fundamentalistischen »Bekenntnisbewegung ›Kein anderes Evangelium‹«. Die

594 »Der Staat dient gleichsam nur als Kontrastmittel. Anderenfalls hätten auch andere mögliche Träger solcher Funktionen . . . zur Wahl gestellt werden müssen« (*Hild* [Hg.], Wie stabil ist die Kirche? 223).
595 *Hild* (Hg.), Wie stabil ist die Kirche? 222.224.226; *Schmidtchen,* Was den Deutschen heilig ist 95; *Luhmann,* Funktion der Religion 184.89.

71,5% nicht in diesem Sinne »Praktizierenden« stimmen auffallend überein mit den »80 bis 90%«, die Wölber die Gruppe »äußerster Kirchlichkeit« nennt und von der ebenfalls etwa die Hälfte gelegentlich am Gottesdienst teilnimmt und eine gewisse Übereinstimmung mit der Lehre der Kirche zeigt. D.h. es zeichnet sich eine Struktur der Kirchenmitgliedschaft ab, deren Merkmale eine überwiegende Mehrheit kaum oder gering engagierter und eine kleine Gruppe engagierter Mitglieder sind (Spiegel 67). Die EKD-Befragung von 1972 bestätigt sie. Nach ihr fühlen sich 12% »mit der evangelischen Kirche« »sehr verbunden«. Hier vor allem sind die 8% zu suchen, die »in der Kirche oder in kirchlichen Einrichtungen« mitarbeiten. 25%, die sich »mit der evangelischen Kirche« »ziemlich«, und 31%, die sich mit ihr »etwas verbunden« fühlen, insgesamt 56%, bilden die Mehrheit »distanzierter Kirchlichkeit«. Sie entsprechen zusammen mit 20% mit der Kirche »kaum« Verbundenen fast genau den 81%, die »in der Kirche oder in kirchlichen Einrichtungen« nicht mitarbeiten. 12%, die mit ihr »überhaupt nicht verbunden« sind, entsprechen den 12% »sehr« Verbundenen (EKD). Ein Befragungszeitraum von 15 Jahren bestätigt und präzisiert eine Struktur, die die Volkskirche als Sozialsystem mit einer in sich gestuften, überwiegenden Mehrheit »distanzierter«, einer kleinen Minderheit engagierter und einer ebenso kleinen Minderheit »überhaupt nicht verbunden(er)« Mitglieder kennzeichnet. In einem Sozialsystem, in dem die Integration der Mitglieder nur bei einer kleinen Minderheit, aber bei der überwiegenden Mehrheit nur eingeschränkt oder gar nicht gelingt, ist Desintegration latent. Sie verweist in die Geschichte, in der seit »dem Übergang zur Reichs- und Volkskirche die Entscheidung für Mitglieder faktisch entfallen war«, so daß Kirchenmitgliedschaft seitdem kein durch Entscheidung »erworbenes«, sondern ein mit der Kindertaufe »zugeschriebenes Merkmal« ist. Die Folge ist ihre unterschiedliche Praktizierung als konstantes Strukturmerkmal. Die Volkskirche teilt es mit anderen Großorganisationen, etwa Gewerkschaften und Parteien. Während aber bei diesen »erworbene Mitgliedschaft«, die »eine Mindest-Motivation voraus«-setzt, die Regel ist, ist sie bei der Volkskirche die »zugeschriebene Mitgliedschaft«, die »ein extremes Größenverhältnis zwischen aktiver Minderheit und relativ distanzierter Mehrheit zur Folge« hat. Es wirkt als Verhaltensnorm weiter: »Je kleiner jene Gruppe der Hochmotivierten ist«, je mehr erscheint »deren Verhalten aufs ganze gesehen als abnorm, während das normwidrige Verhalten der überwiegenden Mehrheit als ›normal‹ erscheint«. In dieser labilen Struktur ist die Volkskirche zur Zeit »stabil«[596].

Alleine reichen organisationssoziologische Erklärungsmodelle allerdings nicht aus, um die im Sozialsystem Volkskirche latente Desintegration

596 *Wölber*, Religion 109ff; *Harenberg* (Hg.), Was glauben die Deutschen? 94f.97f; *Hild* (Hg.), Wie stabil ist die Kirche? 184.56.195.36; *Luhmann*, Funktion der Religion 95; *Schloz*, Erneuerung 43.

möglichst genau in den Blick zu bekommen. Nachfragen nach der Sozialisation und Kommunikation müssen sie ergänzen. Daß der Verbundenheitsgrad der Eltern mit der Kirche mit dem der Kinder korrespondiert, geht aus der EKD-Befragung von 1972 hervor. Zwar besteht »nirgends ein mechanischer Zusammenhang«. Die Struktur des Sozialsystems Volkskirche wird nicht einfach durch die Elternhäuser reproduziert. Mehr als 50% Erwachsene geben einen anderen Verbundenheitsgrad als den der Eltern an. Aber bei den übrigen erhält sich der dem der Eltern entsprechende Verbundenheitsgrad bis in das Erwachsenenalter. D.h. von der Primärsozialisation im Elternhaus hängt es entscheidend mit ab, wie durch die Kindertaufe »zugeschriebene Mitgliedschaft« später praktiziert wird. Flankierende Beobachtungen konkretisieren das statistische Ergebnis. Kinder des 1. und 4. Schuljahrs »in Städten haben von Gott erst im Religionsunterricht der Schule gehört. Gott, Jesus, Kirche u.ä. sind fast durchweg Fremdwörter, die ihnen nichts sagen ... Aus der sogenannten primären Sozialisation im Elternhaus werden, von Ausnahmen abgesehen, religiöse Vorstellungen nicht mehr mitgebracht«. Komplementär dazu äußern Eltern: »Ich fühle mich überfordert mit der religiösen Erziehung und weiß auch nicht, wie man das richtig macht ... Es gibt doch Fachleute dafür«. Ob bei den 41% Kindern, deren Eltern beabsichtigen, sie in den kirchlichen Kindergarten zu schicken, und bei den 79%, deren Eltern die gleiche Absicht für den Kindergottesdienst bekunden, die »Fachleute« der Sozialisationsinstanz Kirche diese Lücke ausfüllen, geht aus dem Befragungsmaterial nicht hervor. Ihnen sind sicher enge Grenzen gesetzt, da Defizite der Primärsozialisation in dieser Altersgruppe nur schwer kompensierbar sind. Die Bedeutung des Religionsunterrichts in der Schule auch für die kirchliche Sozialisation belegen schon die hohen Teilnehmerzahlen. Aber Teilnahme bedeutet noch nicht positive Anteilnahme. Immerhin »27% Schüler und Studenten« und 26% Berufstätige hatten 1958 am Religionsunterricht etwas »auszusetzen«. Auch die Abmeldequoten am Ende der 60er Jahre, die bei evangelischen Oberschülern der Klassen 9–13 in West-Berlin 50,8% erreichten, schließen unüberhörbar Kritik ein. Inzwischen hat sich seine Lage insgesamt wieder stabilisiert, für seine gegenwärtige Beurteilung durch die Schüler fehlen jedoch repräsentative Unterlagen. Indirekt lassen die 30%, die nach einer unveröffentlichten Befragung von 30000 Schülern in Hessen-Nassau 1971 dem Christentum und der Kirche Bedeutung beimessen, jedoch nur ernüchternde Rückschlüsse zu. »Das Verhältnis der Jugendgeneration zum kirchlich-christlichen Glauben entspricht dem gesellschaftlichen Durchschnitt, wenn auch mit graduellen Unterschieden«. Eine auch kirchliche Sozialisation der Schüler durch den Religionsunterricht schlägt sich in einer feststellbaren Veränderung der Struktur der Volkskirche nicht nieder. Zum gleichen Ergebnis führt der Konfirmandenunterricht, der die kirchliche Sozialisation der Jugendlichen ausdrücklich zum Ziel hat. Zwar hatten 1958 weniger Schüler an ihm etwas »auszusetzen« als am schulischen Religionsunterricht, aber 1972 urteilte die Gruppe der 14- bis 24jährigen, die ihn noch frisch in Erinnerung hat, fast zur Hälfte, mit 45%: »Der Konfirmandenunterricht war so, wie ich es heute sehe, für mich vertane Zeit«. Darüber, ob die kirchliche Jugendarbeit und Erwachsenenbildung hier als Korrektiv wirken, fehlen verläßliche Unterlagen. Die konstante Struktur der Volkskirche läßt auch hier optimistische Schlüsse nicht zu. Sind die Sozialisationsbemühungen der Volkskirche gegenüber organisationssoziologischen Gesetzmäßigkeiten demnach zur Ohnmacht verurteilt? Diese Folgerung verbietet eine genauere Nachfrage nach den Gründen der Kritik, die die Teilnehmer am schulischen und kirchlichen Unterricht angeben. Sie nennen fehlende Lebensnähe. 1958 beurteilten 26% den Religionsunterricht in der Schule als »lebensfremd«. Ende der 60er Jahre meldet sich in dem Wunsch von 41,8%, »Fragen des täglichen Lebens« im Religionsunterricht zu behandeln, ein entsprechendes Desiderat. 1972 gaben nur 22%, der niedrigste Prozentsatz unter den zur Auswahl vorgelegten Antworten, an: »Im Konfirmandenunterricht habe ich mir Grundsätze angeeignet, die für mein weiteres Leben wichtig waren«. Sie nennen ihr unbefriedigtes Informationsbedürfnis. Es verbirgt sich in dem Urteil »schwer verständlich«, das 1958 36% über den schulischen Religionsunterricht fällten, wie in dem Urteil »gar nicht (zu) verstehen«, das 1972 32% 14- bis 24jährige über den kirchlichen Unterricht fällten. Der ergänzende Zusatz »kann ich nicht glauben« (1958) oder »Im Konfirmandenunterricht hat man versucht, mich zu zwingen, etwas zu glauben, was man als Kind gar nicht verstehen kann« (1972) kann sich vom Glauben an Gott und Jesus Christus bis hin zu neutestamentlichen Wundergeschichten[597] auf vielerlei beziehen. Unbefriedigtes Informationsbedürfnis zeigen auch die 62,4% an, die den Wunsch nach »Religionssoziologie«, und die 50,4%, die den nach »Philos. Grundlagen der Religionen, vgl. Religionskunde« Ende der 60er Jahre äußerten. Sie nennen den Zwang zum kirchlichen Unterricht. 8% stimmten 1958 einer vorgegebenen Antwort zu, die begann: »Mich störte, daß man gezwungen wurde«, 13% einer vorgegebenen Antwort, die unter anderem die Passage enthielt: »Teilnahme sollte freiwillig sein, man sollte nicht immer kontrolliert werden«. Über die Hintergründe sagt das Urteil eines Pfarrers 1981 etwas aus: »Konfirmation gehört dazu. Es würde übel auffallen, wenn ein Kind nicht dabei wäre . . . Was *in* den Jugendlichen vorgeht, spielt keine Rolle. Solange sie nicht aus der Rolle fallen. Und auch dann wohl nicht«. Fehlende Lebensnähe, unbefriedigtes Informationsbedürfnis, als Zwang empfundene Teilnahme in einer entscheidende Lebensjahre quantitativ intensiv begleitenden kirchlichen Sozialisationsbemühung sind benannte Gründe für das Ergebnis: »Die Absicht der Kirche, durch ihre Maßnahmen der innerkirchlichen Sozialisation die Mitglieder zur

597 Mehr als die Hälfte befragter Erwachsener geben 1967 und 1980 über letztere das Urteil ab, sie hätten sich »nicht wirklich ereignet«.

selbständigen, persönlichen Übernahme ihrer Mitgliedschaft zu führen, gelingt nur sehr teilweise«. Von organisationssoziologischer Zwangsläufigkeit kann dann nur bedingt gesprochen werden. Mögliche Folgen solcher »nur sehr teilweise« gelingenden kirchlichen Sozialisation melden sich im minimalen Gottesdienstbesuch und in der merklich größeren Bereitschaft zum Kirchenaustritt bei solchen, die eine weiterführende Schule oder die Universität besuchen und besucht haben[598].

Veranlaßt durch das Befragungsergebnis, daß Konfirmanden ihre Teilnahme am Unterricht als Zwang empfinden, machte Wölber 1958 darauf aufmerksam, daß die Art und Weise, wie die Volkskirche sich hier darstellt, gelingende Kommunikation nicht fördert, sondern blockiert. Da »Schulerlebnisse und Konfirmandenunterricht, viel weniger das fromme Elternhaus, ... die Elemente religiöser Einstellung« »liefern«, sind die dort gemachten Erfahrungen prägend. D.h. aber prägend sind die Erfahrung des Zwangs - »Die Kirche erscheint als Zwangsanstalt« - und die der »Verschulung« - Wölber spricht von »Unterrichtsvolkskirche« -. Prägend sind die Erfahrung erzwungener Kommunikation, die die »Anschaulichkeit der Freiheit« schuldig bleibt, und die einer »Unterrichtsreligion«,die »selbständige Religion« »verhindert«. Solche im Ansatz mißlingende Kommunikation wirkt weiter. »Nicht umsonst schleppen auch Erwachsene die Animosität gegen Zwang mit sich herum, wenn sie an die Kirche denken«. 1972 scheint in dieser Hinsicht eine Besserung eingetreten zu sein. 48% 14- bis 24jährige stimmten der vorgegebenen Antwort zu: »Im Konfirmandenunterricht haben wir manches unternommen, an das ich mich gern erinnere«. Aber auch dann bleiben 52% übrig, die sich in dieser Erfahrung nicht wiederfanden. Das von Wölber erkannte, unter Umständen lebenslang prägende Kommunikationsproblem ist nicht gelöst. Aus der Befragung von 1972 geht hervor, daß auch »distanzierte« Mitglieder an Kommunikation in der Volkskirche nicht einfach desinteressiert sind. Eine große Mehrheit, die über den Kreis der Engagierten hinaus weit in den der Distanzierten hineinreicht, würde den »Hausbesuch durch den Pfarrer« »begrüßen« (32%) bzw. fände es »interessant, ein Gespräch mit ihm zu führen (30%). 33% wäre ein solcher Besuch zwar »egal, aber wegschicken« würde sie ihn nicht. Daß die Kommunikation über den Pfarrer gesucht wird, ist auch auf seine hohe Einschätzung zurückzuführen. Sie wurde nicht zuletzt im Konfirmandenunterricht grundgelegt, im Rückblick auf den 68% 14- bis 24jährige angeben, »den Pfarrer ... in sehr guter Erinnerung« zu haben. Aber den insgesamt 62%, die mehr oder weniger einen »Hausbesuch durch den Pfarrer« wünschen, steht fast der gleiche Prozentsatz (61%) gegenüber, der noch nie von ihm

598 *Hild* (Hg.), Wie stabil ist die Kirche? 151.107.93.156.161.119; *Friedrich Hahn*, Gott ist ein Fremdwort 47; *Buschbeck, Failing*, Religiöse Elementarerziehung 9f; *Wölber*, Religion 171.174f; *Onnasch*, Opium der Schüler? 8.33; *Sorge, Vierzig*, Handbuch Religion I 92f; *Harenberg* (Hg.), Was glauben die Deutschen? 89; Der Spiegel, Umfrage 1980, 71; *Drude*, Ich bin des Geldes wegen da, 57.

besucht wurde. Während nur 11% anläßlich eines Hausbesuchs »ihr letztes Gespräch mit einem evangelischen Pfarrer« geführt hatten, führten es 45% »bei einer Taufe, Konfirmation, Hochzeit oder Beerdigung im Verwandten- oder Bekanntenkreis«, 7% »bei einer Gemeindeveranstaltung oder einem Vortrag«, 9% »vor bzw. nach einem Gottesdienst«. D.h. aber eine für die Gesprächskommunikation ungünstige Situation unter dem Eindruck von Veranstaltungen, in denen der Pfarrer sich fast ausschließlich produktiv, die teilnehmenden Mitglieder dagegen fast ausschließlich rezeptiv verhalten, herrscht vor. An dieser »Einweg-Kommunikation« scheitert häufig »selbst der erklärte Wille zum Dialog«. Sie verursacht die in der Kirche »tiefverwurzelte allseitige Bereitschaft, in den pastoralen Monolog und seine widerspruchslose Hinnahme zurückzufallen, ein Regelkreis gegenseitiger Verführung, dem selbst da schwer zu entkommen ist, wo er – wie etwa in der Seelsorge, beim Haus- und Krankenbesuch oder in kooperativen Aktionen kirchlicher und außerkirchlicher Gruppen – die Vorgänge, um die es geht, nicht nur stört, sondern zerstört«. Sie verweist wiederum in die Geschichte, in die Entwicklung der Kirche zur Heilsanstalt, die der Gemeinde die Rolle des Objekts der Aktivitäten der Priesterschaft zuwies. Auch Luthers Äußerung, die Christen seien »alle gleich priester«, hat diese »Einweg-Kommunikation« nicht wirksam behoben[599]. 81%, welche die Frage: »Würden Sie mitarbeiten, wenn Ihnen die Kirche mehr Möglichkeiten zur Mitwirkung und Mitbestimmung bieten würde?« mit »Nein« beantworten, sind auch auf sie zurückzuführen wie 16%, die sie mit »Ja« beantworten, aber nicht mitarbeiten. Während die ersteren, die »große Mehrheit der Mitglieder«, sich »durchaus traditionell . . . in der Rolle des Empfangens« sehen, sehen die letzteren wohl keine Gelegenheit, ihre Bereitschaft in die Tat umzusetzen. Darüber hinaus ist die Kommunikation durch die Anonymität in der Volkskirche bedroht. Die »starke Orientierung am Pfarrer« ist auch ein Versuch, ihr zu entgehen, und zeigt sie gerade so als Gefahr an. »Nur in ihm ist die Kirche vor Ort real erfahrbar. Die Organisation, die hinter dem Pfarramt steht, bleibt abstrakt«. Eine Großkirche ist zwangsläufig eine »bürokratische Organisation«, die »mit starker Unpersönlichkeit verbunden ist«. Die Anonymität wurde auch durch die Erweiterung des kirchlichen Kommunikationsnetzes um die Massenmedien Presse, Fernsehen und Hörfunk kaum behoben. 26% Evangelische, die 1967 »regelmäßig« oder »häufig« eine Kirchenzeitung lasen, standen 61% gegenüber, die sie »nie« gelesen hatten. 1972 standen 22%, die »regelmäßig« oder »häufig« ein »Gemeindeblatt« lasen, 62% gegenüber, die es »nie« gelesen hatten. Eine landeskirchliche Kirchenzeitung hatten sogar nur 7% »regelmäßig« oder

599 Über die »alte und frühmittelalterliche Kirche« schreibt *Henkys,* Die praktische Theologie 23: »Leiten, lenken, lehren, erziehen, führen, bessern, heilen, reinigen, loben, tadeln, tränken, ernähren – das sind bezeichnende, durch das Objekt ›Gemeinde‹ zu ergänzende transitive Verben für das Wirken des Amtsträgers«. Zu Luthers ›Allgemeinem Priestertum‹ vgl. WA 6 408, 11; WA 41 210, 4.

»häufig«, aber 79% »nie« gelesen. Mit Fernsehen und Hörfunk verhält es sich kaum anders. 15% sahen »regelmäßig« oder »häufig« »im Fernsehen Sendungen, in denen Fragen zu Religion und Kirche behandelt werden«, 44% »so gut wie nie« oder »überhaupt nicht«. Beim Hörfunk sind die Prozentsätze nicht eindeutig auszumachen, die Tendenz ist aber ähnlich. Daß »die Kirche über Presse, Fernsehen und Hörfunk in beträchtlichem Maße andere Personengruppen erreicht als durch den sonntäglichen Predigtgottesdienst«, daß sie hier die Kommunikationsschranke zu den nur gelegentlich oder gar nicht den Gottesdienst besuchenden, »distanzierten« Mitgliedern durchbricht, davon »kann also nicht die Rede« sein. Leider geben die Befragungen über die Durchdringung der Anonymität durch kirchliche Kleingruppen kaum Auskunft. Lediglich Wölber wies 1958 nach, daß Mitgliedschaft in evangelischen Jugendgruppen sich auf die Zustimmung zur Kirche positiv auswirkte, und interpretierte die damaligen Befragungsergebnisse dahingehend, daß »über freie Jugendgruppen kirchliche Verkündigung viel fruchtbarer angesetzt« wird. Ob und wieweit das noch heute gilt, darüber lassen sich nur Vermutungen anstellen. Das Fazit von 1972: »Je jünger die Befragten, desto häufiger die Neigung zum Abstand und zur Kritik« an der Kirche, mahnt auf jeden Fall zur Vorsicht. Über die Erwachsenen geben zwei 1964 und 1970 im Ruhrgebiet durchgeführte, allerdings nicht nach Konfessionen differenzierende Befragungen gewisse Hinweise. Über Einzelfragen: »Kontakt mit Gruppen in der Pfarrei, Treffen von Mitgliedern in der Pfarrei, Mitglied in kirchlichen Vereinen« zielten sie direkt auf »Kirchl. Kommunikation«. Ca. 60% zeigten nur »gering(e)« »kirchl. Kommunikation«, 4% der »Unterschicht, 5% der »Oberschicht« und 14% der »Mittelschicht« »stark(e)« »kirchl. Kommunikation«. Die Prozentsätze stimmen im großen und ganzen mit der Struktur praktizierter Kirchenmitgliedschaft in der Volkskirche überein. Der signifikant höhere Prozentsatz »stark(er)« »kirchl. Kommunikation« bei Angehörigen der »Mittelschicht« deutet aber auf ein zusätzliches Defizit hin. Denn vorwiegend »Mittelstands«-orientierten kirchlichen Kleingruppen sind bei der Durchdringung der Anonymität der Volkskirche von vorneherein Grenzen gesetzt. Als erzwungen empfundene Kommunikation im kirchlichen Unterricht, zuwenig Gesprächskommunikation mit dem Pfarrer, dagegen Vorherrschen einer »Einweg-Kommunikation«, bei der er das Wort führt, trotz entgegenwirkender Bemühungen weiterhin akute Bedrohung jeglicher Kommunikation durch die Anonymität einer Großorganisation – solche Ergebnisse summieren sich zu dem Urteil bestenfalls teilweisen Gelingens. Kommunikationsprobleme hängen zwar auch mit organisatorischen Strukturen zusammen, von organisatorischer Zwangsläufigkeit läßt sich angesichts dieser Ergebnisse aber ebenfalls nur bedingt sprechen. Die möglichen Folgen nur teilweise und tendenziell mißlingender kirchlicher Kommunikation sind die gleichen wie die »nur sehr teilweise« gelingender kirchlicher Sozialisation: fehlende Disposition und Motivation zum

Besuch des nicht nur traditionellen Kommunikationszentrums der Kirche, des sonntäglichen Predigtgottesdienstes, wachsende Bereitschaft zum Kirchenaustritt[600].
Hat die Volkskirche noch eine Zukunft? Trotz des durch die Repräsentativbefragungen gestützten Urteils, ihre »Stabilität« sei zur Zeit »erstaunlich groß«, ist aus ihnen prognostische Sicherheit für ihren Bestand nicht zu gewinnen. Eher zeigen die ermittelten Daten in die entgegengesetzte Richtung[601]. Auch wenn die Mehrheit die durch die Kindertaufe »zugeschriebene« Mitgliedschaft noch akzeptiert, »die Frage nach dem ›Nutzen der Mitgliedschaft‹ ist auf der ganzen Breite gestellt«[602]. Die zunehmende Distanzierung der Jugend und der Gebildeten, der »jetzt oder künftig tragenden geistigen Kräfte«[603], verstärkt den Eindruck, die Epoche der Volkskirche in der Bundesrepublik Deutschland könne ihrem Ende entgegengehen. Was sich unter den gesellschaftlichen Bedingungen der Deutschen Demokratischen Republik bereits abzeichnet, könnte auch ihre Zukunft sein. Kirche »muß« nicht »Volkskirche sein«[604], auf absehbare Zeit wird sie es in der Bundesrepublik Deutschland aber voraussichtlich bleiben, selbst wenn die Austrittszahlen weiter ansteigen.

3. Jede Kirche ist eine »imperfekte Institution«. Denn jeder Kirche ist »ein nur transzendental zu bestimmender ›Zweck‹ vorgegeben . . ., an dem sie sich orientieren muß: das Weiterwirken Jesu als des Auferstandenen zu manifestieren«. Die Differenz zwischen den Manifestationen der »imperfekten Kirche« und den Manifestationen der Kirche des Glaubens findet sich gerade in der Volkskirche. Nicht nur ihre »distanzierten«, auch ihre »engagierten« Mitglieder sind von ihr betroffen[605]. Aber in jeder ›imperfekten‹ Kirche »kann Kirche als Ereignis *werden*«. Auch der Volkskirche, in der die dauerhafte und regelmäßige Predigt des rechtfertigenden

600 *Wölber,* Religion 99.68ff.202ff; *Hild* (Hg.), Wie stabil ist die Kirche? 59.63.67.261. 56.58.275f.76.79.81f.87; *Spiegel,* Kirche als bürokratische Organisation 18.39; *Harenberg* (Hg.), Was glauben die Deutschen? 105; *Boos-Hünning,* Soziale Schicht und Religiosität 111.326.
601 »In dem angebotenen Material gibt es nicht geringe Anzeichen für das allmähliche Ende der Volkskirche« (*Wölber,* Das allmähliche Ende der Volkskirche 397).
602 *Hild* (Hg.), Wie stabil ist die Kirche? 36.288.
603 *Wölber,* Das allmähliche Ende der Volkskirche 399. – »Vor allem . . . Jüngere und Höhergebildete« votieren »für die Alternative der Erwachsenentaufe«. »Mit dem Nein zur Kindertaufe« votieren sie »teils bewußt, teils unbewußt, gegen die herkömmliche volkskirchliche Gestalt der Kirche«. »Die Kirche hat in den bildungsschwachen Schichten eine erheblich stärkere Basis als in den bildungsstarken«. »Das Profil des ›typischen Austrittskandidaten‹ . . . Er ist jung (14–34 Jahre alt), von männlichem Geschlecht, ledig, hat einen breiten formalen Bildungsstand, wohnt in der Großstadt und gehört zur Gruppe der Angestellten« (*Hild,* [Hg.], Wie stabil ist die Kirche? 96.120.135).
604 Vgl. *Wölber,* Das allmähliche Ende der Volkskirche 397.
605 »In jedem Fall ist Kirchentreue weniger ein theologisch als vielmehr ein sozialpsychologisch zu wertendes Phänomen« (*Marsch,* Institution im Übergang 139).

Evangeliums in mannigfacher Gestalt institutionalisiert ist[606], ist das Kommen des Geistes verheißen, der die Kirche des Glaubens wirkt. Weil »Kirche als Institution *da ist*, kann Kirche als Ereignis werden«[607]. Sie ist aber »imperfekte Institution«. Ihre Manifestationen konzentrieren sich in den Strukturmerkmalen, Religion einer Gesellschaft, Großorganisation von gesellschaftlichem Gewicht und ein Sozialsystem mit latenter Desintegration zu sein. Ihre Herausforderungen betreffen sowohl die Institutionen selber[608] als auch ihre Predigt des Evangeliums und deren mannigfache Gestalt. Sie werden durch die Geschichte und die gegenwärtigen Gegebenheiten präzisiert.

Daß die evangelische Volkskirche in der Bundesrepublik Deutschland *Religion* eines Großteils *der Gesellschaft* ist, verweist in die Geschichte. Seit ihrer Entwicklung zur Staatskirche hat diese Herausforderung die Kirche begleitet. Annahme und selektive Inanspruchnahme der Volkskirche in ihrer Funktion als Religion der Gesellschaft durch die Mehrheit ihrer Mitglieder bekunden ihre anhaltende Aktualität. Diffuse Gottesvorstellungen, Zunahme des Atheismus, Synkretismus mit theistischen, aber auch atheistischen Religionen und Ideologien verschärfen sie. Zwar konstatieren Religionssoziologie und -psychologie weiterhin die Korrelation eines menschlichen Bedürfnisses mit den geschichtlichen Religionsgesellschaften und insofern eine religiöse Dimension der Individual- und Sozialanthropologie, sie finden sie aber nicht nur in theistischer, sondern zunehmend auch in atheistischer Manifestation vor. Vom religiösen als Gottes bewußten Menschen läßt sich dann aber nicht mehr mit dem Anspruch auf Allgemeingültigkeit sprechen, die Fundamentierung des Gottesglaubens in einer Anthropotheologie erscheint dann nicht mehr als stringent[609]. Entweder stellt sich gegen-wärtige theologische Ekklesiologie dieser Herausforderung, oder sie verfehlt ihre Funktion. Entweder erkennt ihre theologische Identifizierung der Religionsgesellschaft Volks-

606 »Ohne Institution gibt es keine Kirche, auch keine Kirche als Bewegung. Die Institution ist das Bindeglied zwischen der Vergangenheit und der Zukunft ... Ohne die Kirche als Institution könnte niemand von Gottes Liebe in Jesus Christus wissen« (*Hammer* [Hg.], Vom Geheimnis der Gemeinde 33). – »... das Sakrament ist zusammen mit der Predigt als Konstitutionsbedingung Grund und Ziel der Institution Kirche. Diese Beziehung ist so eng, daß die Konstitutionsbedingungen selbst als Teil der Institution verstanden werden können« (*Lessing*, Kirche – Recht – Ökumene 101).

607 *Marsch*, Institution im Übergang 123f.

608 »Es ist wichtig, daß das Ungenügen an der institutionellen Kirche nicht zur Auswanderung aus einer Einrichtung führt, die dann ohne Korrektur zur Erstarrung verurteilt wäre. Umgekehrt muß die institutionelle Kirche lernen, diese kritische Frage sich nicht nur gefallen zu lassen, sondern mit ihr in einem aufgeschlossenen Dialog zu leben« (*v. Thadden*, Wahrheit und institutionelle Wirklichkeit 130).

609 Auch »die hermeneutische Analyse des subjektiv-rationalen Moments in Religion führt ... nur bis zu der Erkenntnis der Legitimität des Verlangens, der Frage und des Willens nach Sinn, Wahrheit, Unbedingtheit überhaupt: Es handelt sich um die geschichtlich vermittelte Form eines humanen desiderium ..., indes nur um ein desiderium veritatis et claritatis, nicht etwa um das schon theologisch-kategorial ausgelegte desiderium Deum videndi« (*Schlette*, Art. Religion 1240).

kirche sie und läßt sich von ihr auf das apostolische »Fundament« (1Kor 3,11), an den wahrhaften Gott weisen, der sich dem auch als religiösen »gottlosen« Menschen (Röm 4,5; Eph 2,12) im schöpferischen »Wort vom Kreuz« zuspricht[610], oder sie verkennt sie und begibt sich tendenziell ihres Attributs. Entweder erkennt ihre theologische Orientierung der Praxis der Religionsgesellschaft Volkskirche sie und läßt sich auf dem apostolischen »Fundament« an die Mehrheit ihrer Mitglieder, den modernen religiösen Menschen zwischen Theismus und Atheismus, weisen[611], oder sie verkennt sie und begibt sich tendenziell ihres Attributs.
Daß die evangelische Volkskirche in der Bundesrepublik Deutschland eine *Großorganisation* von gesellschaftlichem Gewicht ist, verweist wiederum in die Geschichte. Die Staatskirche ist nach der Trennung von Staat und Kirche zwar nicht mehr aktuell, aber eine vom Staat als Körperschaft des öffentlichen Rechts privilegierte, auf vielen Gebieten mit ihm kooperierende, von den finanzstarken gesellschaftlichen Gruppen mitgetragene, von der öffentlichen Meinung abhängige Volkskirche ist herausgefordert, ihren Standort in Staat und Gesellschaft stets neu zu bestimmen. Es wäre naiv, diese Verflechtungen und Abhängigkeiten zu ignorieren. Es wäre verantwortungslos, sie lediglich zu registrieren. Theologisch sind sie nur als Herausforderungen gegen-wärtiger Ekklesiologie zu begreifen. Ihre Identifizierung der Großorganisation Volkskirche entspricht ihnen, wenn sie im Ausblick auf die Identität der Kirche *extra nos* in Christus die kritische Distanz gewinnt, die ihr theologische Qualität verleiht. Ihre Orientierung der Praxis der Großorganisation Volkskirche entspricht ihnen, wenn sie aus ihrer theologischen Identifizierung resultierende theologische Kriterien in die Handlungsanweisungen vor Ort vermittelt.
Auch daß die Volkskirche in der Bundesrepublik Deutschland ein Sozialsystem mit latenter *Desintegration* ist, verweist in die Geschichte. Seit ihrer Entwicklung zur Staatskirche hat auch diese Herausforderung die Kirche bis in die Gegenwart begleitet. Großorganisationen differenzieren sich in engagierte und distanzierte Mitglieder. In der Volkskirche spitzt sich diese Differenzierung infolge ihrer Regeneration durch in der Kindertaufe »zugeschriebene« und nicht durch eigene Motivation »erworbene« Mitgliedschaft zu. Einer kleinen Minderheit engagierter steht eine große Mehrheit distanzierter Mitglieder gegenüber. Die kleine Minderheit besucht noch den sonntäglichen Predigtgottesdienst, die große Mehrheit nimmt nur noch an den den »Lebenszyklus« begleitenden religiösen Passageriten, den kirchlichen Kasualien, und teilweise an den den »Jahreszyklus« begleitenden kirchlichen Hauptfesten teil. Auf die Dauer beein-

610 S.o. 159f.
611 »Die Häufigkeit religiöser Unsicherheit in der modernen Situation ist . . . so drastisch höher, daß es gerechtfertigt ist, auf sie den Begriff des Typischen anzuwenden« (*Berger,* Der Zwang zur Häresie 40). – »Was Millionen Eltern, die in Europa und Amerika ihre Kinder noch zur Taufe bringen, von der Kirche erwarten, ist vor allem dies, daß sie selber wissen muß, was sie will und weshalb sie etwas tut« (*Leuenberger,* Zum Problem der Volkskirche 15).

flußt ihre distanzierte Mitgliedschaft auch die Bereitschaft zum Kirchenaustritt. Schon der Vergleich mit den signifikant höheren Prozentsätzen engagierter Mitglieder in der römisch-katholischen Volkskirche warnt davor, diese Struktur einfach als organisatorisches Schicksal hinzunehmen. Von den Mitgliedern benannte Sozialisationsdefizite da, wo sie noch fast alle erreicht werden, im schulischen Religions- und kirchlichen Konfirmandenunterricht, und Kommunikationsdefizite, die auch die distanzierten Mitglieder empfinden, qualifizieren sie vielmehr als Herausforderung an die evangelische Volkskirche als Institution, an ihre Verkündigung des Evangeliums in ihrer mannigfachen Gestalt. Ihr gelingt die Integration ihrer Mitglieder auch nur bei einer kleinen Minderheit und mißlingt sie bei der großen Mehrheit. Diese Herausforderung verlegt gegen-wärtiger theologischer Ekklesiologie den, womöglich noch theologisch legitimierten, Rückzug auf die kleine Minderheit engagierter Mitglieder. Die theologische Identifizierung des Sozialsystems Volkskirche mit latenter Desintegration entspricht ihr nur dann, wenn sie dessen eingedenk bleibt, daß die Verheißung der Kirche des Glaubens allen ihren Mitgliedern, den engagierten und den distanzierten, gilt. Sie macht die theologische Orientierung ihrer Praxis über die engagierten hinaus mit Nachdruck auf die distanzierten Mitglieder aufmerksam, auf Sozialisations- und Kommunikationsdefizite, die distanzierte Kirchenmitgliedschaft mit verursachen.

Theologische Ekklesiologie kann sich die empirische Kirche nicht aussuchen, deren Funktion sie ist und auf die sich ihre Funktion bezieht. In der Bundesrepublik Deutschland ist ihr immer noch die aus der Geschichte überkommene Volkskirche aufgegeben[612]. Ihre Herausforderungen sind die eines bestimmten Kirchentyps in einem bestimmten Raum zu einer bestimmten Zeit. Wie es keine *theologia perennis,* sondern nur *theologia viatorum* gibt, so erst recht keine *ecclesiologia perennis,* sondern nur auf eine bestimmte Kirche eines bestimmten Raumes in einer bestimmten Zeit bezogene *ecclesiologia viatorum.* Auf dem Hintergrund der die Partikularkirchen umgreifenden Kirchengeschichte und in der Zeitgenossenschaft der Moderne sind sie dennoch in mancher Hinsicht repräsentativ und übertragbar.

612 »Heute ist die Frage der Volkskirche ... an die Theologie zurückverwiesen. Indem die Theologie sich ihr stellt, legt sie das schuldige Zeugnis dafür ab, daß ihr Handwerk nicht eine müßige Schreibtisch- und Kathedersache ist, sondern daß Theologie etwas zu tun hat mit der Geschichte, mit der Wirklichkeit ... Zugleich aber legt sie ... auch davon Zeugnis ab, daß sie nicht gesonnen ist, diese Wirklichkeit und die aus ihr erwachsenen Fragen kirchlichen Gegenwartshandelns aus ihrer Kontrolle, ihrer biblisch-reformatorischen Kritik freizugeben« (*Doerne,* Volkskirche? 3). – »Es ist nicht die Aufgabe der Theologie, das Faktum der Volkskirche dogmatisch zu bejahen oder zu verneinen. Von diesem Faktum ist vielmehr auszugehen, um verstehend auf es einzugehen« (*Jüngel,* Bedeutung der Predigt 49).

3.3

Funktionale theologische Ekklesiologie

Kirche des Glaubens und Kirche in Raum und Zeit sind nicht zu trennen. Die Kirche des Glaubens würde zur *»Platonica civitas«*, zur »erdichten Kirche, die nirgend zu finden« ist[613], würde sie von der Kirche in Raum und Zeit getrennt. Die Kirche in Raum und Zeit bliebe bloße, lediglich durch ihren Stifter modifizierte Religionsgesellschaft, würde sie von der Kirche des Glaubens getrennt. Kirche des Glaubens und Kirche in Raum und Zeit sind aber zu unterscheiden. Die Kirche in Raum und Zeit *ist* nicht die Kirche des Glaubens, ihr ist jedoch verheißen zu *werden*, was sie nicht ist. Diese Unterscheidung erforderte schon im Urchristentum das, was später auf den Begriff »Theologie« gebracht wurde. Am deutlichsten ist dieser Ursprung bei Paulus zu erkennen[614]. Das in der griechischen »θεολογία« angezeigte Selbstverständnis einer philosophischen Theologie[615] tendierte dahin, diesen Ursprung zu verdecken. Seine zeitliche und sachliche Priorität verweist die Theologie als kritische Instanz im Ausblick auf die verheißene Kirche des Glaubens an die Kirche in Raum und Zeit.

1. »Theologie ist . . . eine Funktion der Kirche«. Mit dieser Definition brachte Barth den Ursprung der Theologie erneut zur Geltung[616]. Nicht nur ihm nahestehende Theologen nahmen sie, meistens wörtlich, auf, auch Schleiermachers und vieler seiner Nachfolger Theologieverständnis ließe sich so definieren, was Tillich auch ausdrücklich tut. Sie alle stimmen darin überein, daß Theologie aus der Kirche in Raum und Zeit hervorgeht, um sich kritisch auf sie zu beziehen. Aber während Schleiermachers Blick an der Kirche in Raum und Zeit haften bleibt, blickt Barth nach der verheißenen Kirche des Glaubens aus. Während Schleiermacher lediglich eine quantitative Differenz zwischen dem »Gottesbewußtsein« der Mitglieder der Kirche in Raum und Zeit und dem Jesu als Kriterium anlegt, legt Barth eine qualitative Differenz zwischen der Kirche in Raum und Zeit und dem »Sein der Kirche, d.h. aber Jesus Christus« als Kriterium, an. Während Schleiermachers Kritik eine intrinsische »Steigerung« des »Gottesbewußtseins« in der Kirche in Raum und Zeit intendiert[617], intendiert Barths Kritik eine »Rede der Kirche«, in der das extrinsische »Sein der Kirche, d.h. aber Jesus Christus: Gott in seiner gnädigen, offenbaren-

613 Apologie VII, in: BSLK 238, 18.41 (vgl. Anm. 443).
614 S.o. 3.
615 Vgl. *Ebeling*, Art. Theologie I 754ff.
616 *Barth*, KD I/1 1.
617 S.o., bes. 28.

den und versöhnenden Zuwendung zum Menschen«, in der m.a.W. das rechtfertigende apostolische Evangelium zur Kirche in Raum und Zeit kommt[618]. Während Schleiermacher an den neutestamentlichen Ursprung der Theologie erinnert, schließt sich Barth an ihn an.

Der Begriff »Funktion« tritt in einer Vielzahl von Bedeutungen auf. Barth benutzt ihn im Wortsinn. Theologie ist *»functio«*, »Verrichtung« oder »Tätigkeit«, bei ihm heißt es »Maßnahme«, der Kirche zur Wahrnehmung der »Aufgabe der Kritik und Korrektur ihres Redens von Gott«[619]. Auf die Kirche in Raum und Zeit, deren »Funktion« sie ist, bezieht sich auch ihre Funktion. Sie ist funktional auf den Inbegriff ihrer praktischen Manifestationen, auf ihre »Rede von Gott«, bezogen. Diese funktionale Bezogenheit verbindet Theologie als »Funktion der Kirche« mit einer soziologisch-»funktionalen Theorie des kirchlichen Handelns«, wie sie gegenwärtig *Karl-Wilhelm Dahm* vertritt[620]. Aber Theologie als »Funktion der Kirche« läßt nicht zu, was Dahms soziologisch-»funktionale Theorie« zuläßt, die Dispensierung der theologischen Dimension »des kirchlichen Handelns«: »Wichtig ist nicht in erster Linie, was die Ursache für die Religion ist; sondern: wichtig ist, wofür die Religion ihrerseits zur Ursache wird, was sie bewirkt, was sie verhindert, welche Funktionen sie damit wahrnimmt, und welches wiederum die Folgewirkung dieser Funktionen sind«[621]. Mit solcher Reduktion der Kirche auf ihre Funktionen, mit kirchlichem Funktionalismus ist Theologie als »Funktion der Kirche« nicht zu verwechseln.

Auch sie soll sich jedoch funktional auf die Kirche in Raum und Zeit beziehen. Indikatoren für die Verwirklichung dieser Absicht sind theologische Ekklesiologie und praktische Theologie. Wie Schleiermacher verbindet auch Barth beides miteinander. Während aber Schleiermachers religionsphilosophische Ekklesiologie und praktische Theologie der Religionsgesellschaft »Volkskirche« und einer ihr koextensiven Praxis ansichtig wird[622], nimmt Barth beides nicht als theologischer Ekklesiologie und praktischer Theologie aufgegeben an[623]. Diese Verfehlung der vorfindlichen empirischen Kirche und einer ihr entsprechenden Praxis ist Folge des deduzierenden Denkwegs einer Theologie, die sich in Nachwirkung ihrer philosophischen Tradition als wesenszentrierte Geisteswissenschaft in Abgrenzung von den Natur- und den an ihnen orientierten empirischen

618 *Barth,* KD I/1 2f.
619 Ebd. 1f.
620 »›Funktional‹ bezeichnet ... eine Sicht, die an den Aufgaben orientiert ist, die der Kirche zugeschrieben werden« (*Dahm,* Pfarrer 303).
621 *Dahm,* Pfarrer 298. – »Der Mangel derartiger Versuche liegt darin, daß gesellschaftliche Normen nur noch als faktisch wirksame betrachtet werden, ihre Wirksamkeit nicht mehr auf ihren Sinn und die Gründe ihrer Verbindlichkeit für die handelnden Personen zurückgeführt wird. Statt der die gesellschaftlichen Systeme erst konstituierenden Intentionalität werden nur noch deren formal ablesbare, durch Rede über Zweckmäßigkeit beschreibbare Auswirkungen thematisiert« (*Thiel,* Art. Funktion 513f).
622 S.o. 22ff.
623 S.o. 94ff.

Humanwissenschaften versteht. Was Schleiermachers religionsphilosophischer Ekklesiologie gemäß war, der deduzierende Denkweg einer Klassifizierung des Christentums als vollkommener Religion nach dem Maßstab eines aus den konkret-geschichtlichen Religionen induktiv erschlossenen Wesens[624], war Barths Intention nicht gemäß. Der wesentliche Kirche deduzierende Denkweg kollidierte mit ihren Determinanten. Er trat neben die allein im Modus der Verheißung zu denkende Kirche des Glaubens und relativierte ihre konstitutive Voraussetzung, das extrinsische Sein der Kirche. Er verweigerte die Annahme der Kirche in Raum und Zeit da, wo sie stört, bei der ›unwesentlichen‹ Volkskirche. Die in der ihn bestimmenden, wesenszentrierten Geisteswissenschaft enthaltene Abgrenzung von den Natur- und den an ihnen orientierten empirischen Humanwissenschaften verhinderte eine unverstellte, mit ihrer Hilfe möglichst genaue empirische Analyse der Kirche in Raum und Zeit. Der Intention Barths, sich in theologische Ekklesiologie und praktische Theologie zuspitzende »Theologie« als »Funktion der Kirche« im Ausblick auf die verheißene Kirche des Glaubens kritisch-funktional auf die Kirche in Raum und Zeit und ihre Praxis zu beziehen, widerspricht ihre Durchführung. Die Ursache dieses Widerspruchs, der wesentliche Kirche deduzierende Denkweg einer sich als Geisteswissenschaft verstehenden Theologie, blieb für die Ekklesiologien im Umkreis der »dialektischen« Theologie durchweg kennzeichnend. Barths Intention nahm ein 1963 erschienenes Lehrbuch der praktischen Theologie, »Die Kirche und ihre Praxis« von *Hermann Diem,* auf. Barth korrigierend, nahm Diem in ihm zwar die Volkskirche, wenn auch reserviert, als praktischer Theologie aufgegeben an. Besonders deutlich wird das an seinem bedingten Ja zur Kindertaufe[625]. Aber sein an exegetischem und dogmatischem Material reiches Lehrbuch geht, was ihre Empirie betrifft, nicht über Allgemeinplätze hinaus. Soziologie und Psychologie zieht er ebensowenig heran wie Barth. Der Volkskirche entsprechende Praxis findet bei ihm keine Beachtung. Dieses die »dialektische« Theologie repräsentierende Lehrbuch der praktischen Theologie demonstriert ein Fazit: Sich als wesenszentrierte Geisteswissenschaft verstehende Theologie ist selbst da nicht in der Lage, über ihren Schatten zu springen, wo sich die Probleme der empirischen Kirche und ihrer Praxis aufdrängen, in der praktischen Theologie.

Barth reflektierte nicht über den ihn bestimmenden, wesenszentrierten geisteswissenschaftlichen Denkweg. Wenn er »spekulative« und »theologische Anthropologie« – in denen es, wenn auch einander alternierend, um »das menschliche Wesen«, die »Ontologie« des Menschen, das, »was er ist«, geht – analogisiert, wird er aber greifbar. Barth versteht Theologie als wesenszentrierte Geisteswissenschaft, deren metaphysisch-philosophischer Hintergrund in der analogen »spekulativen Anthropologie« an

624 S.o. 31ff.
625 *Diem,* Praxis 152.154f.157.

den Tag tritt. Sie gewinnt, wie jede wesenszentrierte Geisteswissenschaft, ihr Profil in »Abgrenzung« von der »exakte(n) Wissenschaft vom Menschen«, zu der Barth »Physiologie und Biologie, Psychologie und Soziologie« zählt. D.h. aber, er ist von der »mit dem Namen Aristoteles anhebende(n) Tradition« eines »allgemeinen Wissenschaftsbegriff(s)« abhängiger, als er wahrhaben will. Zwar kommt eine wissenschaftliche »Begründung« des »Glaubens« für ihn »nicht in Betracht«, zwar hat »die christliche Kirche nun einmal *nicht* Aristoteles zum Ahnherrn«, diese Feststellungen können die fehlende Reflexion über das Verhältnis von Glaube und Wissenschaft aber nicht ersetzen. Ihre Unterlassung hatte den Widerspruch zwischen Barths Intention einer auf dem apostolischen »Fundament« als »Funktion der Kirche« entworfenen »Theologie« und ihrer Durchführung zur Folge. Bei Barth ist das Wort »Wissenschaftstheorie« von vorneherein negativ besetzt. Daß ein Ausweg aus der Sackgasse aber nur mit Hilfe einer wissenschaftstheoretischen Selbstbesinnung der Theologie zu finden ist, zeigte die Folgezeit[626].

2. 1961 erschien von *Hans-Georg Fritzsche* ein Buch mit dem Titel »Die Strukturtypen der Theologie«. Was der Titel meint, erläutert Fritzsche so: Es gehe »nicht um die äußere Organisation des ›Betriebes‹ Theologie«, sondern »um den gleichsam inneren ›Konstruktionsplan‹, um *dessentwillen* die äußere Organisation da ist«. Fritzsche benutzt den Begriff Wissenschaftstheorie noch nicht, sondern spricht von einer »Methode der Methodik«, »kraft derer die Wissenschaft erst in die Lage versetzt wird, alle ihre Möglichkeiten zu realisieren«. Diese Fragestellung ist »der Grund für das Aufkommen der Wissenschaftsmethodologie in unserer Zeit«. An »der Theologie ist es, hierbei Schritt zu halten«, will sie angesichts der in solchen Überlegungen enthaltenen wissenschaftstheoretischen Perspektiven nicht anachronistisch auf die bestmögliche »organisierte Auswertung aller Wissensschätze im Dienst der Verkündigungsaufgabe« verzichten. Mit der Ausrichtung der Theologie auf die »Verkündigungsaufgabe« nimmt Fritzsche Barths Intention auf, redet aber einer wissenschaftstheoretischen Selbstbesinnung als Voraussetzung ihrer Verwirklichung das Wort. Angesichts des tatsächlichen Zustands der Theologie erscheint sie ihm unumgänglich. »Ihr fehlt noch gar zu sehr die Einsicht, daß die Summe noch so hervorragender Einzelleistungen auf allen ihren Gebieten nicht die Theologie ergibt, wie sie heute ... gefordert werden muß«. Wie weit sein Blick reicht, zeigt folgende Passage: »Der (erg. im »Aufkommen des organisatorischen Wissenschaftsideals bzw. dessen Ausdehnung von der Naturwissenschaft und Technik auf die Geisteswissenschaften«) herrschende Gedanke einer zweckmäßigen Anordnung aller Arbeiten ... ist nichts dem naturwissenschaftlichen Gebiet Spezifi-

626 *Barth*, KD III/1 25ff.16.13; *ders.*, KD I/1 9f. Unreflektierte Abhängigkeit vom aristotelischen Wissenschaftsverständnis könnte auch Barths Verwendung des Begriffs »Phänomene« anzeigen (s.o. 97.174).

sches. Teleologie ist das Wesen des menschlichen Denkens überhaupt. Und es ist etwas eminent Geistiges, was sich in einem technischen Großbetrieb oder Organisationsbüro überhaupt verobjektiviert. Auch die Theologie wird lernen, ihre Arbeit im organisatorischen Sinne zu ›rationalisieren‹ und zweckmäßig anzuordnen und einzusetzen«. Fritzsche empfiehlt der Theologie hier ein in »Naturwissenschaft und Technik« entwickeltes wissenschaftliches Modell zur Steigerung ihrer Effizienz. Am »technischen Großbetrieb und Organisationsbüro« veranschaulicht er seine Zusammenfassung verschiedener Wissenschaften und Methoden zur Lösung bestimmter Aufgaben. Er denkt dabei nicht nur an die theologischen Disziplinen, sondern über sie hinaus bis hin zu Psychologie und Soziologie. Die Aufgaben stellen der Theologie in erster Linie ihre systematische und praktische Disziplin. »Systematik und Praxis (als Inbegriff des spezifisch Theologischen in der Theologie) müssen die thematische Initiative besitzen«. »Ziel« ist eine »Theologie«, die »wieder stärker der Praxis dient«. Mit dem allen hebt Fritzsche die traditionelle Abgrenzung der Geisteswissenschaft Theologie von den Natur- und den an ihnen orientierten empirischen Humanwissenschaften auf und zeigt sogar vor der »Technik« keine Berührungsangst. Erst die Aufhebung dieser Abgrenzung ermöglicht die Verwirklichung einer Theologie, die als »Funktion der Kirche« an ihr in Funktion zu treten vermag. In der Ausführung bleibt Fritzsche hinter seinem eigenen Ausblick zurück. Auch ihn hemmte noch das geisteswissenschaftliche Erbe der Theologie. Aber ein Ausweg aus der Sackgasse, in der sich die »dialektische« Theologie festgefahren hatte, war gewiesen[627].

Zehn Jahre nach Fritzsches »Strukturtypen« erschien *Arnd Hollwegs* Buch »Theologie und Empirie«. Obwohl es keinen Zusammenhang mit Fritzsche erkennen läßt[628], schließt es an dessen Modell mitsamt der in ihm intendierten Aufhebung der Abgrenzung der Geisteswissenschaft Theologie von den Natur- und den an ihnen orientierten empirischen Humanwissenschaften an. Aber Hollweg beschreitet den Weg, den Fritzsche erst anzeigt. Als in der kirchlichen Praxis tätiger Theologe ist er an der »interpersonalen Theologie« interessiert, die sich in den USA in Verbindung mit der »Gruppendynamik« entwickelte, die »auf die empirisch feststellbaren Beziehungen von Mensch und Gruppe« »zielt«. Die Öffnung der Theologie für die empirischen Humanwissenschaften, wie sie für den englischsprachigen Raum, besonders für die USA, kennzeichnend ist, war in der deutschsprachigen Theologie ein Vorgang, der der »realistische(n)«

627 *Fritzsche,* Strukturtypen 9.15.97.217.278.

628 Hollweg erwähnt Fritzsches Buch nicht. Ein Beispiel mehr für die Verkümmerung des theologischen Dialogs. Von dieser Tendenz wurde auch Hollweg selber betroffen. *Pannenbergs* »Wissenschaftstheorie« von 1973 (s.u. Anm. 636) befindet ihn ebensowenig der Erwähnung wert wie *Peukert* in seinem Buch »Wissenschaftstheorie – Handlungstheorie – Fundamentale Theologie« von 1976.

oder »empirische(n) Wendung« in der sich bis dahin ebenfalls als Geisteswissenschaft verstehenden deutschsprachigen Pädagogik in den 60er Jahren vergleichbar ist. Sie hatte zwar bereits die Religionspädagogik und über sie die praktische Theologie erreicht[629], begann aber erst mit Hollwegs Buch in das Bewußtsein der Theologie einzudringen. So spricht *Friedrich Mildenberger* unter Hinweis auf diese »sehr grundsätzliche Arbeit« davon, es sei »ein neues Moment in die Diskussion gekommen, die von der Theologie traditionell mit anderen Wissenschaften geführt wird«. Mildenberger denkt hier vor allem an »die Philosophie als . . . Gesprächspartner der Theologie«. »Diesem neuen Moment werden die alten Gesprächsformen nicht gerecht«[630]!
Nicht Anpassung an eine Modeströmung, sondern die Dysfunktionalität[631] einer theologischen Ekklesiologie, die philosophisch-geisteswissenschaftlich »nach einem zeitlosen Wesen der Kirche« fragt, veranlaßte Hollweg, nach einem ekklesiologischen Bezugsrahmen auszuschauen, der außer theologischen und historischen auch empirische, besonders humanwissenschaftliche »Perspektiven« zu integrieren vermag. Er fand ihn in der Feldtheorie *Kurt Lewins,* eines 1933 in die USA emigrierten deutschen Soziologen. »Soziale Ereignisse hängen vom ganzen sozialen Feld und nicht von ausgewählten Punkten ab. Dies ist die fundamentale Einsicht hinter der feldtheoretischen Methode, die in der Physik erfolgreich war. Sie ist . . . für die Untersuchung sozialer Felder . . . deshalb . . . fundamental, weil sie gewisse grundlegende, allgemeine Eigenschaften der Interdependenz ausdrückt«[632]. An die Stelle der Deduktion aus einem metaphysisch-ontologischen »Wesen der Kirche« tritt die wissenschaftstheoretisch bewußte »Interdependenz« aller im sozialen »Feld« Kirche wirksamen »Perspektiven«. An die Stelle »spekulativer Anthropologie, Geschichts- und Sozialmetaphysik« treten sich normativer »Wesensdefinitionen« enthaltende empirische Wissenschaften, besonders die empirischen Humanwissenschaften Soziologie und Psychologie, und eine sich normativer Geschichtsphilosophie enthaltende Geschichtswissenschaft. ›Problemorientiert‹ auf »Vorgänge« gerichtet, »die zwar *in* der Wirklichkeit, aber nicht *die* Wirklichkeit sind«, verbinden sie sich mit ihrer theologischen »Perspektive« zu einer funktionalen theologischen Ekklesiologie, die »nicht hinter den Glauben zurückfragt«, sondern »auf die Verifikation durch Gott angewiesen« bleibt. Hollweg weitet diese wissenschaftstheoretischen Folgerungen auf die ganze Theologie aus, der nach seinem Verständnis die eigentlichen Aufgaben von der Ekklesiologie und von der mit ihr eng zusammenhängenden praktischen Theologie gestellt werden.

629 Vgl. *Roth,* Die realistische Wendung in der pädagogischen Forschung; *Wegenast,* Die empirische Wendung in der Religionspädagogik; *Bastian,* Vom Wort zu den Wörtern.
630 *Mildenberger,* Theorie der Theologie 159.67.65.
631 »›Dysfunktional‹ meint, daß man mit dem, was man tut, gerade das verhindert, was man intendiert« (*Hollweg,* Theologie und Empirie 191).
632 *Lewin,* zit. nach *Hollweg,* Theologie und Empirie 205.

Nicht »hinter den Glauben zurückfragen(d)«, unmetaphysisch, nicht aristotelisch war das Theologieverständnis Luthers. Seit der von Melanchthon eingeleiteten »Rückkehr zum Aristotelismus in Theologie und Kirche«, die in der nachreformatorischen protestantischen Orthodoxie zum Durchbruch kam, trat es aber immer mehr in den Hintergrund. Theologie im Anschluß an Luther schließt »Geschichtsphilosophie« ebenso aus wie »Historismus«. Sie widersteht einer Überwucherung durch die »historische Wissenschaft«, die »primär Vergangenheitswissenschaft« ist. Denn sie fragt nach der Kirche und ihrer Praxis in der Gegenwart. Deshalb ist heute für sie eine »Sozialwissenschaft« relevant, die »primär *Gegenwartswissenschaft*« ist. Auch diese »trifft auf die Geschichte«, aber »als Tiefendimension der gegenwärtigen Situation«. Hollweg ist sich der mit dem Stichwort »Sozialwissenschaft« verbundenen Probleme genauer bewußt als Barth, aber ihretwegen läßt sie sich nicht aus der Theologie ausklammern. Zwischen einer Soziologie, die in die »Umklammerung« durch eine »Sozialphilosophie« geraten ist, und einem »Soziologismus«, der von dem »einen Faktor« Soziologie »her die menschliche Wirklichkeit erklären« will, sucht er den Weg zu einer eigenständigen und d.h. nur empirischen Soziologie als Gesprächspartner der Theologie. Die gleichen Probleme und die gleiche Aufgabe sieht er bei allen empirischen und den für die Theologie besonders relevanten empirischen Humanwissenschaften. Hierin stimmt er mit Ausblicken, die Barth eröffnet[633], überein, auch wenn es bei Barth zu »einer wirklichen Konfrontation mit den empirischen Wissenschaften (nicht) kommt«. Die Ursache der »Metaphysik«-»Abhängigkeit« bzw. einer empiristischen Tendenz der empirischen Wissenschaften erkennt Hollweg im »aristotelischen Wissenschaftsverständnis«. Ihm stellt er mit der wissenschaftstheoretischen Diskussion der »neuzeitlichen Wissenschaften« und unter Rückgriff auf Luther, der unter dem Einfluß des mittelalterlichen Nominalismus einen metaphysischen »Begriffsrealismus« ablehnte, ein »galileisches Wissenschaftsverständnis« entgegen. Seine »Begriffe« »werden im Umgang mit der Wirklichkeit definiert im Blick auf die darin einsichtigen Zusammenhänge und Problemstellungen« und ihr »nicht ohne Rücksicht auf ihre Zusammenhänge als ein metaphysisch sich begründendes Ordnungsschema auferlegt«. Mit Hilfe dieser wissenschaftstheoretischen Alternative wird die Theologie in den Stand gesetzt, den interdependenten »Perspektiven« im »sozialen Feld« Kirche zu entsprechen und »zu einem kritischen Urteil und darin implizierten konkreten Entscheidungen (zu) kommen«[634].

In die Auseinandersetzung um eine theologische Wissenschaftstheorie zwischen *Gerhard Sauter* und *Wolfhart Pannenberg* in den 70er Jahren ging, was Sauter betrifft, Hollwegs Intention mit ein. In einer Antrittsvor-

633 S.o. 97.174.
634 *Hollweg,* Theologie und Empirie 190f.20f.83.307f.298f.352f.550.234.245.299.321.307.552.286f.399.

lesung über »Die Aufgabe der Theorie in der Theologie« resümiert Sauter 1969, der »Theoriebegriff« habe unter dem Einfluß Hegels zwar »am Rande der zeitgenössischen Theologie eine Rolle gespielt«, sei aber »im übrigen« »von der Theologie verschwiegen worden«. »Ausgesprochen theoriefeindlich« war die »dialektische Theologie«. Die Theologie kann aber die durch die auf breiter Front aufgebrochene »wissenschaftstheoretische Diskussion« auch an sie »neu gestellt(e)« »Frage nach« ihrer »Wissenschaftlichkeit« nicht länger ignorieren. Sie betrifft ihr Verhältnis zu den anderen Wissenschaften ebenso wie ihr Selbstverständnis. Herkömmlicherweise »fast ausschließlich auf die Philosophie als den Anwalt der Rationalität eingestellt«, wobei sie »insbesondere« »die Erfolge und Krisen der Geschichts- und Sprachphilosophie« teilte, blieb sie im Schatten »der traditionellen Zerspaltung in Geistes- und Naturwissenschaften«, so daß die »meistens« von letzteren vorangetriebene »Wissenschaftstheorie« »nur selten« in ihr »Gesichtsfeld« trat. Trotz ihrer ›Theoriefeindlichkeit‹ erkennt Sauter in der »dialektische(n) Theologie« jedoch »eine neue Verhältnisbestimmung von Theorie und Praxis für die Theologie«. Mit ihrer Ausrichtung auf die zentrale Praxis der Kirche, auf das, »was in der Predigt und durch die Predigt geschieht«, hat sie »das Problem von Theorie und Praxis in der Theologie in einer außergewöhnlichen Weise konzentriert«. Allerdings hat sie es sich nicht wissenschaftstheoretisch bewußt gemacht. Sauter schließt sich an die Ausrichtung der »dialektischen Theologie« auf die Kirche und ihre Praxis an, wenn er »theologische Aussagen« primär im »Sprachraum« Kirche ortet. Die Aufgabe der Theologie, »eine *Theorie ihrer selbst* zu entwickeln«, ist aber erst noch in Angriff zu nehmen[635].

Durch Sauter angeregt, legte Pannenberg 1973 eine theologische Wissenschaftstheorie vor[636]. Mit Sauter hält auch er eine »wissenschaftstheoretische Selbstbesinnung« der Theologie für dringend geboten. Auch nach ihm muß sie »unter einem Doppelaspekt erfolgen. Sie zielt einerseits auf das Außenverhältnis zu anderen Wissenschaften auf dem gemeinsamen Boden von Wissenschaft überhaupt. Andererseits geht es in ihr um die innere Organisation der betreffenden Disziplinen«, »Fragen«, die in die nach dem »Selbstverständnis« der Theologie als »wissenschaftlicher Disziplin« »münden«. Aber Pannenbergs Wissenschaftstheorie blickt nicht wie die Sauters primär auf die Kirche, sondern auf die Universität. Sie ist nicht nur der »Ort«, der »eine Selbstkritik ihres gegenwärtigen Zustandes« herausfordert, »das Thema der Wissenschaftlichkeit der Theologie« begann eigentlich erst, seitdem es im 13. Jahrhundert »mit der Klärung des Verhältnisses zum jeweils herrschenden Wissenschaftsbegriff um die

635 *Sauter*, Aufgabe der Theorie 502ff; *ders.*, Wissenschaftstheoretische Kritik 10.218f; *ders.*, in: *Pannenberg* u.a., Grundlagen der Theologie 111.
636 *Pannenberg*, Wissenschaftstheorie und Theologie; vgl. *ders.*, in: Grundlagen der Theologie 59.

Stellung der Theologie in der Universität« ging. Ein durch die Kirche und ihre Praxis konstituiertes Theologieverständnis unterliegt demgegenüber dem Verdacht der Unwissenschaftlichkeit. Die »mehr existentielle und pastoral-theologische Färbung, die der Begriff der Theologie als praktische Wissenschaft bei Luther angenommen hatte«, fällt ebenso unter dieses Urteil – Pannenberg widmet Luthers Theologieverständnis nur 14 Zeilen! – wie Schleiermachers Konzeption der Theologie als auf die Kirche und ihre Praxis bezogene »positive Wissenschaft«[637]. Sosehr er den Stellenwert der »historischen« und »philosophischen Theologie« bei Schleiermacher würdigt – daß er »die Einheit der theologischen Disziplinen . . . nur aus dem Ausbildungsbedürfnis begründet«, ist ein wissenschaftlicher Sündenfall. »Wo solche Interessen maßgebende Bedeutung in der Theologie gewinnen, da wird . . . Theologie als Wissenschaft korrumpiert«! Daß er sich auch von Barths Definition der Theologie als einer »Funktion der Kirche« distanziert, ist folgerichtig. Pannenbergs Ausschluß der Kirche und ihrer Praxis aus der Konstitution der Theologie als Wissenschaft ist eine folgenschwere Vorentscheidung. Sie unterscheidet ihn von Anfang an von Sauter[638].

Der unterschiedlichen Ortung und Konstitution der Theologie entspricht ein fundamentaler Dissens in der Gottesfrage. Alternativ zu einer »nicht durch rationale Argumente vermittelten Offenbarungstheologie«, wie sie Barth entwarf, will Pannenberg eine rationale »Wissenschaft von Gott« entwerfen. Theologie, die sich unvermittelt auf das apostolische Fundament gründet, disqualifiziert er als »grundlose Setzung des theologischen Bewußtseins«. Sie »entzieht« sich »dem Bemühen um intersubjektive Rationalität in der Klärung und Prüfung ihrer Grundlagen«. Erst auf den »Grundlagen«, der »Basis«, m.a.W. dem Fundament einer »allgemeinen Anthropologie« mit ihren »religiösen und theologischen Implikationen« ist rationale »Wissenschaft von Gott« möglich. In diesem Zusammenhang beruft sich Pannenberg auch ausdrücklich auf Schleiermacher. Dann werden folgerichtig alle »positiven Religionen« zum »Ort ausdrücklicher Wahrnehmung der jeweiligen Selbstbekundung der göttlichen Wirklichkeit für menschliche Erfahrung«. Hierin unterscheiden sie sich nicht von der »biblische(n) Religion«. »Theologie als Wissenschaft von Gott« ist dann »nur möglich als Religionswissenschaft . . ., als Wissenschaft von den geschichtlichen Religionen . . . *Christliche* Theologie wäre dann Wissenschaft von der *christlichen* Religion, Wissenschaft vom Christentum«. Aber »Wissenschaft von Gott« kann bei bloßer »Beschreibung und Entfaltung« des »geschichtlich Gegebenen« nicht stehenbleiben. Sie muß mit Schleiermacher, vor allem aber mit Hegel von der »Religionsgeschichte« zur »Religionsphilosophie«, von der historischen zur philosophischen Theologie fortschreiten, um das »Wesen«, »den Begriff der Re-

637 S.o. 24f.
638 *Pannenberg,* Wissenschaftstheorie 9.11.16.234.253f.22.

ligion« zu erheben. Denn: »Die Frage nach dem Wesen . . . ist die eigentlich philosophische Frage«. »Philosophie« und »Metaphysik« sind identisch. Ihre »klassische Gestalt« hat die »ontologische Metaphysik« »durch Aristoteles erhalten«. Deshalb ist sein Name für das abendländische »Wissenschaftsverständnis« maßgeblich geworden. Unter Abkehr von Luther und Barth knüpft Pannenberg wieder an es an. Die aristotelische Metaphysik, die das mit dem »Göttlichen« (ϑεῖον) identische »Wesen« (οὐσία) »unter dem Seienden« induziert, ist für ihn Modell einer »theologischen« Wissenschaft[639], die den Namen verdient. Denn sie erhebt »den Begriff der Religion« rational. Auch heutige Philosophie, sofern sie »über das Wesen von Erfahrung und Wirklichkeit« reflektiert, ist Metaphysik und stößt selbst dann auf die »Gottesfrage«, wenn sie sie »nicht terminologisch als Frage nach Gott entwickelt«. Bereits bei Aristoteles enthält das »Wesen« eine Dynamik, die ›entelechisch‹ auf »Vollendung« zielt[640]. Aber erst Hegel weitet die Entelechie des Aristoteles in die Geschichte aus[641]. Erst seine Geschichtsphilosophie stellt die mit der Gottesfrage identische, metaphysische Frage nach dem sich entelechisch vollendenden »Wesen« »im Blick auf die« zeitlich dimensionierte »Totalität der Wirklichkeit«. Erst sie bringt die »Religion« auf den »Begriff«. Als Maßstab an die »Religionsgeschichte« angelegt und in ihren »konkreten Gang« ›aufgehoben‹, erweist sich diese als Entwicklungsgeschichte. Sie gipfelt in den »biblischen Religionen«, der »jüdische(n) und christliche(n)«, in denen »die Geschichte religiöser Erfahrung und Veränderung . . . selbst Thema der Religion, Feld göttlicher Selbstbekundung geworden ist«. Sie entsprechen der in der metaphysischen Geschichtsphilosophie auf den »Begriff« gebrachten »Religion«[642]. Inhaltlich läßt die »christliche« wiederum die »jüdische« Religion insofern hinter sich, als »in Jesus von Nazareth«, in der »Inkarnation als vorweggenommene Gegenwart und bleibendes Perfektum des Endgültigen« die Vollendung der Geschichte bereits auf den Plan getreten ist. Wegen »der Offenheit des Weltprozesses selbst auf eine noch nicht realisierte Zukunft hin« und der daraus resultierenden »Differenz von schon erschienener und noch nicht in ihrer Allgemeinheit hervorgetretener Wahrheit« nimmt ihre Annahme notwendig die »Form des Glaubens« an. Er ist aber *rationaler* Glaube, weil er in den »religiösen und theologischen Implikationen« der »allgemeinen Anthropologie« gründet, die die metaphysische Geschichtsphilosophie auf den »Begriff« bringt. Er ist rationaler *Glaube*, weil angesichts

639 *Aristoteles,* Metaphysik K. 7. 1064a,35ff (2. Hbd. 204.206).
640 Vgl. *Aristoteles,* Θ. 8. 1050a (2. Hbd. 126.23).
641 Vgl. o. 63 zu T. Rendtorff.
642 Zur Religions- als Entwicklungsgeschichte vgl. Schleiermacher (s.o. 34f). Aber bei dem vorrangig an der platonischen Metaphysik orientierten »Schleiermacher (wird) die Geschichte noch nicht in ihrer vollen Bedeutung für die Religionen und speziell für das Christentum selbst gewürdigt«. Das geschieht »eher« in der »Religionsphilosophie« des vorrangig an der aristotelischen Metaphysik orientierten Hegel (*Pannenberg,* Wissenschaftstheorie 374; vgl. *Hegel,* Philosophie der Religion, 1. Bd. 272; 2. Bd. 191.193).

»der Unabgeschlossenheit der Geschichte« seine endgültige Bewahrheitung »noch aussteht«. Er ist Glaube, der als wissen-schaftlich begründete »Hypothese« der »Totalität der noch unvollendeten Geschichte« zur Bewährung ausgesetzt werden kann und muß[643].
Für Sauter gehören »der Blick auf den spezifischen sprachlichen Kontext . . ., für den der Begriff Kirche immer noch am angemessensten ist«, und der Anfang der Theologie beim »Gott Abrahams, Isaaks und Jakobs«, dem »Vater Jesu Christi«, untrennbar zusammen. Der Anklang an Blaise Pascal schließt unausgesprochen dessen Abgrenzung – »nicht (der Gott) der Philosophen und Gelehrten« – ein[644]. Der »christliche Glaube« hat deshalb »gute Gründe«, weder, wie bei Pannenberg, »die Erfahrung anderer Götter« mit dem christlichen Gottesglauben entwicklungsgeschichtlich zu harmonisieren, noch »die Ausdrucksformen der Gottlosigkeit« geschichtsphilosophisch »so zu konstatieren«, daß sie »zu überholbaren Momenten im Verlauf der Geschichte werden«. Vielmehr hat er gerade in der Gottesfrage »nach der Differenz von Wahrheit und Lüge zu fragen«. Sauter schließt sich an die »dialektische Theologie« an, wenn er sich gegen die bereits »durch Feuerbach« bestrittene »These der idealistischen Religionsphilosophie« von der »Identität Gottes und des Menschen« wendet. Er wendet sich damit sowohl gegen die Möglichkeit einer anthropologischen Begründung der Gotteserkenntnis als auch gegen ihre Folgerung, gegen Pannenbergs Repristination des »Vorhaben(s) der klassischen metaphysischen Theologie . . ., die Gotteserfahrung in der Weltwirklichkeit« in Gestalt einer an Hegel orientierten Geschichtsphilosophie zu »verifizieren«. In christlicher Theologie »kommt es darauf an, Gott bei seinem Wort zu nehmen und ihn nicht anderswo zu suchen, denn seine Namentlichkeit verbietet es, ihn im Bereich von Gegenständen identifizieren zu wollen«. Sie ist »im Blick auf frühere und künftige Doxologie und Homologie, auf assertorisches Reden[645] . . . und auf das Gebet« »Rechenschaft über das Reden von Gott« im »Sprachraum« Kirche. Sie benennt »Kriterien«, die kirchliches »Reden von Gott« an »das Zuvor der Präsenz Gottes vor unserem Reden von ihm«, an »Gottes Handeln« als »*Grund* unseres Sprechens«, an das, was die »Begriffe ›Wort Gottes‹ und ›Offenbarung‹« anzeigen, die es m.a.W. »an den Namen Gottes – Gott Abrahams, Isaaks und Jakobs, der ›Vater Jesu Christi‹ – binden«. Sie weist aber ebenso auf die »Erwartungen« hin, die sich an solche »Erinnerungen«, solches »Gedenken der Offenbarung« knüpfen, damit kirchli-

643 *Pannenberg,* Wissenschaftstheorie 274f.263.266.371.424.344.303.315ff.72.70.305. 16.306.302.425.420.422f.437; *ders.,* in: *Pannenberg* u.a., Grundlagen der Theologie 71.
644 »Dieu d'Abraham, Dieu d'Isaac, Dieu de Jacob non des philosophes et des savants . . . Dieu de Jésus-Christ« (*Pascal,* Le Mémorial 4).
645 Von (lat.) asserere. »Die assertio ist das Ja von Menschen zu der Weise, in der Gott ihnen begegnet. Sie hat den Zweifel an der Gegenwart Gottes überwunden, ohne schon davor geschützt zu sein, ihre Gewißheit von anderen Menschen bestreiten zu lassen. Die zuversichtliche Gewißheit des assertorischen Redens betrifft also allein das Verhältnis von Sprache und ausgesprochener Wirklichkeit« (*Sauter,* in: *Pannenberg* u.a., Grundlagen der Theologie 51).

ches »Reden von Gott« »Gott erwartet als den, der sich als der Gott der Väter erweisen will«, damit »es auf ihn zugeht und nicht nur seiner gedenkt«. Erst »erwartungsvolle(s) theologische(s) Reden« im Modus der Verheißung gibt dem »Selbsterweis Gottes«, der »sensu theologico ›Bewahrheitung‹ heißt«, gibt der »Geistes-Gegenwart« Raum. So folgt Theologie »der Bewegung des Glaubens, der sich auf die ihm zugesprochene und verheißene Wirklichkeit einläßt«. Pannenbergs Definition des Glaubens als Hypothese stellt Sauter diese »Positivität des Glaubens« entgegen. Glaube, der »seine eigene Wirklichkeit nicht hintergeht«, ist »Gewißheit«, »obgleich« sie »darauf angelegt ist, sich bewähren zu müssen«. Zwar benutzt auch Sauter den wissenschaftstheoretischen Begriff »Hypothese«, aber nicht für den Glauben, sondern für »theologische Aussagen«, die »Möglichkeiten des glaubenden Redens erschließen« sollen. »In diesem in die Zukunft« – in die von wissenschaftlicher Theologie nicht »produzier«-bare, aber ihr den Weg bereitende »Zukunft« wie des Glaubens so seiner Aussagen – »weisenden Sinn ... sind theologische Sätze als Hypothesen zu formulieren«[646].

Am »Hypothesenbegriff« sind Sauter und Pannenberg gleichermaßen interessiert. Denn erst seine Aufnahme entspricht dem »Erfordernis«, »den Zusammenhang theologischer Aussagen in einer Theorie zu fassen«[647]. Über dieses gemeinsame Interesse reichen ihre Übereinstimmungen aber kaum hinaus. Der Streit um eine sachgemäße theologische Wissenschaftstheorie konzentriert sich vielmehr in ihrem unterschiedlichen Gebrauch des »Hypothesenbegriffs«.

Nach Pannenberg bietet der Anschluß an »die neuere Philosophie in klassischer Gestalt im deutschen Idealismus«, der in Hegels Philosophie gipfelte, auch heute den Rahmen einer »Wissenschaftssystematik«, die die verschiedenen Wissenschaften einschließlich der empirischen zu integrieren vermag, sofern anerkannt wird, daß Hegels »spekulative Anschauung« »faktisch« »hypothetische Funktion« hat. Damit benennt Pannenberg die »Hypothese« als den Begriff, der seinen Versuch einer wissenschaftstheoretischen Repristination Hegels unter den Bedingungen der Gegenwart tragen soll. Sie wird zum wissenschaftstheoretischen *tertium comparationis,* in dem alle Einzelwissenschaften methodisch koinzidieren. Pannenberg entnimmt den Begriff *Karl R. Poppers* Theorie der empirischen Wissenschaft[648]. Solche Hypothesen »sind zwar nicht verifizierbar, da sie nie an allen Anwendungsfällen überprüft werden können. Aber sie sind falsifizierbar ... Besteht eine Behauptung den Versuch ihrer Falsifizierung, so kann sie bis auf weiteres als ›bewährt‹ betrachtet werden«[649]. Aber er geht über Popper hinaus. Hypothesen und ihre Bewäh-

646 *Sauter,* in: *Pannenberg* u.a., Grundlagen der Theologie 112.102.116f.48.105.72f; *ders.,* Wissenschaftstheoretische Kritik 261.263f.236.239.
647 *Sauter,* in: *Pannenberg* u.a., Grundlagen der Theologie 73.
648 *Popper,* Logik der Forschung 7.
649 Vgl. *Popper,* Logik der Forschung 14f.8.

rung sind nicht auf die empirischen Wissenschaften zu beschränken. Der »Gedanke der kritischen Prüfung« ist vielmehr so zu erweitern, »daß er nicht mehr auf Hypothesen über allgemeine Regeln beschränkt ist, sondern auch Hypothesen über singuläre Ereignisse und kontingente Ereignisfolgen miteinbezieht, dann und nur dann erscheint er als geeignet für eine allgemeine wissenschaftstheoretische Grundlegung«. Poppers empirische »Basissätze«, an denen sich wissenschaftliche Hypothesen zu bewähren haben, sind »kontingente Gegebenheiten«, die »relativ auf die behauptete allgemeine Struktur jeweils das Besondere und vergleichsweise Einmalige« »repräsentieren«. Das macht sie mit der »Unwiederholbarkeit historischer Ereignisse« vergleichbar, die »letztlich in der Einmaligkeit des zeitlich Individuellen« »gründet«. Zwar beruht die Bewährung von Hypothesen an kontingenten empirischen Basissätzen auf deren »Wiederholbarkeit«. Aber: »Von Wiederholbarkeit läßt sich nur insofern sprechen, als man die Unterschiede der Einzelereignisse zugunsten ihrer typischen Struktur vernachlässigen kann«. Der Unterschied der »Wiederholbarkeit« empirischer und der »Unwiederholbarkeit« historischer Gegebenheiten ist dann aber relativ. Im Überschritt von der Natur- in die historische Wissenschaft ändert sich wohl die Art und Weise der Bewährung, nicht aber der Wissenschaft konstituierende Gebrauch von Hypothesen. Den relativen Unterschied zwischen Natur- und historischer Wissenschaft zeigen auch fließende Übergänge an. So suchen die »Strukturerkenntnisse der« bereits historisch dimensionierten »Sozialwissenschaften« in Entsprechung zur naturwissenschaftlichen »Subsumption unter Gesetzeshypothesen« »typische Verhaltensformen zu beschreiben«. Die »Unwiederholbarkeit« historischer Ereignisse entzieht sie jedoch der auf »Wiederholbarkeit« beruhenden Bewährung naturwissenschaftlicher Hypothesen. Umgekehrt finden sich die der Naturwissenschaft methodisch zugängigen »Einzelereignisse« in einer »Welt« vor, die »im ganzen ein einmaliger Prozeß in der Zeit ist«. Aber erst in der historischen Wissenschaft wird die zeitliche »Ereignisfolge« thematisch. Sie geht deshalb mit ihrem »Material« »unter anderen Gesichtspunkten« um. Ihre Hypothesen sind »Deutung«. Da »auf die Erkenntnis allgemeiner Regeln« aus-seiende naturwissenschaftliche Bewährung infolge der »Unwiederholbarkeit« historischer Ereignisse ausscheidet, kann Bewährung »hier nur maximale Klarheit der Konstruktion« heißen. Eröffnet die historische Wissenschaft auch einen umfassenderen Erkenntnishorizont als die Naturwissenschaft, weil in ihr die zeitliche »Ereignisfolge« als Geschichte thematisch wird, der »über die Gegenwart hinausreichende Prozeß der Geschichte« entzieht sich wiederum ihren Hypothesen. Hier tritt die »Philosophie« ein. Denn sie ist »nach dem Wesen« fragende »Metaphysik«. »Das Wesen einer Sache . . . läßt sich aber nur im Blick auf die Totalität der Wirklichkeit, bezogen auf den Gesamtzusammenhang menschlicher Wirklichkeit bestimmen«. Da diese insgesamt zeitlich dimensioniert ist, umfaßt sie die Totalität der Geschichte. Dann ist die philosophisch-metaphysische Wesensfrage die der Geschichtsphilosophie. Geschichte ist unabgeschlossen, nach vorne, in die Zukunft hinein offen. Aus diesem Grunde läßt sich die philosophisch-metaphysische Wesensfrage nur im Vorgriff, in der »Antizipation« angehen. Auch »philosophische Gesamtdeutungen der Wirklichkeit« sind dann »als Hypothesen zu verstehen«. Im Anschluß an die »Deutung« »vergangener Ereignisse und Prozesse« durch die historische Wissenschaft und unter Einschluß der sich ebenfalls in einer zeitlich strukturierten »Welt« vorfindenden »kontingenten Gegebenheiten« der Naturwissenschaft fragt die Geschichtsphilosophie in hypothetischer »Antizipation« der noch unabgeschlossenen »Totalität« der Geschichte nach der entelechischen Verwirklichung des in der Abfolge zeitlicher Erscheinungen An-wesenden[650]. Die Bewährung ihrer Hypothesen ist »allerdings besonders schwierig«. Sie besteht im »Grad« der Bewährung ihrer »Sinnsynthese« sowohl an bereits wissenschaftlich »ausgearbeiteten« als auch an »vorwissenschaftliche(n)« Erfahrungen. Solange die Geschichte nicht abgeschlossen ist, ist ein letztes Urteil hier nicht möglich. Um einen solchen metaphysisch-geschichtsphilosophischen, alles umfassenden Rahmen handelt es sich auch in der Theologie. Sie nimmt damit den gleichen Rang ein wie die Philosophie, unterliegt aber auch den gleichen Bedingungen. »Theologische Aussagen stellen sich wie philosophische als Hypothesen über die Sinntotalität der Erfahrung dar«. Wie die Philosophie kann auch sie angesichts der Unabgeschlossenheit der Geschichte »nicht zu theoretischer Gewißheit gelangen«. Daran ändert auch ihr Proprium nichts. Auch der »Gottesgedanke« ist eine »Hypothese«, die der »Bewährung« unterliegt. Pannenbergs methodisch durch die Korrelation von Hypothesen und ihre Bewährung konstituierte »Wissenschaftssystematik« hebt den »Methodendualismus von Natur- und Geisteswissenschaft« auf und öffnet sie zueinander – die Frage stellt sich allerdings, ob die Restauration einer metaphysischen Philosophie beziehungsweise »philosophischen Theologie« im Anschluß an Hegels geschichtsphilosophische Modifikation der aristotelischen Metaphysik dem gegenwärtigen wissenschaftstheoretischen Gesprächsstand, vor allem aber ob sie dem standhält, den die Bibel Gott nennt[651].

Auch für Sauter konstituiert der »Hypothesenbegriff« wissenschaftliche »Theorie«-bildungen einschließlich der theologischen. »Eine Theorie baut sich auf *Gesetzen* auf und vereinigt mit ihnen . . . *Hypothesen,* die bestätigt, korrigiert oder als unbegründet erwiesen werden können«. Dieses allgemeine wissenschaftstheoretische Postulat ist jedoch nicht zu verwechseln mit einer die Einzelwissenschaften umfassenden »Einheits«- oder »Universalwissenschaft«. Ein solches »Wissenschaftsideal« ist zwar »theologischen Ursprungs«. Es weist zurück auf jene »Theologie«, »die der klassischen griechischen Philosophie«, d.h. der griechischen Meta-

650 Vgl. *Aristoteles,* Metaphysik, H. 4. 1044a, 9; Θ. 8. 1050a, 23 (2. Hbd. 90.126).
651 *Pannenberg,* Wissenschaftstheorie 343.40.65ff.344.347.117.373.

physik, »vorausgeht und zugrunde liegt«. Mit letzterer hat es die christliche Theologie übernommen. Aber sich auf Metaphysik stützende Theologie ist ebenso fragwürdig wie eine sich auf sie stützende »Universalwissenschaft«. Nicht die Restauration dieses Weges, die Pannenberg versucht, sondern das »Instrumentarium« der sprach-»analytischen Philosophie«, für Sauter insbesondere der ordinary language philosophy (Philosophie der Alltagssprache), entspricht sowohl der Sache, um die es einer am biblischen Gotteszeugnis orientierten Theologie gehen muß, als auch dem Stand der wissenschaftstheoretischen Diskussion. Indem die »analytische Wissenschaftstheorie« »ein Sprachnetz« auswirft, das allein »der Verständigung« über die »Wirklichkeit« »dient«, widerspricht sie der »Gefahr«, »daß die Sprache zur Selbstoffenbarung der Wahrheit wird«. Indem sie die Reichweite wissenschaftlicher Begriffe auf die bloßer *nomina* zur Benennung der Wirklichkeit begrenzt, widerspricht sie einer Begriffsmetaphysik, die den Universalbegriffen, den *universalia*, die Entität grundlegender Wesenheiten zuschreibt. Gerade so entspricht sie aber der biblischen Unterscheidung zwischen »Gott«, der »weder ein Bezirk der Wirklichkeit noch auch ein Standpunkt über aller Wirklichkeit ist«, und »Gottes Schöpfung«, die einschließlich der wissenschaftlichen Sprache »von ihm unterschieden und durch sein Tun begrenzt« ist. Gerade so entspricht sie dem Widerspruch zwischen einer am biblischen Gotteszeugnis orientierten und einer Gott mit der begrifflich induzierbaren, letzten grundlegenden Wesenheit identifizierenden metaphysischen Theologie. Die Theologie wäre gut beraten, wenn sie diese in »der neueren wissenschaftstheoretischen Diskussion« gefallene »Entscheidung gegen die Konstruktion einer Universalwissenschaft« auf metaphysischer Grundlage »nicht wieder rückgängig« zu machen versuchte. Anstatt weiterhin ein solches Ziel zu verfolgen, hat sich seit Poppers »Programm einer ›Logik der Forschung‹« »die Wissenschaftstheorie zu immer weiteren Differenzierungen hinsichtlich der einzelnen Wissenschaftsgebiete entschließen müssen«. Kennzeichnend für »die wissenschaftstheoretische Gesamtentwicklung« ist jetzt der »Vorrang« der und die Bescheidung auf die »*Grundprobleme* einer jeden Wissenschaft«. Man »befragt ein Verfahren daraufhin, ob es in allen Phasen und Beziehungen so durchsichtig ist, daß es als ein geregelter Vorgang dargestellt werden kann, auch abgelöst (nicht unabhängig) von den erzielten Resultaten im einzelnen ... Wir nennen diesen Prozeß der Selbstprüfung einer Wissenschaft ..., in der sie auch für den Nichtbeteiligten nachvollziehbar und vergleichbar wird, die Erarbeitung einer *Metatheorie*«. Auch die Theologie, eine »Organisation gegenstandsgemäßer Erkenntnis« wie andere, muß eine solche »*Theorie ihrer selbst* ... entwickeln«, will sie Klarheit über sich selbst gewinnen und mit anderen Wissenschaften vergleichbar werden. Beides ist in einer Zeit, in der die »Konstruktion einer Universalwissenschaft« fragwürdig geworden ist, die Voraussetzung eines »Austausch(s)« zwischen verschiedenen »wissenschaftlichen Erfahrungsbereichen« in ihrem jeweiligen »theoretischen Kontext«. In ihn bringt dann die Theologie wissenschaftstheoretisch bewußt ebenso »etwas« ein, »was sie verantworten muß«, wie sie umgekehrt Ergebnisse anderer Wissenschaften wissenschaftstheoretisch bewußt zur Kenntnis nimmt. Die »Leistung« einer theologischen Theorie ist von vorneherein dadurch »begrenzt«, daß sie einen »vortheoretischen, jeder wissenschaftlichen Bemühung vorausliegenden Ursprung« und ein »außertheoretische(s) Ziel« intendiert. Beides läßt sich von ihr nicht einholen. Es eröffnet sich allein dem »nicht theoretisierbaren Glauben«. Die »Rationalität« einer theologischen Theorie erweist sich gerade darin, daß sie die daraus erwachsenden »echten«, »nicht lösbaren« »Aporien«, daß sie ihren »aporetische(n) Charakter« »zur Darstellung« bringt, »statt ihn nur ahnen zu lassen«. So entspricht sie dem sie begrenzenden Glauben und gewinnt ihre spezifische »Offenheit des wissenschaftlichen Fragens«. »Aporie der Theologie benennt das, was herkömmlicherweise das ›Mysterium des Glaubens‹ genannt wird«. Sie zeigt sich da, wo sie »von einer definitiven Offenbarung spricht, die alles für den Menschen und seine Geschichte Bedeutsame einschließt, ohne doch schon mit dem Verlauf der Geschichte zur Deckung gekommen zu sein«. Die »in Jesus Christus verheißene Wahrheit ist in der Welt nicht so zur Geltung gekommen, daß jedermann jederzeit allein mit ihr rechnet«. D.h. sie ist als allgemeine Wahrheit nicht aufweisbar. Die andere zentrale »theologische Aporie« ist die »der Freiheit und Independenz Gottes von der Welt«. Zwar will er sich »in der Geschichte ›finden lassen‹«, aber er »selbst behält es sich vor, sich kundzutun«. Sauter nimmt hier die Dialektik der »dialektischen« Theologie auf[652], formuliert sie aber wissenschaftstheoretisch. Der Aufhebung ihrer »Aporien« im »nicht theoretisierbaren Glauben« vermag theologische Theorie lediglich den Weg zu bereiten, indem sie ihn »mit Hilfe wissenslogischer Präzisierung verständlich« macht und die »Erinnerungen und Erwartungen des Glaubens« »so formuliert«, daß sie die ihn bewirkende, verheißene »Geistes-Gegenwart« nicht verhindert. In diesem wissenschaftstheoretischen Bedingungsgefüge stellt sich ihr die Frage: »Welche theologischen Sätze können Hypothesen sein?« Erst sie qualifizieren die Theologie als wissenschaftliche Theorie, indem sie sie befähigen, »bestimmte Aufgaben zu erfüllen«, sich der »Erforschung bestimmter praktischer Aufgaben« zuzuwenden. Sauter unterscheidet in der Theologie »universelle Sätze«, »die theologisch als Verheißungen . . . zu kennzeichnen sind«. Sie gründet in ihnen. »Paulus z.B. nennt das Evangelium ›eine Kraft Gottes, die selig macht alle, die daran glauben‹ (Röm 1,16). Oder: ›Ist jemand in Christus, so ist er eine neue Schöpfung‹ (2Kor 5,17)« u.a. Sie sind »sprachlogisch . . . *Hypothesen* von unbegrenzter Reichweite«. Von ihnen abzuheben ist eine »Hypothesenbildung« von »begrenzte(r) Leistung« in »Präskriptionen geringerer Reichweite«, »begrenzte(n)

652 »Ich behaupte eine dialektische *Relation*, die auf eine nicht zu vollziehende und darum auch nicht zu behauptende *Identität* hinweist« (*Barth*, Ein Briefwechsel 27).

präskriptiven Aussagen«[653]. Sie bleibt zwar »im Rahmen« der »Hypothesen von unbegrenzter Reichweite«. Aus ihnen gehen ihre »Präskriptionen« hervor. D.h. sie bleibt unter dem Vorzeichen der von ihr nicht einholbaren, durch von ihr formulierte »Erwartungen«, die »enttäuscht«, »falsifiziert« wurden, aber auch nicht aufhebbaren Verheißung. Aber während bei den »universellen Sätze(n) über die Verheißungen Gottes für die Menschheit und die Welt« eine wissenschaftstheoretischen Maßstäben entsprechende »Verifikationsforderung« nicht erhoben werden kann - hier grenzt sich Sauter ausdrücklich von Pannenberg ab –, öffnet sie »theologisches Reden für eine Überprüfung«, »setzt es der Bewährung aus und macht eine Verständigung . . . möglich«. Sauters Interesse an solcher »Hypothesenbildung« erhellt der Folgesatz: »Dadurch, durch diesen nie stillstehenden Prozeß, wird die Kirche mit ihren jeweils neu zu bestimmenden Grenzen deutlich«. Mit ihren in ihrer »Reichweite« begrenzten »Präskriptionen des Kirche-Seins« begleitet theologische Theorie die jeweiligen Erfordernisse der Kirche auf ihrem Weg durch Raum und Zeit. In der Theologie erfolgt »Theoriebildung« »in der Orientierung an kirchlichen Problemen«. Hier findet sie ihren »Entdeckungszusammenhang«. In diesem Sinne ist ihre »Forschung« »explizit und implizit« »problemorientiert« und »pragmatologisch«. Sauter selber überschreitet kaum den Bereich der Dogmatik. Ein mögliches Ensemble mit anderen theologischen Disziplinen und anderen Wissenschaften spricht er aber an. Indem er dafür plädiert, »glaubhaft Theologie in ihrer ganzen - auch empirischen - Erstreckung zu verantworten«, indem er sich gegen die »Einordnung der Theologie in die Geisteswissenschaften« und ihre Verschlossenheit gegenüber »dem naturwissenschaftlichen Denken« wendet, öffnet er sie prinzipiell bis zu dieser Wirklichkeitshinsicht. Auch Sauter intendiert die Überwindung des »Methodendualismus von Natur- und Geisteswissenschaft« in der Theologie, aber anders als Pannenberg unter dem Vorzeichen der Verheißung des von keiner wissenschaftlichen Theorie einholbaren Glaubens in sich durchhaltender Orientierung am biblischen Gotteszeugnis[654].

Obwohl Pannenberg die Konstitution der Theologie durch die Kirche und ihre Praxis als unwissenschaftlich ablehnt, mündet seine theologische Wissenschaftstheorie am Ende in einen Paragraphen: »Die praktische Theologie«. Er zeigt, daß seine Öffnung für die empirischen Wissenschaften auch durch ein Interesse am »empirischen Kirchenwesen« und an der »tatsächlichen Natur und praktischen Bedeutung« der »Sachgebiete« der »praktischen Theologie«: »Homiletik, Katechetik, Seelsorge« bestimmt ist. Aber es ist auch jetzt kein die Theologie konstituierendes, sondern ein aus dem von der philosophischen Theologie induzierten, metaphysischen

653 Von (lat.) praescribere/praescriptio = vorschreiben/Vorschrift.

654 *Sauter,* in: *Pannenberg* u.a., Grundlagen der Theologie 73.62.96.75f.77.61; *ders.,* Wissenschaftstheoretische Kritik 300.219.262.222.228f.237.230f.229.355.233f.242.239.298.264f.268.320f.331.260.227.224.

»Wesen des Christentums« deduziertes Interesse. Die Frage, »ob die praktische Theologie eigentlich eine wissenschaftliche Disziplin ist«, entscheidet sich für Pannenberg daran, ob sie in diesem Sinne »*wesentlich* zum Begriff der Theologie als Wissenschaft gehört«[655]. Er bejaht sie. Denn seine entelechisch auf Wesensverwirklichung zielende Geschichtsphilosophie begreift Kirche in ihrer geschichtlichen »Differenz« zum »Gedanke(n) des Reiches Gottes« und ihre Praxis als das im Blick »auf das nicht Vorhandene« »durch menschliche Praxis Hervorzubringende«. Praktische Theologie wird dann zu einer »Theologie des kirchlichen Handelns«, die »sich ... als Moment einer durch sie selbst hindurchgehenden Bewegung geschichtlicher Praxis begreift«. Pannenberg bezieht sich hier auch ausdrücklich auf die linkshegelianisch-neomarxistische, »auf Verwirklichung zielende« »kritische Theorie der Frankfurter Schule«. Mit ihr verbindet ihn die aus Hegels metaphysisch-entelechischer Geschichtsphilosophie hervorgehende sozialphilosophische und sozialethische Intention[656]. Pannenbergs geschichtsphilosophische Theologie wird als praktische christlich modifizierte und motivierte kritische Theorie gesellschaftlich-politischer Praxis der Kirche. Zwar übersieht er nicht, daß »*kirchliche* Praxis ... ja wohl der spezifische Gegenstand der praktischen Theologie bleiben« müßte, aber der Nachsatz: »wenn sie sich nicht zu einer allgemeinen christlichen Ethik erweitern will, in deren Rahmen dann die soziale Gestalt christlichen Handelns als eines kirchenbildenden und kirchlichen Handelns einen besonderen Themenkreis bilden würde«, verrät sein eigentliches Interesse. Es drängt ihn sofort über »die vorhandene Wirklichkeit des Gemeindepfarramts und seinen Tätigkeitsbereich« hinaus in den »größeren Zusammenhang kirchlicher Praxis im Rahmen der gesellschaftlichen Lebenswelt des Christentums«. Zwar geraten »Homiletik, Katechetik, Seelsorge und Liturgik« nicht ganz aus dem Blick, aber Pannenberg geht an ihnen vorüber, ohne die im auch von ihm eingeführten Hypothesenbegriff enthaltenen Möglichkeiten auf sie anzuwenden[657]. Besagt die Angewiesenheit der ihn primär interessierenden gesellschaftlich-politischen Praxis der Kirche »auf dem jeweiligen Handeln vorgegebene und Handeln überhaupt erst ermöglichende Sinnerfahrung« mehr, als daß die »kirchliche Praxis« im engeren Sinne Motivation zu und Einweisung in diese, Mittel zu diesem Zweck ist[658]?
Sauters Anschluß an die Ausrichtung Barths und der »dialektischen« Theologie auf die Predigt als zentrale Praxis der Kirche, seine Ortung der Theologie im »Sprachraum« Kirche schließen die Konstitution der Theologie durch die Kirche und ihre Praxis ein. Weil Barth den intendierten

655 Hervorhebung E. Hübner.
656 Sie ist schon bei Hegel selber angelegt. Vgl. *Hegel,* Philosophie der Geschichte 47ff.
657 »Als Formalstruktur wissenschaftlich-theologischen Denkens war von ihm [Pannenberg] das Prinzip der Hypothesenverifikation eingeführt worden. Bei der Erörterung der Probleme der Praktischen Theologie spielt dieses keine erkennbare Rolle« (*Daiber,* Grundriß der Praktischen Theologie 45).
658 *Pannenberg,* Wissenschaftstheorie 432f.26.426.438ff.435.

»Bezug der Theologie auf die Kirche« nicht bis zur empirischen »Kirche in ihren gegenwärtigen sozialen und institutionellen Gestaltungen« durchführte, geht er an dieser Stelle aber bewußt über ihn hinaus. Die Ursache dieses Widerspruchs sieht Sauter darin, daß ein »erkenntnistheoretischer Ausweis der Theologie im Kreis der übrigen Wissenschaften« für Barth nicht »in Frage kam«. Um ihn aufzuheben, bedarf es der Beendigung solcher wissenschaftstheoretischen Bewußtlosigkeit und der Inanspruchnahme der »von der Wissenschaftstheorie erarbeiteten Korrekturen und Präzisierungen« auch durch die Theologie. Es bedarf dazu einer »Theorie der Kirche« im wissenschaftstheoretischen Sinn des Wortes. Erst sie ist »in der Lage, die Konstitutionsbedingungen theologischen Arbeitens offenzulegen«. Erst in ihr manifestiert sich »Theologie als *Funktion*«. Der Anklang an Barths Definition der Theologie als »Funktion der Kirche« ist auch hier unüberhörbar. Statt »verschiedene(r) Theorien der Theologie, die nur mehr der Selbstbehauptung des eigenen Faches dienen«, statt der »Zerspaltung der Theologie in einzelne Disziplinen, die nur selten arbeitsteilig zusammenarbeiten«, ist die von Barth intendierte, aber versäumte »Chance« wahrzunehmen, »von einer *Theorie der Kirche* aus den Gesamtbereich der Theologie neu zu erfassen«. Sauters Eintreten für eine wissenschaftstheoretische Besinnung der Theologie gilt dieser Absicht. Sein Interesse an arbeitsteiliger Zusammenarbeit innerhalb der Theologie und über sie hinaus mit anderen, auch empirischen Wissenschaften, an der Bildung »problemorientierte(r)« Hypothesen von »begrenzte(r) Leistung«, die »Entscheidbares« formulieren, an »*pragmatologische(n) Direktiven,* d.h. explizite(n) Vorschriften, die das wissenschaftliche Problemlösungsverhalten optimieren sollen«, zielt auf »Theologie als *Funktion*« der Kirche, die an der empirischen Kirche und ihrer Praxis funktional zu werden vermag. Die empirische Kirche und ihre Praxis sind aber auch als solche in seinem Blickfeld. Nicht nur ein allgemeines Interesse an der Empirie der Kirche, sondern auch ein, wenn auch nur angedeutetes spezielles Interesse an ihr als Religionsgesellschaft belegen das. Sofern unter diesem Begriff lediglich »die Partizipation des Menschen an der Erkenntnis Gottes reflektiert wird«, darf »›Religion‹«, unbeschadet der theologisch relevanten »Religionskritik« des 19. Jahrhunderts, nicht »als Alternative zur Kirche erscheinen«. Das belegt aber auch Sauters betontes Interesse an kirchlicher Praxis im engeren Sinn. Zu ihr gehören »Hören, Schweigen, Gebet, Meditation und Kontemplation nicht weniger als das bewirkende Handeln, auf das der Praxisbegriff heute so häufig eingeengt wird«. In der Reihenfolge zeichnet sich ein sachliches Gefälle ab. Während bei Pannenberg das Verhältnis des im Wort »Verkündigung« Angezeigten zur gesellschaftlich-politischen Praxis der Kirche unklar bleibt, hat bei Sauter das im Wort »Hören« Angezeigte den unumkehrbaren Vorrang. Theologisch-kritisch wendet sich Sauter gegen einen »Praxisbegriff, der heute im Schwange ist und menschliches Leben nur als Leistung gelten läßt«, der »fasziniert auf die Steigerung eines

Handelns blicken« läßt, »das im Vorsprung zu einer glücklicheren Zukunft die Gegenwart umgestaltet«. Mit der Konstitution der Theologie durch die Kirche und ihre Praxis verbindet Sauter auch wissenschaftsorganisatorische Problembeschreibungen. Ist »von einer *Theorie der Kirche* aus« der »Gesamtbereich der Theologie neu zu erfassen«, dann »bestimmt sich der Praxisbezug aller Theologie ... von der Arbeitsweise der Praktischen Theologie her; dann ist er aber auch von den Veränderungen des Praxisbegriffs in diesem Fach abhängig und wirkt von dorther auf die gesamte Theologie zurück«. Damit nimmt Sauter Schleiermachers Intention auf, Theologie als »positive Wissenschaft« zu konzipieren, die ihre Einheit in der »Lösung einer praktischen Aufgabe« gewinnt[659], und schreibt der praktischen Theologie eine Schlüsselstellung zu[660].

Aus dem Vergleich zwischen Pannenberg und Sauter ergibt sich, daß die gemeinsame Überzeugung von der Notwendigkeit wissenschaftstheoretischer Selbstbesinnung der Theologie die Frage nach dem »Fundament« der Kirche (1Kor 3,11) nicht verdrängt, sondern, wissenschaftstheoretisch präzisiert, erst recht vor sie stellt. Ob in Ekklesiologie und praktische Theologie mündende Theologie auf einem anthropologisch-religiösen oder auf dem theologisch-apostolischen Fundament gedacht wird, diese Fundamentalfrage, die die Theologie seit dem ausgehenden 18. Jahrhundert wie ein Schatten begleitet, wird sie auch im Zeichen wissenschaftstheoretischer Selbstbesinnung nicht los. Erst jetzt tritt sie vielmehr in ihrer vollen Tragweite an den Tag. Sie fordert die Theologie auf, Position zu beziehen. Der Satz »Positionelle Theologie ist kirchliche Theologie« gewinnt seine Pointe in der Umkehrung: Kirchliche Theologie ist positionelle Theologie. Die theologische Fundamentalfrage bestreitet der historischen Feststellung: »Der absolute Vorrang der Religion hat *nur* (!) dies zur Folge, daß die Theologie jetzt von der Religion her definiert wird« die Bedeutung einer irreversiblen theologischen Festschreibung. Sie übergreift »theologische Positionen« »als Ausdruck der religiösen Subjektivität«. Unbeschadet der »Möglichkeiten«, »die im Pluralismus von Theologie und Christentum beschlossen sind«, verweigert sie ihre Einebnung in ihn[661].

Aus dem Vergleich ergibt sich, daß wissenschaftstheoretische Selbstbesinnung nicht mit »heteronome(r)« Begründung der Theologie verwechselt werden darf. Gerade in dieser Hinsicht sollten die Unterschiede zwischen Pannenberg und Sauter sorgfältig beachtet werden. Auch Sauter zu unterstellen, bei ihm würde »wissenschaftliche ›Rationalität‹ ... dem irrationalen Glauben ... entschieden vorgezogen«, er gehe »von der Bindung

659 S.o. 24f.
660 *Sauter,* in: *Pannenberg* u.a., Grundlagen der Theologie 112f.116f; *ders.,* Wissenschaftstheoretische Kritik 44.226.284.293.330; *ders.,* Verständnis von Praktischer und Systematischer Theologie 20ff.
661 Mit und gegen *Rössler,* Positionelle und kritische Theologie 226.219.222.230.

an unbegründbare Offenbarung weg zum Begründungszwang moderner Rationalität«, ist sachlich ebenso falsch wie der Positivismusvorwurf, »daß wahr nur das sein kann, was als solches erkennbar und nachweisbar zu machen ist«[662]. Die »Wahrheit« wird von Sauter nicht »an ihren rationalen Nachvollzug gebunden«, sondern bleibt der Wissenschaft Theologie äußerlich. Denn sie ist extrinsische, von keiner Theorie einholbare Wahrheit, die sich allein dem »nicht theoretisierbaren Glauben« erschließt. Nicht die »Wahrheit« des Glaubens, wohl aber die Wissenschaftlichkeit der Theologie bindet Sauter »an ihren rationalen Nachvollzug«. Deshalb unterscheidet er »zwischen Wissenschaft und gelebter Wirklichkeit«, aber nicht in einem »schiedlich-friedliche(n) Auseinanderdividieren«, sondern so, daß der »nicht theoretisierbare Glaube« der Horizont theologischer Theorie bleibt. »Theologie« »setzt« sich stets »in ein Verhältnis zu dem ihr Vorgegebenen«, dem »Grund des Glaubens«, und bezieht »alle ihr begegnenden Probleme in diese Hinwendung« ein. In ihm und nicht in ihrer Wissenschaftlichkeit gründet sie[663]. Weil auch im Verständnis Sauters Theologie »den Glauben als Glauben zu bewahren« hat (Jüngel), ist sie »bescheidene Wissenschaft« (Barth)[664], die über ihn nicht verfügt, aber ihm als wissenschaftliche Theorie von »begrenzter Leistung«-sfähigkeit mit Hypothesen von begrenzter »Reichweite« an ihrem Teil den Weg bereiten soll. Auch Sauters Kritiker, der ähnliche Einwände aus dem Raum der traditionell philosophisch-geisteswissenschaftlich orientierten Theologie repräsentieren dürfte, muß einräumen, daß »die pathetische Wort-Gottes-Theologie wie die existenzialistische des Glaubens als bloße Entscheidung ... eine zeitbedingte Dunkelheit an sich« haben, »die nicht mehr geht«. Es ist das von der – von den Naturwissenschaften vorangetriebenen – »analytischen Wissenschaftstheorie« bereitgestellte Instrumentarium, das die »zeitbedingte Dunkelheit« als mangelnde wissenschaftstheoretische Selbstbesinnung aufzuhellen und Wege zur Überwindung des gerade für die Theologie verhängnisvollen »Methodendualismus von Natur- und Geisteswissenschaft« aufzuweisen vermag. Eine theologische Ekklesiologie, die an der empirischen Kirche und ihrer Praxis funktional werden soll, kann es auf keinen Fall ignorieren[665].

Aus dem Vergleich ergibt sich, daß der Versuch, unter dem Dach metaphysischer Philosophie beziehungsweise philosophischer Theologie eine alle Wissenschaften umfassende Universalwissenschaft zu repristinieren, den Pannenberg mit großer systematischer Anstrengung unternimmt, ein wissenschaftstheoretischer Anachronismus ist. Pannenbergs Vereinigung des Kritischen Rationalismus – im Hypothesenbegriff seines Begründers

662 Selbst unter Berücksichtigung schwerer Lesbarkeit – »Wissenschaftstheorie ist nun einmal ein schwerer Stoff« (*Sauter,* Wissenschaftstheoretische Kritik 16) – sind solche Mißverständnisse erstaunlich.

663 *Sauter,* Wissenschaftstheoretische Kritik 217.

664 S. Anm. 286 u. 446.

665 *Deuser,* Kritische Notizen 216.218f.223.

Popper koinzidiert seine Wissenschaftssystematik methodisch – mit der Kritischen Theorie der Frankfurter Schule – seine und Habermas' gemeinsame Abkunft von Hegels Geschichtsphilosophie verleugnet er nicht – verdeckt nur mühsam den Gegensatz zwischen diesen beiden Exponenten der wissenschaftstheoretischen Diskussion der Gegenwart. Der Kritische Rationalismus präzisiert Wissenschaft durch das Attribut »empirisch«. Es schließt von vorneherein »Metaphysik« als Wissenschaft aus. Zwar spricht der Kritische Rationalismus der Meta-Physik nicht »jeden ›Wert‹ für die empirische Wissenschaft«, wohl aber die Qualität einer Wissenschaft ab. Sie scheitert am »Kriterium« »ihrer Nachprüfbarkeit durch die Erfahrung und damit (der) Fähigkeit, an der Erfahrung zu scheitern«. »Sinnvolle Sätze, die nicht falsifiziert werden können, sind demnach ›metaphysisch‹, und das heißt, nicht wissenschaftlich«[666]. Diese Definition der Wissenschaft bezichtigt die Kritische Theorie des »Empirismus« und »Positivismus«. Im Gegensatz zum Kritischen Rationalismus tritt sie für eine »fortschreitende Durchdringung und Entwicklung von philosophischer Theorie und einzelwissenschaftlicher Praxis« *(Horkheimer)*, bei ihrer grundsätzlichen Bejahung für die »Interpretation von Empirie selber, zumal der sogenannten empirischen Methoden«, durch die »Philosophie« *(Adorno)*, in Anknüpfung »an den von der analytischen Wissenschaftstheorie erarbeiteten Stand« für die Rückführung »in eine Dimension« ein, die mit dem Namen Hegel verknüpft ist *(Habermas)*. Philosophie meint hier Metaphysik. Deshalb hält die Kritische Theorie »an dem Unterschied von Wesen und Erscheinung« fest[667]. »Wir vermuten ihn in der Differenz der einfachen geäußerten Meinungen von dem, was darunterliegt«. Was »darunterliegt«, das »Substrat« »Gesellschaft«, ist identisch mit ihrem Wesen. Was erscheint, ist seine dialektische Negation, das Unwesen Gesellschaft. Unter dem Eindruck des nationalsozialistischen »Antisemitismus«, der zur in der Produktion der »Zyklonfabriken« vorbereiteten, in der »Gaskammer« durchgeführten Vernichtung des europäischen Judentums führte, und angesichts der Erfahrung, daß auch nach dem Zweiten Weltkrieg »das Grauen sich fortgesetzt« hat, tritt in der Kritischen Theorie zwar die Negation in den Vordergrund. Aber als »Unnachgiebigkeit der Theorie gegen die Bewußtlosigkeit, mit der die Gesellschaft das Denken sich verhärten läßt«, ist die Position anwesend. Sie wird durch ihre Negation, das Unwesen Gesellschaft, dialektisch als deren Wesen bestätigt. Adornos »Negation der Negation, welche nicht in Position übergeht«, zeigt zwar äußerste Zurückhaltung an, hält aber angesichts des »objektiven Verblendungszusammenhangs« fest:

666 *Popper,* Logik der Forschung 13; *Baum,* Metaphysik 376.

667 »Die Reflexion auf Wesen und Erscheinung wird ... in der kritischen Theorie zentral ... Der Anspruch, in der Wirklichkeit der Erscheinungen ... Wesentliches erkennen zu können ..., ist als die entscheidende Differenz zwischen kritischer Theorie und sogenanntem Positivismus angesprochen« (*Lämmermann,* Kritische oder empirisch-funktionale Handlungstheorie? 121).

»Aus ihm von innen her aufzubrechen, ist objektiv das Ziel«. Habermas gibt der Position dann später auch materiale Umrisse. Auch nach dem »Zusammenbruch des deutschen Idealismus« hält die Kritische Theorie in materialistischer Umkehrung[668] sowohl an einer das Wesen als auch seine teleologische Verwirklichung als »Endzweck« der Geschichte[669] wissenden, metaphysischen Geschichtsphilosophie im Geiste Hegels fest[670]. Auch ihre materialistisch-gesellschaftsmetaphysische Umkehrung wird zum Dach einer Universalwissenschaft, die alle Wissenschaften bis zu den empirischen, hier repräsentiert durch die empirische Soziologie, umfaßt und sich unterordnet[671].
Daß sich das Wissenschaftsverständnis des Kritischen Rationalismus, der Wissenschaft auf das begrenzt, was »einer Nachprüfung durch die ›Erfahrung‹ fähig ist«[672], und das der Kritischen Theorie, die Wissenschaft in die Metaphysik entgrenzt, nicht vereinbaren lassen, bescheinigen sich die an der Auseinandersetzung Beteiligten selber[673]. Mit der Differenz von Wesen und Erscheinung einsetzende metaphysische und mit der Korrelation von Hypothese und ihrer Bewährung einsetzende empirische Wissenschaftstheorie sind »inkommensurabel«[674]. Gegen die Voraussetzung der ersteren, daß »das Erste«, in dem »das Wesen Erstes sowohl dem Begriff, wie der Erkenntnis und der Zeit nach« ist, induktiv erreichbar sei[675], wendet letztere ein, das »Induktionsprinzip« scheitere daran, daß es »zu einem unendlichen Regreß führt« und »das Erste«, das allem zu Grunde

668 »Das identitätsphilosophische Siegel auf das absolute Wissen (vgl. *Hegel,* Philosophie der Geschichte 44f; *ders.,* Phänomenologie 80f) bricht, wenn die Äußerlichkeit der Natur ... für das Bewußtsein, das in ihr sich vorfindet, nicht nur zum Schein extern ist, sondern die Unmittelbarkeit eines Substrats anzeigt, von dem der Geist kontingent abhängt. Dann ist Natur dem Geist vorausgesetzt, aber im Sinne eines Naturprozesses, der aus sich gleichermaßen das Naturwesen Mensch wie die ihn umgebende Natur heraussetzt, und nicht im idealistischen Sinne eines Geistes, der sich als für sich seiende Idee eine Naturwelt voraussetzt« (*Habermas,* Erkenntnis und Interesse, 1968, 37). Was für Aristoteles als »das erste Darunterliegende« (ὑποκείμενον) »am meisten Wesen« (οὐσία) zu haben »*scheint*« (δοκεῖ), »die Materie« (ὕλη), *ist* für die linkshegelianisch-neomarxistische Kritische Theorie das »Wesen« (*Aristoteles,* Metaphysik Z. 3. 10299,1 [2. Hbd. 8]). Marx ist »Verfechter einer materialistischen theoria« (*Böhler,* Metakritik 10).
669 *Hegel,* Philosophie der Geschichte 46.
670 *Horkheimer,* Die gegenwärtige Lage 10; *Adorno,* Einleitung 18f; *ders.,* Gesellschaftstheorie 82.80.76; *ders.,* Soziologie und empirische Forschung 81; *ders.,* Negative Dialektik 396; *Habermas,* Erkenntnis und Interesse 13f; *Horkheimer, Adorno,* Dialektik der Aufklärung 181.185. IX 40.
671 »Das *zu* erklärende Gesellschaftliche ist empirisch vorhanden, besteht aus Tatsachen, Institutionen, Problemen. Das erklärende Gesellschaftliche ist jedoch kein empirisches Gebilde, sondern ein mehr oder weniger einheitliches System von Sätzen *über* Gesellschaften, das in einer Differenz steht zu allen empirischen Gesellschaften ... Ein solches Verhältnis zwischen Wesen und Erscheinung, Idee und Wirklichkeit, kann man ohne zu zögern als *Metaphysik* bezeichnen, sofern dem Wesen, der Idee, oder wie auch immer die Sache bezeichnet wird, ein anderer ontologischer Status zugesprochen wird, als der, eine begriffliche Abstraktion zu sein« (*Bock,* Soziologie als Grundlage 188).
672 *Popper,* Logik der Forschung 15.
673 Vgl. *Adorno,* Einleitung 79.
674 »Gesellschaftliche Gesetze sind dem Hypothesenbegriff inkommensurabel« (*Adorno,* Einleitung 53).
675 *Aristoteles,* Metaphysik, Z. 1. 1028a,1 (2. Hbd. 4). S. Anm. 52.

liegende »Wesen«, nicht zu erreichen vermag[676]. Kants Versuch, das Problem zu lösen, indem er »das Induktionsprinzip ... als ›a priori gültig‹ betrachtete«[677], beurteilt Popper als »gewaltsamen Ausweg«[678]. Hegels identitätsphilosophisch-geistesmetaphysische Überbietung unterliegt dann erst recht diesem Urteil[679]. Was unerreichbar ist, dessen Entität *bleibt* unüberprüfbar. Seine Bewährung ist nicht nur »besonders schwierig« (Pannenberg), sie ist unmöglich. Dieses Ergebnis erhärtet die Entwicklung des »Relativitätsprinzips« seit Kopernikus und Galilei. Es entzog dem »aristotelischen Realismus«, der Induktion des Wesens in den Erscheinungen[680], der aristotelischen Korrelation von sinnlicher Wahrnehmung (αἴσθησις), Form (εἶδος), Wesen (οὐσία) und Selbstverwirklichung des Wesens in den Erscheinungen (ἐντελέχεια) durch die Entdekkung, »daß der Beobachter tatsächlich von den Gesetzen der Welt durch die besonderen physikalischen Bedingungen seiner Beobachtungsplattform, der bewegten Erde getrennt ist«, zusehends den Boden[681]. Der Kritische Rationalismus macht sich zum Sprecher einer Wissenschaftstheorie, die diesen Bedingungen entspricht, wenn er Metaphysik als Wissenschaft ausschließt.

Pannenbergs Versuch, eine universale Wissenschaftssystematik unter

676 *Popper,* Logik der Forschung 5; vgl. *Albert,* Traktat 13.

677 »Erfahrung gibt niemals ihren Urteilen wahre und strenge, sondern nur angenommene und komparative *Allgemeinheit* (durch Induktion), so daß es eigentlich heißen muß: so viel wir bisher wahrgenommen haben, findet sich von dieser oder jener Regel keine Ausnahme. Wird also ein Urteil in strenger Allgemeinheit gedacht, d.i. so, daß gar keine Ausnahme als möglich verstattet wird, so ist es nicht von der Erfahrung abgeleitet, sondern schlechterdings a priori gültig« (*Kant,* Kritik der reinen Vernunft 46f).

678 *Popper,* Logik der Forschung 5.

679 »Hegel bejaht natürlich auch den Transzendentalismus *Kants* ... im Sinn und in den Spuren Fichtes ... Die sich selbst kritisch verstehende Vernunft ist die in sich selbst begründete, die befreite, die nunmehr grundsätzlich aller Dinge mächtige Vernunft« (*Barth,* Die protestantische Theologie 351). – Mit Blick auf die Kritische Theorie der Frankfurter Schule urteilt J. Ruhloff: »Historisch betrachtet hängt dieser gesamte Ansatz von der *Fixierung* auf die *Autorität* ... der Reflexionsphilosophie des 19. Jahrhunderts ab, in deren Gedankenkreis sich auch der Marx'sche Materialismus bewegt ... die Auslegung des Denkens als Reflexivität, die mit ihr einhergehende Schematik der Gedankenbewegung in der grundlegenden Subjekt-Objekt-Relation ... all das ist nicht selbstverständlich, geschweige denn ›notwendig‹. Es zehrt von der nicht weiter begründeten und also dogmatisch in Anspruch genommenen Voraussetzung, daß der Mensch seiner ›Natur‹ oder seinem ›Wesen‹ nach ein *zoon (logon) echon* sei, ein besonderes Wesen im Vergleich zu anderen Wesen, ein *Seiendes* und mit dem speziellen Vermögen, ›denken‹ zu können, woran die Selbsthaftigkeit und die Möglichkeit der Freiheit von der ›äußeren‹ Natur geknüpft erscheinen. Nicht nur dogmatisch eingeführt, sondern auch ihrem sachlichen Gehalt nach fragwürdig ist diese Voraussetzung, insofern unkritisch und bedenkenlos eine geschichtliche Selbst-Bestimmung des Denkens, nämlich eine besondere Auskunft darüber, was das Ich sei und worum es ihm zu gehen habe, der Gedanklichkeit entzogen, als gewiß behauptet und so, übrigens höchst folgenreich, auf Dauer gestellt wird« (*Ruhloff,* Pädagogik und »kritische Theorie« 230).

680 »Bei Aristoteles *entstehen* die Universalien aus der Sinneserfahrung« (*Feyerabend,* Wider den Methodenzwang 205 Anm.).

681 »Für Aristoteles ist Erfahrung das, was ein normaler Beobachter ... unter normalen Bedingungen wahrnimmt ... Heute ... (kann) die Beziehung zwischen dem Menschen und der Welt nicht so einfach ..., wie sich der naive Realismus, der Realismus des Alltagsverstands, oder der Aristotelische Realismus vorstellt«, gedacht werden (*Feyerabend,* Wider den Methodenzwang 206; vgl. ebd. 133).

dem Dach aristotelischer Metaphysik in geschichtsphilosophischer Modifikation zu repristinieren, fällt hinter diesen wissenschaftstheoretischen Diskussionsstand zurück. Daran ändert auch nichts, daß Popper die »Bedeutung« »metaphysicher Ideen« als Agens der Wissenschaft einräumt. Er bleibt dabei: Weil sie sich nicht »empirisch beweisen« lassen, scheiden sie als Wissenschaft aus[682]. Solcher Begrenzung steht Pannenbergs Entgrenzung der Wissenschaft in die Metaphysik antagonistisch gegenüber. Sie unterliegt der Anfrage *Hans Alberts,* ob die »deutsche Philosophie . . . durch die Entwicklung nach dem Ersten Weltkrieg in erkenntnistheoretischer Hinsicht (nicht) vollkommen ins Hintertreffen geraten ist«. Theologisches Gewicht gewinnt sie dadurch, daß Pannenberg die Gottesfrage von ihr abhängig macht. Diese Abhängigkeit von »einer aus der Antike stammenden Kosmometaphysik« muß zur Infragestellung einer »metaphysischen Existenzannahme Gottes« führen[683]. Theologisch stellt Pannenberg vor die Frage der Plausibilität einer sich auf die »allgemeine Anthropologie« mit ihren »religiösen und theologischen Implikationen« gründenden, metaphysisch argumentierenden natürlichen Theologie[684]. Wissenschaftstheoretisch stellt er vor die Frage der Rationalität einer Universalwissenschaft unter dem Dach wesenszentrierter metaphysischer Philosophie beziehungsweise philosophischer Theologie. Sie betrifft auch ein Wissenschaftsverständnis, das zwar ein metaphysisches Fundament der Theologie ablehnt, aber in Nachwirkung dieser philosophischen Tradition an ihr als wesenszentrierter Geisteswissenschaft in Abgrenzung von und Überordnung über die Naturwissenschaften festhält.
Aus dem Vergleich ergibt sich, daß sich Sauter der »Entscheidung gegen die Konstruktion einer Universalwissenschaft« in der »neueren wissenschaftstheoretischen Diskussion« um einer ihrem Gegenstand angemessenen Theologie willen anschließt. Die Begrenzung der Reichweite wissenschaftlicher Begriffe auf die bloßer *nomina* zur »Verständigung« über

682 *Popper,* Logik der Forschung 392f.
683 *Albert,* Traktat 116; *ders.,* Wissenschaft 98; vgl. ebd. 62. – Pannenberg selber setzt sich in dieser Frage mit Wilhelm Weischedel auseinander. Dem induktiven »Schluß«: »Wenn es einzelnes selbstverständlich Sinnhaftes gibt, dann ist damit auch ein unbedingter Sinn gegeben«, stellt dieser die Erfahrung, daß »immer wieder das Sinnlose ein(-bricht)« und die »Fraglichkeit der unmittelbaren Sinngewißheit samt deren Voraussetzung, der Annahme eines unbedingten Sinnes« als philosophisches Fazit gegenüber (*Weischedel,* Der Gott der Philosophen, 2. Bd., 173f). Die in ihm enthaltene Anfrage ist nach Pannenberg falsch gestellt. Wer 150 Jahre nach Hegels Versuch, die »Theodizee«, die »Rechtfertigung Gottes« mit dem geschichtsphilosophischen Nachweis, »daß es . . . in der Weltgeschichte vernünftig zugegangen sey« (*Hegel,* Philosophie der Geschichte 34.42), zu verbinden, die Gottesfrage von der Hypothese »umfassende(r) Sinntotalität« und ihrer Bewährung in der Geschichte abhängig macht, dem bleibt wohl nichts anderes übrig, als »Gott nur als Problem« anzuzeigen (*Pannenberg,* Wissenschaftstheorie 217f Anm. 371.303).
684 »Es ist schlechterdings nicht einzusehen, warum Gott vom Glauben zwar als der den Glauben (fiducia) bezweckende Grund verstanden werden muß, warum Gott aber zuvor von der Vernunft als Gott oder zumindest doch als ein existierendes X gewußt werden soll . . . (es) geht . . . darum, daß wir auch mit eigener Vernunft noch Kraft ohne Glauben den Grund des Glaubens nicht erkennen können« (*Jüngel,* Das Dilemma der natürlichen Theologie 173).

die »Wirklichkeit« in der »analytischen Wissenschaftstheorie« und ihr Widerspruch gegen eine Begriffsmetaphysik, die den Universalbegriffen, den *universalia,* die Entität realer Wesenheiten zuschreibt, entspricht dem Widerspruch einer am biblischen Gotteszeugnis orientierten gegen eine Gott mit der begrifflich induzierten, letzten Wesenheit identifizierenden, metaphysischen Theologie. Die Entsprechung erinnert an die Reformation des 16. Jahrhunderts, die sich auch mit Hilfe einer theologisch motivierten wissenschaftstheoretischen Revolution vorbereitet hatte, des Nominalismus Wilhelm von Ockhams und Gabriel Biels im 14. und 15. Jahrhundert. Mit der Entität der *universalia* widersprach der Nominalismus der die mittelalterliche Universität beherrschenden aristotelischen Metaphysik[685]. Aber die von Melanchthon initiierte Repristination des Aristotelismus, die sich in der protestantischen Orthodoxie durchsetzte, Schleiermachers religionsphilosophische Fundierung des christlichen Gottesglaubens und Hegels Religions- und Geschichtsphilosophie verhinderten die Weiterentwicklung dieses Ansatzes. Erst die erneute Abkehr von ihrer religionsphilosophisch-metaphysischen Fundierung in der »dialektischen« Theologie schuf die Voraussetzung für seine Wiederaufnahme. Allerdings hat ihn die »dialektische« Theologie, die sich gegen ihre Intention von der Nachwirkung einer metaphysisch-ontologischen Wissenschaftstradition insofern nicht löste, als auch sie sich als wesenszentrierte Geisteswissenschaft verstand, nicht selber, sondern hatten ihn die Naturwissenschaften aufgenommen und weiterentwickelt[686]. Daß die aus der »dialektischen« Theologie hervorgegangene wissenschaftstheoretische Besinnung sich dieser Weiterentwicklung öffnet, liegt aber in der Konsequenz der Abkehr von einer religionsphilosophisch-metaphysischen Theologie, die auf die Reformation zurückweist. Theologie, die im *»extra nos«* sich offenbarenden und nicht als letzte Wesenheit induzierbaren biblischen Gott gründet, die vom ihn erschließenden, im zu-kommenden apostolischen Evangelium zu-kommenden Geist Gottes gewirkten Glau-

685 »Der Realist glaubt an das universale als die das einzelne umfassende Wirklichkeit und dementsprechend an die ›vor‹ allen Dingen bestehende Realität des primum ens, von dem alle Dinge ihre Wirklichkeit entlehnt haben . . . Für den Nominalisten bekommen die universalia Bedeutung als nomina, d.h. die ›hinter‹ den Dingen stehen. Sie sind bloße nomina, d.h. die einzelnen Dinge haben ihr Sein nicht von diesen nomina her. Insofern sind die universalia nicht real vor den Dingen . . . es (gilt) als ein schwerer Vorwurf . . ., daß man die philosophische Methode, die den res gegenüber angebracht ist, auf die divina übertrage, d.h. Welt und Gott durch eine einheitliche Ontologie zusammenfasse . . .« (*Link,* Das Ringen Luthers 280.282). »Luther wußte sich einst . . . zur Schulrichtung der Ockhamisten oder Terministen oder Modernen gehörig, die in Wilhelm von Ockham ihr verehrtes Schulhaupt sahen und sich von den Thomisten und auch Skotisten geschieden wußten. Die Unterschiede lagen in der Erkenntnislehre, d.h. der Beurteilung der Erkenntnisfähigkeit des Menschen. Nach Ockham waren für die Seele nur die konkreten Einzeldinge wahrnehmbar, von denen der Verstand nach bestimmten Regeln und Kategorien spezielle oder allgemeine Begriffe bildet. Von den Gegenständen des Glaubens gab es streng genommen gar kein Wissen« (*Brecht,* Luther 46). Vgl. den Exkurs bei *Hollweg,* Theologie und Empirie 549ff.

686 »Die neuzeitlichen Wissenschaften und nicht die Theologie haben die Auseinandersetzung mit dem Aristotelismus weitergeführt« (*Hollweg,* Theologie und Empirie 552).

ben her zu von ihm zu wirkenden Glauben hin denkt, Theologie unter dem Horizont des »nicht theoretisierbare(n) Glaube(ns)« ist von vorneherein in ihrer Reichweite begrenzte Wissenschaft. Gerade indem sie sich als Wissenschaft bescheidet, ist sie offen für »Gott«, »der ohne Glauben nicht gedacht werden kann«[687]. Daß wissenschaftliche theologische Theorie den »nicht theoretisierbare(n) Glaube(n)« nicht einholt, heißt aber nicht, daß er sie erübrigt. Er setzt sie vielmehr aus sich heraus, damit sie in ihren Grenzen seiner als Verheißung angesagten »Zukunft« den Weg bereitet.
Der Unterscheidung zwischen theologischer, darüber hinaus jeder wissenschaftlichen Theorie und »nicht theoretisierbare(m) Glaube(n)« entspricht metatheoretisch in »sozialwissenschaftliche(r)«, darüber hinaus jeder »wissenschaftlichen Forschung« die Unterscheidung zwischen »*rein* wissenschaftliche(n) Werte(n) und Unwerte(n) und *außer*wissenschaftliche(n) Werte(n) und Unwerte(n)«. Zwar ist nach Popper »die Arbeit an der Wissenschaft« von letzteren »unmöglich« »frei zu halten«, ihre »Vermengung« mit den »Aufgaben der wissenschaftlichen Kritik und der wissenschaftlichen Diskussion« aber »zu bekämpfen«. Verstärkt wird die Entsprechung durch Poppers Attribut »zum Teil religiöse Werte« sowie seinen Hinweis auf einen »›metaphysischen‹ Glauben«, ohne den »wissenschaftliche Forschung . . . gar nicht möglich ist«. Christlicher und »metaphysischer« Glaube entsprechen sich als Antrieb und Grenze wissenschaftlicher Theoriebildung. Der aus der »Einsicht« in ihre Grenze folgenden »intellektuelle(n) Bescheidenheit« (Popper) entspricht die Bestimmung der Theologie als »bescheidene Wissenschaft« (Barth)[688]. Diese Entsprechungen auf metatheoretischer Ebene ermöglichen der Theologie die Teilnahme an der »neuere(n) wissenschaftstheoretische(n) Diskussion«. Sie machen sie mit anderen Wissenschaften vergleichbar und schaffen damit die Voraussetzung der Öffnung füreinander und des »Austausch(s)« miteinander. Schon auf dieser Ebene hat die Theologie aber etwas einzubringen, »was sie verantworten muß«. Es betrifft die wissenschaftlicher Theorie gesetzte Grenze und mit ihr den Stellenwert von Wissenschaft überhaupt. Poppers Begrenzung der Reichweite wissenschaftlicher Theorien durch das Postulat der Nachprüfbarkeit ihrer Hypothesen markiert »›metaphysischen‹ Glauben« als Grenze der Wissenschaft. Aber diese Grenze ist einholbar und überholbar. Auch »metaphysische Ideen« sind dem Zugriff wissenschaftlicher Theorien nicht entzogen. Es ist nach Albert »notwendig, daß man metaphysische Ideen nicht als intuitive Einsichten von apriorischer Gültigkeit auffaßt . . ., sondern sich bemüht, sie zu prinzipiell widerlegbaren Theorien weiterzuentwickeln, die in Konkurrenz mit den bisherigen wissenschaftlichen Theorien

687 *Jüngel,* Gott als Geheimnis 206.
688 *Popper,* Logik der Sozialwissenschaften 113f; *ders.,* Logik der Forschung 13.XXV. Vgl. den »Wertfreiheit«-Streit um Max Weber. S.o. 76f.

treten können«. Im Falle ihrer Falsifizierung haben wissenschaftliche Theorien die bis dahin durch sie markierte Grenze eingeholt und überholt. Modell solcher Einholung und Überholung »metaphysische(r) Ideen« und gleichzeitig eine Zäsur in der Wissenschaftsgeschichte ist die »Gottesidee«, die Gott mit metaphysischen »Wesenheiten« identifiziert. Mit der »wissenschaftlichen Revolution der Moderne« ist die metaphysische »Kosmologie«, in deren »Rahmen« sie »eine Funktion« hatte, falsifiziert und damit »obsolet« geworden. Der Tod der metaphysischen »Gottesidee« ist irreversibel[689]. Der ausgreifende Zugriff wissenschaftlicher Theorien hat sie hinter sich gelassen und »›metaphysische(n)‹ Glauben« in den an die Existenz »notwendiger Naturgesetze« korrigiert. Sie markieren fortan die Grenze, die wissenschaftliche Theorien zwar – noch? – nicht einholen, der sie sich aber annähern können: *»Eine Annäherung an die Wahrheit ist möglich«*. Sie sind, in der Modifikation der »wissenschaftlichen Revolution der Moderne«, das mit dem »ewigen unbewegten Wesen« identische »erste Bewegende« (πρῶτον κινοῦν) der aristotelischen Metaphysik, das, »abgetrennt« von ihm, »das Bewegte bewegt«[690]. Ist ein induktionslogischer Regreß zu metaphysischer Wahrheit auch unmöglich, ein approximativer Progreß wissenschaftlicher Theorien auf sie hin nicht. »Zwar geben wir zu: *Wir wissen nicht, sondern wir raten.* Und unser Raten ist geleitet von dem unwissenschaftlichen, metaphysischen (aber biologisch erklärbaren) Glauben, daß es Gesetzmäßigkeiten gibt, die wir entschleiern, entdecken können«. Die durch den »›metaphysischen‹ Glauben« an die »Existenz notwendiger Naturgesetze« markierte Grenze ist nicht durch die begriffsmetaphysische Induktion eines vorkritischen Realismus[691], wohl aber von den »wissenschaftliche(n) Hypothesen« eines kritischen Realismus approximativ einholbar. Ein *»transzendentaler Realismus«*, »der nicht auf sichere« induktionslogische »Begründung aus ist, sondern den Rekurs *auf die Bedingungen der Möglichkeit der Erfahrung* ... als einen Versuch der Erklärung *auf der Basis hypothetischer Annahmen* ... auffaßt«, die, dem *»konsequenten Fallibilismus«* unterstellt, »der Kritik und Revision offen stehen müssen«, ist approximativ möglich. In der Modifikation *»metaphysischer Hypothesen«* wird »der Zusammenhang mit dem metaphysischen Hintergrund der Wissenschaft« gewahrt, »ohne die *kritisch-rationale Methode* zu opfern«. Mit ihnen nähert sich der »Kritische Realismus« der »auch unabhängig von der menschlichen Erkenntnis in bestimmter Weise strukturiert«-en »Wirklichkeit«, ihren metaphysischen »Gesetzmäßigkeiten« an und widerspricht einem verbreiteten »Skeptizismus«, »Relativismus«, »Nihilismus«. In dieser Modifikation ist auch der »für den Kritischen Ra-

689 S.o. 79.
690 *Aristoteles,* Metaphysik, Λ. 5. 1071a, 4; Γ. 8. 1026b, 30; E. 1. 1026a, 10 (2. Hbd, 248; 1. Hbd. 176.252).
691 »Zwischen Universalienproblem und Induktionsproblem besteht eine vollkommene Analogie« (*Popper,* Logik der Forschung 37).

tionalismus ... charakteristische *Kritische Realismus*« eine »Sinntotalität« intendierende »metaphysische Auffassung«. Sein »›metaphysische(r)‹ Glaube« markiert zwar die Grenze wissenschaftlicher Theorien, aber so, daß er der sich ihr annähernden Progression des ausgreifenden wissenschaftlichen Zugriffs »wissenschaftlicher Hypothesen« nicht nur nicht im Wege steht, sondern zu ihr antreibt. Er involviert eine Wissenschaftsmetaphysik beziehungsweise einen Wissenschaftsglauben, der die Begrenzung wissenschaftlicher Theorien durch ihn von vorneherein relativiert[692]. Demgegenüber markiert Sauters »nicht theoretisierbarer Glaube« eine nicht relativierbare Grenze wissenschaftlicher Theorien. Darin unterscheidet er sich vom »metaphysischen Glauben« sowohl eines vorkritischen Realismus und seiner Begriffsmetaphysik als auch eines kritischen Realismus und seiner »metaphysische(n) Hypothesen« (Albert). »Gott«, den er glaubt, ist weder »ein Bezirk der Wirklichkeit noch auch ein Standpunkt über der Wirklichkeit«. Er ist der mit einer die Physik transzendierenden Meta-Physik nicht identische, sich *extra nos* offenbarende, in seiner Verkündigung *extra nos* zu-kommende, durch den in ihr *extra nos* zu-kommenden Geist Glauben wirkende »Gott ›Abrahams, Isaaks und Jakobs‹, der ›Vater Jesu Christi‹«[693]. Den »nicht theoretisierbaren Glauben«, den er gewirkt hat, wirkt und zu wirken verheißt, »muß« die Theologie auch wissenschaftstheoretisch »verantworten«. Sie tut es, wenn sie die durch ihn markierte Grenze wissenschaftlicher Theorien einhält, anstatt sie mit einem theoretisierbaren »›metaphysischen‹ Glauben« zu unterlaufen[694]. Dann macht sie den sich dem »nicht theoretisierbaren Glauben« erschließenden biblischen Gott unterscheidbar als den, der weder mit einer in den »religiösen und theologischen Implikationen« der »allgemeinen Anthropologie« gründenden (Pannenberg), im begriffsmetaphysischen Regreß induzierten »Gottesidee« identisch noch durch den approximativen Progreß »metaphysischer Hypothesen« auf die »Existenz notwendiger Naturgesetze« hin »obsolet« geworden ist (Popper, Albert). Beide Methoden relativiert sie zu möglichen Spielarten eines spekulativen »›metaphysischen‹ Glauben(s)« und die Überholung der einen durch die andere zur modifizierten Wiederholung des von Anfang an

692 »Der Kr. R. setzt an die Stelle unkritischen Beharrens bei irgendeinem dogmatischen Stop im regressus in infinitum das Zutrauen zur permanenten Kritik im progressus in infinitum ... obwohl durch den Vorbehalt unendlicher Annäherung gedämpft, steht doch für den Kr. R. außer Diskussion, daß Fortschritt der Richtsinn permanenter Kritik sei« (*Ebeling*, Kritischer Rationalismus? 4). – *Popper*, Logik der Forschung 392.XXV.223; *ders.*, Logik der Sozialwissenschaften 122; *Albert*, Traktat 48.117; *ders.*, Wissenschaft 48.28.2.119.51.162.

693 »Ohne ein fundamentales extra nos kennt der Glaube auch keinen deus pro nobis und schon gar keinen deus in nobis« (*Jüngel*, Gott als Geheimnis 246).

694 »Gibt man dem Wissen den bisher geltenden Ausdruck des christlich-religiösen Lebens preis, so wird ihm ... dieser unterliegen ... Dies kann es aber immer nur da, wo der Glaube zu schwach ist, um bei sich selbst zu bleiben, und zweifelnd dem Wissen preisgibt, was er nicht selbst festzuhalten vermag, sei es, um es aufzugeben, sei es, um sich vom Wissen bestätigen zu lassen. In beiden Fällen hat der Glaube sich selbst verloren« (*Overbeck*, Über die Christlichkeit 24f).

in ihm angelegten Streits, ob Geist oder Materie das Wesen aller Erscheinungen sei[695]. Sie steht dann für die Grenze der Wissenschaft schlechthin ein, die ihre Theorien weder einzuholen noch zu überholen vermögen, und behaftet sie bei der Wahrnehmung des ihr Möglichen, durch Gebrauch der *»Rationalität der Sprache«*, ihrer *nomina,* zu fortschreitender »Verständigung« über die »Wirklichkeit« zu gelangen. Den aus dem metaphysischen Streit um den Vorrang der Materie oder des Geistes hervorgegangenen Dualismus von Natur- und Geisteswissenschaften hebt sie auf und modifiziert ihn zu sich nicht alternierenden, nicht miteinander konkurrierenden, sondern ergänzenden und einander übergreifenden wissenschaftlichen Wirklichkeitshinsichten[696]. Sie widersteht dann, stellvertretend für alle Wissenschaften, jeder Wissenschaftsmetaphysik, jedem Wissenschaftsglauben[697].

Theologie, die die durch den »nicht theoretisierbaren Glauben« markierte Grenze einhält, gewinnt jene »Offenheit des wissenschaftlichen Fragens«, die sie in Stand setzt, an ihrem Teil seiner als Verheißung angesagten »Zukunft« den Weg zu bereiten. Statt religionsphilosophisch-metaphysischer »Selbstbegründung des Glaubens« bringt sie in Übereinstimmung mit dem »biblischen Reden von Gott« als »geschehene Offenbarung« »›bedeutungsvolle‹ Geschichte« als das zur Sprache, »worauf Glauben beruht und worauf er sich richtet«[698]. Sie weist auf diese »Begründung« des Glaubens, in der »exegetische und dogmatische Aussagen zur Deckung« kommen, als »Dogmatik« hin. Deren »diskursives Reden« und »Begriffsbildung« formulieren das, »was im Glauben geglaubt wird« – die *»fides quae creditur«* –. Damit tritt sie »neben andere Redeweisen in

695 Vgl. *Popper,* Logik der Forschung XIX.13.222.398. »Der (hellenische) Materialismus leitete die Naturerscheinungen aus unabänderlichen, mit Nothwendigkeit wirkenden Gesetzen ab, die Reaktion ließ eine nach menschlichem Bilde geschaffene Vernunft mit der Nothwendigkeit markten und durchbrach so die Basis aller Naturforschung« (*Lange,* Geschichte des Materialismus 38).

696 Es geht um ein »Wirklichkeitsverständnis ..., das als different zusammengehörig erfaßt, was man unter Berufung auf die Formel ›Natur- und Geisteswissenschaften‹ doch immer wieder auseinanderzureißen anstatt distinkt zusammenzudenken pflegt« (*Ebeling,* Studium der Theologie 97).

697 »Der Glaube an die Wissenschaft spielt die Rolle der herrschenden Religion unserer Zeit ... wie mir scheint, hat die Wissenschaft ... eine Struktur, die sie befähigt, diese Rolle mit bemerkenswertem Erfolg zu spielen« (*Weizsäcker,* Tragweite der Wissenschaft 3f). »Die Wissenschaft steht ... dem Mythos viel näher als eine wissenschaftliche Philosophie zugeben möchte ... sowohl die Wissenschaft als auch der Mythos setzen dem Alltagsverstand einen theoretischen Überbau auf« (*Feyerabend,* Wider den Methodenzwang 392.394). – »In einem solchen Wissenschaftsverständnis vollzieht sich letztlich dasselbe wie in philosophischer Metaphysik: der Mensch meint, *die* Wirklichkeit zu erkennen, während er doch nur jeweils diese oder jene Vorgänge *in* der Wirklichkeit analysiert. So schlägt ein solches Wissenschaftsverständnis notwendig um in eine Metaphysik der Erkenntnistheorie und wissenschaftlichen Methodik, die an die Stelle der Metaphysik der Geschichte und der Gesellschaft tritt mit dem Anspruch, das letzte Kriterium der Wirklichkeit zu besitzen« (*Hollweg,* Theologie und Empirie 362). – *Sauter,* Wissenschaftstheoretische Kritik 262.

698 »Bei aller Verschiedenheit im Verständnis von Geschichte ist sich die Theologie heute einig darüber, daß jede theologische Erkenntnis auf der geschichtlichen Offenbarung Gottes beruht« (*Sauter,* Wissenschaftstheoretische Kritik 245).

Kirche und Frömmigkeit, die nichts substantiell anderes als sie aussagen«, aber sie »nennt die Bedingungen ihres Redens«. Der Grund des Glaubens, den die »Dogmatik« entfaltet, ist nicht »reflexiv einzuholen«. Ihre »theologische Objektsprache« ist deshalb nicht metaphysisch. Indem »sie sich auf Voraussetzungen einläßt, ohne damit einfach auf historisch Gegebenes zu verweisen«, sondern den »aporetischen Charakter« der »geschichtlichen Offenbarung Gottes« »zur Darstellung« bringt[699], auf »Verheißungen«, die »sprachlogisch als Hypothesen von unbegrenzter Reichweite« zu kennzeichnen sind, weist sie auf »den vortheoretischen, jeder wissenschaftlichen Reichweite vorausliegenden Ursprung ... des theologischen Redens« hin. Sie zeigt damit auf den dem Denken unerreichbaren, sich *extra nos* offenbarenden »Gott ›Abrahams, Isaaks und Jakob(s)‹«, den »›Vater Jesu Christi‹«. Indem sie es sich versagt, die »Aporien« der von ihr formulierten »Voraussetzungen« aufzulösen und die als »Hypothesen von unbegrenzter Reichweite« zu kennzeichnenden »Verheißungen« zu bewahrheiten, weist sie auf »das außertheoretische Ziel des theologischen Redens« hin. Sie zeigt damit auf den, der den Glauben, durch den geglaubt wird – die *fides qua creditur* – nicht nur begründet, sondern auch verheißt, auf seine »Geistes-Gegenwart«, die ihn bewirkt[700]. »Daß die Dogmatik das Begründet-Sein des Redens von Gott formuliert, ohne dieses Reden selbst zu begründen und so ihren Ursprung aufzuheben, hat sie als Aussage über Gottes Geist als Grund menschlicher Wahrheitserkenntnis markiert«. Nach Sauter können »dogmatische Aussagen ... nicht einfach übernommen werden«. Sie müssen angesichts theologischer Problemstellungen und eines kirchlichen »Dissensus« darüber, »was als glaub-würdig zu gelten hat und übereinstimmend geglaubt werden kann«, vielmehr »im Zusammenhang gegenwärtiger Argumentationsprozesse« als »Bestandteile einer Dialogführung« immer »von neuem erarbeitet«, ihr »Inhalt« muß immer aufs neue »theologisch legitimiert werden«. Eine ganz und gar geschichtliche »Dogmatik« intendiert dann »theologische« und »kirchliche Verständigung« als »jeweils vorläufiges Ziel«. Indem sie »auf die Einheit des Handelns Gottes ... ausgerichtet« so eine zusammenhängende Formulierung »der glaubwürdigen Aussagen, die auf Gottes Verheißung seiner Gegenwart verweisen«, intendiert, erfüllt sie ihren Anteil an der »Wegbereitung« der »Zukunft« des »nicht theoretisierbaren Glauben(s)«. Ihn markiert sie als uneinholbare Grenze auch der »anderen theologischen Disziplinen«. Diese bereiten ihm den Weg, indem sie sich nicht nur in den dogmatischen Dialog einbeziehen lassen, sondern auch, indem sie sich dem zuwenden, womit die »Erkenntnisaufgabe der Dogmatik ... nicht vermischt werden« darf, den »Proble-

699 »... die neuzeitliche Grundaporie des Wortes ›Gott‹ (verwandelt sich) zur theologischen Grundaporie einer an Jesus, dem Gekreuzigten, orientierten Rede von Gott« (*Jüngel,* Gott als Geheimnis 49).

700 »Die christliche Dogmatik ... hat es nur mit einer Verbindlichkeit eigener Art zu tun. Ihre Verbindlichkeit kann nur die *Verbindlichkeit des Glaubens* sein« (*Jüngel,* Tod 39).

men der Vermittlung christlicher Tradition«[701], damit der Verkündigung, in umfassendem Sinn. Ihr Spektrum ist weit. Es betrifft Probleme, die aus den »historischen Feststellungen« der kritischen Bibelwissenschaft erwachsen, ebenso wie ethische und »zeit-« und »situationsbedingte Probleme«. Es reicht bis zu den praktischen »Handlungsdirektiven« der Vermittlung vor Ort. Seinetwegen nimmt die Theologie »Geschichte«, »Religion«, »Gesellschaft«, »Sprache«, »Erfahrung«, »historisch, soziologisch, psychologisch, sprachwissenschaftlich oder -philosophisch erklärbare Vorgänge« als »Entdeckungszusammenhang« in Anspruch, ohne in solchem »Austausch« das, »was theologisch auszusagen ist«, auf den »theoretischen Kontext« der entsprechenden Wissenschaften zurückzuführen. Seinetwegen formuliert sie »Hypothesen« von begrenzter »Reichweite«, die sie der Möglichkeit der Falsifizierung aussetzt, ohne die theologischen »Verheißungen«, »Hypothesen von unbegrenzter Reichweite«, in Frage zu stellen. So ergänzt sie sich zu einem durch den »nicht theoretisierbaren Glauben« begrenzten, unter dem Vorzeichen der Verheißung des ihn bewirkenden »Geistes« des »Gott(es) ›Abraham(s), Isaak(s) und Jakob(s)‹«, des »›Vater(s) Jesu Christi‹« aber seiner »Zukunft« den Weg bereitenden, eigenen »Wissenschaftsbereich«, der sowohl der ihr aufgegebenen Orientierung am biblischen Gotteszeugnis als auch der von der »neuen wissenschaftstheoretischen Diskussion« intendierten, aber nicht konsequent eingehaltenen Selbstbegrenzung wissenschaftlicher Theorie entspricht[702].
Der Vergleich zwischen Pannenberg und Sauter bündelt sich in dem Ergebnis, daß nur Theologie, die von der Kirche und ihrer Praxis ausgeht, nur »Theologie als *Funktion*« der Kirche auch wieder zur Kirche und ihrer Praxis zurückfindet. Beide verbindet zwar die Absicht, die Theologie aus ihrer »traditionelle(n) Einordnung ... in die Geisteswissenschaften« herauszuführen, sie für die am »naturwissenschaftliche(n) Denken« orientierten empirischen Wissenschaften, insonderheit die empirischen Humanwissenschaften, zu öffnen und so für eine durch diese präzisierte Wahrnehmung der Kirche und ihrer Praxis zu disponieren. Aber Pannenberg lehnt ausdrücklich ein Theologieverständnis ab, das durch die Kirche und ihre Praxis konstituiert wird, und setzt statt dessen mit einer auf die metaphysische Wesensfrage zentrierten philosophischen Theologie ein. Er begreift die Kirche geschichtsphilosophisch innerhalb des sich entelechisch in der Erstreckung der Zeit verwirklichenden »Wesens des Christentums« mit der Folge, daß ihn das »empirische Kirchenwesen« nur in seiner »Differenz« zum »Gedanken des Reiches Gottes« interessiert[703].

701 S.o. 58f: Tillich; s.o. 93.102f: Barth.

702 *Sauter,* Art. Dogmatik I 69.50f.68.56ff; *ders.,* Wissenschaftstheoretische Kritik 243.240.292.229.231.268.331.329.300.274f.285f; *ders.,* in: *Pannenberg* u.a., Grundlagen der Theologie 76.

703 Zu solcher interessebedingten, eingeschränkten Sichtweise vgl. trotz fundamentaler theologischer Unterschiede auch Ekklesiologien des Umkreises der »dialektischen« Theologie.

Er begreift ihre Praxis als das im Blick »auf das nicht Vorhandene« »durch menschliche Praxis Hervorzubringende« mit der Folge, daß kirchliche Praxis im engeren Sinn zur Motivation für und Einweisung in diese »auf Verwirklichung zielende« Praxis, Mittel zu diesem Zweck wird. Ein aufschlußreiches Beispiel ist die für die Kirche fundamentale »Verkündigung« des apostolischen Evangeliums. Zwar könnte sie im *terminus technicus* »Homiletik« mit gemeint sein, aber der Begriff selber fehlt in Pannenbergs Paragraphen über »Die praktische Theologie« und taucht lediglich vorher zweimal, aber nur im Referat über andere Theologen, auf[704]. Aus dieser geschichtsphilosophischen Theologie deduzierte »praktische Theologie« wird zu christlich motivierter und modifizierter, gesellschaftlich-politisch ausgerichteter »Handlungstheorie« und »Handlungsorientierung« im Geiste Hegels, wie sie die »Kritische Theorie der Frankfurter Schule« exemplarisch vorführt[705].

Sauter unterscheidet sich von Pannenberg von vorneherein darin, daß er die Theologie in der Kirche ortet und ihre »Funktion« als die kritischer »Rechenschaft über das Reden von Gott« in diesem »Sprachraum« bestimmt. Bereits die für die Theologie grundlegende »Dogmatik« ist auf diese »Funktion« ausgerichtet. Damit greift Sauter eine bisher ohne Resonanz gebliebene Anregung Bonhoeffers auf[706]. Er formuliert seine Intention in einer rhetorischen Frage: »Warum sollte die Dogmatik, gerade auch die evangelische Dogmatik, nicht mit einer Lehre von der Kirche beginnen können, die ihre Angewiesenheit auf das Kirchentum in all seiner dogmatisch fragwürdigen und bedenkenswerten Faktizität aussagt?« Von den dogmatischen »Vorklärungen . . ., die zu dem Satz des *Credo* ›Ich glaube die Kirche als Werk des Geistes‹ hinführen«, über die »Aufgabe der Vermittlung christlicher Tradition«, an der alle theologischen Disziplinen beteiligt sind, spannt sich der Bogen einer so verstandenen Theologie zur praktischen Theologie. Zwar muß auch der dogmatische »Begründungszusammenhang der Theologie« immer neu erarbeitet werden, ein »Entdeckungszusammenhang« von ständiger »heuristische(r) und innovatorische(r) Bedeutung« ist ihr aber da aufgegeben, wo es sich um »Probleme der Vermittlung christlicher Tradition«, der Kirche und ihr entsprechender Praxis handelt. Sie erfüllt diese Aufgabe durch eine sich ständig am von der Dogmatik zu entfaltenden Grund des Glaubens ausweisende, »pragmatologisch« sowohl die verschiedenen theologischen Disziplinen als auch andere Wissenschaften einschließlich der empirischen Humanwissenschaften in sich verbindende »Theoriebildung«, deren in ihrer

704 In *Pannenbergs* Schrift von 1970: »Thesen zur Theologie der Kirche« scheint es sich auf den ersten Blick noch anders zu verhalten (vgl. bes. 51ff). In seiner Wissenschaftstheorie wird aber nur explizit, was auch die »Thesen« implizieren.

705 Auch in dieser Hinsicht sind Übereinstimmungen mit Ekklesiologien des Umkreises der »dialektischen« Theologie nicht zu verkennen.

706 »Es wäre gut, eine Dogmatik einmal nicht mit der Gotteslehre, sondern mit der Lehre von der Kirche zu beginnen, um über die innere Logik des dogmatischen Aufbaus Klarheit zu stiften«. S.o. 120.

»Reichweite« begrenzte »Hypothesen« sich auf jeweilige »kirchliche Probleme« beziehen. Soll er seiner »Funktion« genügen, im Anblick der empirischen Kirche der Kirche des Glaubens an seinem Teil den Weg zu bereiten, muß der arbeitsteilige »Wissenschaftsbereich« Theologie solche funktionale »Theoriebildung« intendieren. Anders als Pannenberg hat Sauter dann auch von der »Dogmatik« an die empirische »Kirche in ihren gegenwärtigen sozialen und institutionellen Gestaltungen« im Blick. Anders als bei Pannenberg hat bei ihm die kirchliche Praxis im engeren Sinn, das »Hören« des zu verkündigenden apostolischen Evangeliums, den unumkehrbaren Vorrang vor dem »Handeln, auf das der Praxisbezug heute so häufig eingeengt wird«. Anders als bei Pannenberg ist die praktische Theologie bei ihm nicht aus einer philosophischen Theologie deduziert, sondern als »Theorie der Kirche und des kirchlichen Handelns« konstitutiv am wissenschaftstheoretischen Grundriß des »Gesamtbereich(s) der Theologie« beteiligt, deren »anderen . . . Disziplinen« sie »geeignete Fragen« zu »vermitteln« hat[707].

Das Ergebnis der wissenschaftstheoretischen Diskussion der jüngsten Vergangenheit fordert die Theologie zur Klärung ihres Selbstverständnisses auf. Auf der einen Seite steht die Absicht, sie in Wiederaufnahme eines mit der Scholastik einsetzenden Traditionsstranges als in metaphysischer *theoria* (θεωρία) oder *speculatio* gründende philosophische Theologie in der Nachfolge des Aristoteles wissenschaftstheoretisch zu formulieren. Auf der anderen Seite steht die Absicht, sie in Aufnahme der mit der Reformation einsetzenden, zuletzt von der »dialektischen« Theologie wieder nachdrücklich in Erinnerung gerufenen Abkehr von sich metaphysisch begründender Theologie – »die spekulative Wissenschaft der Theologen ist schlicht leer und vergeblich«[708] – als sich auf das von ihr nicht zu begründende apostolische »Fundament« von Jesus Christus (1Kor 3,11) gründende Theologie wissenschaftstheoretisch zu formulieren. Auf der einen Seite wird ihre aus ›Gott‹ als metaphysischem Wesensgrund deduzierte praktische Ausrichtung, ob nun diese *scientia practica* mehr in die *scientia speculativa* oder ob die *scientia speculativa* mehr in die *scientia practica* hineingezogen wird[709], zu teleologischer Entelechie, zur Wesens-

707 *Pannenberg,* Wissenschaftstheorie 438.441.204.432; *Sauter,* Wissenschaftstheoretische Kritik 237.227.261.314f.328.331.293.44; *ders.,* Art. Dogmatik I 69; *ders.,* in: *Pannenberg* u.a., Grundlagen der Theologie 76; *ders.,* Verständnis von Praktischer und Systematischer Theologie 23f.

708 »Speculativa scientia theologorum est simpliciter vana« (*Luther,* WA Ti 1 302, 30). »Mit *Luthers* Kritik am philosophischen Systemdenken der scholastischen Theologie begann der abschätzige Gebrauch des Worts«: »Spekulation« (*Becker,* Art. Spekulation 1368). »Der Verstand des Menschen ist den praktischen Bedürfnissen des menschlichen Lebensraumes angepaßt, aber nicht daran, Gott zu erkennen; er macht den Menschen zum homo faber, aber nicht zum ›homo sapiens‹« (*Fritzsche,* Strukturtypen 44).

709 Ersteres ist bei Thomas von Aquin der Fall: »sacra theologia . . . scientia . . . speculativa . . . magis est quam practica« (*Thomas v. Aquin,* Summa Theologica, Quaest. I, Art. IV. Opera omnia I 5). Letzteres bei Duns Scotus (*J. Duns Scotus,* Opus Oxoniense, Quaest. IV. Opera omnia V/1 111ff).

verwirklichung auf »Gott das letzte Ziel des Menschen« hin[710] im Leben des einzelnen Menschen und in der Geschichte der Menschheit. Die Verkündigung des apostolischen Evangeliums assimiliert sie sich als Mittel für diesen Zweck. Auf der anderen Seite ist die praktische Ausrichtung nicht aus einem ihr vorgängigen Theologieverständnis deduziert, sondern konstituiert die Theologie, die als »Funktion« der Kirche kritisch »Rechenschaft über das Reden von Gott« in diesem »Sprachraum« gibt. Unter dem Vorzeichen der Verheißung des »Geist(es) Gottes« bereitet sie der »Zukunft« des »nicht theoretisierbaren Glauben(s)« den Weg, indem sie sich der ihn begründenden Verkündigung des apostolischen Evangeliums in ihrem sprachlichen und situativen Spektrum und dem aus ihm hervorgehenden Reden und Handeln in Geschichte und Gegenwart in den Möglichkeiten und Grenzen wissenschaftlicher »Theoriebildung« zuwendet. Sauter überholt sowohl den Widerspruch zwischen Schleiermachers funktional auf die geschichtlich gewordene, vorgegebene empirische Kirche und ihre Praxis bezogener »positive(r) Wissenschaft« Theologie und einem aus wesenszentrierter Religions-philosophie deduzierten, »sonst für Schleiermacher charakteristischen, innerhalb der Wissenschaftslehre entwickelten Theologieverständnis«[711] als auch den Widerspruch zwischen Barths auf dem apostolischen »Fundament« als »Funktion der Kirche« konzipierter Theologie und der dysfunktionalen Verfehlung der empirischen Kirche und ihrer Praxis infolge des deduktiven Denkwegs ihres in Nachwirkung ihrer philosophischen Tradition von ihm festgehaltenen Verständnisses als wesenszentrierter Geisteswissenschaft. Der Vergleich zwischen Pannenberg und Sauter klärt, wissenschaftstheoretisch präzisiert, die echte Alternative: entweder deduktive Theologie auf einem philosophischen ›Fundament‹ oder funktionale Theologie auf dem apostolischen »Fundament«.

Ihre Funktionalität erweist sich in der theologischen Ekklesiologie und praktischen Theologie. Theologische Ekklesiologie, die nicht zur Kirche und ihrer Praxis durchdringt, ist dysfunktional. Praktische Theologie, die sich von der theologischen Ekklesiologie dispensiert, ist untheologisch. Nur eine Konvergenz, in die theologische Ekklesiologie den Ausblick auf die Kirche des Glaubens und praktische Theologie den Anblick der Kirche in Raum und Zeit einbringen, entgeht beiden Abwegen. Sie öffnet theologische Ekklesiologie für den Anblick der Kirche in Raum und Zeit und praktische Theologie für den Ausblick auf die Kirche des Glaubens. Daß sie bisher nicht zustande kam, dafür macht Sauter die praktische Theologie verantwortlich. Sie habe »versäumt«, eigenständig eine »Theorie der Kirche« zu »entfalten«, die ihre theologische und ihre empirische Hinsicht einschließt. So wurde sie zum Exponenten eines defizitären Gesamtzustands, zum »Anwalt des Unbehagens über den mangeln-

710 *Pannenberg,* Wissenschaftstheorie 232.
711 *Sauter,* Verständnis von Praktischer und Systematischer Theologie 20.

den Ausgleich zwischen dem normativen Anspruch und der empirischen Deutlichkeit der gesamten Theologie«.
Das Resümee des Rückblicks auf repräsentative theologische Ekklesiologien der Dogmatik oder systematischen Theologie aus fast zweihundert Jahren erlaubt Zweifel an der Alleinverantwortung der praktischen Theologie für diesen Zustand. Sauter gibt selber den Grund an, wenn er kritisch vermerkt, daß die »Praktische Theologie ... zum Anhängsel der Dogmatik« wurde. Das gilt in besonderem Maße von ihrer Abhängigkeit von einer theologischen Ekklesiologie, deren Formulierung Dogmatik oder systematische Theologie für sich reklamierten[712]. Sie dispensierte die praktische Theologie wissenschaftsorganisatorisch von der Beteiligung an der Formulierung der theologischen Hinsicht einer »Theorie der Kirche«. Wenn es sich auch nicht darum handeln kann, daß »Glaubensaussagen über die Kirche mit Feststellungen über die Kirche als empirische Relation der Dogmatik vermischt« werden[713], auch Dogmatiker oder systematische Theologen wissen, daß sie nicht voneinander zu trennen sind, soll theologische Ekklesiologie nicht einer *»Platonica civitas«* nachlaufen. Die Ergebnisse ihrer diesbezüglichen Bemühungen geben der praktischen Theologie bisher keinen Anlaß, sich »die Grenzen ihres Handelns« »durch die dogmatische Ekklesiologie ... vorschreiben (zu) lassen«. Sie geben ihr vielmehr allen Anlaß, eine »Theorie der Kirche«, die ihre theologische und ihre empirische Hinsicht einschließt, zu ihrer Sache zu machen. Die Frage ist zu stellen, ob die herkömmliche wissenschaftsorganisatorische Aufteilung, die der Dogmatik oder systematischen Theologie die theologische Ekklesiologie reserviert und der praktischen Theologie die empirische Kirche und Praxis überläßt, nicht die Ursache einer verhängnisvollen Fehlentwicklung ist. Dann ist ein schiedlich-friedliches Nebeneinander, wie es Sauter vorschwebt, das »zwar die dogmatische Lehre von der Kirche voraussetzt, aber neben sie tritt«, allerdings schwer vorstellbar[714].

712 »Während die Lehre der Kirche über ihr Wesen und ihre Aufgaben zu der systematischen Theologie gehören, beschäftigt sich die praktische Theologie mit den Einrichtungen, durch die das Wesen der Kirche verwirklicht und ihre Aufgaben durchgeführt werden« (*Tillich,* s.o. 54).

713 Anders sieht es E. Herms, wenn er einen »Begriff« sucht, der »die soziologische und die theo-logische Interpretation *zugleich* erbringt« (*Herms,* Die Fähigkeit zu religiöser Kommunikation 258).

714 *Sauter,* Verständnis von Praktischer und Systematischer Theologie 22.25f.23; *ders.,* Wissenschaftstheoretische Kritik 293; *ders.,* Art. Dogmatik I 69. – »Die der dogmatischen Kirchentheorie zugewiesenen Aufgaben scheinen so dringlich zu sein, daß sich von daher die Frage ergibt, ob nicht die Praktische Theologie ihrerseits einer kirchentheoretischen Fundierung bedarf, die zwar aufgabenangemessen ist, aber doch die Grundprobleme kirchlicher Praxis in einem Gesamtzusammenhang zur Sprache bringt ... Muß sich die Praktische Theologie nicht ... dazu entschließen, innerhalb ihrer eigenen wissenschaftstheoretischen Grundlegung die Kirchentheorie explizit zu entfalten?« (*Daiber,* Grundriß der Praktischen Theologie 216). Daiber läßt diesen Gedanken leider sofort wieder fallen.

3. Nach dem Beispiel der seit dem 18. Jahrhundert so genannten Pastoralbriefe des Neuen Testaments gab es Praktische Theologie als die Kleriker über ihre Pflichten und Tätigkeiten belehrende pastoraltheologische Literatur bereits im Mittelalter. Diese Literaturgattung setzte sich auch in den reformatorischen Kirchen fort. Der Gedanke einer eigenen Disziplin für praktische Theologie tauchte bereits im 16. Jahrhundert bei dem Marburger Theologieprofessor *Andreas Gerhard Hyperius* auf. Die Bezeichnung gebrauchte zum ersten Mal der Utrechter Theologieprofessor *Gisbert Voetius* in einer Disputation »De Theologia practica« 1659. Als Universitätsdisziplin gibt es praktische Theologie in Deutschland, seitdem *Nathanael Friedrich Köstlin* 1813, in Ausführung einer 1794 ergangenen herzoglichen Anordnung, an die evangelisch-theologische Fakultät in Tübingen berufen wurde[715]. Häufig wird der Name Schleiermacher mit ihrer Institutionalisierung in Verbindung gebracht. Aber trotz seines auf die Praxis der Kirche ausgerichteten Verständnisses der Theologie als »positiver Wissenschaft« und seiner Hervorhebung der praktischen Theologie als »Krone des theologischen Studiums« schien ihm »eine besondere Professur der praktischen Theologie nicht einmal wünschenswerth, und weit besser daß dies von denen, die sich mit den theoretischen Disciplinen beschäftigen, beiläufig geschieht«. Er wertete sie deutlich ab: »Je weniger die meisten, die zu dieser Professur Lust hätten, in anderen Fächern etwas zu leisten vermögen werden, um desto eher würden sie in diesem zuviel tun, und für die Masse würde die Versuchung zu groß sein, einen unverhältnismäßigen Teil ihrer Zeit den Vorbereitungen auf die eigentliche Amtsführung zu widmen«[716]. Ihre Förderung durch den Staat in Württemberg, Preußen und anderen Ländern nach dem Beispiel Österreichs, wo bereits 1774 der Vorschlag von *Stephan Rautenstrauch,* an den katholisch-theologischen Fakultäten eine Disziplin »Pastoraltheologie« einzurichten, durch eine Verfügung der Kaiserin Maria Theresia verwirklicht wurde, trug kaum zur Aufwertung bei. Ausschlaggebend war aber das Odium der Unwissenschaftlichkeit, das der praktischen Theologie von ihrer Institutionalisierung an anhaftete und dem Schleiermacher trotz seines Theologieverständnisses nicht entgegentrat. Es manifestierte sich in drastischen Urteilen der Vertreter anderer theologischer Disziplinen: »Spielen mit der Wissenschaft« (*A. Ritschl*), »Theorie des praktischen Hufbeschlags« (*J. Wellhausen*)[717]. 1910 resümierte *Paul Drews:* »Trotz jenes stolzen Wortes (erg. Schleiermachers von der praktischen Theologie als »Krone des theologischen Studiums«) und trotzdem seit Schleiermacher

715 *Rössler,* Prolegomena 357.
716 *Schleiermacher,* an Wilhelm von Humboldt, 1810, in: *Dilthey* (Hg.), Briefe, 4. Bd. 180; *ders.,* Über die Einrichtung der Theologischen Fakultät, in: *Krause,* 4. – »Die allgemeine Auffassung, daß Schleiermacher als der Begründer der Praktischen Theologie ... zu gelten habe, ist höchst fragwürdig« (*Lämmermann,* Kritische oder empirisch-funktionale Handlungstheorie 29).
717 *Krause,* XX.

auch auf dem Gebiete der Praktischen Theologie mit vielem Ernst, mit großem Eifer und Scharfsinn gearbeitet worden ist, ist unsere Disziplin zu keiner wirklichen Höhe emporgestiegen. Sie hat es nicht vermocht, sich von Seiten der wissenschaftlichen Theologen, aber ebensowenig von Seiten der Geistlichen wirkliche Anerkennung zu erringen . . . Die Praktische Theologie ist für die wissenschaftliche Theologie kein notwendiges Glied, von dem sie selbst mitlebt. Ob sie vorhanden ist oder nicht, das macht für ihren Betrieb gar nichts oder sehr wenig aus«[718]. Ähnliche, auch larmoyante Resümees durchziehen die praktisch-theologische Literatur bis in die Gegenwart. 1983 beginnt *Peter C. Bloth* einen Artikel über die »Praktische Theologie« mit dem Satz: »Unter den theologischen Disziplinen ist die Praktische Theologie nicht nur die jüngste – noch immer dürfte sie auch die umstrittenste sein«[719].
Das Odium der Unwissenschaftlichkeit veranlaßt zu der Rückfrage: Welches Theologieverständnis wird hier als Maßstab angelegt? Der Widerspruch zwischen seiner theologischen Enzyklopädie in der »Kurzen Darstellung des theologischen Studiums« und seiner Abwertung praktisch-theologischer Professuren ist zu offenkundig, als daß sich das Fazit: »die Praktische Theologie ist für die wissenschaftliche Theologie kein notwendiges Glied« von Schleiermacher ableiten ließe. Der bei ihm anklingende Verdacht, die praktische Theologie würde wissenschaftlich Minderbegabte anziehen, ist zudem kein sachhaltiges Argument. Der eigentliche Grund wird erkennbar, wenn der Neutestamentler *Heinrich Holtzmann* am Ende des 19. Jahrhunderts für eine Eingliederung der theologischen Disziplinen in die philosophische Fakultät eintritt, wobei »die praktische Theologie ganz außerhalb der Universitätsstudien fallen und die Sache kirchlicher Seminare werden würde«[720]. Die praktische Theologie erregte Anstoß, weil sie durch ihr bloßes Dasein an die Ausrichtung der Theologie auf die Kirche und ihre Praxis in einer Zeit erinnerte, in der sich die anderen Disziplinen von ihr zusehends zu dispensieren trachteten, um sich ganz dem widmen zu können, was sie unter Wissenschaft verstanden[721].
Es waren praktische Theologen wie *Paul Kleinert*, die auf die Folgen dieses Rückschritts hinter Schleiermachers Konzeption der Theologie als »positiver Wissenschaft«, deren »wissenschaftliche Elemente« »ihre Zusammengehörigkeit« nur haben, »sofern sie zur Lösung einer praktischen Aufgabe erforderlich sind«, aufmerksam machten: »Man gebe die Dog-

718 *Drews*, Das Problem der Praktischen Theologie 18.
719 *Bloth*, Praktische Theologie 389.
720 *Krause*, XX.
721 »Solange der Betrieb der Theologie überhaupt noch wesentlich praktisch war, konnte die praktische Theologie mit Fug und Recht in den Hintergrund treten; ihre Aufgabe . . . wurde von den übrigen theologischen Disziplinen fast schon besorgt . . . Das ist seit der Aufklärung ganz anders geworden. Keine dieser Disziplinen nimmt mehr Rücksicht auf die kirchliche Praxis. Auch wo sie sich des kirchlichen Zieles, dem sie dienen, wohl bewußt sind, arbeiten sie doch so, als ob es kein solches gäbe« (*Bassermann*, Die Praktische Theologie als selbständige Disziplin 192f).

matik, die Kirchengeschichte, die Exegese anderen als dem bloßen theologischen Studienzusammenhange, und sie werden nicht etwa bloß aufhören, für die praktische Theologie ein brauchbares Fundament zu bieten, sondern werden aufhören, Dogmatik, Kirchengeschichte, Exegese zu sein, überhaupt Wissenschaft zu sein. Nur unter der äußeren Voraussetzung der bestehenden Kirchengemeinschaft, für die der Betrieb dieser Studien ein Lebensinteresse ist, können sie faktisch ihr Existenzrecht behaupten«[722]. Die praktische Theologie wurde zum Indikator für das eigene Profil der unter der Bezeichnung Theologie zusammengeschlossenen wissenschaftlichen Disziplinen und zum Platzhalter eines von Schleiermacher auf den Weg gebrachten Verständnisses, das Barth unter anderem theologischen Vorzeichen später auf die Formel von der Theologie als »Funktion der Kirche« brachte[723].

Carl Immanuel Nitzsch, der »erste Systematiker der praktischen Theologie im modernen Sinne des Wortes«[724], beschrieb ihre Ausgangslage, wenn er in Schleiermacher denjenigen sah, der zwar den »Weg« zu einer auf die Kirche und ihre Praxis ausgerichteten »positiven Wissenschaft« Theologie mit Einschluß einer praktisch-theologischen Disziplin »angebahnt, aber nicht vollendet« habe. Dabei dachte er vor allem an Schleiermachers Beschränkung der praktischen Theologie »auf Regeln oder Methoden der kirchlichen Ausübung«, wie sie im Paragraphen 260 der »Kurzen Darstellung«, auf den er hinweist, und im materialen Hauptteil der »Praktischen Theologie« Schleiermachers zum Ausdruck kommt. »Die Kenntnisse des Zustands, welcher zur Befriedigung oder Unlust gereicht, fällt der historischen Theologie, die Kritik desselben dem genannten Theologen (Schleiermacher) zufolge der philosophischen anheim; wir fügen hinzu, der überall dirigierende dogmatisch-ethische Begriff der Kirche der systematischen: so bleibt, wenn die Functionen als Aufgaben des Amtes klassifiziert sind, nur übrig Verfahrensweisen für Erreichung der gestellten Ziele zu finden«. Wird die praktische Theologie darauf beschränkt, wird sie von vorneherein von der Teilnahme am theologischen Diskurs ausgeschlossen. In einer veränderten theologischen Lage traf *Leonhardt Fendt* ungefähr hundert Jahre nach Nitzsch die gleiche Feststellung: »Für die Pr. Theologie bleibt nichts übrig«[725]. Weil Theologie aber eine auf die Kirche und ihre Praxis ausgerichtete wissenschaftliche Gesamtbemühung ist, darf zwischen ihren Disziplinen »nicht schlechthin getrennt, sondern« lediglich »unterschieden werden« so, »daß eine Art des Wissens in der einen und anderen in verschiedener Beziehung und nach

722 *Schleiermacher,* Kurze Darstellung, § 1 (S. 5); *Kleinert,* Zur Praktischen Theologie 127.
723 »Eine theoretische Theologie ohne praktische wäre ein hölzernes Schüreisen: ein Beweis, daß sie sich selbst nicht versteht« (*Schreiner,* Zur Neugestaltung des Studiums der Theologie 331).
724 *F. Nitzsch,* Art. Nitzsch, Karl Immanuel 134.
725 *Fendt,* Die Stellung der Praktischen Theologie 312.

verschiedenem Maaße der Entfaltung vorkommen muß und darf«. Schleiermachers »Mangel« zu beheben sah Nitzsch als dringende Aufgabe der neuen Disziplin an[726]. Sie ist bis heute mit ihr beschäftigt. Mit einer Aufgabe, in deren Erfüllung sie zwangsläufig den Besitzstand der ›klassischen‹ theologischen Disziplinen antastete und – störte. Sie mit enzyklopädischer Programmatik anzugehen hat sich, aufs Ganze gesehen, als Schlag ins Wasser erwiesen. Anstatt ihre Erwartungen hierauf zu richten, sollte die praktische Theologie sich darauf konzentrieren, den »Mangel« bei sich selber zu beheben und d.h. sich als praktische *und* theologische Disziplin zu definieren und darzustellen. Ansätze bietet ihre bisherige Geschichte. Sie deckt aber auch die Hindernisse auf, die ihrer Verwirklichung im Wege stehen, und die Widersprüche, in die sie dabei geraten kann.

Beides zeigt sich bereits beim Ausgangs- und Zielpunkt wie der gesamten so vor allem der praktischen Theologie, bei der empirischen Kirche. Noch ausdrücklicher als Schleiermacher benannte Nitzsch sie nicht nur als Zielpunkt, als Objekt, sondern auch als Ausgangspunkt, als »actuoses Subjekt«, der praktischen Theologie. Aber weil er voraussetzt, daß »Christenthum Religion, Religion aber die Bestimmung der menschlichen Bestimmungen, weil Gottverehrung, Gottgemeinschaft« sei, weil er m.a.W. ein mit der empirischen, individual- und sozialanthropologischen Religion identisches Gottesverhältnis des Menschen voraussetzt, hält er von vorneherein ihren empirischen »Thatbestand« und ihre »Idee« nicht auseinander. Vielmehr wird »Kirche« dadurch konstituiert, daß »Religion . . . nicht nur Idee, sondern Thatbestand« ist. Der empirischen Kirche ist ihre »Idee«, eine bestimmte geschichtliche Konkretion des »Wesens« der »Religion«, das »Gottverehrung, Gottgemeinschaft« ist, inhärent. Diese »Idee der Kirche« ist »principiell« vergleichbar »mit anderen Arten« »von religiöser Gemeinschaft«, »das Christenthum« ist aber »die vollendete Thatsächlichkeit der Religion«. Sie manifestiert sich in der Kirche des Glaubens und ist als Movens in der empirischen Kirche wirksam. In diesem Sinn ist bei Nitzsch die Kirche »als gläubige *gesetzt*« und enthält »alle Potenzen ihrer Selbstbewegung« »in sich«. Eine unverwechselbare Unterscheidung zwischen der Kirche des Glaubens und der empirischen Kirche ist damit ausgeschlossen[727]. Folgt diese Konsequenz bei Nitzsch aus seinem Anschluß an die religionsphilosophische Ekklesiologie Schlei-

726 *C. I. Nitzsch,* Praktische Theologie I 4f.32.

727 *C. I. Nitzsch,* Praktische Theologie I 111.5ff. – »Wenn Nitzsch die Kirche selbst als ›actuoses Subjekt‹ bezeichnete, so war das ein Fortschritt gegenüber Schleiermacher . . . Es war aber auch ein verhängnisvoller Fehler insofern, als eine rein ideelle Größe zum Subjekt kirchlichen Handelns gemacht wurde . . . Es hat in der Praxis . . . seine schweren Folgen gehabt, daß ein ganzes Theologengeschlecht mit wenigen rühmlichen Ausnahmen keinen klaren ›Kirchenbegriff‹ gehabt hat und daher geneigt war . . ., die Kirche als ideale Glaubensgröße und die empirische Kirche fortwährend miteinander zu verwechseln« (*v. d. Goltz,* Praktische Theologie 296); vgl. *ders.,* Grundfragen 4.

ermachers, so folgt sie - ebenfalls unter der Voraussetzung einer sich in seinen empirischen Religionen, unter denen die »christliche« den Rang »der absoluten Religion« einnimmt *(Karl Rosenkranz),* manifestierenden Gotteserkenntnis des Menschen - bei anderen praktischen Theologen aus ihrem Anschluß an die Religions- und Geschichtsphilosophie Hegels. »Die praktische Theologie ... hat es mit der Idee (erg. »der christlichen Religion«) zu tun, wie sie in der Erscheinung sich verwirklichen soll« (Rosenkranz), »und es kann daher auch niemand für dieselbe tätig sein, der nicht in gleicher Weise in der theologischen Geschichte und Spekulation gebildet ist« *(Philipp Konrad Marheinecke).* Die »Idee, das ewige Wesen« *(Theodor Albert Liebner)* vermittelt sich in die »Erscheinung« als »Kirche«, die wiederum das »Tätige«, das »Subjekt« »der fortwährenden Vermittlung der Idee mit der Erscheinung«, der »werdenden Erscheinung der christlichen Religion« in der Geschichte ist. Weil der Kirche »die Idee, das ewige Wesen« »der christlichen Religion« inhärent ist, ist sie das »Subjekt« dieses Prozesses. Weil sie gleichzeitig »Erscheinung« unter »empirischen Bedingungen« ist, ist sie in ihm ihr eigenes »Objekt«. Die Differenz zwischen »Idee« bzw. »Wesen« und »Erscheinung« wirkt in ihr als Movens einer dialektischen Geschichtsprogression, die »im endlichen Zeitlauf auf keinem Punkt vollendet« ist, jedoch »fortwährend nach dem Ideal des Reiches Gottes (drängt), und auf jedem Übergangspunkt aus dem Vorhandenen ins Folgende« (Liebner). Bei Rothe überholt sie dann auch die Kirche selber[728]: »Indem nämlich das durch sie repräsentierte besondere Moment des Christentums sich in sich selbst vollständig entfaltet, hebt es eben hiermit sich selbst auf und schlägt in ein neues, höheres um«. Weil auch hier der empirischen Kirche ihre »Idee«, ihr »Wesen« inhärent ist, schließt sie ebenfalls eine unverwechselbare Unterscheidung zwischen der Kirche des Glaubens und der empirischen Kirche aus[729]. Zum gleichen Ergebnis führt aber auch die praktische Theologie Diems. Denn obwohl ihm eine metaphysisch-theologische Qualifizierung der empirisch-anthropologischen Religion fern liegt, deduziert er, wie Barth, die Kirche aus der Christologie. Von ihr muß »all das gelten, was die Christologie in ihrer Lehre von der unio hypostatica über das ›homo factus est‹ sagt«. Nach »der Regel: Opera trinitatis ad extra sunt indivisa« bezieht er die Pneumatologie in die Deduktion ein. Sie ergibt die »Definition« wesentlicher Kirche als »Zugleich und Ineinander« »empirisch-geschichtlicher« und »eschatologischer Größe«. Diem betont zwar, die »Einwohnung Gottes im Leib der Kirche« analog der »Menschwer-

728 S.o. 41.42f.

729 *Rosenkranz,* Enzyklopädie 20.21; *Marheineke,* Übersichtliche Einleitung 43; *Liebner,* Praktische Theologie 55.58f; *Rothe,* Praktische Theologie, 101. - »Die ganze Ausführung Liebners ist lediglich ein dialektisches Spiel in hegelscher Art. Die praktische Theologie ist ihm die Realisierung der Idee der Kirche, die mit ihrer Macht gleichsam ewig gegenwärtig über den im Zeitlaufe sich bewegenden historischen und praktischen Elementen schwebt« (*Uhlhorn,* Darstellung der praktischen Theologie 202).

werdung Christi«, diese »beiderseitige Teilhabe und Teilnahme des göttlichen und menschlichen Wesens«, sei »*kein Zustand*, sondern *ein Geschehen*«. Aber sein Versuch, »*Seins*kategorien« als Geschehenskategorien auszugeben, ist entweder ein kategorialer Widerspruch oder zeigt die Denkstruktur metaphysisch-ontologischer Entelechie an. Da sie für Diem ausscheidet, bleibt nur der kategoriale Widerspruch. Diem deutet ihn selber an. »Man kann von dieser communicatio immer nur uneigentlich und vorläufig in *Seins*kategorien reden.« Er sieht aber keine andere Möglichkeit, da er nur die Alternative: entweder »Trennung der Kirche als empirisch-geschichtlicher und als eschatologischer Größe« oder »Identifizierung« erkennt. *Tertium non datur?* Die Möglichkeit unverwechselbarer Unterscheidung – nicht Trennung – zwischen der Kirche des Glaubens und der empirischen Kirche taucht auch in seiner praktischen Theologie nicht auf[730].

Diese repräsentative Auswahl praktischer Theologen verbindet ihre Abhängigkeit von der ekklesiologischen »Prinzipienlehre« der Dogmatik oder systematischen Theologie. »Wo die Dogmatik die Notwendigkeit dieser Vorstellungen und Begriffe im Bewußtsein von der Gesamtidee des Christentums zu erweisen . . . hat, sind für die praktische Theologie Kirche, Gnadenmittel u. dgl. Tatsächlichkeiten . . . und der richtige Begriff von alledem kein Ergebnis der ihr eigenen Gedankenkonstruktion«[731]. Welche Probleme sich in solcher Abhängigkeit verbergen, zeigt die zweite Übereinstimmung. Mit der ekklesiologischen »Prinzipienlehre« übernahm sie die Wesenszentrierung der Dogmatik oder systematischen Theologie. Ob sie sich religionsphilosophisch oder geschichtsphilosophisch als Wesensinhärenz in der empirischen Kirche oder, in Nachwirkung dieser philosophischen Tradition, geisteswissenschaftlich als deduzierende Beschreibung wesentlicher empirischer Kirche darstellt, in beiden Fällen schließt sie eine unverwechselbare Unterscheidung zwischen der Kirche des Glaubens und der empirischen Kirche aus. Davon war die praktische Theologie, anders als die Dogmatik oder systematische Theologie, aber unmittelbar betroffen. Diese ekklesiologische Wesenszentrierung stand ihrem unabweisbaren Ausgangs- und Zielpunkt, ihrem Subjekt und Objekt, der empirischen Kirche, so im Wege, daß sie sich dieser Herausforderung stellen mußte. Dabei geriet sie in Widersprüche, die sie bis heute nicht überwunden hat.

Sie konnte aus der Not eine Tugend machen, indem sie sich die Voraussetzung eines mit der empirischen, individual- und sozialanthropologischen Religion identischen Gottesbewußtseins des Menschen zu eigen machte. Diesen Weg schlug sie im 19. Jahrhundert ein. Die in ihm häufig anzutreffende Personalunion von systematischer und praktischer Theologie be-

730 *Diem,* Praxis 50.64.68.22.52f.23. – »Wie . . . kann von diesen dogmatischen Maximen aus die gegenwärtige Praxis der Kirche wirklich in den Blick kommen? . . . Diem scheint die Kirche so, wie sie sein christologisch-pneumatologischer Ansatz begründet, nirgends an der empirischen Kirche wiederzuerkennen« (*Bloth,* Rezension Diem 103f).

731 *v. Zezschwitz,* Einleitung 139.

günstigte ihn. Dann sind in der »Kirche als Religionsgesellschaft« Kirche des Glaubens und empirische Kirche zwei Seiten einer Medaille, die sich zueinander wie inhärentes »Wesen« bzw. »Idee« und empirische »Thatsache« - so der Schleiermacherschüler Nitzsch - oder »Erscheinung« - so die theologischen Hegelianer - verhalten. Allerdings konnte sich die praktische Theologie mit solcher religionsphilosophisch-geschichtsphilosophischen Qualifizierung alleine nicht begnügen. In ihr geht es immer darum, »die Gegenwart methodisch zum Gegenstand ihrer Arbeit zu machen«. Als mit der gegenwärtigen Empirie direkt konfrontierter theologischer Disziplin oblag ihr dann in besonderer Weise die empirische Beweislast für die vorausgesetzte Identität von empirisch-anthropologischer Religion und Gottesbewußtsein des Menschen. Sie hat den Versuch unternommen, sie auf sich zu nehmen. *Friedrich Niebergalls* Interesse an der »Psychologie«, »die den ganzen Umfang, Zusammenhang und Vollzug des menschlichen Seelenlebens darzustellen hat«, galt den »Grundtrieben, aus denen Religion immer wieder hervorbricht«, »in der Seele der Jugend«. Denn auf diesen »Acker« fallen als »Same« »die geschichtlichen Errungenschaften und Persönlichkeiten, auf denen Christentum und Christenheit ruht«, »die christliche Überlieferung, um nicht den abgebrauchten Ausdruck ›Wort Gottes‹ zu gebrauchen«. Hier fungieren sie als Medium zur Aktualisierung der religiösen »Grundtriebe«. Hier wird - mit Schleiermacher - »Religion . . . auf dem Wege der Ansteckung durch Gefühle übertragen«. Hier wird »religionswissenschaftliche Facharbeit«, Niebergalls Neuetikettierung der »Theologie«, als »Religionspädagogik« praktisch und diese zum Inbegriff kirchlicher Praxis. Wie ununterscheidbar in dieser Psychologie empirische und religionsphilosophisch-metaphysisch qualifizierte »Religion« ineinanderliegen, wie sehr sie in diesem Sinne Religionspsychologie ist, zeigt die grundsätzliche Übereinstimmung mit den »Ansichten und Forderungen« des Religionspädagogen *Richard Kabisch,* die Niebergall herausstellte. Kabisch definierte das »Wesen der Religion« als »unmittelbarste Wirklichkeit des über sich selbst hinausgesteigerten Lebens«. Aus dem »Unterbewußtsein heraus ist in das bewußte Seelenleben die Gegenwart allmächtiger Kraftwirklichkeit hereingebrochen« und »richtet sich als Gottheit«, am Beispiel Jesu vorgeführt, im »Ich« des Menschen »auf«. Unter Abwertung seiner theologischen Qualifizierung - »das Wort Glaube spielt . . . bei Jesus . . . nicht die Rolle, die es bei Paulus spielt« - interpretierte Kabisch den Glauben entsprechend um: »Aufschwung des Gefühls durch den . . . Zustand einer lustvollen Anregung und Spannung, die das Leben durch eine aus dem Unterbewußtsein hereinflutende andere Welt steigert und erhöht, das ist das religiöse Erlebnis, der Glaube«. Der nachhaltige Eindruck des Einspruchs der »dialektischen« Theologie drängte diese Unterordnung der biblischen Gottesoffenbarung unter ein mit der empirisch-anthropologischen Religion angeblich identisches Gottesbewußtsein, die daraus folgende Gleichsetzung von Glaube und Religiosität und Reduktion der Kirche auf eine Religionsgesellschaft auch in der praktischen Theologie längere Zeit zurück. Aber nach 1960 begann das empirische Defizit dieser theologischen Richtung, ihre ablehnende Ignorierung der empirisch-anthropologischen Religion und der empirischen Kirche als Religionsgesellschaft in ihr Bewußtsein zu treten. Bloth kritisierte am Barth-Schüler Diem, er sage »an einigen wenigen, m.E. zu wenigen Stellen, ›daß der christliche Glaube . . . immer auf der Ebene des Religiösen erscheint . . .‹ . . . ., ja sogar, daß ›der homo religiosus naturalis . . . auch im homo christianus immer noch weiterlebt‹ . . ., wir hätten uns . . . gewünscht, Diem wäre den sich daraus . . . ergebenden Konsequenzen für die ›Kirche und ihre Praxis‹ stärker nachgegangen«. Es war, allen voran, die Religionspädagogik, die im Gefolge der durch den Pädagogen *Heinrich Roth* 1962 eingeläuteten »realistischen Wendung in der pädagogischen Forschung« in ihrer »empirischen Wendung« die empirisch-anthropologische »Religion« wiederentdeckte. »Konnte mit Hilfe des Religionsbegriffs, der ja auch in den Humanwissenschaften eine Bedeutung besaß, nicht endlich die längst fällige Öffnung der Religionspädagogik zu Soziologie, Psychologie und vor allem zur Pädagogik erfolgen?« *(Klaus Wegenast)* Aber sie blieb nicht bei der Wiederentdeckung der empirisch-anthropologischen »Religion« stehen. In betontem »Gegensatz zur Dialektischen Theologie«, der sie jetzt undifferenziert vorwarf, nach ihr sei »das Christentum überhaupt mit keiner Religion vergleichbar«, übernahm sie fast durchweg den »Religionsbegriff, wie er in der Theologie Paul Tillichs gesehen wird« *(Siegfried Vierzig, Ursula Früchtel)*. Als Korrektiv der mangelnden Berücksichtigung des empirischen Schülers und seines »Fragehorizonts« (Roth) in der von der »dialektischen« Theologie, besonders von Barth, beeinflußten Konzeption der »Evangelischen Unterweisung« war ihr Interesse an Tillichs »Methode der Korrelation« »als System wechselseitiger Abhängigkeit von existentiellen Fragen und theologischen Antworten« (Wegenast) zunächst ein praktisch-didaktisches. Aber sie übernahm mit ihm auch Tillichs Ausgang bei der »Frage nach Gott, die in der menschlichen Endlichkeit beschlossen liegt« und von der Tillich feststellt, in ihr sei »ein Bewußtsein um Gott gegenwärtig«. Dabei berief sie sich auf seine Versicherung, er leite die »Antworten« »nicht aus der Frage ab«, ohne kritisch zu bedenken, daß nach Tillich das »Bewußtsein um Gott« »der Frage voraus«-geht und deshalb an einer »natürlichen Theologie« festzuhalten sei[732]. Anders als die meisten Religionspädagogen erkannte Vierzig Tillichs Erneuerung einer metaphysisch-theologischen Qualifizierung der empirischen, individual- und sozialanthropologischen Religion und die aus ihr folgende Reduktion der Kirche auf eine Religionsgesellschaft: »Christlicher Glaube ist Religion in einer ganz bestimmten Ausprägung«. Er darf »nicht als die einzig mögliche Antwort erscheinen, sondern als die, die in unserem Kulturkreis . . . die religiöse Frage entfaltet«. Die Tragfä-

732 *Tillich,* ST I 240.15; vgl. *Hübner,* »Monolog im Himmel?« 63ff. S.o. 55f.58f.

higkeit dieser metaphysisch-theologischen Qualifizierung scheint er später aber selber anzuzweifeln, wenn er, in allerdings unklaren Formulierungen, Theologie als »Beschreibung einer Überwelt« eine »Absage« erteilt und eine konstitutive Bedeutung des im Wort Gott Angesagten bei ihm nicht mehr erkennbar wird. Angesichts des Erkenntnisstandes der empirischen Humanwissenschaften und der Ergebnisse wissenschaftlich organisierter Befragungen[733] muß sich die praktische Theologie heute in der Tat fragen, ob sie die empirische Beweislast für die Voraussetzung eines mit der empirischen, individual- und sozialanthropologischen Religion identischen Gottesbewußtseins des Menschen zu tragen vermag. Entfällt diese Voraussetzung, sieht sie sich aber der Herausforderung des aus ihr folgenden Ausschlusses einer unverwechselbaren Unterscheidung zwischen Kirche des Glaubens und empirischer Kirche in den religions- und geschichtsphilosophischen Ekklesiologien der Dogmatik oder systematischen Theologie erneut konfrontiert[734].

Die praktische Theologie konnte aber auch auf der unverwechselbar empirischen Kirche als ihrem Ausgangs- und Zielpunkt, Subjekt und Objekt so beharren, daß sie gegen ihre Abhängigkeit von den wesenszentrierten Ekklesiologien der Dogmatik und systematischen Theologie aufbegehrte. »Mich dünkt, man sollte . . . die Sache ganz einfach realistisch betrachten . . ., anstatt sich immer wieder durch dogmatische Kategorien von vorneherein den Weg zu verbauen« *(Heinrich Bassermann)*. Anstatt sich den Begriff Kirche unbesehen von der Dogmatik oder systematischen Theologie vorgeben zu lassen, »soll man mit dem Wort ›Kirche‹ wegen seiner Vieldeutigkeit sowohl sonst wie besonders in der praktischen Theologie überaus vorsichtig sein, sich immer genau überlegen, wie es in jedem einzelnen Fall gemeint ist, und es danach auch im Ausdruck genauer bestimmen« *(Wilhelm Bornemann)*. Unter der Ausgangsthese: »Der wissenschaftliche Gegenstand, um den es sich in der Praktischen Theologie handelt, ist das Leben der empirischen Kirche der Gegenwart« unternahm Drews 1910 geradezu einen Ausbruchsversuch aus der Abhängigkeit von der ekklesiologischen »Prinzipienlehre« der Dogmatik oder systematischen Theologie. Er kritisierte die von ihr übernommene »deduktive Methode« in der praktischen Theologie. »Nun ist es gewiß, daß eine Praktische Theologie unserer Tage diese Sprache der Deduktion nicht mehr redet. Aber ganz losgesagt hat sich doch noch nicht jeder davon«. Er bestritt der Dogmatik oder systematischen Theologie das Monopol in der ekklesiologischen »Prinzipienlehre«. »Endlich aber darf ein sehr wichti-

733 S.o. 74f.204ff.

734 *Niebergall*, Die wissenschaftlichen Grundlagen 223f.229; *ders.*, Religionswissenschaft und Pädagogik 67; *ders.*, Die Entwicklung zur Religionspädagogik 48f.53; *Kabisch*, Wie lehren wir Religion? 30f.36f; *Bloth*, Rezension Diem 104; *Wegenast*, Religion in der staatlichen Schule 280; *ders.*, Die Bedeutung biblischer Texte 326; *Früchtel*, Leitfaden 66; *Vierzig*, Lernziele 10; *ders.*, Theorie der »religiösen Bildung« 273f; *ders.*, Ideologiekritik 143.

ges Kapitel in unserer Gesamtdisziplin nicht fehlen: eine Prinzipienlehre . . ., (die) sich normaler Weise . . . an die Spitze der Praktischen Theologie stellen muß. Denn hier wird der Standort für alles weitere gewonnen; hier wird prinzipiell das Urteil gebildet und das Steuer gerichtet«. Aber der Ausbruchsversuch blieb im Anlauf stecken. Denn Drews blieb dem wesenszentrierten Denkweg verhaftet. Auch »in der Praktischen Theologie« ist »ernstlich vom Wesen der Kirche zu reden«. Seine Kritik an der »deduktiven Methode« in der praktischen Theologie schränkte er wieder ein: »Nun geht es freilich ohne Deduktion nicht ab, wie wäre das möglich?« Vom »Wesen der Kirche« sind ihre »äußeren Formen«, das »evangelische Amt«, »abzuleiten«, sogar das »Recht, ja die Notwendigkeit des empirischen Kirchenwesens, der Volkskirche«, ist von ihm her »nachzuweisen«. Wenn er einräumt, daß »vieles, was der Praktiker in dieser Prinzipienlehre vorträgt, auch der Systematiker in der Dogmatik oder Ethik sagt«, zeigte er das Mißlingen seines Ausbruchsversuchs selber an. Sein eigener wesenszentrierter Denkweg verhinderte mit dem Ausbruch aus der wesenszentrierten ekklesiologischen »Prinzipienlehre« der Dogmatik oder systematischen Theologie auch den Durchbruch zum von der Kirche des Glaubens, »der Kirche als der communio sanctorum«, unverwechselbar unterscheidbaren »Leben der empirischen Kirche der Gegenwart«. 1968 unternahm *Hans-Dieter Bastian* erneut den Versuch, aus der Abhängigkeit der praktischen Theologie von Dogmatik oder systematischer Theologie aus- und zur empirischen Kirche durchzubrechen. Anders als Drews erkannte er die Ursache des Ausschlusses einer unverwechselbaren Unterscheidung zwischen Kirche des Glaubens und empirischer Kirche in den »dogmatischen Wesensaussagen«. Sein Blick war durch die aus der »Logik der empirischen Forschung« hervorgegangene empirische Wissenschaftstheorie, wie sie insbesondere Poppers und Alberts Kritischer Rationalismus repräsentiert, geschärft für ihren Hintergrund, die wissenschaftlich fragwürdigen, »rein spekulativen Wesensaussagen« nicht nur in einer auf »Metaphysik« und »Ontologie« basierenden philosophischen, sondern, als deren Nachwirkung, auch in einer sich von den »traditionellen Geisteswissenschaften« mit ihrer »traditionellen Dichotomie von Natur- und Geisteswissenschaften« her verstehenden Theologie. Mit der empirischen Wissenschaftstheorie verwies Bastian die praktische Theologie mit ihrem unabweisbaren Gegenstand, der empirischen Kirche, an die auf *nomina* zur Konstituierung einer wissenschaftlichen »Theorie« – eines sprachlichen »Netzes, das wir auswerfen, um ›die Welt‹ einzufangen« (Popper) – begrenzte Reichweite wissenschaftlicher Begriffe. »Praktische Theologie . . . verabschiedet auch in der Sprachtheorie die Metaphysik und setzt an die Stelle von Wesensspekulationen über das Sein die Theorie sprachlicher Zeichen. Die Ontologie wird durch die Semantik verdrängt. Die Frage nach dem ›Wesen‹ der Sprache wird überholt durch das Problem, ›how does language work‹«. Damit brach Bastian aus der ekklesiologischen Wesenszentrierung aus, die der unverwechselbar empirischen Kirche und Praxis, dem unabweisbaren Ausgangs- und Zielpunkt, Subjekt und Objekt der praktischen Theologie den Weg verstellte. Aber der Preis für den Ausbruch war hoch. Bastian erkaufte ihn mit dem Verzicht auf die theologische Hinsicht der praktischen Theologie. Er manifestiert sich in einer verhängnisvollen Alternative: »Entweder ... die Praktische Theologie folgt der Lehre vom Wort (erg. Gottes), gewinnt Gewißheit (dogmatisch), aber verliert Wirklichkeit (praktisch), oder *sie wendet sich vom axiomatischen Wort ab* und den menschlichen Wörtern zu, übernimmt die Verantwortung für deren Macht und Ohnmacht und unterwirft kirchliches Reden und Handeln radikal der empirischen Analyse«. Er hat zur Folge, daß die »dogmatische Frage nach der Energie des Wortes Gottes« »methodisch *überblendet*« wird »durch die empirische Frage nach der Energie kirchlichen Redens und Handelns«. Im Ergebnis verkürzt er die praktische Theologie um den Ausblick auf die verheißene Kirche des Glaubens, das »Pfingstliche, das sich nicht machen, sondern nur erhoffen läßt«, damit um ihre theologische Perspektive und engt ihr Blickfeld auf die empirische Kirche und Praxis ein. Trotz Bastians Versicherung: »Wir plädieren nicht für einen Ersatz des Wortes Gottes durch ein modernes Wissenschaftsbewußtsein« bedeutet dessen »Suspendierung« die Suspendierung des Theologischen der praktischen Theologie[735]. Bastian erkannte zwar die Ursache mangelnder Unterscheidbarkeit der empirischen Kirche in der Wesenszentrierung der dogmatischen oder systematisch-theologischen Ekklesiologie, aber anstatt sich dieser Herausforderung theologisch zu stellen, zog er sich mit seiner Konzeption praktischer Theologie in ein empirisches Ghetto zurück[736]. Jedoch nicht die Abmeldung von der Beteiligung an einer dem Gegenstand Kirche gemäßen theologischen Ekklesiologie, sondern die Verantwortung – niemand nimmt sie ihr ab – dafür, daß ihr unabweisbarer Ausgangs- und Zielpunkt, ihr Subjekt und Objekt, die unverwechselbar empirische Kirche, in sie eingebracht wird, obliegt der praktischen Theologie. Beide Weisen, sich zur mangelnden Unterscheidbarkeit der empirischen

735 »An dieser Stelle muß ich auch Einspruch gegen das eigentümliche Pathos erheben, mit dem Bastian die Praktische Theologie so verdächtig alternativ auf den Weg der empirischen Analyse der Wirklichkeitsbewältigung durch die Naturwissenschaft und Technik einlädt ... Was hilft es, wenn sie dadurch optimale Effektivität im Bereich des Machbaren erreicht und dabei nicht darauf aufmerksam ist, daß und wie doch Kirche *nicht* machbar ist?« (*Harbsmeier,* Von Barth zu Bastian 33).

736 Entgegen Bastians Ansicht ist ohne theologische Auseinandersetzung mit seiner wesenszentrierten Ekklesiologie »Barths axiomatische Wort«-Gottes-Theologie durch die praktische Theologie kaum »neu zu gewinnen« (*Bastian,* Vom Wort zu den Wörtern 54). Das demonstriert gegenwärtig eine Rezension der »Grundfragen der Ekklesiologie« des »Barth-Schülers und Interpreten Walter Kreck« (*Bastian,* Vom Wort zu den Wörtern 29. S.o. Anm. 570). Der Rezensent urteilt, nicht ohne Anhalt beim Autor: »Die Ekklesiologie von W. Kreck (vertritt) ... mit allem Nachdruck die Auffassung, daß der Unterschied von Wesen und Existenzweise der Kirche nur dadurch aufgehoben werden kann, daß das Wesen sich selbst in der erscheinenden Wirklichkeit zur Aussprache und verständiger Durchsetzung bringt« (*Korsch,* Kirche als Aktion Jesu Christi 280). Die metaphysisch-ontologische Denkstruktur ist mit Händen zu greifen.

Kirche infolge der Wesenszentrierung der Ekklesiologien der Dogmatik oder systematischen Theologie zu verhalten, der Versuch, die empirische Beweislast für die Identität von empirischer, individual- und sozialanthropologischer Religion und Gottesbewußtsein des Menschen zu übernehmen, ebenso wie der Versuch, der theologischen Auseinandersetzung mit der dogmatischen oder systematisch-theologischen Wesenszentrierung auszuweichen, stellen am Ende nur erneut vor ihre Herausforderung[737].

In unmittelbarem Zusammenhang mit der Wesenszentrierung dogmatischer oder systematisch-theologischer Ekklesiologien steht auch ein ungeklärter Theoriebegriff der Verwirklichung einer praktischen und theologischen Disziplin innerhalb der als Theologie zusammengeschlossenen Disziplinen im Wege. Er verwickelte die praktische Theologie ebenfalls in Widersprüche, die bis heute nicht gelöst sind. Seitdem Schleiermacher sie als »Theorie der Praxis« sowohl auf die sich - positiv oder negativ - in ihrer Praxis manifestierende empirische Kirche ausrichtete als auch von ihr distanzierte - »praktische Theologie ist nicht die Praxis«[738] -, ist das Verhältnis von Theorie und Praxis und, darin eingeschlossen, das ihrer theologischen und praktischen Hinsicht in der praktischen Theologie umstritten. Übereinstimmung bestand von Anfang an darin, daß, mit Nitzschs prägnanter Formulierung, zwar »die ganze Theologie . . . scientia ad praxin«, aber, weil sie die sich in ihrer Praxis manifestierende empirische Kirche unmittelbar zum Gegenstand habe, die praktische Theologie »scientia praxeos«, »Theorie der kirchlichen Ausübung des Christentums« sei. Übereinstimmung bestand auch in dem Ziel, dazu beizutragen, »die Praxis«, mit Schleiermacher gesprochen, »so gut als möglich zu machen«. Nach welchen Kriterien sie zu bewerten und das Ziel einer »so gut als möglich«-en Praxis zu bestimmen sei, darüber gingen aber die Meinungen von Anfang an auseinander. Auch die heute weithin übliche Bezeichnung der »Praktischen Theologie als Handlungswissenschaft der Kirche«[739] hat daran nichts geändert[740]. Sie ist nicht neu. Bereits Nitzsch übersetzte seine Definition der praktischen Theologie als »scientia praxeos« mit »Wissen vom kirchlichen Handeln«[741]. Aber inzwischen sind »moderne Handlungswissenschaften entstanden«, in denen »nicht nur das Sein der Dinge, sondern das Handeln des Menschen . . . thematisiert« wird. Sie verschärfen das Problem des ungeklärten praktisch-theologischen Theoriebegriffs. Zur schon innertheologisch ungelösten »Zusam-

737 *Bassermann*, Rezension Achelis 158; *Bornemann*, Evangelische Missionskunde 219; *Drews*, Das Problem der Praktischen Theologie 76f.31.25; *Bastian*, Vom Wort zu den Wörtern 30ff.38.51.29.34.40 (Hervorhebungen E. Hübner).
738 *Schleiermacher*, Praktische Theologie 12.
739 *Krause*, Praktische Theologie und Studienreform 431.
740 »Wer von ›Handlungswissenschaft‹ spricht, um damit die Praktische Theologie zu kennzeichnen, muß sich darüber im klaren sein, daß dieser Begriff weder ausreichend geklärt noch allgemein anerkannt ist« (*Daiber*, Grundriß der Praktischen Theologie 61).
741 *C. I. Nitzsch*, Praktische Theologie I 5.

menarbeit mit den anderen theologischen Disziplinen, insbesondere mit der Systematik«, kommt nun noch die unvermeidliche »kritische Berücksichtigung der Methoden und Ergebnisse der Wissenschaften« hinzu, »die das Handeln des Menschen untersuchen«[742]. Es ist wiederum der metaphysisch nach dem ›Wesen‹ fragende Denkweg innerhalb wie außerhalb der Theologie, der einen theologisch sachgemäßen und praktisch angemessenen Theoriebegriff der praktischen Theologie bisher verhinderte.

Denn die Wesenszentrierung schien und scheint ihr einen schlüssigen Theoriebegriff anzubieten. Zur Bewertung »kirchlicher Praxis« bedarf es eines Kriteriums, das nicht aus ihr »selbst ... gehörig ermittelt werden« kann. Wo »man nur auf(-griff), was gerade vorhanden war in der Praxis, und ... eine Theorie dazu« machte, wurde »die praktische Theologie ... in Form eines schlechten Empirismus angelegt«. Erst in einer mit der Praxis nicht identischen »Theorie«, die »nur kritisch zustande gebracht (wird), d.h. abgeleitet aus Ideen, aber überall mit Rücksicht auf die Praxis, welche geleitet werden soll«, kommt ein nicht nur der praktischen, sondern auch der theologischen Hinsicht der praktischen Theologie entsprechendes Kriterium in den Blick. Diese »Ideen« werden durch »Spekulation« gewonnen, die »das Notwendige erkennt«. Ihre Differenz zur Empirie wird zum Bewertungskriterium des Zustands und der Verbesserung »kirchlicher Praxis«. Die Ableitung dieses Theoriebegriffs aus spekulativen »Ideen« verbindet den Schleiermacherianer *Alexander Schweizer* mit den theologischen Hegelianern. Weil »die praktische Theologie ... es mit der Idee zu tun (hat), wie sie in der Erscheinung sich verwirklichen soll«, sind die »spekulativen Prinzipien« die »Basis« ihrer »Theorie« (Rosenkranz). Weil die »Tätigkeit« in der Kirche »ein Wirken sein muß in der Idee der christlichen Religion und Kirche«, kann die praktische Theologie »des spekulativen Gedankens nicht entbehren«. Sie ist »der theoretischen innerlich und notwendig verknüpft« (Marheineke). Ist die »spekulative Theologie ... das Wissen um die *Idee*«, so ist die »praktische Theologie das Wissen um die *werdende Erscheinung*«. Die »spekulative Theologie« stellt ihr als »ideelle Theorie des christlichen Lebens oder der Lehre vom ewigen Wesen, vom Seinsollen des christlichen Glaubens, der in der Liebe tätig ist«, »die Aufgabe«. »Der praktischen Theologie bleibt nun die Theorie der Methode, der Kunst, die gestellte Aufgabe unter den gegebenen historischen Bedingungen zu lösen«. So begleitet sie die »im endlichen Zeitlauf« »fortwährend nach dem Ideale des Reiches Gottes« drängende Kirche »auf jedem Übergangspunkt aus dem Vorhandenen ins Folgende« (Liebner)[743].

Von der praktischen Theologie als kritischer Theorie in der Differenz von

742 *Schröer,* Inventur 445f.

743 *Schweitzer,* Begriff und Einteilung der praktischen Theologie 30f; *Rosenkranz,* Enzyklopädie 21f; *Marheineke,* Übersichtliche Einleitung 42f; *Liebner,* Praktische Theologie 54f.58.

metaphysischem Wesen bzw. Idee und empirischer Erscheinung der Kirche und ihrer Praxis und in entelechisch-teleologischer Ausrichtung auf die Verwirklichung ihres Wesens bzw. ihrer Idee bei den theologischen Hegelianern des 19. Jahrhunderts führt ein gerader Weg zur Rezeption der Kritischen Theorie der Frankfurter Schule in der praktischen Theologie der Gegenwart. Ihn exemplifiziert *Godwin Lämmermann* an Marheineke. Von diesem wurde praktische Theologie »als eine hauptsächlich theoretische Disziplin entwickelt, die die Notwendigkeit einer veränderten Praxis denkt und darin kritische Theorie ist«. Lämmermann hält Marheineke aber vor, seine Intention nicht verwirklicht zu haben. Infolge »der identitätsphilosophischen Fiktion bezüglich der Einheit von Theorie und Praxis« »schloß« er »nämlich das Denken gegen die Empirie ab«. Praktische Theologie muß aber darauf bestehen, »daß die Empirie gegenüber dem Denken Selbständigkeit behält«. Denn ihr Gegenstand ist unabweisbar die sich in ihrer Praxis manifestierende empirische Kirche. Die »Selbständigkeit« der »Empirie gegenüber dem Denken« sieht Lämmermann dagegen in der Kritischen Theorie der Frankfurter Schule gewahrt. »Gegenüber der identitätsphilosophischen«, fiktiven »Einheit von Theorie und Praxis« »thematisiert« sie »ihre unaufhebbare Unterschiedenheit«, damit aber, im Unterschied zu Marheineke, eine wahrhaft »kritische Theorie«, die »nicht reines selbstbezügliches Denken«, »sondern ... praktisch veranlaßt« ist und wirklich »auf (›veränderte‹) Praxis« »zielt«. Denn in »Überbietung Hegels« zieht sie die »Hegelsche Begriffslogik« in die »Einsicht« aus, »daß nicht nur im Denken, sondern auch in der Empirie«, »im Wirklichen selbst sein Begriff enthalten sein muß«, aus dem in »einer tatsächlichen Ur-Teilung des Begriffs in Begriff und Realität« »die grundlegende Differenz zwischen beiden«, damit aber die »partielle Nichtidentität von Denken und Empirie, Theorie und Praxis« »entwickelt werden kann«. Ob die Kritik an Hegel und der »rechtshegelianischen Tradition« durch den »Linkshegelianismus, insbesondere (durch) K. Marx«, die hinter der Kritischen Theorie der Frankfurter Schule steht, stimmig ist, kann hier auf sich beruhen. Wichtig sind dagegen die Übereinstimmungen »durch die Spaltung der Hegelschule« hindurch. Die linkshegelianisch-neomarxistische Frankfurter Schule hält an dem »Anspruch« fest, »in der Wirklichkeit der Erscheinungen ... Wesentliches erkennen zu können«, eine »ursprüngliche Identität«, die im »Begriff« anwest, angesichts derer die »Differenz« zwischen »Begriff und Realität«, ein »Wesen«, angesichts dessen die »Unterscheidung zwischen Wesen und Erscheinung« erst »entwickelt werden« können. M.a.W. auch die Frankfurter Schule ist dem »Begriff« »Wesen« zuschreibende ontologische Metaphysik. Sie strebt angesichts der »partiellen Nichtidentität von Denken und Empirie«, »Wesen« und »Erscheinung«, »Theorie und Praxis« ihre »Identität« und »Einheit« in »Antizipation« geschichtlicher und gesellschaftlicher Zukunft an. M.a.W. auch die Frankfurter Schule ist das »Wesen« der »Erscheinungen« und seine entelechisch-teleologische Verwirklichung als

»Endzweck« der Geschichte wissende, metaphysische Geschichtsphilosophie im Geiste Hegels[744]. Sie setzt, wie der theologische Hegelianer des 19. Jahrhunderts, eine »über die unmittelbare Faktizität« hinausgehende »Potentialität«, »ein grundsätzliches Mehr gegenüber der Praxis« voraus, das als metaphysisches »Wesen« der jeweiligen empirischen »Wirklichkeit« inhärent ist und »aus ihr heraus« zum Movens »einer kritischen und vernünftigen Gestaltung der Praxis« wird. M.a.W. auch die Frankfurter Schule ist Kritische Theorie in der Differenz von metaphysischem »Wesen« und empirischer »Erscheinung« und entelechisch-teleologischer Ausrichtung auf die Verwirklichung des metaphysischen Wesens der empirischen Erscheinung.
Lämmermanns Darstellung ist immer schon »Rezeption der kritischen Theorie« der Frankfurter Schule für seine Konzeption praktischer Theologie. Anfragen an diesen Theoriebegriff lassen sich durchweg an ihn anknüpfen. Weil die Kritische Theorie der Frankfurter Schule den »Anspruch« erhebt, »in der Wirklichkeit der Erscheinungen . . . Wesentliches erkennen zu können«, eignet sie sich als »Modell« für eine praktische Theologie, in der »beide Gesichtspunkte«, der »spekulative« und der »empirische«, »zu integrieren« sind. Denn der »empirische« benötigt den »spekulativen« »Gesichtspunkt« als Kriterium. Damit handelt sich die praktische Theologie aber eine metaphysische Wesensspekulation ein, die sich, Hegels Wissenschaftssystematik folgend[745], mit wissenschaftlichem Anspruch die empirische Erkenntnis unterordnet. In einem solchen »Modell« ist nicht nur eine unverwechselbare Unterscheidung von metaphysischem »Wesen« und empirischer »Erscheinung« von vorneherein ausgeschlossen[746], sondern das empirisch »Besondere« gilt hier an und für sich als »das Unwahre«. Erst durch »spekulative« »Wesens«-Erkenntnis kommt es zu seiner Wahrheit. Aus diesem Grund disqualifiziert Lämmermann das »seit Durkheim geltende soziologische Grundgesetz, soziale Phänomene wie Tatsachen und Dinge zu behandeln«, eine sich der »Grenzen der Aussagekraft und des Geltungsbereichs sozialwissenschaftlicher Befunde«[747] bewußte empirische Soziologie, als »erkenntnistheoretische Reduktion der Erscheinungen auf sich selbst«. So empfiehlt er, von vorneherein »der augenwischerischen Faszination religiöser Meinungsbefragungen skeptisch« zu »begegnen«. Dann kann aber von »Selbständigkeit« der »Empirie gegenüber dem Denken« allenfalls eingeschränkt die Rede sein. Ist sie, wie auch Lämmermann meint, in der praktischen Theologie unverzichtbar, dann vermag die Frankfurter Schule ihr in dieser Hinsicht kein angemessenes Theorie-»Modell« anzubieten.
Das Theorie-»Modell« der Frankfurter Schule bedarf zwar nicht »theolo-

744 S.o. 232f.
745 S.o. 234ff.
746 S.o. 244f.
747 *Weinert,* Sozialwissenschaftliche Forschung 5.

gischer Erweiterung«, »sperrt« sich sogar »dagegen«, »ist aber mit Theologie kompatibel«. Der »Anspruch, das Faktische als solches nicht als einzige Bestimmung des Menschen stehen zu lassen«, sondern »zu transzendieren hin auf die allgemeine Bestimmung in diesem Besonderen«, konvergiert mit einer »eschatologisch orientierte(n) Theologie, die das Reich und Handeln Gottes nicht abstrakt gegen die Geschichte, sondern als in dieser erscheinend und zugleich sich noch verbergend begreift«. Lämmermann ist der Ansicht, es handle sich in solchen »Konvergenzpunkten« lediglich um »strukturelle Berührungspunkte«, die die Theologie »inhaltlich« nicht tangieren. Auch im Blick auf ihre »Sache« biete ihr die Frankfurter Schule ein, weil lediglich »strukturelles«, von ihr rezipierbares Theorie-»Modell« an. Daß die Theologie eine »Sache« vertritt, die »das Faktische ... nicht als einzige Bestimmung des Menschen stehen« läßt und »eschatologisch« »auf das Reich und Handeln Gottes« hin »orientiert« ist, ist unstrittig. Aber ihre Erkenntnis durch Transzendierung »auf die allgemeine Bestimmung in diesem Besonderen«, m.a.W. durch Induktion des metaphysischen Wesens in der empirischen Erscheinung, widerspricht dem Erkenntnisgrund der Theologie. Theologie, die bei der »Sache« der Bibel bleibt, gründet in der Offenbarung des mit keinem metaphysischen Wesen identischen biblischen Gottes. Ihm entspricht allein der mit metaphysischer Induktion nicht identische Glaube. Als Verwirklichung ihres »in dieser erscheinenden und zugleich sich noch verbergenden« metaphysischen Wesens begriffene Geschichte, m.a.W. metaphysische Geschichtsphilosophie im Geiste Hegels, und »eschatologische« Orientierung der Theologie »auf das Reich und Handeln Gottes« hin sind nicht dasselbe. Theologie, die bei der »Sache« der Bibel bleibt, »bewahrt« »den Glauben als Glauben« (Jüngel) an »das Reich und Handeln« des mit einem metaphysischen Wesen auch in der Erstreckung seiner geschichtlichen Verwirklichung nicht identischen, »*in* der Wirklichkeit« der unbegreiflichen Geschichte ihr »gegenüber« zu denkenden Gottes. Dann stellt die »Rezeption der kritischen Theorie« die Theologie aber erneut vor die Frage, auf welchem Fundament – auf einem anthropologisch-religiös-metaphysischen oder auf dem theologisch-apostolischen – sie denkt. »Im Gegensatz zur kritischen Theorie der Frankfurter Schule« sucht Lämmermann »Sinn« zwar nicht »allein in der gesellschaftlichen«, sondern auch in der religiösen »Bestimmtheit des Menschen« und hält an der Rede vom »Reich und Handeln Gottes« fest. Aber Gott als Gegenüber der »Wirklichkeit« perhorresziert er als »Hypostasierung einer absoluten Transzendenz und ... Vorstellung an-sich-seiender Totalität«. Vierzig, ein anderer Vertreter der »Rezeption der kritischen Theorie« in der praktischen Theologie und Religionspädagogik, reduziert Theologie auf »die Reflexion der Inhalte und Konsequenzen eines historisch-gesellschaftlichen Geschehens um die Person Jesu von Nazareth«. *Gert Otto* begreift mit Rothe »Kirche ... transitorisch« und überschreitet sie in Richtung einer veränderten Gesellschaft, wie sie die Gesellschaftskritik der Kritischen Theorie der Frankfurter Schule ankündigt. Er definiert praktische Theologie als »Theorie religiös vermittelter Praxis, oder genauer: . . . kritische Theorie religiös vermittelter Praxis in der Gesellschaft«. Während er dennoch dazu auffordert, »dem Eindruck zu widerstehen, auf diese Weise würden ›Soziologismen‹ o.ä. an die Stelle originär theologischer Inhalte«, »an die Stelle des Evangeliums treten«, zeigt Vierzig mehr Durchsicht, wenn er - zustimmend - urteilt, »ein solcher Ansatz« widerspräche nicht nur »dem traditionellen Selbstverständnis der christlichen Theologie«, sondern auch »dem Offenbarungsanspruch der biblischen Tradition«. Damit bestätigt er *Manfred Josuttis'* Anfrage an Ottos »Konzeption« praktischer Theologie als »Anhängsel einer gesellschaftlichen, geschichtsphilosophischen . . . Theorie«: »Bedeutet« diese »Konzeption« »nicht, daß sich das Evangelische des Evangeliums nicht mehr theologisch, sondern gesellschaftstheoretisch, im Rahmen der kritischen Theorie . . . messen läßt?« Sein Urteil lautet: »Hier hat sich Theologie ansatzweise, aber konsequent ihr Ende gedacht«. Seiner eindeutigen Kritik an Otto entspricht allerdings - repräsentativ für eine teilweise, oft unbewußte »Rezeption der kritischen Theorie« bei vielen praktischen Theologen und Religionspädagogen der Gegenwart - keine ebenso eindeutige Absage seiner eigenen Konzeption praktischer Theologie. Ist in der praktischen Theologie sich an der »Sache« der Bibel ausweisende theologische Sachgemäßheit ebenfalls unverzichtbar, dann vermag die Frankfurter Schule ihr auch in dieser Hinsicht kein angemessenes Theorie-»Modell« anzubieten.

Das Theorie-»Modell« der Frankfurter Schule gründet in der »Dialektik von Erscheinung und Wesen« metaphysischer Geschichtsphilosophie. »In der Reflexion auf das Wesen erscheint« in der Erstreckung der Geschichte »das Mögliche als eine reale Bestimmung des Wirklichen unter dem Vorzeichen des Noch-nicht-seins«. Es wird zum Movens »einer kritischen und vernünftigen Praxis«. Entsprechend konzipiert Lämmermann den Praxisbezug der praktischen Theologie. Wie ihr »Modell« in einer metaphysischen Geschichtsphilosophie, so kann sie »nur in einer« entsprechenden »geschichtstheologischen Gesamtkonzeption begründet werden«. Wie dort, so ist auch hier die »Konfrontation von Möglichem und Wirklichem« Resultante ihrer »Dialektik«. Wie dort, so wird auch hier das »Mögliche« zum Movens eines »kritischen und zugleich praxisrelevanten Gedankens«. »Aufgabe« der praktischen Theologie ist es dann, »in den gegenwärtigen gesellschaftlichen Erscheinungen die wesentliche Bestimmung von Kirche und Religion zu erheben«, um »Kompetenz« zu gewinnen, »konkrete Möglichkeiten der Veränderung im Wirklichen aufzeigen zu können«. Auf diese Weise soll sie »zum kritischen Begleiter der kirchlichen und religiösen Praxis der Gegenwart« werden. Diese Entsprechungen zwischen der Kritischen Theorie der Frankfurter Schule und der praktischen Theologie sind keine bloß »strukturellen«, sondern haben weitreichende »inhaltliche« Folgen. Schon rein äußerlich fällt Lämmermanns Enthaltsamkeit im Gebrauch inhaltlicher theologischer Bestimmungen auf. Während sie sich bei den »klassischen Disziplinen der Praktischen Theologie«: »Religionspädagogik, Homiletik und Seelsorgetheorie« sonst fast assoziativ einstellen, fehlen sie hier völlig. In einer auf der metaphysischen »Dialektik von Erscheinung und Wesen« basierenden Geschichtstheologie west die »geschichtliche Erfahrung vom Handeln Gottes« ja auch dann an, wenn nicht ausdrücklich von ihr die Rede ist. Praktische Theologie kommt im Blick auf die Praxis über Formulierungen wie: sie hat »die individuellen handlungsleitenden Sinnkonstruktionen aus dem Handlungszusammenhang heraus zu rekonstruieren und in einen universellen, d.h. theoretischen Zusammenhang einzubringen« dann allerdings kaum hinaus. Konkreter wird Lämmermann dagegen da, wo sein »Modell«, die Kritische Theorie der Frankfurter Schule, durchscheint. Da ist die Rede von »ideologiekritischer Aufarbeitung der religiösen Sprache«, »Verdinglichung des wissenschaftlichen Bewußtseins«, »emanzipatorischem Interesse«. D.h. in dem Maße, in dem sich in seiner Konzeption praktischer Theologie inhaltliche theologische Bestimmungen verflüchtigen, gewinnt sie ein gewisses Profil durch die metaphysische Geschichtsphilosophie der Kritischen Theorie der Frankfurter Schule. Ihre Absorbierung durch dieses Theorie-»Modell« zeichnet sich ab[748]. Unüberhörbar ist sie in Vierzigs »ideologiekritischem Religionsunterricht«. Auf einer »materialistischen, erkenntnistheoretischen Ebene«, auf der »Religion« »als ein Produkt der gesellschaftlichen Entwicklung verstanden wird«, und unter »Aufhebung jeglichen Absolutheitsanspruchs« insbesondere des »Christentums« ist sein Ziel, »Schüler zum politischen Handeln« nach Maßgabe der »kritischen Gesellschaftstheorie« des »frühen Marx und der Frankfurter Schule« »zu qualifizieren«. Ebenso ist Ottos Konzeption praktischer Theologie »als kritische Theorie religiös vermittelter Praxis in der Gesellschaft« identisch mit solcher »politischen Theologie«. Am »lateinamerikanischen Beispiel« proklamiert er mit bemerkenswerter Gedankenlosigkeit: »Nicht das theologische Programm ist das erste, sondern die Teilnahme am Befreiungskampf . . . Theologie ist also hier das zweite«. Zwar ist Lämmermann zu besonnen, um solcher »Partei-

748 Einen analogen Vorgang stellt Ruhloff in der Pädagogik fest: »Eine eigene Aufgabe . . . muß die Pädagogik allerdings reklamieren und ausweisen, damit sie überhaupt irgendein frag-würdiges Rezeptionsverhältnis zur ›kritischen‹ oder einer anderen Theorie eingehen kann. Fiele diese Bedingung, so gäbe es . . . allenfalls eine Absorption durch die ›kritische‹ (oder eine andere) Theorie oder eine Integration in sie . . . weil die Totalitätsambition der ›kritischen Theorie‹ der Gesellschaft . . . tatsächlich bedeuten oder wenigstens so interpretiert werden (kann), daß Pädagogik von daher gesehen gar nicht anders denn als eingegliederte Verbesonderung eines übergreifenden allgemeinen Zusammenhangs zu verstehen wäre, und daß hieße . . . die Vertilgung ihres Selbstverständnisses aus dem eigenen, unableitbaren, begründenden Zusammenhang, die Absorption durch die ›kritische Theorie‹«. Sie ist »nicht als die legitime Folge von *deren* systematisch-theoretischer *Stärke*, sondern als die Konsequenz einer weitverbreiteten, selbstverschuldeten . . . *Schwäche der Pädagogik* zu deuten. Diese Schwäche war und *ist* aufs Ganze gesehen . . . das Unvermögen, die pädagogische Aufgabe mitsamt deren möglichen sozialen Konsequenzen aus einem eigenen grundlegenden Gedankengang zu rechtfertigen und daraus zu vollziehen« (*Ruhloff*, Pädagogik und »kritische Theorie« 220.231).

lichkeit«, einem »politischen Programm« als Vorgabe das Wort zu reden, als »Folgen« am »Modell« der Kritischen Theorie der Frankfurter Schule konzipierter praktischer Theologie liegen sie aber auch in seiner Perspektive[749]. Es hätte nicht erst der Feststellung Ottos bedurft, solche praktische Theologie passe »sich nicht mehr in ein Schema ein«, das »nur von überkommenen kirchlichen Diensten . . . organisiert ist«, um ihre Überfremdung durch die Kritische Theorie, die Instrumentalisierung der kirchlichen Praxis zum Mittel für deren Ziele zu erkennen. Wie tief die praktische Theologie in ihren »Bannkreis«[750] geraten ist, demonstriert Ottos Kritiker Josuttis, wenn er wohl vor einer »naiven, nichtneomarxistischen Beschreibung des Verhältnisses von Theorie und Praxis«, aber nicht ebenso ausdrücklich vor der naiven praktisch-theologischen Rezeption dieses Modells warnt. Ist praktische Theologie Theorie um einer der »Sache« der Bibel entsprechenden Praxis der Kirche willen, dann hat die Frankfurter Schule ihr auch in dieser ihrer spezifischen Hinsicht kein angemessenes Theorie-»Modell« anzubieten. Der Grund, weshalb sie gerade praktische Theologen und Religionspädagogen fasziniert, ist da zu vermuten, wo ihn *Herwig Blankertz* für die strukturell vergleichbare »Pädagogik« angibt: Sie darf »nicht in Szientismus aufgehen«. Blankertz fährt fort: Die »Pädagogik« »ist vielmehr um ihrer kritischen Funktion willen an die Überlieferung von Philosophie und Umgangsweisheit rückgebunden«[751]. Die »Überlieferung«, an die praktische Theologie »rückgebunden« ist, ist die biblische. Ihre »Sache« widerspricht nicht allein dem Theorie-»Modell« der Frankfurter Schule, sie widerspricht ebenso dem, was Blankertz »Szientismus« nennt. Wer sich seinetwegen auf die Kritische Theorie einläßt, ist deshalb aus der Frage nach der Angemessenheit dieses Theorie-»Modells« für die praktische Theologie nicht entlassen[752].

749 Zu den politischen Folgen der Geschichtsphilosophie Hegels ist aufschlußreich, was E. Topitsch zum Rechts-Hegelianismus und Albert zum Links-Hegelianismus bzw. Neomarxismus kritisch vorbringen: »Diese ›Wesensgestalt‹ des Staates schwebt aber nicht irgendwo an einem ›überhimmlischen Ort‹, sondern verwirklicht sich als Endprodukt des dialektisch-teleologischen Geschichtsprozesses – ein Glaube, der gleichfalls eine außerordentliche und sehr spezifische politische Relevanz besitzt. Die Überzeugung, eine bestimmte Ordnung menschlichen Zusammenlebens besitze dergestalt einen objektiven Wertvorrang vor allem übrigen und sei darüber hinaus das vorsehungshaft bestimmte Telos des geschichtlich-gesellschaftlichen Prozesses, kann ihre Anhänger sehr leicht in der Meinung bestärken, sie könnten sich über alle abweichenden politischen Meinungen kurzerhand hinwegsetzen und deren Vertreter rücksichtslos unterdrücken« (*Topitsch*, Hegel-Apologeten 354). – »Die revolutionäre Praxis . . . zielt darauf ab, zunächst einmal *tabula rasa* zu schaffen, um dadurch den Neubau der Gesellschaft von Grund auf zu ermöglichen . . . Da die Verfechter solcher Auffassungen die Gewißheit zu besitzen pflegen, daß sich in ihnen der Sinn der Geschichte erfüllt und daß ihre Gegner sich total im Unrecht befinden, neigen sie ganz zwanghaft zu einem Zweck-Mittel-Denken, für das die Zulässigkeit irgendwelcher Mittel für die Realisierung des erwünschten Zustands keine Probleme aufwirft« (*Albert*, Traktat 163).

750 *Ruhloff*, 231.

751 *Blankertz*, Geschichte der Pädagogik 307.

752 *Lämmermann*, Kritische oder empirisch-funktionale Handlungstheorie? 111f.104f. 133ff.122.108f.128f.152.148.145f.142; *Vierzig*, Ideologiekritik 143.157ff.178; *Otto*, Thesen 203.200f; *ders.*, Praktische Theologie als kritische Theorie 26f.23f; *ders.*, Zur gegenwärtigen Diskussion 23; *Josuttis*, Praxis des Evangeliums 256f.265.

Gegen den wesenszentrierten Theoriebegriff, der die praktische Theologie von ihren Anfängen im 19. Jahrhundert bis zur Rezeption der Kritischen Theorie in der Gegenwart bestimmt, wandte sich ein empirischer Theoriebegriff. Er ist erst jüngeren Datums, weil er die Weiterentwicklung von Kants Kritik der Metaphysik als Wissenschaft und die Begrenzung wissenschaftlicher Erkenntnis auf die Empirie in der Wissenschaftstheorie des Kritischen Rationalismus voraussetzt. Sein Wortführer, Bastian, klammert die »rein spekulativen Wesensaussagen« der Dogmatik oder systematischen Theologie nicht nur um der Unterscheidbarkeit der empirischen Kirche willen aus, sondern intendiert darüber hinaus einen der praktischen Theologie angemessenen und d.h. für ihn empirischen Theoriebegriff. Denn die »Theorie praktischer Theologie« muß die empirische Kirche und ihre »Praxissituationen«, in denen »gehandelt, entschieden, gewählt wird«, kritisch und kreativ begleiten. Indem sie »die unbekannten Bereiche mit Hypothesen markiert, eingrenzt und langsam vermindert«, zielt sie auf »die Feststellung von notwendigem Regelwissen unter den Bedingungen des Nicht-Wissens kirchlich-christlichen Handelns« und darauf, »das Handeln strategisch, unter den Bedingungen des Nicht-Gewußten zu verbessern«. Wie Bastians Ausbruch aus der Wesenszentrierung der dogmatischen oder systematisch-theologischen Ekklesiologie und Durchbruch zur empirischen Kirche, so ist seine Ablehnung eines wesenszentrierten Theoriebegriffs, der in der Rezeption der Kritischen Theorie »aufs Ganze theoretisiert, ... obgleich sich vom Ganzen erfahrungsgemäß gar nichts wissen läßt«, und »gesellschaftsverändernde Praxis gesinnungsstark einklag(t)«, und sein Eintreten für einen empirischen Theoriebegriff, der sich auf die empirische Praxis der Kirche und ihre Verbesserung beschränkt, zunächst eine Aufforderung an die praktische Theologie, sich wieder ihrem unabweisbaren Gegenstand zuzuwenden. Aber der Schluß, den Bastian zieht, macht stutzig: »Im Blickpunkt Praktischer Theologie steht der kirchlich-christliche *homo faber*«. Der *»homo faber«*, der sich der Welt und des Menschen naturwissenschaftlich-technisch bemächtigende Mensch »Blickpunkt«, Mittelpunkt, Ziel praktischer Theologie? Es ist zu befürchten, daß Bastian es so meint. »Eine Predigtlehre ..., die eine institutionalisierte Redepraxis ... pneumatologisch begründet, bringt alle praktischen Probleme ... erfolgreich zum Verschwinden«. Aus der suggerierten Alternative: entweder »pneumatologische« Begründung oder »praktische Probleme« in der »Predigtlehre« geht ein bloß empirischer Theoriebegriff praktischer Theologie hervor: »Sie behandelt ... die Predigt nicht pneumatologisch, sondern lern-kommunikationstheoretisch, gruppendynamisch, linguistisch, rhetorisch«. D.h. aber, wie bei seinem Durchbruch zur empirischen Kirche, so redet Bastian auch auf der Suche nach einem angemessenen Theoriebegriff praktischer Theologie der Ausklammerung ihrer theologischen Perspektive das Wort. Einer Theorie, die dann alleine auf Effizienz abzielt, entspricht eine Praxis, die sich in Effizienz erschöpft. Daß Bastian den Inbegriff seines Theoriebegriffs im sich durch »Rückkopplung« selbst steuernden, in sich geschlossenen, die Zielangabe des ›Kapitäns‹ – im Falle praktischer Theologie: ihre theologische Perspektive – zwar voraussetzenden, aber außen vor lassenden, kybernetischen Regelkreis sieht, ist dann folgerichtig. Im »Modellkonstrukt in Gestalt eines Regelkreises«, das auch *Rolf Zerfaß* nach dem »Konzept des amerikanischen Pastoraltheologen S. Hiltner« für die »praktisch-theologische Theoriebildung« rezipiert, hat der christliche »Überlieferungsbestand« lediglich den Stellenwert des »Sollbestands«, der außen vor bleibenden Zielsetzung. Wer – wie Zerfaß – meint, dennoch »aus dem Impuls christlicher Überlieferung kritisch und konstruktiv auf das gegenwärtige Handlungsfeld Einfluß nehmen« zu können, verkennt dieses Bedingungsgefüge[753]. Diese Theorie praktischer Theologie verkürzt von ihr orientierte Praxis um ihr im Attribut »kirchlich-christlich« angezeigtes Proprium[754]. Daß Bastian es im Nachhinein zur Sprache zu bringen versucht, kann ihr theologisches Defizit nicht mehr beheben, sondern nur bestätigen. »Es gibt keine christlich-kirchliche Handlungskompetenz ohne plausible Legitimation. Schon das Attribut ›christlich-kirchlich‹, das wir bislang ungeklärt benutzt haben, beinhaltet einen Wahrheitsbezug. Welche Bedingungen machen ein Handeln christlich-kirchlich?« Anstatt in der Theorie praktischer Theologie dieser Frage Raum zu geben, verweist er sie »auf den Kontakt mit der systematischen Theologie«. Denn der »Praktiker« muß »vom Streß des Legitimationszwangs ... entlastet werden«! Bastians Urteil, ohne theologische »Legitimation« »bliebe das Erfahrungswissen der Praktischen Theologie ungeordnet, beliebig instrumentierbar, zufällig und bar jeder Legitimität«, richtet sich dann aber gegen ihn selber. Sein um die theologische Hinsicht verkürzter, empirischer Theoriebegriff unterliegt der Kritik, die schon Nitzsch zu Schleiermachers Reduktion praktischer Theologie »auf Regeln oder Methoden der kirchlichen Ausübung« äußerte[755]. Ist praktische Theologie Theorie um einer der »Sache« der Bibel entsprechenden

753 Vom kybernetischen Regelkreis gilt, was der Pädagoge Blankertz für die informationstheoretische Didaktik feststellt: »auf jeden Fall liegt die Kapitänsfunktion, also die Instanz, die die zu erreichenden Lernziele angibt, außerhalb des Regelkreises« (*Blankertz,* Theorien und Modelle 53).

754 Sieht Bastian »den fundamentalen Wesensunterschied des kirchlichen Handelns zu dem Handeln, das der technischen Welt- und Selbstbewältigung bis hin zur Pädagogik dient? ... Es geht m.E. nicht an, das Handeln, das der Selbst- und Weltbewältigung dient, mit seiner Theorie und Praxis direkt auf das Handeln und Reden der Kirche zu übertragen – und damit ›bastian‹. Denn das Reden und Handeln der Kirche ist wohl den Bedingungen unterworfen, die das Handeln der Welt- und Selbstbewältigung sich geschaffen hat, aber es ist nicht auf Selbst- und Weltbewältigung aus, es soll und will nicht ›bewältigen‹« (*Harbsmeier,* Von Barth zu Bastian 34).

755 »Das Motiv kommt aus der nicht zu bestreitenden Erfahrung der Wirkungslosigkeit einer Predigt oder einer Unterweisung, die dogmatisch-assertorische Sätze nur paraphrasiert. Diese erfahrene Wirkungslosigkeit hat nach Bastian die Ursache im Wirklichkeitsdefizit der dogmatischen Gewißheit. Dieses Defizit möchte Bastian durch die Hinwendung zu den Wörtern ausgleichen. Der Defizitausgleich geschieht bei ihm aber gerade nicht unter beständiger Orientierung am (dogmatischen) Wort Gottes, sondern unter beständiger einseitiger Orientierung an der Effektivität im technischen Sinn« (*Harbsmeier,* Von Barth zu Bastian 38).

Praxis der Kirche willen, dann vermag ihr auch der Kritische Rationalismus kein angemessenes Theorie-Modell anzubieten. Sowohl die Rezeption des wesenszentrierten Theoriebegriffs der Kritischen Theorie als auch die Rezeption des empirischen Theoriebegriffs des Kritischen Rationalismus haben sie in eine Aporie geführt, aus der allein theologische Bewußtheit herauszuführen vermag[756].

Außer der mangelnden Unterscheidbarkeit der empirischen Kirche und einem ungeklärten Theoriebegriff stehen schließlich widersprüchliche Bestimmungen ihres Gegenstandsbereichs der Verwirklichung einer praktischen und theologischen Disziplin innerhalb der als Theologie zusammengeschlossenen Disziplinen im Wege. Sie hängen mit ihrer Abkunft von einer vorwissenschaftlichen Pastoraltheologie, dem »Mutterschoß«, »in dem einstweilen das Kind, die praktische Theologie, sich bildete und nährte«[757], zusammen. Den Aufbau der praktischen Theologie strukturierten weiterhin die pastoralen Tätigkeiten: Gemeindeleitung (Kybernetik), Predigtlehre (Homiletik), Lehre vom Gottesdienst (Liturgik), Lehre vom kirchlichen Unterricht (Katechetik), Lehre von der Seelsorge (Poimenik). Trotz seiner Karikatur, die vorwissenschaftliche »Pastoraltheologie« laufe »mehr oder weniger auf eine Anweisung zu einer nützlichen, salbungsvollen Heuchelei, auf ein System kleinlicher, die herzliche Hingebung tötender Pfiffigkeit, wie in Knigges Umgang mit dem Menschen, auf ein pfäffisches Imponieren hinaus«, gliederte auch Rosenkranz die Gegenstände der praktischen Theologie nach diesem Muster[758]. Dann war die Veränderung der Bezeichnung Pastoraltheologie aber entweder überflüssig, oder sie stellte vor die Frage nach einem der neuen Bezeichnung »praktische Theologie« entsprechenden Gegenstandsbereich. Sie stellte sich noch unter einem anderen Gesichtspunkt. Wiederum war es die »Pastoraltheologie«, die sie ihr mit auf den Weg gab. Denn »die Pastoraltheologie im weiten Sinn, welche nicht bloß Lehre von der Seelsorge, sondern Lehre vom Pastor ist«, muß »dasjenige mitenthalten«, »was man eine Standesmoral für den Pastor nennen kann«. Außer solcher »Standesmoral« (Palmer) oder »Klerikal-Tugendlehre« (Rothe) wurde auch die gesamte pastorale Tätigkeit auf ein ethisches Ziel ausgerichtet. »Gewiß ist . . ., daß das, was der Geistliche bezwecken muß und was zu erzielen die Pastoraltheologie ihn fähig machen soll, die Sittlichkeit des christlichen Volkes ist, das Wort in seinem vollen evangelischen Sinne genommen, wonach Bekehrung, Wiedergeburt, Heiligung etc. darin eingeschlossen sind«[759]. Dann stellte sich aber die Frage der Unterscheidbar-

756 *Bastian,* Praktische Theologie und Theorie 85ff.90.92 (Hervorhebung E. Hübner); *ders.,* Vom Wort zu den Wörtern 47ff; *Zerfaß,* Praktische Theologie als Handlungswissenschaft 166.168f.
757 *Palmer,* Pastoraltheologie 82.
758 *Rosenkranz,* Enzyklopädie 19f.
759 *Palmer,* Pastoraltheologie 92; *ders.,* Rezension Otto 118; *Rothe,* Praktische Theologie 103.

keit des Gegenstandsbereichs der praktischen Theologie von dem der theologischen Ethik. Von Anfang an stand die praktische Theologie sowohl vor der Frage nach einem ihrer Bezeichnung entsprechenden als auch vor der nach einem sie von denen der anderen theologischen Disziplinen unterscheidenden Gegenstandsbereich.

Daß sich die ihrer Bezeichnung entsprechende kirchliche Praxis nicht mit der einer Pastoraltheologie deckt, dessen war sich schon Nitzsch bewußt. Dennoch gelang es der praktischen Theologie nicht, ihren Gegenstandsbereich über eine Pastoraltheologie hinaus auszuweiten. Nitzsch ging davon aus, »daß Pastoral überhaupt das Erforderniß praktischer Theorie nicht decke«. Dazu bestimmte ihn das allgemeine Priestertum der Gläubigen. Anders als die römisch-katholische »Kirche des Gesetzes«, die »das Verhältniß von Obrigkeit und Unterthan, von Kleriker und Laien mit auf die Welt« bringt, »denkt sich« die »Kirche des Evangeliums« als »sacerdotium aequale 1Petr 2,9«. Nicht der »Kleriker«, sondern »die Kirche« ist »Subjekt der kirchlichen Thätigkeit«. Die »Gemeinde« ist »zuerst zu denken«. In Anknüpfung an Schleiermachers Interpretation der charismatischen Gemeinde des Neuen Testaments spricht Nitzsch von einem »eingegebenen, natürlichen Klerus« in Kirche und Gemeinde. Aus ihm geht der »positive Klerus«, das pastorale »Amt« hervor. Ihm obliegt die »Leitung des kirchlichen Lebens« um eines geordneten »Gesamtlebens« willen. Dieses »amtliche Thun« bleibt jedoch Teil des umfassenderen »kirchlichen Thuns«. Allerdings fällt sofort auf, daß Nitzsch zu letzterem spontan lediglich die Übertragung pastoraler Tätigkeiten einfällt. »Unter Umständen treten die sogenannten Laien vollgültig als Lehrer, Hirten, als Spender des Sakraments in Function«. Hier deutet sich bereits an, wie schwer es der praktischen Theologie fiel, tatsächlich über eine Pastoraltheologie hinauszukommen. Es war die ekklesiologische Gewichtung des Amtsbegriffs, die sie daran hinderte. Nach dem Lutheraner *Theodosius Harnack* ist das Pfarr-»Amt« »göttlich eingesetzt . . ., von Christo gestiftet, gleichwie die Kirche, und in und mit ihr gleichzeitig ins Dasein gerufen«. Er wandte sich ausdrücklich »gegen die collegialistische Verflüchtigung desselben durch Rückführung auf das allgemeine Priesterthum«. Dem »Amt« entspricht die »Kirche als Heilsanstalt«, die »in sich den gottgesetzten Gegensatz hat von amtlich-kirchlicher und persönlich-christlicher Thätigkeit der Gläubigen«. Damit redete Harnack jenem »Verhältnis von Obrigkeit und Unterthan, von Kleriker und Laien« das Wort, das Nitzsch als Kennzeichen römisch-katholischen Kirchentums abgelehnt hatte. Aber auch Nitzschs Unterscheidung zwischen »eingeborenem, natürlichem Klerus« und »positivem Klerus« schloß eine besondere ekklesiologische Gewichtung des Pfarr-»Amts« nicht aus. Den Grund zeigt Rothe, den mit Nitzsch Schleiermachers Interpretation der charismatischen Gemeinde des Neuen Testaments verbindet. Er begründet die hierarchische Stufung zwischen »Klerikern« und »Laien« mit der verschiedenen Quantität des den Mitgliedern der Religionsgesellschaft

Kirche inhärenten »Gottesbewußtseins«. Dann ist aber der Unterschied zum Amtsbegriff Harnacks nur ein relativer. Der in der römisch-katholischen Ekklesiologie mit einer Inhärenz des Wesens der Kirche begründeten Amtshierarchie öffnete eine praktische Theologie die Tür, die ekklesiologisch ebenfalls auf einer Inhärenz des Wesens bzw. der Idee der Kirche, des mit dem »Gottesbewußtsein« korrespondierenden »heiligen Geist(es)« als ihrem »Gemeingeist« (Schleiermacher) beruht[760]. Deshalb lehnte *Gerhard von Zezschwitz* auch Nitzschs »Lehre vom Kirchenamte als einem positiv gegebenen« ab. Nach »wahrhaft evangelischem Principe« kann es »keinen positiv gegebenen Clerus« geben. Jeder von einem unevangelischen Amtsverständnis bestimmten bzw. zu ihm tendierenden, auf Pastoraltheologie fixierten praktischen Theologie hielt er den »genuin reformatorischen Begriff von Kirche« entgegen. »Gerade an der praktischen Theologie ... muß sich der genuin reformatorische Begriff von Kirche ... bewähren«.
Tatsächlich erhielt sich die Fixierung der praktischen auf die Pastoraltheologie bis in die Gegenwart. Wo »in dem geistlichen Amt der zusammenfassende und einheitliche Zentralbegriff« gesehen wird, »von dem aus die Disziplin der praktischen Theologie gestaltet, bestimmt und abgegrenzt werden soll« (Bornemann), da wird die gesamte kirchliche Praxis der pastoralen zu- und untergeordnet und von ihr her definiert. Bezeichnenderweise ist auch bei Nitzsch und v. Zezschwitz diese Tendenz festzustellen. Es gab zwar weiterhin Ansätze, die pastoraltheologische Verengung zu überwinden. Sah v. Zezschwitz den Religionslehrer in der Schule lediglich in der Funktion eines »kirchlichen Hilfsfaktors«, so folgerte *Heinrich Bassermann* aus der Bedeutung des »evangelischen Religionsunterrichts in der Volksschule«, die »Religionslehrer« seien »ebensogut ›Katecheten‹ ... wie die Pfarrer«. Die gleiche Folgerung zog Niebergall. Auch Vertreter der Religionspädagogik, die in den 1926 gegründeten Pädagogischen Akademien eine Heimstatt fand, wandten sich gegen eine pastoraltheologische Verengung der praktischen Theologie. Davon, »daß alle kirchlichen Tätigkeiten in der praktischen Theologie zur Berücksichtigung kommen, mögen sie nun Aufgaben des Pfarramts oder anderer kirchlicher Organe sein« *(Eduard von der Goltz)*, war und ist die praktische Theologie aber weit entfernt. Exemplarisch demonstrieren die Volksschullehrer, die bis 1918 nicht nur überhaupt, sondern auch häufig als Organisten und Küster der Aufsicht des Pfarrers unterstanden, dieses Defizit. Es wirkte sich in Protesten wie dem auf der Allgemeinen Lehrerversammlung von 1872 aus: »Wir Lehrer rekrutieren uns nicht mehr aus den Lakaien und Dienern dieser edlen Herren (der Pfarrer), sondern werden von Jugend an für unseren Beruf ausgebildet«[761]. Was hier an den Tag trat, betrifft heute nicht mehr die Lehrer, wohl aber, in kontinuierlicher

760 S.o. 153ff.39f.44.
761 Zit. nach *Helmreich*, Religionsunterricht in Deutschland 126.

Verlängerung des Lehrer-Organisten des 19. Jahrhunderts, die Kirchenmusiker, aber ebenso andere kirchliche Mitarbeiter in Diakonie, Jugendarbeit, Verwaltung u.a. Solchen konkreten Defiziten gegenüber nimmt sich v. Zezschwitzs Ausweitung der praktischen Theologie über »den engen Rahmen geistlicher Aufmerksamkeit« hinaus in »Lebensformen«, die »Christus seiner Kirche eingestiftet hat«, ebenso blaß aus wie Nitzschs globale Abhandlung über »evangelisches Gemeindeleben . . ., innere Mission, Vereinswesen« oder *Ernst Christian Achelis'* Eintreten für christliche Vereine[762]. Daran scheint sich in jüngst erschienenen Handbüchern der praktischen Theologie etwas zu ändern. Dennoch ist es auch für die Gegenwart aufschlußreich, daß nach vorübergehender Änderung in dem Ausweitung intendierenden Titel »Wissenschaft und Praxis in Kirche und Gesellschaft« eine verbreitete Zeitschrift seit 1981 wieder den alten Titel »Pastoraltheologie« trägt. Aufschlußreich ist auch, daß 1982 eine Darstellung praktischer Theologie als »Pastoraltheologie« erschien. Ihr Verfasser, Josuttis, muß im »Rückblick« selber gestehen, er »vermisse« in ihr, »über einzelne Andeutungen hinaus, ein ausgeführtes Kapitel zum Verhältnis zwischen dem Pfarrer und den anderen Mitarbeitern«. Ein vor fast hundert Jahren von *Eduard Simons* gezogenes Resümee besitzt offensichtlich noch heute Gültigkeit: »Bei starker Betonung, die Kirche sei nur in der Gemeinde da, schiebt sich mehrfach an Stelle der Gemeinde etwas ein, was dem römischen Kirchenbegriff bedenklich ähnlich sieht, den Anstaltscharakter in einer Weise hervorkehrt, daß der Boden des Evangelischen ins Wanken kommt, wenn nicht am Ende gar nach hohen Anfängen eine solche Zusammenschrumpfung geschieht, daß als Subjekt der kirchlichen Tätigkeit lediglich der Pfarrer eintritt und damit der vorschleiermachersche Tiefstand erreicht wird«. Die in der Bezeichnung praktische Theologie enthaltene Frage nach einem ihr entsprechenden Gegenstandsbereich ist noch immer nicht angemessen beantwortet[763].

Ebenso wie die Frage nach einem ihrer Bezeichnung entsprechenden Gegenstandsbereich begleitete seit Nitzsch die praktische Theologie die nach seiner Unterscheidbarkeit von den Gegenstandsbereichen der anderen theologischen Disziplinen. Sie artikulierte sich an ihrem Verhältnis zur theologischen Ethik. »Die kirchliche Praxis muß sich von der Ausübung des Christenthums im Allgemeinen als besonderes unterscheiden lassen. Trennen zwar läßt sie sich von der sittlichen nicht« (Nitzsch). Hatte die protestantische Orthodoxie Theologie als »scientia eminens practica« generell »auf den wahren Glauben an Christus« (ad veram in Christum fi-

762 S. Anm. 521.

763 *C. I. Nitzsch,* Praktische Theologie I 111.15ff.491ff; *ders.,* Uebersicht 26; *Harnack,* Praktische Theologie I 90f.96; *v. Zezschwitz,* System der Praktischen Theologie 24.29.222; *ders.,* Einleitung 135f.138; *Bornemann,* Rezension Achelis 147f; *v.d. Goltz,* Praktische Theologie 296; *Simons,* Praktische Theologie und innere Mission 167f; *Josuttis,* Der Pfarrer ist anders 27.

dem) und »auf die Heiligkeit des Lebens« (ad sanctimoniam vitae) ausgerichtet[764], nach ihrer wissenschaftsorganisatorischen Ausdifferenzierung war die praktische Theologie nach ihrem speziellen Anteil an dieser generellen Ausrichtung gefragt. Auch hier wies ihr Nitzsch die Richtung. Er unterschied zwischen der »*Gemeinschaft* der Heiligen, *der Gläubigen*«, die, »durch einen Geist getrieben und gestimmt«, »nach dem Maaße des Glaubens und der Liebe das in ihnen ist, in dem ganzen Zusammenhange der menschheitlichen Daseins-Verhältnisse das Christenthum leben oder es im Leben auswirken«, und der Kirche, deren *»äußere Kennzeichen«* – nach der Augsburger Konfession, Artikel VII, »Predigt und Sacrament« – »Mittel der Verwirklichung« der »*Gemeinschaft* der Heiligen, *der Gläubigen*« sind. Dieser Unterscheidung entspricht die zwischen »Moral-Theologie« und praktischer Theologie. Ihr spezieller Gegenstand ist »die kirchliche Ausübung . . ., welche sich als eine besondere von der sittlichen unterscheidet«. Nitzsch bestimmt sie genauer als einen »Inbegriff von Thätigkeiten, welche auf Ueberlieferung und Verbreitung, Zueignung und Ausbreitung des Christenthums gerichtet sind«. Aber die Unterscheidung kam nicht zum Zuge. Denn für Nitzsch ist die Kirche jeweiliges geschichtliches »Product des Verwirklichungsprocesses des göttlichen Reiches«, ihr »Leben ein den Fortschritt und die Vervollkommnung des christlichen und sittlichen bedingendes Leben«. Sie ist es vermöge des ihr inhärenten Wesens, der als inhärentes Movens in ihr wirkenden religiös-sittlichen »Idee«. Sie manifestieren sich in der bereits verwirklichten »*Gemeinschaft* der Heiligen, *der Gläubigen*« und im »Fortschritt« der »wesentlichen Selbstbewegung und Selbstbethätigung der christlichen Gemeinde«. Der Einfluß des Entwicklungsgedankens Schleiermachers wie Hegels auf Nitzsch relativiert die intendierte Unterscheidung zwischen »kirchlicher« und »sittlicher« »Ausübung«, »Mitteln der Verwirklichung« und verwirklichter »*Gemeinschaft* der Heiligen, *der Gläubigen*«, praktischer und »Moral-Theologie«. »Mittel« zum Zweck des religiös-sittlichen »Fortschritts« werden die Gegenstände der praktischen Theologie erst recht bei den theologischen Hegelianern. Liebner spricht als ihr Repräsentant, wenn er als Ziel praktischer Theologie bestimmt: Der »in Liebe tätige Glaube soll wirklich werden in der Kirche und immer wirklicher werden«. Ein Jahr vor dem Ende des Ersten Weltkriegs faßt v. d. Goltz diese Mittel-Zweck-Relation noch einmal zusammen: Wir haben »es in der praktischen Theologie« mit der »kirchlichen Aussonderung besonderer Tätigkeiten und ihrer besonderen Organisation zu tun . . ., um der Vertiefung und Ausdehnung und endlich der Vollendung des in Jesus Christus beschlossenen individuellen und sozialen Ideales immer näher zu kommen. Dazu dienen uns alle Mittel menschlich-geschichtlichen Lebens; sie erhalten aber ihre besondere Gestalt durch diesen besonderen

764 So der Lutheraner Hollaz. Zit. nach *Schmid,* Dogmatik der evangelisch-lutherischen Kirche 1.

und doch so zentralen Zweck«. Ihre andauernde Faszination demonstriert gegenwärtig in der praktischen Theologie Josuttis. Er widerspricht Barths Reihenfolge, daß »das *Sprechen* dem Handeln ... vorangeht«[765], und will »die Tat nicht an die zweite Stelle verweisen«. Zwar umfaßt die »Praxis des Evangeliums« seine »Bezeugung durch Wort und Tat«. Aber die Bestreitung der Reihenfolge Barths zeigt den Vorrang der »Tat« bei Josuttis an. Sie bestimmt seine Definition: »Aufgabe der Kirche ist die Praxis des Evangeliums in der Gesellschaft«. Anklänge an die Kritische Theorie der Frankfurter Schule sind unüberhörbar. Die Tendenz zur Instrumentalisierung des »Worts« für einen »Tat«-Zweck zeigt, daß die Unterscheidung der »kirchlichen Ausübung«, des nach Nitzsch spezifischen Gegenstandsbereichs praktischer Theologie, »von der sittlichen«, dem Gegenstandsbereich theologischer Ethik, mit ihr die Unterscheidbarkeit eines eigenen Gegenstandsbereichs der praktischen Theologie innerhalb der theologischen Disziplinen bis heute eine offene Frage geblieben ist[766].

Die Widersprüche, die der Verwirklichung einer praktischen und theologischen Disziplin innerhalb der als Theologie zusammengeschlossenen Disziplinen im Wege stehen, sind durchweg Folgen ihrer Abhängigkeit von der Wesenszentrierung der theologischen Ekklesiologie der Dogmatik oder systematischen Theologie. Aus ihr folgt die mangelnde Unterscheidbarkeit der sich in ihrer Praxis manifestierenden empirischen Kirche, des unabweisbaren Gegenstands der praktischen Theologie. Aus ihr folgt ein ungeklärter Theoriebegriff der praktischen Theologie. Aus ihr folgt letztlich auch die Fixierung der praktischen Theologie auf das Pfarr-»Amt« und ihr Unvermögen, ihren Gegenstandsbereich über eine Pastoraltheologie hinaus auszuweiten. Aus ihr folgt die ungeklärte Abgrenzung der praktischen Theologie von der theologischen Ethik.
Die Wesenszentrierung weist zurück auf zwei ekklesiologische Tendenzen in der Dogmatik oder systematischen Theologie. Die eine, die die Namen Schleiermacher und Hegel anzeigen, setzt die Inhärenz des Wesens der empirischen Kirche voraus. Die andere, die der Name Barth anzeigt, beschreibt wesentliche Kirche. Die wissenschaftliche Fragwürdigkeit des metaphysisch-ontologischen Hintergrundes solcher Wesenszentrierung wurde in der durch die empirische Wissenschaftstheorie angestoßenen wissenschaftstheoretischen Diskussion offenkundig. Sie betrifft auch seine geisteswissenschaftliche Modifikation. Will die praktische Theologie die Widersprüche überwinden, in die sie die Wesenszentrierung dogmatischer und systematisch-theologischer Ekklesiologie verwickelte, kann sie an diesem Ergebnis nicht vorübergehen. Sie muß auf jeden Fall eine wissenschaftstheoretische Bewußtlosigkeit hinter sich lassen, die die Theolo-

765 S.o. 92.
766 *C. I. Nitzsch,* Praktische Theologie I 13f; *Liebner,* Praktische Theologie 58; *v. d. Goltz,* Grundfragen 23; *Josuttis,* Praxis des Evangeliums 266f.

gie bis in die Gegenwart kennzeichnet, und sich an der neu in Gang gekommenen, innertheologischen wissenschaftstheoretischen Diskussion beteiligen, die bisher im Streit zwischen Sauter und Pannenberg kulminierte. Die durch ihre Abhängigkeit von der wesenszentrierten, dogmatischen oder systematisch-theologischen Ekklesiologie verursachten Widersprüche zwingen sie dazu. Sie legitimieren im Nachhinein die von ihrer Einrichtung an immer wieder in Frage gestellte Unverzichtbarkeit einer eigenen praktisch-theologischen Disziplin.
Die die Namen Schleiermacher und Hegel auf der einen und Barth auf der anderen Seite verbindende Wesenszentrierung darf allerdings die beide Richtungen kennzeichnenden Unterschiede nicht einebnen. Denn sie betreffen eine fundamentale Alternative. Wesenszentrierung, die die Inhärenz des Wesens der empirischen Kirche voraussetzt, meint mit der »Kirche als Religionsgesellschaft« nicht nur einen empirischen Sachverhalt. Sie meint darüber hinaus die mit einem Gottesbewußtsein angeblich identische, individual- und sozialanthropologische Religion als Fundament der Kirche[767]. Wesenszentrierung, die wesentliche Kirche beschreibt, »verfehlt« nicht nur die »empirische Kirche«. Sie rückt auch die auf dem apostolischen »Fundament« (1Kor 3,11) erbaute Kirche des Glaubens erneut in das Blickfeld[768]. Praktische Theologie, die über der Distanznahme zur beide Richtungen verbindenden Wesenszentrierung diese fundamentale ekklesiologische Alternative außer acht ließe, begäbe sich des Anspruchs, nicht allein eine praktische, sondern auch eine theologische Disziplin zu sein.

4. Unter dem Vorzeichen einer theologischen Ekklesiologie, die die vom im verkündigten rechtfertigenden Evangelium zukommenden Heiligen Geist gewirkte und zu wirkende Kirche des Glaubens streng im Modus der Verheißung denkt, wird der unabweisbare Gegenstand praktischer Theologie, die sich in ihrer Praxis manifestierende empirische Kirche in Raum und Zeit, unterscheidbar. Unter ihm erreicht sie ihren empirischen Gegenstand, ohne ihren Gesichtskreis auf ihn zu verengen. Unter ihm wird sie disponiert, ihre praktische und theologische Funktion an ihrem empirischen Gegenstand auszuüben. Unter ihm wird sie funktionale theologische Ekklesiologie[769].
Es war das Verständnis der Kirche des Glaubens als Manifestation eines der Kirche inhärenten Wesens bzw. Idee, das schon in der praktischen Theologie des von Schleiermacher, aber auch von Hegel beeinflußten Nitzsch diese Unterscheidbarkeit nicht zum Zuge kommen ließ. Stimmen, die in eine andere Richtung wiesen, waren im 19. Jahrhundert die Ausnahme. So widersprach Bassermann der Auffassung von Achelis, die auch

767 S.o. 2.1 (23ff).
768 S.o. 2.2 (83ff).
769 Von der »funktionalen Bestimmung der Ekklesiologie« spricht auch D. Rössler (*Rössler*, Der Kirchenbegriff der Praktischen Theologie 466).

Nitzsch und die Mehrheit der praktischen Theologen teilten, »ecclesia visibilis und invisibilis« seien »dasselbe Subjekt, nur nach zwei Seiten betrachtet«. D.h. er widersprach der Unterscheidung zwischen Kirche des Glaubens - *ecclesia invisibilis* - und empirischer Kirche - *ecclesia visibilis* - als zwei Seiten desselben »Subjekts« im Verhältnis von Manifestation und Latenz eines der empirischen Erscheinung inhärenten Wesens bzw. Idee. Diesem idealistischen stellte er den »Melanchthonisch«-reformatorischen »Kirchenbegriff« des Artikels VIII der Augsburger Konfession und seiner Erläuterung in der Apologie gegenüber, »nach welchem die eccl. invisib. *innerhalb* der eccl. visib. als ein Teil derselben existiert«. Bassermanns Interesse an der reformatorischen Unterscheidung war das des praktischen Theologen an der Unterscheidbarkeit empirischer Kirche und Praxis. »Von der Art des Handelns dieser Kirche, welche Glaubensgegenstand, nicht Erfahrungsobjekt ist, kann ich wissenschaftlich nichts oder doch jedenfalls nicht mehr aussagen, als die Dogmatik von ihr auszusagen in der Lage ist. Subjekt der in der praktischen Theologie zu behandelnden Tätigkeiten kann vielmehr nur eine irgendwie organisierte und damit in die konkrete Erscheinung tretende Kirche sein«. Trotz erneuter Anknüpfung an die Ekklesiologie des Paulus und der Reformatoren brachte auch die praktische Theologie des Barthschülers Diem infolge ihrer deduktiven »Definition« wesentlicher Kirche als »Zugleich und Ineinander« »empirisch-geschichtlicher« und »eschatologischer Größe« die Unterscheidbarkeit empirischer Kirche und Praxis nicht zum Zuge. Neuerdings erinnert *Dietrich Rössler* die praktische Theologie wieder an die reformatorische »Ekklesiologie« der »Confessio Augustana«, die »die Grundsätze und Folgen der Rechtfertigungslehre an sich selbst zum Ausdruck« bringt. Unter ihrem Vorzeichen gilt von der Kirche des Glaubens: »Subjekt allen Wirkens, aus dem Glauben und Rechtfertigung erwachsen, ist Gott selbst, und die Generalklausel ›ubi et quando visum est Deo‹ dürfte dabei auf jede Gestalt der Evangeliumsverkündigung zu beziehen sein und also für das kirchliche Leben überhaupt gelten«[770]. Die empirische »Kirche in der Ausübung ihrer Funktion« ist von ihr zu unterscheiden. Sie ist der Gegenstand der praktischen Theologie[771]. Nicht auf dem sie von ihrer Entstehung an bestimmenden, auf das Wesen der Kirche zentrierten Denkweg, wohl aber in der Spur paulinisch-reformatorischer Ekklesiologie wird praktische Theologie im Ausblick auf die verheißene Kirche des Glaubens der empirischen Kirche in Raum und Zeit unverwechselbar und unverstellt ansichtig.

Als funktionale theologische Ekklesiologie ist praktische Theologie im Ausblick auf die verheißene Kirche des Glaubens Theorie der sich in ihrer Praxis manifestierenden empirischen Kirche. Sie ist nicht Theorie einer

770 Vgl. o. 158.
771 *Bassermann,* Rezension Achelis 157; *Rössler,* Kirchenbegriff 466f.

Praxis, die die Kirche des Glaubens als Aktualisierung einer der empirischen Kirche inhärenten Potentialität intendiert. Sie ist auch nicht Verlängerung einer deduzierten Kirche des Glaubens in der Praxis, die die empirische Kirche mehr oder weniger ignoriert. Sie ist die Praxis der empirischen Kirche analysierende, über sie kritisch reflektierende und ihre Verbesserung intendierende Theorie, die an ihrem Teil der von ihr nicht einholbaren, verheißenen Kirche des Glaubens den Weg bereitet.
Die Definition der praktischen Theologie als »Theorie der Praxis« stammt von Schleiermacher. Genauer als in seiner »praktischen Theologie« erläutert er sie in seiner Pädagogikvorlesung von 1826. Er geht von der Priorität der Praxis vor der Theorie aus: Die »Praxis« ist »viel älter als die Theorie«, die »erst später« entstanden ist. Ihre Priorität ist nicht nur eine zeitliche, sondern auch eine sachliche. »Die Dignität der Praxis ist unabhängig von der Theorie«[772]. Das »war eine Absage an jeden vorgängigen theoretischen Anspruch, der unterstellt, daß Erziehungstheorie der (gute) Entwurf und die Praxis die (zumeist schlechte) Ausführung sei«[773]. Priorität der Praxis heißt jedoch nicht, daß sie auf Theorie verzichten kann. Denn die Theorie macht die in der Praxis wirksamen Faktoren bewußt: »Die Praxis wird ... mit der Theorie eine bewußtere«. Erst unter dieser Voraussetzung vermag sie als »Theorie der Praxis« wie in der Pädagogik so in der praktischen Theologie verbesserte Praxis zu intendieren: »Die Theorie (folgt) auf die Praxis, um ihr in anderer Rücksicht voranzugehen, ihr das Ziel zu stecken« – »alles geht darauf hinaus, die Praxis so gut als möglich zu machen«[774]. Schleiermachers Theorieverständnis hat seine Gültigkeit und Entwicklungsfähigkeit erwiesen, allerdings weniger in der praktischen Theologie als in der Pädagogik. Diese Wirkungsgeschichte verdient deshalb die Aufmerksamkeit praktischer Theologie. Nachdem die Pädagogik Schleiermacher lange Zeit fast übersehen hatte, entdeckte sie seine Verhältnisbestimmung von Theorie und Praxis. Für *Erich Weniger* ist mit Schleiermacher die Praxis das Primäre, »Theorie« »etwas Sekundäres, freilich doch Notwendiges«. Er präzisiert Schleiermachers Bewußtmachung der in der Praxis wirksamen Faktoren, wenn er in jeder Praxis eine implizite Theorie erkennt, die sie leitet. »Jede Praxis ... ist geladen mit Theorie, fließt heraus aus Theorie, wird gerechtfertigt durch Theorie ... Der Praktiker handelt in Wahrheit ständig aus Theorien«. Von der in der Praxis impliziten Theorie aus entwickelt Weniger sein Theorieverständnis. Die in pädagogische Praxis »eingehüllte Rationalität«, die »unausdrückliche« Theorie der Praxis nennt er »Theorie

772 Auch wenn in den Handlungswissenschaften der »philosophische Ansatz, Praxis als Basis der Theorie anzusehen«, »weitgehend der erkenntnistheoretischen Konzeption von Karl Marx« »entspricht« (*Schröer*, Inventur 446), hat die praktische Theologie Anlaß, sich an Schleiermachers Priorität der Praxis zu erinnern.
773 *Blankertz*, Geschichte der Pädagogik 113.
774 *Schleiermacher*, Pädagogische Vorlesung 10f.427; *ders.*, Praktische Theologie 12.9. S.o. 24f.

ersten Grades«. »Theorie zweiten Grades ist alles, was auf irgendeine Art formuliert im Besitz des Praktikers vorgefunden und von ihm benutzt wird«. Von beiden »Graden« in Praxis impliziter Theorie unterscheidet er die »Theorie« »dritten Grades«, die wissenschaftliche »Theorie der Theorie«. Ihre »Funktion« ist einerseits die »analytische ... der Aufklärung« des »Verhältnisses von Theorie und Praxis in der Praxis«, andererseits »die Funktion der Theorie innerhalb der Praxis als stellvertretende Besinnung, als Läuterung der in der Praxis angelegten Theorien, als bewußte Vorbesinnung und bewußte nachträgliche Klärung«. Die »Funktion« wissenschaftlicher »Theorie innerhalb der Praxis« geht in einem »zirkulären Verhältnis«[775] von der Praxis aus, deren implizite Theorie sie explizit macht und über die sie kritisch reflektiert mit dem Ziel einer verbesserten Theorie, deren Rezeption durch die Praxis dann ihrer »nachträglichen Klärung«, d.h. wiederum der doppelten »Funktion« wissenschaftlicher »Theorie« unterliegt[776]. So begleitet wissenschaftliche pädagogische Theorie pädagogische Praxis mit dem Ziel ständiger Verbesserung: »Damit die Praxis vollkommen werde, beobachtet sie der Theoretiker, um zu helfen«. Obwohl Weniger im Zusammenhang vom »Praktiker« spricht, auch vom »Theoretiker« gilt: Seine Theorie »wirkt wie eine Versuchsanordnung bei einem Experiment«. Sie ist Hypothese, die ständiger praktischer Bewährung auszusetzen ist. Weniger, der sich als geisteswissenschaftlicher Pädagoge in der Nachfolge Diltheys vorstellt, denkt hier in Richtung des Theorieverständnisses empirischer Wissenschaftstheorie. Er denkt ebenfalls über seine geisteswissenschaftliche Bestimmtheit hinaus, wenn er von den Einzelwissenschaften spricht, die vom »pädagogischen Urteil« zu einer pädagogischen Theorie zusammengeschlossen werden. Er nennt insbesondere »philosophische, historische und theologische« »Einsichten«, teilt aber »nicht die« – geisteswissenschaftliche – »Abneigung gegen soziologische und psychologische Betrachtungsweisen«. Seine Weiterentwicklung des Verhältnisses von Theorie und Praxis bei Schleiermacher weist damit wiederum über sich hinaus auf die von den empirischen Wissenschaften initiierte Wissenschaftstheorie der Gegenwart[777].

Zwar stellt sie das Fundament der Schleiermachers praktische Theologie bestimmenden Ekklesiologie, seine religionsphilosophische Qualifizierung der individual- und sozialanthropologischen Religion als »Gottesbewußtsein« in Frage, wenn sie jeder Metaphysik wissenschaftliche Qualität abspricht. Aber gerade so verweist sie die praktische Theologie bestim-

775 *Dahmer,* Theorie und Praxis 50.

776 »Der Theoretiker muß sich sozusagen in einen reflektierenden Praktiker verwandeln und stellvertretend für jenen den Handlungszusammenhang durchdringen. Erst wenn derart die Wissenschaft die Verantwortung der Praxis teilt, ist auf allen Reflexionsstufen der Ausgang von der Erziehungswirklichkeit und der Rückbezug auf sie gewährleistet, ist Theorie lebenspraktisch legitimiert« (*Dahmer,* a.a.O.).

777 *Weniger,* Eigenständigkeit 260.11f.16f.19f.95.

mende theologische Ekklesiologie erneut auf ihr apostolisches »Fundament« (1Kor 3,11). Auf ihm werden wissenschaftliche Theorie und »nicht theoretisierbarer Glaube« (Sauter) unterscheidbar. Schleiermachers Definition der praktischen Theologie wird auf das einer »Theorie der Praxis« empirisch Erreichbare und Bewährbare begrenzt. Sie wird Theorie solcher empirischen Praxis der Kirche, der der Heilige Geist verheißen ist, der die Kirche des »nicht theoretisierbaren Glaubens« wirkt und in der er wirkt. In solcher theologisch und wissenschaftstheoretisch korrigierten »Theorie der Praxis« erweist sich auch weiterhin die Assimilationskraft der in Schleiermachers Definition enthaltenen Verhältnisbestimmung von Theorie und Praxis.

Mit Schleiermacher beginnt die Theoriebildung praktischer Theologie mit der Analyse der in kirchlicher Praxis impliziten, grob unterteilt: theologischen und empirischen Faktoren und der sie auf ein Ziel hin interdependent zusammenschließenden, leitenden Theorien (Weniger). Die kritische Reflexion der durch die Analyse explizierten Faktoren und Theorien ist der zweite Schritt. Kriterien sind die theologische und empirische Stimmigkeit der Faktoren und die theologische und empirische Angemessenheit der Theorien. Die theologische – z.B. die Exegese eines Bibeltexts – und die empirische – z.B. die Beschreibung einer Zielgruppe – Stimmigkeit der Faktoren ist Korrelat der Anwendung gegenstandsspezifischer Methoden. Da die leitende Theorie sie auf ein Ziel hin interdependent zusammenschließt, bedarf ihre theologische und empirische Angemessenheit besonders kritischer Aufmerksamkeit. »Es ist die Botschaft, der sich die Kirche verdankt«. Daraus resultiert eine unumkehrbare Mittel-Zweck-Relation: »Deshalb steht ihre Praxis im Dienst dieser Botschaft, nicht umgekehrt die Botschaft im Dienst der Praxis«[778]. Dieser Zweck ist der Maßstab theologischer und empirischer Angemessenheit der Theorie kirchlicher Praxis. Er erfordert wissenschaftstheoretische Bewußtheit des »theoretischen Kontextes« (Sauter) des Korrelats der in sie integrierten Faktoren, ihnen entsprechender, gegenstandsspezifischer Methoden. Es »gibt keinen Text ohne Kontext und keine Beobachtung ohne Beobachtungsrahmen. Das gilt auch für Methoden«[779]. Denn ihrem »theoretischen Kontext« ist ein eigener, mit dem der Theorie kirchlicher Praxis von Hause aus nicht identischer, zur Dominanz tendierender Zweck inhärent. Er erfordert die Prüfung der Vollständigkeit der sie konstituierenden, theologischen und empirischen Faktoren und ihres Korrelats, gegenstandsspezifischer Methoden. Eine Theorie kirchlicher Praxis, die sich empirischen Methoden verschließt, ist ebenso defizient wie eine Theorie kirchlicher Praxis, die sich in der Theologie erprobten geisteswissenschaftlichen, insbesondere historischen und hermeneutischen Methoden verschließt. Er erfordert in alledem die ständige Präsenz des mit dem

778 *Rössler,* Kirchenbegriff 468.
779 *Schröer,* Forschungsmethoden 215.

Zweck kirchlicher Praxis gesetzten theologischen Maßstabs. Denn er verweist praktisch-theologische Theorie zwar an die sich in ihrer Praxis manifestierende empirische Kirche, aber als Wegbereitung der der Rechtfertigungs-»Botschaft« verheißenen Kirche des nicht »theoretisierbaren Glaubens«. Daß das seit 1981 erscheinende »Handbuch der Praktischen Theologie« in seiner Anweisung »Zum Verständnis und Gebrauch« programmatisch äußert, es sei »nicht einer einzigen theologischen Position verhaftet, sondern verweise seine Leser auf die Notwendigkeit einer solchen«, mag »pragmatisch« sein, weicht aber diesem über eine praktisch-theologische Theorie entscheidenden Maßstab aus[780]. Die Analyse der in vorgegebener kirchlicher Praxis impliziten Faktoren und sie zusammenschließenden Theorien und ihre kritische Reflexion sind die Voraussetzung des dritten Schritts, einer Verbesserung der Theorie um verbesserter Praxis willen. Hier kehrt sich kritische Reflexion in positive Konstruktion um. Für beides gelten die gleichen Kriterien. Verbesserte Theorie ist in dezidiertem Sinn Hypothese. Sie bedarf der Erprobung und Bewährung in der Praxis. In solcher Korrelation von Theorie und Praxis korrigieren sich hypothetische Theorie und praktische Bewährung bzw. Nichtbewährung wechselseitig. Sie ist nicht zu verwechseln mit einem kybernetischen Regelkreis, der den theologischen Maßstab praktisch-theologischer Theorie auf die Zielangabe des ›Kapitäns‹ beschränkt und im übrigen außen vor läßt, anstatt ihn ständig präsent zu haben. Vorgegebenheit kirchlicher Praxis heißt nicht ungeschichtliche und situationsunabhängige Unveränderlichkeit. Davor bewahrt eine Theoriebildung, die Veränderung anzeigende, geschichtliche und situative Faktoren mit konstituieren. Darüber hinaus ist in ihnen und anderen empirischen Faktoren die Erschließung neuer Praxisfelder angelegt. Verbesserte praktisch-theologische Theorie ist Hypothese mittlerer »Reichweite« von »begrenzter Leistung«. Sie ist zu unterscheiden von »Hypothesen von unbegrenzter Reichweite«, als die Sauter die theologischen »Verheißungen« wissenschaftstheoretisch interpretiert[781]. Sie kann sich in empirischer kirchlicher Praxis auch bewähren, ohne daß sich die dieser zugesagte Verheißung der Kirche des Glaubens erfüllt. Sie bleibt auf allen Ebenen und in allen Bereichen praktisch-theologischer Theoriebildung auf die Wegbereitung der von ihr nicht einholbaren Kirche des »nicht theoretisierbaren Glaubens« begrenzt[782].

780 *Kleemann,* in: *Bloth* u.a. (Hg.), Handbuch der Praktischen Theologie, 2. u. 3. Bd. 8. ». . . hier deutet sich ein allgemeiner Mangel praktisch-theologischer Forschungsarbeit an: Die Verknüpfung praktisch-theologischer und systematisch-theologischer Probleme ist nicht ausreichend angegangen« (*Daiber,* Auf der Suche nach Alternativen 459).

781 S.o. 238f.

782 »Das Handeln im Namen und im Auftrag der Kirche ist an die Wahrheit seiner Gründe, nicht aber an äußerliche Effizienzen gebunden. Damit ist von Grund auf impliziert, daß dieses Handeln scheitern kann« (*Rössler,* Kirchenbegriff 469).

Der Gegenstandsbereich praktischer Theologie ist die sich in ihrer Praxis manifestierende empirische Kirche. Er widerspricht der Verkürzung der praktischen auf eine Pastoraltheologie. Er unterscheidet sie von den anderen theologischen Disziplinen. Zweck ihrer ihn analysierenden, über ihn kritisch reflektierenden und seine Verbesserung intendierenden Theorie ist die Wegbereitung der charismatischen Kirche des Glaubens in der empirischen Kirche. Er qualifiziert praktische Theologie als funktionale theologische Ekklesiologie. Er widersetzt sich der Instrumentalisierung ihres Gegenstandsbereichs für andere Zwecke.
Praktische Theologie, die ihren Gegenstandsbereich über eine Pastoraltheologie hinaus ausweitet, muß einer ekklesiologischen Gewichtung des Pfarr-»Amts« absagen, die mit der Inhärenz des Wesens bzw. der Idee mitgesetzten Inhärenz des Heiligen Geistes in der Kirche legitimiert wurde. Sie muß sich statt dessen an den Charismen orientieren, die der dem verkündigten rechtfertigenden Evangelium verheißene Heilige Geist mit und in der Kirche des Glaubens wirkt. Sie sind weder als Amtsgnade institutionalisierbar noch als »Seinsbestimmungen« einer »Kirche in der Kraft des Geistes« beschreibbar[783], sondern als ›Gaben‹ der rechtfertigenden »Gnade« (χάρις), als »Gnadengaben« (χάρισμα) verheißen[784]. Ihre Kontinuität gründet im Geber, nicht im Empfänger. Deshalb ist im Gegenstandsbereich praktischer Theologie vom Pfarrer und seiner Praxis an streng im Modus der Verheißung zu denken. »Alles Reden und Tun des Amtsinhabers (geschieht) unter dem Zeichen der Verheißung des Geistes«[785]. Vor ihr rücken der Pfarrer, seine hauptberuflichen Mitarbeiter und ihre Praxis, die kirchenleitenden Funktionsträger und ihre Praxis, die ehrenamtlichen Mitarbeiter in Gemeinde und Kirche und ihre Praxis und die beruflichen Mitarbeiter in Schule und Hochschule und ihre Praxis auf eine Linie. Sie verläuft da, wo die empirische von der verheißenen charismatischen Kirche des Glaubens zu unterscheiden ist. Auf ihr entfällt die Legitimierung der Zentrierung der praktischen auf eine Pastoraltheologie durch besondere ekklesiologische Gewichtung des Pfarr- und analoger kirchenleitender »Ämter«[786]. Auf ihr ist die Ausweitung des Gegen-

783 S.o. 138; vgl. Anm. 446. – »Ob die Gruppe der rechtmäßig Ordinierten oder eine Schar vollkommener Pneumatiker ... die Gegenwart des Geistes Gottes garantiert, sind nur Varianten eines falschen Geistesbegriffs« (*Schweizer,* Gemeindeordnung 209). Wer einer »ausgebildeten Amtskirche, die ... den Geist als Besitz reklamiert und dem Amt unterordnet« widerspricht, muß, anders als Landau, ausdrücklich auch dem anderen Abweg widersprechen (*Landau,* Art. Geist/Heiliger Geist/Geistesgaben VI 237).
784 Vgl. o. 6.164f.171.
785 *Lessing,* Art. Geist/Heiliger Geist/Geistesgaben V 227. – »Nehmen wir unsere Situation als Pfarrer ernst, dann *können* wir gar nicht anders als diese Verheißung *bejahen* ... Das ist die Verheißung der christlichen Verkündigung, daß wir *Gottes Wort reden.* Verheißung ist nicht Erfüllung, Verheißung bedeutet, daß Erfüllung uns versprochen ist ... Verheißung ist des *Menschen* Teil, Erfüllung ist *Gottes* Teil ... Keine Verwechslungen zwischen Gottes und des Menschen Teil ... Vorweggenommene Erfüllung raubt uns auch die Verheißung« (*Barth,* Not und Verheißung 19f).
786 Deshalb wäre der Ersatz des Amtsbegriffs durch einen anderen zu erwägen. E. Schweizers Oberbegriff »Dienst« tendiert allerdings zu einer Überschreitung der Linie, die die empirische von der verheißenen Kirche des Glaubens unterscheidet (*Schweizer,* Gemeindeord-

standsbereichs praktischer Theologie auf die ganze sich in ihrer Praxis manifestierende empirische Kirche nicht nur praktisch angemessen, sondern ekklesiologisch geboten.
Daß alle »Mitarbeiter« in Gemeinde und Kirche vor der verheißenen charismatischen Kirche des Glaubens auf eine Linie rücken, ebnet die Unterscheidung verschiedener Funktionen nicht ein. Für sie ist bis heute die paulinische Strukturierung nach fundamentalen, das rechtfertigende Evangelium vermittelnden Funktionen und Funktionen ihm entsprechenden Handelns das Modell[787]. Zwar ist die Funktion der 1Kor 12,28 an erster Stelle aufgezählten »Apostel« für die Kirche aller Zeiten fundamental, aber, mit Ausnahme der jedoch nicht auf die Apostel beschränkten Mission, geschichtlich einmalig und nicht wiederholbar. Anders verhält es sich mit den Funktionen des das apostolische Evangelium gegenwärtig verkündigenden »Propheten« und des in ihm unterrichtenden »Lehrers«, denen als »leitenden Personen in den gottesdienstlichen Feiern« wahrscheinlich auch »die Verwaltung der Sakramente« oblag[788]. Die Mission hat sich heute zu einer eigenen kirchlichen Funktion ausdifferenziert. Die Funktionen des »Propheten« und »Lehrers« sind heute in die Institution des Pfarrers als Prediger, Seelsorger, Sakramentsverwalter und Lehrer integriert. Der Religionslehrer in der Schule und der theologische Lehrer an Hochschulen und Universitäten erinnern aber an die paulinische Differenzierung. Sind das rechtfertigende Evangelium vermittelnder »Prophet« und »Lehrer« in der paulinischen Gemeinde bereits manifeste und institutionalisierte Funktionen, die 1Kor 12,28 erwähnten, dem rechtfertigenden Evangelium entsprechenden »Hilfeleistungen« und »Verwaltungsleistungen« befinden sich auf dem Wege dorthin. Das bestätigen die Phil 1,1 erwähnten »Bischöfe«, die wahrscheinlich administrative, und die »Diakone«, die wahrscheinlich karitative Funktionen ausübten. Heute sind sie sowohl ebenfalls zu Funktionen des Pfarrers geworden als auch als Behörden, Verbände und Anstalten einer empirischen Großkirche institutionalisiert. Sollte die 1Kor 12,28 aufgezählte ekstatische »Zungenrede« auch gottesdienstliche Musik assoziieren – 1Kor 13,1 parallelisiert Paulus beides –, deutete sie sich hier auch als latente Funktion an. Belegt ist sie für die frühe Kirche 1Kor 14,26; Eph 5,19; Kol 3,16. Die Frage, ob sie wie die Glossolalie einem dem rechtfertigenden Evangelium entsprechenden gottesdienstlichen Handeln oder, was der Inhalt eines von Paulus Phil 2,5–11 zitierten urchristlichen Hymnus nahelegt, den das Evangelium vermittelnden gottesdienstlichen Funktionen zuzuordnen ist, läßt sich nicht alternativ entscheiden. Heute ist auch die Kirchenmusik zu einer manifesten und institutionalisierten Funktion ge-

nung 209ff). Hier ist die nüchterne Definition durch den Soziologen N. Luhmann zu bedenken: »Amtsträger« sind solche, »die hauptberufliche Arbeitsleistungen beisteuern und dafür ein Gehalt beziehen« (*Luhmann*, Funktion der Religion 300).
787 Vgl. o. 10f.165.
788 *Bultmann*, Theologie 454f.

worden. Von den von Paulus 1Kor 12,28 aufgezählten an verweisen manifeste wie latente kirchliche Funktionen auf die Gemeinde und Kirche als das, mit Nitzsch gesprochen, »Subjekt der kirchlichen Thätigkeit«. Gegenstandsbereich praktischer Theologie ist sie sowohl als Zielgruppe als auch als Mutterboden bereits manifester und noch latenter kirchlicher Funktionen.

Seit Paulus unterlag die Institutionalisierung manifester Funktionen in Funktionsträgern sich verändernden Verhältnissen entsprechendem, geschichtlichem Wandel. Erwiesen sich bestimmte kirchliche Funktionen als Konstanten, ihre Institutionalisierungen blieben Variablen. Davon ist die Institution des Pfarrers und der in ihr kumulierten Funktionen ebensowenig auszunehmen wie irgendeine andere kirchliche Institution. Der Ausweitung der praktischen über eine Pastoraltheologie hinaus ist dann nicht schon dadurch Genüge getan, daß in ihr außer der Institution des Pfarrers auch andere institutionalisierte kirchliche Funktionsträger zu Wort kommen. Nicht ihre Institutionalisierungen, sondern die ihnen vorausliegenden manifesten und latenten kirchlichen Funktionen müssen der Ausgangspunkt einer praktischen Theologie sein, deren Gegenstandsbereich die sich in ihrer Praxis manifestierende, empirische Kirche ist. Dann gewinnt sie die erforderliche Distanz, um ihren Zweck zu erfüllen: als ihn analysierende, über ihn kritisch reflektierende und seine Verbesserung intendierende Theorie der charismatischen Kirche des Glaubens in der empirischen Kirche den Weg zu bereiten[789].

Mit der Ausweitung des Gegenstandsbereichs der praktischen Theologie muß seine Abgrenzung von den Gegenstandsbereichen der anderen theologischen Disziplinen einhergehen. Nur dann vermag praktische Theologie ihren spezifischen Beitrag zum arbeitsteiligen theologischen Diskurs zu leisten. Indem sie sich als Theorie einer Praxis bescheidet, die der von ihr nicht einholbaren, charismatischen Kirche des Glaubens in der empirischen Kirche den Weg bereitet, und sich für keinen darüber hinausgehenden Zweck instrumentalisieren läßt, behaftet sie die anderen theologischen Disziplinen bei entsprechender Bescheidung. In solcher Theorie der Praxis bleibt die Vermittlung des rechtfertigenden apostolischen Evangeliums fundamental und ihm entsprechendes Handeln an sie gebunden. Auch ihre Theorie seiner Artikulation in Paraklese und Paränese, in Lern- und Erfahrungsfeldern, ihm entsprechender und ihm widersprechender Strukturen bleibt Wegbereitung der charismatischen Kirche des Glaubens in der empirischen Kirche und Praxis.

789 »Der Kirche, die hier gemeint ist, entspricht eben nicht eine und nur eine Gestalt der Institutionalisierung . . . Die Fragen der kirchlichen Organisation haben einen instrumentellen Charakter in Bezug auf das, was Kirche wesentlich ausmacht . . . Dienst am Wort und Verwaltung der Sakramente werden gerade nicht in einer bestimmten und unabhängig vom geschichtlichen Wandel der Epochen stets gleichen Gestalt vorgegeben. Damit ist der Praktischen Theologie ihre Aufgabe gesetzt. Sie hat die Grundfunktionen der Kirche so in die Situation hinein auszulegen und zu gestalten, daß die Bestimmung dieser Funktion zu Worte kommt, nicht aber eine bloße Identität gewahrt bleibt« (*Rössler,* Kirchenbegriff 466f).

Unmittelbarer als die anderen theologischen Disziplinen erfährt praktische Theologie die Grenze, auf die ihre die Verbesserung der sich in ihrer Praxis manifestierenden empirischen Kirche intendierende Theorie stößt. Nachdrücklicher als sie wird sie an die Verheißung verwiesen, die ihr die Grenze setzt, aber auch über sie hinausweist. So repräsentiert sie als funktionale theologische Ekklesiologie Funktion und Grenze der Theologie da, wo sie ihren Bezugshorizont, die empirische Kirche, erreicht.

3.4

Theologische Identifizierung der Volkskirche und theologische Orientierung ihrer Praxis

Der Gegenstandsbereich praktischer Theologie ist in unserem Raum immer noch die sich in ihrer Praxis manifestierende empirische Volkskirche. Als funktionale theologische Ekklesiologie bereitet sie durch theologische Identifizierung und praktische Orientierung auf dem apostolischen Fundament (1Kor 3,11) in der empirischen Volkskirche der mit ihr nicht identischen, aber auch ihr verheißenen charismatischen Kirche des Glaubens den Weg.

Seitdem sie als Staatskirche *Religion der Gesellschaft* wurde, mußte die Kirche ihr Verhältnis zu dieser Funktion bestimmen. Die Frage, ob sie ihre Botschaft als Mittel ihrer gesellschaftlichen Funktion benutzte oder ihre gesellschaftliche Funktion zur Vermittlung ihrer Botschaft nutzte, durchzieht ihre Geschichte. Die Volkskirche übernahm sie mit dem Erbe der Staatskirche, immer noch Religion eines Großteils der Gesellschaft zu sein. Lange Zeit wurde sie von der Theologie mit der Identifizierung der Volkskirche als Religionsgesellschaft auf dem Fundament eines mit der individual- und sozialanthropologischen Religion angeblich identischen Gottesbewußtseins des Menschen beantwortet und der christlichen der Rang der vollkommenen Religion zugeschrieben. Der fundamentale biblische Widerspruch wurde ebenso überhört wie die zunehmende Infragestellung der religionsphilosophischen Voraussetzung durch das geistige Bewußtsein und die soziale Realität. Beidem entsprach der theologische Einspruch Barths und der dialektischen Theologie, der das apostolische Fundament der Kirche wieder mit Nachdruck zur Geltung brachte. Er bot die Chance, die Funktion der Volkskirche, Religion eines Großteils der Gesellschaft zu sein, zur Vermittlung der biblischen Gottesbotschaft zu nutzen. Aber die dialektische Theologie blieb bei der fundamentalen Kritik der Identifizierung der Volkskirche als Religionsgesellschaft stehen. Auf wesentliche Kirche fixiert, blieb die empirische Volkskirche für sie unwesentlich. Weil sie sich als Geisteswissenschaft verstand, fand die Unterscheidung zwischen empirischer, individual- und sozialanthropologischer Religion und ihrer religionsphilosophischen Qualifizierung in sie keinen Eingang. Der empirische, moderne *homo religiosus* zwischen Theismus und Atheismus, aus dem die überwiegende Mehrheit der Mitglieder der Volkskirche besteht, trat nicht oder von vorneherein abgewertet in ihr Blickfeld. Daß er immer noch, wenn auch mit abnehmender Tendenz, die Volkskirche als Religionsgesellschaft in Anspruch nimmt, nahm sie nicht als Chance wahr.

Praktische Theologie, die sich als theologische Ekklesiologie funktional auf die empirische Kirche bezieht, ist in unserem Raum an die empirische Volkskirche gewiesen. Sie identifiziert sie theologisch nicht als Religionsgesellschaft, aber nimmt sie in ihrer Funktion, Religion eines Großteils der Gesellschaft zu sein, an. Ihre theologische Identifizierung als »Volk« Gottes und »Leib Christi«[790] setzt nicht voraus, daß die empirische Religionsgesellschaft Volkskirche ist, was diese ekklesiologischen Formeln besagen, sondern daß auch ihr die Zuwendung Gottes zum auch als religiösen »gottlosen« Menschen im ihn rechtfertigenden, schöpferischen »Wort vom Kreuz« gilt[791]. Ihr Fundament ist nicht die religiöse Dimension der Individual- und Sozialanthropologie der Mitglieder der empirischen Religionsgesellschaft Volkskirche, deren latenter Atheismus zusehends manifest wird, sondern die Gottesbotschaft des rechtfertigenden apostolischen Evangeliums. Theologische Identifizierung auf diesem Fundament qualifiziert die Verkündigung der apostolischen, den Menschen rechtfertigenden Gottesbotschaft eindeutig als die fundamentale Praxis auch der Volkskirche. Auf ihre Priorität verpflichtet sie ihr Korrelat, die ihr entsprechende theologische Orientierung der Praxis dieser Religionsgesellschaft. Diese muß die religiösen Erwartungen ihrer Mitglieder beachten und nutzen, aber ohne die Gottesbotschaft des rechtfertigenden apostolischen Evangeliums von ihnen abhängig zu machen. Sie muß ebenso die Zunahme atheistischer Religion unter ihren Mitgliedern beachten und sich ihr stellen, aber ohne sich von ihr bestimmen zu lassen. In beiden Fällen realisiert theologische Orientierung der Praxis der Religionsgesellschaft Volkskirche, daß der Glaube des Menschen, die *fides qua creditur,* seit jeher in seine religiöse Dimension einging, ohne in ihr aufzugehen[792].

Die Verkündigung der den Menschen rechtfertigenden apostolischen Gottesbotschaft ist von der Urchristenheit an fundamental. Ihre urchristliche Institutionalisierung in zwei Funktionsträgern, den »Propheten« und »Lehrern«, entsprach einer sich differenzierenden Verkündigungs-

790 Vgl. o. 3ff.
791 Vgl. o. 159ff.
792 »Die Unterscheidung von Glaube und Religion konnte als Universalschlüssel kirchlicher Praxis mißverstanden werden. Daraus ergab sich eine Entgegensetzung von evangelischer Unterweisung und Religionsunterricht, eine theologische Abwertung von Amtshandlungen, die Verdrängung persönlicher Fragen nach dem Lebenssinn im Interesse theologischer Korrektheit oder auch politischer Zielsetzung und eine stark eingeschränkte Beschäftigung und Auseinandersetzung mit außerchristlichen Religionen. Eine derartige Abgrenzung ließ sich aber in dem Vollzug kirchlichen Lebens nicht durchhalten ... Damit ist die Frage von Glaube und Religion aufs Neue gestellt. Das Wesen des Glaubens an Jesus Christus besteht gewiß nicht darin, eine – und sei es die absolute – Religion zu sein. Doch ist es theologisch gedankenlos, aus dieser richtigen Erkenntnis die falsche Meinung abzuleiten, die Erscheinung des christlichen Glaubens trüge keinen religiösen Charakter. Aber es wäre theologisch ebenso gedankenlos, das Wesen des Glaubens durch seine religiöse Erscheinung und das hieße ja, durch eine seiner religiösen Erscheinungsformen definieren zu wollen« (*Burgsmüller,* »Gemeinde von Brüdern« 2.74f).
793 »Propheten und Lehrer ... werden wiederholt als die entscheidenden Wortverkündiger in der Gemeinde genannt« (*Friedrich,* Art. προφήτης 856).

praxis, ohne die Gemeinsamkeit aufzuheben[793]. Sie wird durch die beiden Funktionsträgern obliegende Verwaltung der Sakramente unterstrichen, die ebenfalls Verkündigungscharakter hatten. Heute sind die gottesdienstliche Predigt und das Abendmahl, die in erster Linie die engagierten Mitglieder der Volkskirche erreichen, die Kindergottesdienstkatechese mit einer spezifischen Altersgruppe, die Kasualien, die auch die Mehrheit der distanzierten Mitglieder der Religionsgesellschaft Volkskirche in Anspruch nehmen, der kirchliche Unterricht, dessen Teilnehmer sowohl mehrheitlich aus kirchlich distanzierten Elternhäusern stammen als auch eine spezifische Altersgruppe sind, die sich dem einzelnen in seiner jeweiligen Situation zuwendende seelsorgerliche Verkündigung, die kirchliche Jugend- und Erwachsenenarbeit in ihrem besonderen Bedingungsgefüge in der Institution des Gemeindepfarrers konzentriert. Sie weist religionsgeschichtlich und -soziologisch auf das Priestertum zurück. Durch diese Konzentration von Verkündigungsfunktionen tritt der Pfarrer so in den Vordergrund, daß die Lehrer, zu denen neben ihm beruflich die Kindergärtnerin und die Religionslehrer in den Schulen gehören, als Verkündiger zurücktreten oder sich zurückziehen. Die Anerkennung des Religionsunterrichts als ordentliches Lehrfach in den Schulen durch das Grundgesetz der Bundesrepublik Deutschland – in Wiederaufnahme der entsprechenden Bestimmungen der Weimarer Verfassung – folgt jedoch ursächlich aus der Funktion der beiden konfessionellen Volkskirchen, Religion eines Großteils der Gesellschaft zu sein. Er unterliegt, wie jede Praxis der Religionsgesellschaft Volkskirche, einer theologischen Orientierung, die von der fundamentalen Verkündigung der den Menschen rechtfertigenden apostolischen Gottesbotschaft auszugehen hat[794]. Entsprechendes gilt von der »Arbeit mit Kindern« in den volkskirchlichen Kindergärten[795]. In ihren Zusammenhang gehört auch die Verkündigung in der christlichen Erziehung der Kinder durch Eltern und Erziehungsberechtigte, die sich auf sie ansprechen lassen. Die kirchliche Jugendarbeit ergänzt die unterrichtliche Verkündigung, die kirchliche Erwachsenenarbeit führt sie weiter. Nicht nur die »hauptamtlichen Mitarbeiter« in der kirchlichen Jugendarbeit, sondern alle Funktionsträger in diesen Praxisfeldern, die beruflichen, die ehrenamtlichen und die natürlichen Erzieher,

794 »Zwei Dinge sieht man nun klarer als zuvor: Einmal die unaufhebbare, in der Katechese gleichwohl durchzuhaltende Spannung zwischen Verkündigung und Unterricht und zum anderen die Notwendigkeit, den katechetisch zu leistenden ›Dienst am Wort‹ (Apg 6,4) als einen grundsätzlich kirchlichen, als eine Grundfunktion kirchlichen Handelns zu verstehen« (*Schilling,* Grundlagen der Religionspädagogik 351f). – »Bei aller notwendigen Differenzierung zwischen Religionsunterricht und kirchlicher Katechese ... darf die Religionspädagogik nicht übersehen, daß nicht nur aus kulturellen, sondern auch aus qualitativen Gesichtspunkten der christliche Glaube ... unsere ›religiöse‹ Tradition darstellt und daß ... die Kirchen der wichtigste institutionelle Ort von ›Religion‹ sind ... Der Religionsunterricht wird auch unter den Bedingungen der Schule nicht ohne wertendes, orientierendes und bekennendes Reden auskommen« (*Dienst,* Die lehrbare Religion 123).

795 »Kann man allein aus Situationen und Erfahrungen von Kindern eine religiöse Disposition aufbauen? In welchem Verhältnis steht eine solche ›natürliche Religiosität‹ zur biblisch-christlichen Überlieferung?« (*Buschbeck,* Arbeit mit Kindern 333).

betrifft die »Bereitschaft, ... mit christlicher Tradition zu konfrontieren«[796]. Neben der Predigt ist die Kirchenmusik »Helferin des Predigtamts« und »dient dem Wort« über es hinaus. Sie steht aber ebenso auf der »Seite der Antwort der Gemeinde«[797], ihres Gebets, Lobpreises und Bekenntnisses, ihres mit der gottesdienstlichen Predigt korrespondierenden gottesdienstlichen Handelns. Diese Korrespondenz reicht über den Gottesdienst hinaus in das persönliche Glaubensleben. Wie der Verkündigung, so vermag auch ihm die praktische Theologie nur den Weg zu bereiten. Obwohl sich gerade in der äußeren Mission die Verkündigung als fundamental erweist, sprengt sie den Gegenstandsbereich praktischer Theologie, die sich in ihrer Praxis manifestierende empirische Volkskirche. Für ihre Theoriebildung hat sich eine eigene Missionswissenschaft ausgebildet. Er berührt sich mit ihr insofern, als die Bereitschaft, für sie und in ihr mitzuarbeiten, die verkündigende ›innere Mission‹ in der empirischen Volkskirche voraussetzt.
Hatte sich schon in der Urchristenheit die Verkündigung in verschiedene Funktionen differenziert, infolge der geschichtlichen Entwicklung zur Religionsgesellschaft Volkskirche und ihr entsprechender Erfordernisse ist der Differenzierungsprozeß weiter fortgeschritten. Zwar bleibt die gottesdienstliche Predigt unverzichtbar, aber sie besitzt kein Verkündigungsmonopol[798]. In den volkskirchlichen Praxisfeldern, die auf biblische Überlieferung Bezug nehmen und sie vermitteln, läßt sich ihre Verkündigungsintention nur künstlich neutralisieren. Aber die Verkündigung differenziert sich in ihnen in verschiedene Funktionen. Mit ihrer Institutionalisierung in bestimmten Funktionsträgern sind sie nur teilidentisch. Erst wenn praktische Theologie die Verkündigung nicht nach ihrer Institutionalisierung in Funktionsträgern, sondern nach ihrer Differenzierung in verschiedene Funktionen strukturiert, wird sie ihres Spektrums in seinem jeweiligen Bedingungsgefüge ansichtig und vermag die Funktionsträger ihm adäquat zu orientieren. Es richtet ihre Aufmerksamkeit ausdrücklich auch auf die Verkündigungsfunktionen, die nicht nur die gottesdienstliche Gemeinde erreichen. Damit entspricht sie der überwiegenden Mehrheit distanzierter Mitglieder der Volkskirche, die der gottesdienstlichen Predigt fernbleiben, ohne die kleine Minderheit engagierter Mitglieder aus dem Auge zu verlieren, die an ihm teilnehmen. Sie öffnet einen Weg von distanzierter zu engagierter Mitgliedschaft, ohne die anderen Ver-

796 *Wegenast,* Kirchliche Jugendarbeit 374.
797 *Schmidt,* Lied und Musik 129f.
798 Klassisch hat es Barth formuliert: »Was aber ist diese besondere, aufgetragene und als Auftrag an und für die Menschen zu übernehmende Verkündigung der Kirche? . . . 1. Solche Verkündigung ist die *Predigt* . . . 2. Solche Verkündigung ist das *Sakrament,* d.h. die . . . die Predigt begleitende und bestätigende symbolische Handlung«. Auch er muß jedoch einschränken: »Nicht alle in der Kirche stattfindende Rede von Gott will Verkündigung sein. Damit ist offenbar nicht darüber entschieden, ob sie es nicht dennoch sein könnte und vielleicht je und je ist, vielleicht sogar in viel höherem Maße als diejenige Rede von Gott, die es nun gerade sein will?« (*Barth,* KD I/1 56f.53f).

kündigungsfunktionen als Mittel zum Zweck gottesdienstlicher Predigt zu relativieren und auf diese Weise zu verfehlen. So bereitet sie der Verkündigung der rechtfertigenden apostolischen Gottesbotschaft an möglichst viele Mitglieder der Religionsgesellschaft Volkskirche den Weg, der die charismatische Kirche des Glaubens verheißen ist.

Seitdem sie Staatskirche wurde, mußte die Kirche mit ihrem Verhältnis zu dieser Funktion ihren Standort in Staat und Gesellschaft bestimmen. Die Alternative, sich unterzuordnen und anzupassen oder kritische Distanz zu wahren, durchzieht ebenfalls ihre Geschichte. Die Reformation verschärfte sie durch das landesherrliche Kirchenregiment der lutherischen und das städtisch-republikanische der altreformierten Kirchen. Eine Tendenz zu Unterordnung und Anpassung ist vor allem in den lutherischen Landeskirchen unverkennbar. Die theologischen Hegelianer legitimierten sie im 19. Jahrhundert, wenn sie in die Identifizierung der Kirche als Religionsgesellschaft das Staatskirchentum einschlossen. Dagegen distanzierte sich Schleiermacher von ihm[799]. Aber die sich für ihn bereits abzeichnende Ablösung der Staats- durch »Volkskirchen«, die durch die Zugehörigkeit der Mitglieder zu »einerlei Sprache ... und zu demselben Volk« gekennzeichnet sind[800], gab anderen das Stichwort für eine religiöse Qualifizierung des »Volkes«, die die Staatsmetaphysik der theologischen Hegelianer verstärkte. Das Ende des Staatskirchentums 1918 überdauerten nicht nur die den staatlichen nachgebildeten Behörden des landesherrlichen Kirchenregiments, sondern auch die Strömung, die Volk und Staat religiös-metaphysische Qualität zuschrieb. Mit dem Wahlsieg der »Deutschen Christen« 1933, die mit der Volkskirche das Programm einer völkischen Religion verbanden und eine Restauration des Staatskirchentums anstrebten, schickte sie sich noch einmal an, die evangelische Volkskirche zu bestimmen. Das Ende des Zweiten Weltkriegs überdauerte diese Strömung zwar nicht, wohl aber die Volks- als *Großkirche* von gesellschaftlichem Gewicht und ihre den staatlichen nachgebildeten Behörden. In dieser Zeit arbeitete Barth seine theologische Ekklesiologie aus, die eine bis in die Rechtsfragen deduzierte wesentliche Kirche von der unwesentlichen, durch ihre Geschichte zudem belasteten empirischen Volkskirche absetzte. Daß sie, wenn überhaupt, dann von vorneherein abgewertet in sein Blickfeld trat, verband ihn mit fast allen Vertretern der dialektischen Theologie. Ihr Interesse an der historischen Entwicklung, die zur Volkskirche geführt hatte, war gering. Soziologische Analysen fanden in ihre geisteswissenschaftlich orientierte Ekklesiologie keinen Eingang. Diese Diastase zwischen wesentliche Kirche deduzierender theologischer Ekklesiologie und fortbestehender empirischer Volkskirche konnte nicht andauern. Die Wiederentdeckung der empirischen Volkskirche war nur

799 Vgl. aber o. 39.188.
800 S.o. 24.

eine Frage der Zeit. Sie stellte die kirchliche Praxis und ihre Theorie erneut vor die Alternative, sich den durch die geschichtliche Herkunft geprägten Strukturen und Verflechtungen der Volkskirche in Staat und Gesellschaft anzupassen oder kritische Distanz zu wahren.

Praktische Theologie, die als funktionale theologische Ekklesiologie im Ausblick auf die mit ihr nicht identische, aber auch ihr verheißene, charismatische Kirche des Glaubens die empirische Volkskirche theologisch identifiziert, wahrt zu ihr kritische Distanz. Unter dem Kriterium der Wegbereitung der charismatischen Kirche des Glaubens hält sie die ihrer theologischen Identifizierung entsprechende Orientierung der Praxis der empirischen Volkskirche auf kritische Distanz. Diese bereitet der charismatischen Kirche des Glaubens in der empirischen Volkskirche den Weg, indem ihre Theorie in kritischer Distanz nicht nur der fundamentalen Verkündigung des rechtfertigenden Evangeliums, sondern auch ihm entsprechendes Handeln intendierender Paraklese und Paränese zum Wort verhilft; indem sie sich in solches Handeln einführenden Lern- und Erfahrungsfeldern zuwendet; indem sie Strukturen benennt, die ihm widersprechen, und Strukturen entwickelt, die ihm entsprechen.

Daß die Verflechtung der empirischen Großorganisation Volkskirche in Staat und Gesellschaft der kritischen Distanz praktischer Theologie bedarf, zeigen exemplarisch der Religionsunterricht in der Schule und die Paraklese und Paränese bis in den politischen Bereich. Unter dem Einfluß der Reformation als Lehrfach eingeführt[801], lenkte der Religionsunterricht in der Schule in der staatskirchlichen Vergangenheit das jeweilige Interesse des Staates in besonderer Weise auf sich. Dieser vermochte ihm als Schulaufsichtsbehörde und durch das landesherrliche Kirchenregiment in religionspädagogischer Praxis und Theorie Geltung zu verschaffen. Das Ende des Staatskirchentums zog nicht das Ende des Religionsunterrichts in der Schule nach sich. Aus der Funktion der beiden konfessionellen Volkskirchen, Religion eines Großteils der Gesellschaft zu sein, folgte weiterhin seine Anerkennung als ordentliches Lehrfach. Heute ist es weniger das Interesse des Staates als das einer Religionspädagogik, die meint, diesen Status verteidigen zu müssen, das ihn gefährdet. Denn wo dieses Interesse vorherrscht, tendiert es zur »Anpassung an die jeweils modernste Schulkonzeption« als »Legitimationsversuch«, »mittels dessen man das Recht des eigenen umstrittenen Faches . . . zu demonstrieren unternimmt«, zu Lasten des »Anspruchs« des »Besonderen« eines sich an der »biblischen Tradition« orientierenden Religionsunterrichts[802]. Das andere Praxisfeld ist die Paraklese und Paränese. Für den unpolitischen Bereich ist sie unbestritten, auch wenn die Inkongruenz zwischen einem von den Mitgliedern der Volkskirche angenommenen kirchlichen und dem allgemeinen gesellschaftlichen »Wertsystem« zunimmt[803]. Umstrit-

801 Vgl. o. 183.
802 *Josuttis,* Praxis des Evangeliums 230.235.
803 Vgl. o. 209.

ten ist aber die politische Paraklese und Paränese. Als Unterstützung des Staates wurde sie von der Staatskirche erwartet, als Kritik selten geduldet. Dieser Widerspruch wirkt in der Volkskirche fort, obwohl die demokratische Verfassung der Bundesrepublik Deutschland ihr heute auch kritische Paraklese und Paränese einräumt. Er zeigte sich 1965 bei der Denkschrift der Evangelischen Kirche in Deutschland über die »Lage der Vertriebenen und das Verhältnis des deutschen Volkes zu seinen östlichen Nachbarn«, er zeigt sich gegenwärtig in der Frage der Stationierung nuklearer Massenvernichtungsmittel. Exemplarisch weicht Rendtorff einer Stellungnahme zu ihr mit der Begründung aus, die »Volkskirche« sei in Entsprechung zum »Demokratieprinzip« eine »offene Kirche«, die »nach innen wie nach außen« eine Grenze darstellt »für jeden totalen politischen oder theologischen Parteiwillen«. Eben so, als diese »offene Volkskirche«, sei sie »Zeuge des Friedens Gottes, der Versöhnung«. Rendtorff lehnt es deshalb ab, »daß eine bestimmte politische Entscheidung als solche unausweichlich mit der Identität des Glaubens in eins gesetzt wird«. Wer, wie er, die nach dem »Demokratieprinzip« verfaßte »offene Volkskirche« als solche theologisch qualifiziert, der gibt die kritische Distanz auf, die auch sie von der ihr verheißenen, aber mit ihr nicht identischen charismatischen Kirche des Glaubens unterscheidet. Der schließt folgerichtig eine dem rechtfertigenden Glauben entsprechendes politisches Handeln intendierende Paraklese und Paränese aus, die den politischen Meinungspluralismus der »offenen Volkskirche« in Frage stellt, um in ihr der verheißenen charismatischen Kirche des Glaubens den Weg zu bereiten[804]. Beide Gefährdungen, die des Religionsunterrichts in der Schule und die der Paraklese und Paränese in der Volkskirche, sind exemplarische Folgen der Verflechtung dieser Großorganisation in Staat und Gesellschaft. In kritischer Distanz zu ihr hat praktische Theologie die Theorie einer Praxis zu entwickeln, die in der Großorganisation Volkskirche nicht nur der fundamentalen Verkündigung des rechtfertigenden Evangeliums, sondern auch ihm bis in den politischen Bereich entsprechendes Handeln intendierender Paraklese und Paränese zum Wort verhilft[805].
Daß die Strukturen einer empirischen Großorganisation wie der Volkskirche der kritischen Distanz praktischer Theologie bedürfen, zeigt exemplarisch das Praxisfeld Diakonie. Im Neuen Testament Sammelbegriff aller der Auferbauung der Gemeinde dienenden Aktivitäten, bezeichnet es

804 Auch Rendtorff stellt die Frage: »Wird hier [erg. in der ›nuklearen Abschreckung‹] die Unterscheidung von Glaubensfragen und politischer Entscheidungskompetenz von den Folgen unserer Entscheidung überholt?« Zu einer eindeutigen Antwort dringt er aber nicht durch (*Rendtorff*, Volkskirche und Friedensbewegung 131ff).
805 »Dazu ist... nötig – die Schriftgemäßheit der Entscheidungsprozesse zu prüfen, – um Konfliktfähigkeit und Konsensusbereitschaft zusammenzuhalten . . . – daß Konziliarität als freier Streit unterschiedlicher Meinungen und als Fähigkeit auch zum eindeutigen Reden vorhanden ist« (*Deile*, Erwartungen an die Volkskirche 137).

heute die 1Kor 12,28 erwähnten »Hilfeleistungen«[806]. Aber nicht als Gemeindediakonie, sondern als Verbands- und Anstaltsdiakonie der »Inneren Mission« ist sie nach Wicherns Aufruf auf dem Wittenberger Kirchentag 1848 im Bewußtsein von Gemeinde und Kirche. Daran hat die Umwandlung der Bezeichnung in »Diakonisches Werk« nach dem Zweiten Weltkrieg wenig geändert. Verbände und Anstalten sind Institutionalisierungen einer Großorganisation, die sich zu bestimmten Zwecken in Unterorganisationen differenziert, deren Verwirklichung entsprechende Einrichtungen dienen. Die Folgen betreffen das dem rechtfertigenden Glauben entsprechende diakonische Handeln in doppelter Hinsicht. Weil sie »an dafür zuständige Institutionen« »delegiert« ist, ist ein Bewußtsein eigener diakonischer Verantwortung, das über Kollekten und Spenden hinausreicht, in den Gemeinden wenig entwickelt[807]. Mit diesem Befund korrespondiert eine gottesdienstliche Predigt, die, außer in Sondergottesdiensten, kaum in Paraklese und Paränese auf diese Verantwortung hinweist. Ausnahmen bilden u.U. der schulische Religionsunterricht und die kirchliche Jugendarbeit. Aber ihnen fehlen in der Regel in diakonisches Handeln einführende Lern- und Erfahrungsfelder. Die praktische Theologie spiegelt diesen Sachverhalt. In ihrem pastoral-theologischen Aufbau tauchte das diakonische Handeln bis in die jüngere Vergangenheit nur am Rande oder gar nicht auf. Erst neuerdings zeichnet sich auch hier eine Änderung ab. Die andere Hinsicht ist eine »Tendenz zur Selbstsäkularisierung« der diakonischen Institutionen und Einrichtungen der Großorganisation Volkskirche, die sie von denen anderer Träger immer weniger unterscheidbar macht[808]. Verursacht ist sie vor allem durch eine »expansive Entwicklung der Diakonie«. Sie ist ihren Institutionen und Einrichtungen inhärent und wird durch ihre Verflechtung in Staat und Gesellschaft verstärkt. Nach ihrer »verbandspolitischen Integration« »in das sozialstaatliche System der Bundesrepublik« und der ihm verfügbaren finanziellen Mittel hat sich »sowohl die Zahl der diakonischen Einrichtungen ... als auch die Zahl der in der Diakonie Tätigen seit 1950 mehr als verdoppelt«! Die Folgen zeigen sich ebenso »in der Tendenz, ›Diakonie‹« lediglich »als Sozialarbeit in kirchlicher Trägerschaft zu verstehen und zu gestalten«, wie im zunehmenden »Mangel an diakonisch ausgerichteten Mitarbeitern«[809]. Praktische Theologie kann die Zweckmäßigkeit einer Großorganisation wie der Volkskirche entsprechender Institutionalisierungen zwar

806 »Entscheidend für die Bedeutung des Begriffs ist nun, daß das junge Christentum jede für den Aufbau wichtige Betätigung in der Gemeinde als διακονία zu betrachten und zu bezeichnen gelernt hat (Eph 4,11ff), die man dann wieder nach ihren einzelnen Arbeitsweisen unterschied ... Im allgemeinen werden die 1Kor 12,28 genannten ... ἀντιλήμψεις den Inhalt der Dienstleistungen gebildet haben, also Taten helfender Fürsorge im Auftrag der Gemeinde« (*Beyer,* Art. διακονία 87).

807 »Die Hilfe (wird) delegiert an dafür zuständige Institutionen, wodurch die Gemeinde in dem Bewußtsein gestärkt wird, daß Diakonie nicht ihre eigene Angelegenheit ist« (*Theurich,* Gemeindediakonie 498).

808 Vgl. o. 211f.

809 *Burgsmüller,* »Gemeinde von Brüdern« 120.122.

nicht verkennen. Aber sie muß in kritischer Distanz zu ihnen die Folgen bedenken. Ihre Theorie dieser Praxis hat davon auszugehen, daß auch die diakonischen Institutionen und Einrichtungen der Großorganisation Volkskirche mit der verheißenen charismatischen Kirche des Glaubens nicht identisch sind. Sie hat ihr aber den Weg zu bereiten. Das tut sie, wenn sie in den Gemeinden, aus denen diakonisch ausgerichtete Mitarbeiter immer spärlicher nachwachsen, diakonischer Paraklese und Paränese zum Wort und in diakonisches Handeln einführenden Lern- und Erfahrungsfeldern zur Verwirklichung verhilft; wenn sie in den diakonischen Einrichtungen der Verkündigung des rechtfertigenden Evangeliums und diakonischer Paraklese und Paränese Raum verschafft, denen eine Begabung der Mitarbeiter verheißen ist, die mit beruflicher Kompetenz allein nicht gegeben ist[810], und Strukturen benennt, die diakonischem Handeln widersprechen, und Strukturen entwickelt, die ihm entsprechen.
Daß die von ihrer staatskirchlichen Herkunft geprägte Leitungsstruktur der Volkskirche der kritischen Distanz praktischer Theologie bedarf, zeigen exemplarisch die Kirchenordnungen. Kirche und Gemeinde benötigen Leitung. Schon die Urchristenheit kam nicht ohne sie aus. Die προιστάμενοι von 1Thess 5,12 und Röm 12,8 oszillieren zwischen Fürsorge und Leitung der Gemeinde[811]. 1Kor 12,28 differenziert Paulus jedoch zwischen »Hilfeleistungen« und »Verwaltungsleistungen« (κυβερνήσεις)[812]. Die »Kybernetik« wurde zum *terminus technicus* der entsprechenden Unterdisziplin der praktischen Theologie. Es ist der Pastor, dem sie auch die Leitung der Gemeinde zuschreibt. Diese Kumulation im Pastoren-»Amt« schon konzentrierter Verkündigungsfunktionen und Leitungsfunktionen weist weniger in das institutionell noch nicht ausdifferenzierte Urchristentum als in die Religionsgeschichte und -soziologie, auf das Priestertum, das das sich ausbildende Amtsverständnis der Kirche und seinen hierarchischen Aufbau beeinflußte. In der Staatskirche, die die Funktion von Priestern verwalteter religiöser Institutionen übernahm, etablierte es sich. Obwohl Luther für das allgemeine Priestertum der Gläubigen eintrat, setzte sich mit der Übernahme des Staatskirchentums auch in den reformatorischen Landeskirchen die priesterlich-hierarchische Struktur durch. Das landesherrliche Kirchenregiment bildeten der Landesherr als *summus episcopus* zusammen mit den Konsistorien. Im 19. Jahrhundert begann sich die mittlere Leitungsebene des Kirchenkrei-

810 »Die Zusammenarbeit von Christen und Nichtchristen in Einrichtungen der Diakonie ist eine große missionarische Möglichkeit, die aber verspielt wird, wenn zu wenige Mitarbeiter da sind und infolge von dauernder Überlastung für die Gestaltung geistlichen Lebens keine Zeit und Kraft mehr bleibt« (*Burgsmüller,* »Gemeinde von Brüdern« 127).
811 »An den meisten Stellen scheint προίστημι zunächst die Bedeutung a. leiten ... zu haben, aber der Kontext zeigt in jedem Falle, daß man gleichzeitig die Bedeutung b. sorgen für ... einbeziehen muß« (*Reike,* Art. προίστημι 701).
812 »Es kann sich hier nur um die besonderen Gaben handeln, die einen Christen fähig machen, seiner Gemeinde als Steuermann, als rechter Leiter ihrer Ordnung und damit ihres Lebens zu dienen« (*Beyer,* Art. κυβέρνησις 1035).

ses auszubilden. Die Ortsgemeinden übernahmen die reformatorischen Landeskirchen als die bischöflichen Diözesen untergliedernde Parochien. Zwar bestanden infolge der presbyterial-synodalen Ordnungen der Reformierten Unterschiede, aber trotz der durch sie beeinflußten konsistorial-synodalen Kirchenverfassung im Rheinland und in Westfalen von 1835[813] kam auch hier der Aufbau einer Kirche von unten nur bedingt zum Zuge. Die Analogie zur Ablösung der absoluten durch die der gesellschaftlichen und politischen Entwicklung entsprechende konstitutionelle Monarchie ist unverkennbar[814]. Mit dem Ende der Monarchie endete 1918 das Staatskirchentum in Deutschland. An die Stelle des Landesherrn als *summus episcopus* traten – zunächst noch ohne allgemeine Übernahme des Bischofstitels – Pastoren. Die den staatlichen Behörden nachgebildeten Konsistorien überdauerten. Nunmehr war vom Bischof oder entsprechenden Amtsträgern an über die Superintendenten, Pröpste oder Dekane bis zu den Ortspfarrern die Leitung der Kirche durchweg in der Hand von Pastoren. Diese konsistorial-synodale Leitungsstruktur überdauerte auch den Zweiten Weltkrieg. Der Aufbau von unten, von der Gemeinde über die mittlere Ebene zur Landeskirche, wurde jetzt zwar stärker betont, wieweit ihm die Wirklichkeit entspricht, muß aber offenbleiben. Die Stellung der auf allen Ebenen kirchenleitenden Pastoren und die der landeskirchlichen Verwaltungsbehörden wurde weder durch ihn noch durch die ihm entsprechenden Gremien ernsthaft tangiert. Aufschlußreich ist, daß das besonders deutlich in solchen Landeskirchen in Erscheinung tritt, die, wie die unierte »Evangelische Kirche von Westfalen« in ihrer Kirchenordnung von 1953, von der These ausgehen: »Die Leitung der Evangelischen Kirche von Westfalen liegt bei der Landessynode«. Denn der »Präses«, der dem Bischof anderer Landeskirchen entsprechende Amtsträger, »ist Vorsitzender der Landessynode, der Kirchenleitung und des Landeskirchenamts«. D.h. er vereinigt in Personalunion in sich den Vorsitz der Kirchenleitung und ihrer Verwaltungsbehörde und den der Landessynode, die »die Entscheidungen und Maßnahmen der Kirchenleitung zu überprüfen« hat. Diese Personalunion im Pastor, der sowohl Vorsitzender der Exekutive als auch ihrer presbyterial-synodalen Kontrolle ist, wiederholt sich auf den Ebenen des Kirchenkreises und der Ortsgemeinde. Daß dennoch in dieser »Kirchenordnung« auf allen Ebenen von presbyterial-synodaler »Leitung« die Rede ist – »die Leitung . . . der Kirchengemeinde liegt beim Presbyterium«, die »des Kirchenkreises . . . bei der Kreissynode«, die der Landeskirche »bei der Landessynode« –,

813 S.o. 186.

814 »Man kann die konsistorial-synodale Verfassung durchaus als eine Angleichung des kirchlichen Systems an das staatliche Verfassungsleben interpretieren. So wie das Territorialsystem dem absoluten Fürstenstaat entsprochen hatte, war die konsistorial-synodale Verfassung im 19. Jahrhundert der konstitutionellen Monarchie vergleichbar und angemessen. Wie dort der Landesherr mittels der Regierung im Zusammenwirken mit dem Landtag den Staat regierte, so übte er nunmehr im Zusammenwirken mit Konsistorien und Synode das Kirchenregiment aus« (*v. Campenhausen,* Das Problem der Rechtsgestalt 50f).

steht im Widerspruch zur Verfassungswirklichkeit. Der Widerspruch wiederholt sich in der Definition: »Dem Präses ist das Hirtenamt ... anvertraut«, die sinngemäß auf den Superintendenten und den Ortspfarrer zu übertragen ist. Doppeldeutig – »Hirte« ist Übersetzung des lateinischen *»pastor«* – klingt in ihr die Leitungsstruktur einer Pastorenkirche an, die nicht auf Westfalen beschränkt ist[815]. Die Vermischung von Verfassungswirklichkeit und Verfassungsvorstellung entspricht der Ununterscheidbarkeit empirischer und wesentlicher Kirche in den theologischen Ekklesiologien der Dogmatik oder systematischen Theologie. Praktische Theologie muß ihr gegenüber auf der Unterscheidbarkeit der empirischen Verfassungswirklichkeit bestehen. Sie kann die Notwendigkeit der Leitung, einer ihr zugeordneten Verwaltung und eines vor Willkür schützenden Rechts auf allen Ebenen der empirischen Großorganisation Volkskirche nicht verkennen und die geschichtlich gewordenen Leitungsinstitutionen nicht übersehen. Aber ihre Theorie muß in kritischer Distanz Leitungsstrukturen intendieren, die der Verkündigung des rechtfertigenden Evangeliums und ihm entsprechendes Handeln intendierender Paraklese und Paränese nicht den Weg verstellen. Das tut sie, wenn sie eine Demokratisierung der Leitungsebenen anstrebt, die unter Zurücklassung hierarchisch-monarchischer Rückstände die Rolle des Pastors so definiert, daß sie die Mit-leitung der Nicht-Pastoren nicht blockiert und presbyterial-synodale Leitungskontrolle garantiert; wenn sie eine für ihre Effizienz unvermeidbare bürokratische Organisation so auf die kirchliche Verwaltung beschränkt, daß sie nicht Leitung und Arbeit in Gemeinde und Kirche verbürokratisiert; wenn sie die Formulierung in der Großorganisation Volkskirche unverzichtbaren positiven Rechts nicht aus theologischer Mitsprache entläßt.

Seitdem sie Staatskirche und Religion der Gesellschaft wurde, ist die Kirche von der latenten *Desintegration* eines solchen Sozialsystems mit durch die Kindertaufe »zugeschriebener Mitgliedschaft« herausgefordert. Solange sie nicht manifest wurde, trat sie kaum in das Bewußtsein. Eine Ausnahme war die Reformation[816]. Das reformatorische Landeskirchentum ignorierte aber bald wieder ihre Latenz. Das änderte sich mit der Aufklärung, ihrer Theologiekritik und der ihr folgenden Emanzipation der Gebildeten von der Kirche, die im 19. Jahrhundert auf die Arbeiter übergriff. Schleiermacher war der erste Theologe, der die latente Desintegration als theologische und praktische Herausforderung erkannte und annahm. Sein Versuch, sie in der mit einem »Gottesbewußtsein« identifizierten individual- und und sozialanthropologischen Religion aufzufangen, wurde schon im 19. Jahrhundert von der Entwicklung überholt. Seine prakti-

815 Kirchenordnung der Evangelischen Kirche von Westfalen, Art. 113.148.115.54.88. – Vgl. Kirchenordnung der Evangelischen Kirche im Rheinland, Art. 68.162(1).168(1). 180(1).200(1).
816 Vgl. o. 182f.

schen Überlegungen, ihr zu begegnen, sind zum Teil noch heute aktuell. Auch Barth erkannte die latente Desintegration. Daß er sie als Argument gegen die Volkskirche benutzte, verband ihn mit der Mehrheit der dialektischen Theologie und ihrer Nachfolger. Sie richtete ihre Aufmerksamkeit auf die gottesdienstliche, »ernstlich so zu nennende Gemeinde«. Ihr volkskirchliches Umfeld nahm sie nur am Rande, von vorneherein abgewertet und ohne praktisches Interesse wahr. Mit der Wiederentdeckung der Volkskirche war die Korrektur des Klischees von sog. Kerngemeinde und Randsiedlern verbunden, das die dialektische Theologie gefördert hatte. Kirchen- und religionssoziologische Analysen erbrachten nicht nur ein differenzierteres Bild, sie ließen im Bunde mit der Kirchengeschichte auch die ursächliche Mitverantwortung von Kirche und Theologie für die latente und manifeste Desintegration von der staatskirchlichen Vergangenheit bis in die volkskirchliche Gegenwart erkennen.
Praktische Theologie ist an die Volkskirche auch als Sozialsystem mit latenter Desintegration gewiesen, um in ihm in theologischer Identifizierung und praktischer Orientierung der charismatischen Kirche des Glaubens den Weg zu bereiten. Als funktionale *theologische* Ekklesiologie muß sie daran festhalten, daß das rechtfertigende apostolische Evangelium allen seinen Mitgliedern, den engagierten und den distanzierten, gilt. Als *funktionale* theologische Ekklesiologie muß sie dafür Sorge tragen, daß die fundamentale Verkündigung des rechtfertigenden apostolischen Evangeliums und ihm entsprechendes Handeln intendierende Paraklese und Paränese nicht nur seine engagierten, sondern auch seine distanzierten Mitglieder erreicht. Dazu muß sie die praktischen Defizite erkennen, die distanzierte Kirchenmitgliedschaft mit verursachen. Dazu muß ihre Theorie gerade solche Praxis verbessern, an der auch die distanzierten Kirchenmitglieder teilhaben, und neue Praxismöglichkeiten erkunden, die sie erreichen.
Trotz quantitativ intensiver Bemühung gelingt der Volkskirche die auf die Dauer über ihre Zukunft entscheidende Sozialisation der Kinder und Jugendlichen nur sehr begrenzt. Dieses Defizit monokausal aus fehlender kirchlicher Primärsozialisation mehrheitlich kirchlich distanzierter Elternhäuser abzuleiten, hieße die der Kirche durch die Kindertaufe auferlegte Mitverantwortung verkennen. Daß sie sie durch Kindergarten und Kindergottesdienst ausreichend wahrnehme, widerlegen schon deren beschränkte Kapazitäten bzw. abnehmende Teilnehmerzahlen. Weitere praktische Defizite in beiden Praxisfeldern drängen sich erst recht angesichts des Mißverhältnisses zwischen der immer noch fast vollständigen Teilnahme der Kinder und Jugendlichen am schulischen Religionsunterricht und kirchlichen Unterricht und dennoch insgesamt unveränderten Prozentsätzen engagierter und distanzierter Mitglieder der Volkskirche auf. Daß die kirchliche Jugendarbeit dem merklich entgegenwirkt, läßt sich nicht feststellen. Die Jugendlichen selber geben als Grund weithin mißlingender kirchlicher Sozialisation vor allem fehlende Lebensnähe

und unbefriedigtes Informationsbedürfnis im schulischen und kirchlichen Unterricht an. Damit fordern sie die Religionspädagogik in ihrem Zentrum, der Vermittlung der den Menschen rechtfertigenden apostolischen Gottesbotschaft in den Lebens- und Verstehenshorizont heutiger Kinder und Jugendlicher, heraus[817]. Außer nach Verbesserung ihres didaktischen Zentrums ist religionspädagogische als Teil praktisch-theologischer Theorie nach Verbesserung der Unterrichtsmethode, nach verbesserter Koordinierung der verschiedenen, in der Perspektive der Kinder und Jugendlichen aber interdependenten pädagogischen Praxisfelder[818], nach Entsprechung von Zielsetzung und Altersgruppe z.B. im kirchlichen Unterricht, nach der Funktion kirchlicher Jugendarbeit in einer überwiegend unterrichtlichen Sozialisationsbegleitung der Kirche gefragt[819]. Die Bedeutung pädagogischer Praxis folgt aus der Praxis der Kindertaufe, die die Volkskirche für die kirchliche Sozialisation der Getauften mitverantwortlich macht. Gilt das rechtfertigende apostolische Evangelium allen Menschen, läßt sich in einer anderen geschichtlichen Zeit als der der neutestamentlichen Gemeinden gegen seinen zeichenhaften Zuspruch am Beginn des Lebensweges kein apodiktischer theologischer Einwand erheben. Jedoch können individuelle und soziale empirische Bedingungen praktische Einwände fordern. Praktisch-theologische Theorie entspricht dieser Lage, wenn sie nicht nur über das Taufgespräch hinaus Möglichkeiten kirchlicher Begleitung der Tauf- und später der Konfirmandeneltern erkundet, sondern auch auf Taufe zielende Alternativen zur Kindertaufe entwickelt. Auch für sie ist die pädagogische Praxis der Volkskirche unentbehrlich.
Weil die Volkskirche ein Sozialsystem mit latenter Desintegration ist, ist die Bedeutung der Kommunikation nicht nur mit den am Sonntagsgottesdienst teilnehmenden engagierten, sondern auch mit den distanzierten Mitgliedern, die der Anonymität einer Großorganisation entgegenwirkt, kaum zu überschätzen. Aber auch sie gelingt nur in geringem Maße. Versuchen, sie über die Massenmedien, allgemeinverständliche theologische Schriften, Kirchentage, die Arbeit der Evangelischen Akademien, die Kirchenmusik herzustellen, sind Grenzen gesetzt. Dennoch dürfen sie von der Theorie praktischer Theologie nicht übergangen werden. Entscheidend ist jedoch die personale Kommunikation in der Ortsgemeinde[820]. Der Hausbesuch des Pfarrers, der Besuchsdienst ehrenamtlicher

817 »Der Verlust einer sozialen Vermittlung von Kirchenmitgliedschaft als ›zugeschriebener‹ Mitgliedschaft erfordert ... ernste Bemühungen, diese in eine ›erworbene‹, d.h. verstandene, bejahte, persönlich übernommene und in der Lebenspraxis ausgedrückte Mitgliedschaft zu überführen. Hierzu sind religionspädagogische Anstrengungen unerläßlich: Wer morgen noch Volkskirche will, muß heute religionspädagogische Vermittlungsprozesse auf breiter Ebene in Gang setzen« (*Dienst,* Die lehrbare Religion 122).
818 Vgl. o. 28: Schleiermachers »Steigerungsprozeß«.
819 Vgl. o. 216: Wölbers »Unterrichtsvolkskirche«.
820 »Werbung und PR (Public Relations) haben in der modernen Gesellschaft die Funktion, den Abstand zwischen den Marktpartnern zu überbrücken. Auch die Kirche hat in der modernen Massengesellschaft ihre Distanzprobleme. Sie wird daher die Kommunikations-

Mitarbeiter, mit Sachverstand redigierte Gemeindebriefe bedürfen ebenso besonderer Aufmerksamkeit praktisch-theologischer Theorie wie die auch von den distanzierten Kirchenmitgliedern in Anspruch genommenen Kasualien. Die Erfahrung freier Kommunikation sollte schon den Konfirmanden über die unterrichtliche Interaktion hinaus vermittelt und nicht allein der kirchlichen Jugendarbeit überlassen werden, die nur einen Teil der Jugendlichen erreicht. Erst recht ist die schon von Schleiermacher geforderte »völlig formlose Art des religiösen Gesprächs« in »religiöser Geselligkeit in der Kirche« die Erwachsenen angemessene Kommunikationsform. In ihr müssen alle Teilnehmer mit ihren Interessen, Problemen und Fragen zu Wort kommen. Auch die biblische Gottesbotschaft darf nicht gegen ihre Fragen immunisiert, sie muß ihnen vielmehr bewußt ausgesetzt werden. Ob freie Kommunikation in offenen Gruppen, ob gebundenere Interaktion in Erwachsenenseminaren – ihre praktisch-theologische Theorie muß in beiden Fällen der traditionellen »Einweg-Kommunikation«, in der der Pastor das Wort führt, einen Riegel vorschieben[821]. Wie im Gespräch, so vollzieht sich Kommunikation im Fest. Die zunehmende Verbreitung von Gemeindefesten ist kein Zufall. Schon ihre Vorbereitung und Durchführung durch jeweils kompetente, engagierte wie distanzierte Kirchenmitglieder schafft Kommunikation. Die Ausschöpfung aller Kommunikationsmöglichkeiten bis hin zu einem situationsgerechten Festgottesdienst bedarf ebenfalls der Theorie praktischer Theologie.

Defizite in der Vermittlung der den Menschen rechtfertigenden Gottesbotschaft in den Lebens- und Verstehenshorizont heutiger Kinder und Jugendlicher, ein Defizit an Gesprächskommunikation auch mit den distanzierten Kirchenmitgliedern, in der ihre Fragen an diese Botschaft zu Wort kommen, zeigen die Kehrseite der Identifizierung ihrer Verkündigung mit der Sonntagspredigt in der sich vor allem aus engagierten Kirchenmitgliedern zusammensetzenden gottesdienstlichen Gemeinde an. Sie zeigt sich auch in einem häufig nachlässigen Umgang mit der Kindergottesdienstkatechese, der Kasualpredigt und der seelsorgerlichen Verkündigung an den einzelnen. Als Sozialsystem mit latenter Desintegration benötigt die Volkskirche aber Verkündigung in Vermittlungsformen, die auch die erreichen, die der Sonntagspredigt fernbleiben. Hier ist sie genötigt, »in den Kategorien und Begriffen« zu sprechen, »die von denen verstanden wer-

medien und -techniken dieser Gesellschaft benutzen müssen. Sie wird aber von dieser Benützung allein nicht die Lösung ihrer speziellen Kommunikationsprobleme erwarten können. Kommunikation ist in der Kirche wesentlich und zunächst personelle Kommunikation und erst in zweiter Linie medial vermittelte Kommunikation« (*Roepke,* Öffentlichkeitsarbeit 243).

821 S.o. 217. – »Der evangelische Christ ist nicht von Natur aus unmündig, sondern auf Grund von Voraussetzungen, für die vorhandene und nicht vorhandene volkskirchliche Handlungsformen verantwortlich zu machen sind . . . Trotz der unzähligen Zitierungen einschlägiger Bonhoeffer-Worte in kirchlichen Vorträgen ist von der Mündigkeit in den Gemeinden wenig zu spüren. Man ist nicht gewohnt, Fragen zu stellen . . . Die parochiale Mehrheit . . . schweigt öffentlich – und fragt doch« (*Bastian,* Theologie der Frage 95f).

den, die sie gewinnen will« (Tillich)[822]. Solche Sprache bewahrt auch die Sonntagspredigt vor Provinzialismus. Die fundamentale Bedeutung der Verkündigung nötigt die praktische Theologie, solchen Vermittlungsformen besondere Aufmerksamkeit zu widmen.

Mit der sich in ihrer Praxis manifestierenden, empirischen evangelischen Volkskirche ist der Gegenstandsbereich praktischer Theologie in unserem Raum erreicht. Er ist nunmehr zu entfalten.

822 S.o. 59.

Literatur

Es werden nur Titel angegeben, auf die direkt Bezug genommen wird. Die Abkürzungen richten sich nach S. Schwertner, Internationales Abkürzungsverzeichnis für Theologie und Grenzgebiete, 1974 (IATG). In den Anmerkungen wird durchgängig unter Angabe des Verfasser-Nachnamens, eines Kurztitels und der direkt angefügten Seitenangaben zitiert. Haben mehrere Verfasser den gleichen Nachnamen, treten in der Regel die Initialen der Vornamen dazu. Das Literaturverzeichnis ist innerhalb der einzelnen Autoren alphabetisch geordnet. (Die bestimmten Artikel »der, die, das« und das Wort »Art.« werden bei der alphabetischen Reihenfolge nicht berücksichtigt.) Die Kurztitel stehen jeweils vor der vollen bibliographischen Angabe.

Achelis, E. C., Praktische Theologie 2
Lehrbuch der Praktischen Theologie, Bd. 2, 1891

Adam, A., Nationalkirche und Volkskirche
Nationalkirche und Volkskirche im deutschen Protestantismus, 1938

Adorno, Th. W., Einleitung, in: *ders.* u.a. (Hg.), Der Positivismusstreit in der deutschen Soziologie, Soziologische Texte 58, 1969, 7ff

- Gesellschaftstheorie
Gesellschaftstheorie und empirische Forschung, in: *Hochkeppel, W., Adorno, Th. W., Albert, H.* u.a. (Hg.), Soziologie zwischen Theorie und Empirie. Soziologische Grundprobleme, Sammlung dialog 39, 1970, 75ff
- Negative Dialektik, 1966
- u.a. (Hg.), Der Positivismusstreit in der deutschen Soziologie, Soziologische Texte 58, 1969
- Soziologie und empirische Forschung, in: *ders.* u.a. (Hg.), Der Positivismusstreit in der deutschen Soziologie, Soziologische Texte 58, 1969, 81ff

Aland, K., Geschichte der Christenheit II
Geschichte der Christenheit II. Von der Reformation bis zur Gegenwart, 1982

- Kaiser und Kirche von Konstantin bis Byzanz (1955), in: *Ruhbach, G.* (Hg.), Die Kirche angesichts der Konstantinischen Wende, WdF 306, 1976, 42ff

Albert, H., Kritizismus
Aspekte eines modernen Kritizismus, in: *Hochkeppel, W., Adorno, Th. W., Albert, H.* u.a. (Hg.), Soziologie zwischen Theorie und Empirie. Soziologische Grundprobleme, Sammlung dialog 39, 1970, 83ff

- Traktat
Traktat über kritische Vernunft, [2]1969
- Wissenschaft
Die Wissenschaft und die Fehlbarkeit der Vernunft, 1982

Apel, K.-O., Szientistik
Szientistik, Hermeneutik, Ideologiekritik, in: *ders.* u.a. (Hg.), Hermeneutik und Ideologiekritik, 1977, 7ff

Aristoteles, Metaphysik, hg. v. *H. Seidel,* 2 Bde., 1978/1980
- Organon, Zweiter Teil, Übersetzung *E. Rolfes,* 1948
- Posterior Analytics, by *H. Tredellennek-Topica,* by *E. S. Forster,* MCMLXVI, 258ff

Asmussen, H., Volkskirche
Grundsätzliche Erwägungen zur Volkskirche, JK 3, 1935, 288ff

Bargheer, F. W., Das Interesse der Jugendlichen und der Religionsunterricht, Handbücherei für den Religionsunterricht 11, 1972

Barth, Ch., Bekenntnis im Werden. Neue Quellen zur Entstehung der Barmer Erklärung, 1979

Barth, K., Brief an einen Pfarrer
Brief an einen Pfarrer in der Deutschen Demokratischen Republik, 1953
- Briefe
Briefe 1961–1968, K. Barth Gesamtausgabe V, hg. v. *J. Fangmeier* u. *H. Stoevesandt,* 1975
- Christliche Dogmatik
Die christliche Dogmatik im Entwurf, 1927
- KD IV/4 Fragmente
Das christliche Leben. Die Kirchliche Dogmatik IV/4: Fragmente aus dem Nachlaß. Vorlesungen 1959–1961, K. Barth Gesamtausgabe II, hg. v. *H.-A. Drewes* u. *E. Jüngel,* 1976
- Heidelberger Katechismus
Die christliche Lehre nach dem Heidelberger Katechismus. Vorlesung gehalten an der Universität Bonn im Sommersemester 1947, 1949
- Briefwechsel
Ein Briefwechsel mit Adolf von Harnack, in: *ders.,* Theologische Fragen und Antworten. Ges. Vorträge 3, 1957, 7ff
- Einführung
Einführung in die evangelische Theologie, 1962
- How my mind has changed, in: »Der Götze wackelt«. Zeitkritische Aufsätze, Reden und Briefe von 1930–1960, hg. v. *K. Kupisch,* 1961, 101ff
- KD
Die Kirchliche Dogmatik. I/1, 1932, [7]1957. I/2, 1938, [4]1948. II/1, 1940. [4]1958. III/2, 1948. IV/1, 1953. IV/2, 1955. IV/3, 1959
- Taufe
Die kirchliche Lehre von der Taufe, ThSt 14, 1943
- Lebendige Gemeinde
Die lebendige Gemeinde und die freie Gnade, TEH NF 9, 1947
- Nachwort, in: Schleiermacher-Auswahl, Siebenstern Taschenbuch, 1968, 290ff
- Not und Verheißung
Not und Verheißung der christlichen Verkündigung (1922), in: ZZ 1, 1923, 3ff
- Protestantische Theologie
Die protestantische Theologie im 19. Jahrhundert. Ihre Vorgeschichte und ihre Geschichte, 1947
- Die Theologie Schleiermachers. Vorlesung Göttingen Wintersemester 1923/24, K. Barth Gesamtausgabe II, hg. v. *D. Ritschl,* 1978

Bassermann, H., Die Praktische Theologie als selbständige Disziplin
Die Praktische Theologie als eine selbständige theologische Disziplin (1893), in: *Krause, G.* (Hg.), Praktische Theologie. Texte zum Werden und Selbstverständnis der praktischen Disziplin der evangelischen Theologie, WdF CCLXIV, 1972, 173ff
- Rezension Achelis
Rezension über: Ernst Christian Achelis, Praktische Theologie I (1890), in: *Krause, G.*

(Hg.), Praktische Theologie. Texte zum Werden und Selbstverständnis der praktischen Disziplin der evangelischen Theologie, WdF CCLXIV, 1972, 145ff

Bastian, H.-D., Praktische Theologie und Theorie
Praktische Theologie und Theorie, Theologia practica 9, 1974, 85ff

- Theologie der Frage
Theologie der Frage. Ideen zur Grundlegung einer theologischen Didaktik und zur Kommunikation der Kirche in der Gegenwart, 1969

- Vom Wort zu den Wörtern
Vom Wort zu den Wörtern. Karl Barth und die Aufgaben der Praktischen Theologie, EvTh 28, 1968, 25ff

Bauer, W., Wörterbuch
Griechisch-deutsches Wörterbuch zu den Schriften des Neuen Testaments und der übrigen urchristlichen Literatur, [5]1963

Baum, M., Metaphysik
Art. Metaphysik, in: *Baum, E., Rademacher, H.* (Hg.), Wissenschaftstheoretisches Lexikon, 1978, 372ff

Becker, F. K. u.a. (Hg.), Kirche und ältere Generation, Urban TB 608, 1978

Becker, W., Art. Spekulation, in: *Krings, H.* u.a. (Hg.), Handbuch philosophischer Grundbegriffe Studienausgabe 5, 1974, 1368ff

BSLK
Bekenntnisschriften der evangelisch-lutherischen Kirche, 1930

Berger, K., Volksversammlung
Volksversammlung und Gemeinde Gottes. Zu den Anfängen der christlichen Verwendung von »ekklesia«, ZThK 73, 1976, 167ff

Berger, P. L., Der Zwang zur Häresie
Der Zwang zur Häresie. Religion in der pluralistischen Gesellschaft, aus dem Amerikanischen v. W. Köhler, 1980

Bethge, E., Bonhoeffer
Dietrich Bonhoeffer. Theologe - Christ - Zeitgenosse, [2]1967

Beyer, H. W., Art. διακονέω, διακονία, διάκονος, in: ThWNT II, 1935, 81ff
Art. κυβέρνησις, in: ThWNT III, 1938, 1034ff

Blankertz, H., Geschichte der Pädagogik
Die Geschichte der Pädagogik. Von der Aufklärung bis zur Gegenwart, 1982

- Theorien und Modelle
Theorien und Modelle der Didaktik, Grundfragen der Erziehungswissenschaften, Bd. 6, [3]1970

Bloth, P. C., Praktische Theologie
Praktische Theologie (PTh), in: *Strecker, G.* (Hg.), Theologie im 20. Jahrhundert. Stand und Aufgaben, UTB 1238, 1983, 389ff

- Rezension Diem
Rezension: Hermann Diem, Theologie als Kirchliche Wissenschaft. Handreichung zur Einübung ihrer Probleme. Band III: Die Kirche und ihre Praxis, 1963, in: Theologia practica 1, 1966, 101ff

Bloth, P. C., Daiber, U.-F., Kleemann, J., Roepke, C.-J., Schröer, H., Stählin, T., Wegenast, K. (Hg.), Handbuch der Praktischen Theologie, Bd. 2, 1981. Bd. 3, 1983

Bock, M., Soziologie als Grundlage
Soziologie als Grundlage des Wirklichkeitsverständnisses. Zur Entstehung des modernen Weltbildes, 1980

Böhler, D., Metakritik

Metakritik der Marxschen Ideologiekritik, 1971
Bohren, R., Daß Gott schön werde. Praktische Theologie als theologische Ästhetik, 1975
- Zukunftsperspektiven der Praktischen Theologie
Zukunftsperspektiven der Praktischen Theologie. Gastvorlesung in Hamburg am 27. Juni 1967, in: Wort und Gemeinde. Probleme und Aufgaben der Praktischen Theologie. Eduard Thurneysen zum 80. Geburtstag, 1968, 395ff
Bolewski, H., Alternative Gruppen
Alternative Gruppen - Ein Phänomen und seine Deutung, in: Evangelische Zentralstelle für Weltanschauungsfragen (Hg.), Information Nr. 73, 1978, 2ff
Bonhoeffer, D., AS
Akt und Sein. Transzendentalphilosophie und Ontologie in der systematischen Theologie, 1931 = Neudruck TB 5, 1956
- SC
Sanctorum Communio. Eine dogmatische Untersuchung zur Soziologie der Kirche, 1930 = Neudruck TB 3, 1954
- Das Wesen der Kirche (1932). Nachschrift. GS V, 1972, 227ff
- WE
Widerstand und Ergebung. Briefe und Aufzeichnungen aus der Haft, hg. v. *E. Bethge*, 1952
- Zur Frage nach der Kirchengemeinschaft, EvTh 3, 1936, 214ff
Boos-Hünning, U., Soziale Schicht und Religiosität, in: *Y. Spiegel* (Hg.), Kirche und Klassenbildung. Studien zur Situation der Kirchen in der Bundesrepublik Deutschland, edition suhrkamp 709, 1974, 100ff
Bornemann, W., Evangelische Missionskunde
Einführung in die evangelische Missionskunde im Anschluß an die Basler Mission (1903), in: *Krause, G.*, Praktische Theologie. Texte zum Werden und Selbstverständnis der praktischen Disziplin der evangelischen Theologie, WdF CCLXIV, 1972, 215ff
Bornkamm, K., Kirchenbegriff und Kirchengeschichtsverständnis, ZThK 75, 1978, 436ff
Brecht, M., Luther
Martin Luther. Sein Weg zur Reformation 1483–1521, 1981
Bultmann, R., Briefwechsel
Aus einer Denkschrift von R. Bultmann vom 18. 1. 1931, in: Karl Barth - Rudolf Bultmann. Briefwechsel 1922–1926. Karl Barth Gesamtausgabe V/1, hg. v. *B. Jaspert*, 1971, 243ff
- Bedeutung des Alten Testaments
Die Bedeutung des Alten Testaments für den christlichen Glauben, in: Glauben und Verstehen I, ³1958, 313ff
- Das christologische Bekenntnis
Das christologische Bekenntnis des Oekumenischen Rates, in: Glauben und Verstehen II, ²1958, 246ff
- Erziehung
Erziehung und christlicher Glaube, in: Glauben und Verstehen IV, 1965, 52ff
- Das Evangelium des Johannes, KEK 2. Abt., ¹¹1950
- Formen menschlicher Gemeinschaft, in: Glauben und Verstehen II, ²1958, 262ff
- Die Frage der natürlichen Offenbarung, in: Glauben und Verstehen II, ²1958, 79ff
- Synoptische Tradition
Die Geschichte der synoptischen Tradition, ⁴1958
- Geschichte und Eschatologie, 1958
- Glauben und Verstehen I, II, IV; ³1958, ²1958, 1965

– Neues Testament und Mythologie
Neues Testament und Mythologie. Das Problem der Entmythologisierung der neutestamentlichen Verkündigung, in: Kerygma und Mythos I, 1948, 15ff
– Jesus
Jesus. Die Unsterblichen 1, o.J. (1926)
– Kirche und Lehre
Kirche und Lehre im Neuen Testament, in: Glauben und Verstehen I, [3]1958, 153ff
– Liberale Theologie
Die liberale Theologie und die jüngste theologische Bewegung, in: Glauben und Verstehen I, [3]1958, 1ff
– Das Problem der Hermeneutik, in: Glauben und Verstehen II, [2]1958, 211ff
– Theologie
Theologie des Neuen Testaments, 1953
– Weissagung und Erfüllung, in: Glauben und Verstehen II, [2]1958, 162ff
– Zum Problem der Entmythologisierung, in: Kerygma und Mythos II, 1952, 179ff
Burgsmüller, A. (Hg.), Kirche als »Gemeinde von Brüdern« (Barmen III), Bd. 2. Votum des Theologischen Ausschusses der Evangelischen Kirche der Union, 1981
Busch, E., Barths Lebenslauf
Karl Barths Lebenslauf. Nach seinen Briefen und autobiographischen Texten, 1975
Buschbeck, B., Art. Arbeit mit Kindern
Art. Arbeit mit Kindern (vorschulische und außerfamiliäre), in: *Bloth, P. C.* u.a. (Hg.), Handbuch der Praktischen Theologie 3. Praxisfeld: Gemeinden, 1983, 326ff
Buschbeck, B., Failing, W. E., Religiöse Elementarerziehung. Ein Arbeitsbuch für Ausbildung und Praxis, 1976
Calvin, J., Institutio IIII
Institutio Christianae Religionis 1559, Lib. IIII, in: J. Calvini opera selecta V, ed. *P. Barth, G. Niesel*, MCMXXXVI
– Unterricht, übers. v. *O. Weber*
Unterricht in der christlichen Religion. Institutio Chritianae Religionis. Nach der letzten Ausgabe übersetzt und bearbeitet v. *O. Weber*, III. Bd. (Buch IV), 1938
Campenhausen, A. v., Das Problem der Rechtsgestalt in ihrer Spannung zwischen Empirie und Anspruch, in: *Burgsmüller, A.* (Hg.), Kirche als »Gemeinde von Brüdern« (Barmen III) I, 1980, 47ff
Campenhausen, H. v., Kirchliches Amt
Kirchliches Amt und geistliche Vollmacht in den ersten drei Jahrhunderten, BHTh 14, [2]1963
Catechismus ex Decreto Concilii Tridentini ad Parochus Pii V et Clementis XIII. Pont. Max. iussu editus, Pars II, cap. II
Clemen, C., Die Methode der praktischen Theologie, in: *Krause, G.* (Hg.), Praktische Theologie. Texte zum Werden und Selbstverständnis der praktischen Disziplin der evangelischen Theologie, WdF CCLXIV, 1972, 238ff
Conze, W., »Sozialgeschichte 1800–1850«, in: *Aubin, H., Zorn, W.* (Hg.), Handbuch der deutschen Wirtschafts- und Sozialgeschichte, Bd. 2, 1976, 478ff
– »Sozialgeschichte 1850–1918«, in: *Aubin, H., Zorn, W.* (Hg.), Handbuch der deutschen Wirtschafts- und Sozialgeschichte, Bd. 2, 1976, 664ff
Conzelmann, H., Erster Korinther
Der erste Brief an die Korinther, KEK, [11]1969
– Theologie des NT
Grundriß der Theologie des Neuen Testaments, 1968

- Art. χαίρω, in: ThWNT IX, 1973, 350ff
Courtin, J., Haase, H.-W., Geisteswissenschaften
Theoriebildung in den Geisteswissenschaften, in: *Sauter, G.*, Wissenschaftstheoretische Kritik der Theologie. Die Theologie und die neuere wissenschaftstheoretische Diskussion. Materialien - Analysen - Entwürfe, 1973, 162ff
Dahm, K. W., Pfarrer
Beruf: Pfarrer. Empirische Aspekte zur Funktion von Kirche und Religion in unserer Gesellschaft, [3]1974
- Religiöse Kommunikation und kirchliche Institution, in: *ders.* u.a., Religion - System und Sozialisation, 1972, 133ff
Dahmer, I., Theorie und Praxis
Theorie und Praxis, in: *Dahmer, I., Klafki, W.* (Hg.), Geisteswissenschaftliche Pädagogik am Ausgang ihrer Epoche - Erich Weniger, 1968, 35ff
Daiber, K.-F., Auf der Suche nach Alternativen
Auf der Suche nach Alternativen. Eine Standortbestimmung Praktischer Theologie heute, LM 22, 1983, 456ff
- Grundriß der Praktischen Theologie
Grundriß der Praktischen Theologie als Handlungswissenschaft. Kritik und Erneuerung der Kirche als Aufgabe, 1977
Dantine, J., Die Kirche vor der Frage nach ihrer Wahrheit. Die reformatorische Lehre von den »notae ecclesiae« und der Versuch ihrer Entfaltung in der kirchlichen Situation der Gegenwart, Kirche und Konfession 23, 1980
Dantine, W., Die Gerechtmachung
Die Gerechtmachung der Gottlosen. Eine dogmatische Untersuchung, 1959
Dehn, G., Proletarierjugend, 1912
- Proletarische Jugend. Lebensgestalt und Gedankenwelt der großstädtischen Proletarierjugend, 2. Aufl. o.J. (1930)
- Religiöse Gedankenwelt der Proletarierjugend
Die religiöse Gedankenwelt der Proletarierjugend. In Selbstzeugnissen dargestellt, 1923
Deile, V., Ermahnungen
Ermahnungen der christlichen Friedensbewegung an die Volkskirche, Kirche im ländlichen Raum 31, 1983, 135ff
Denzinger, Henricus, D
Enchiridion symbolorum definitionum et declarationum de rebus fidei et morum, ed. *Carolus Rahner*, Ed. 28, MCMLII
Denzinger, Henricus, Schönmetzer, Adolfus (Ed.), D
Enchiridion symbolorum definitionum et declarationum de rebus fidei et morum, Ed. 33, MCMLXV
Deuser, H., Kritische Notizen
Kritische Notizen zur theologischen Wissenschaftstheorie, EvTh 36, 1976, 216ff
Dibelius, M., Formgeschichte
Die Formgeschichte des Evangeliums, [3]1959
Dibelius, O., Kirche
Das Jahrhundert der Kirche. Geschichte, Betrachtung, Umschau und Ziele, 1927
Diem, H., Praxis
Die Kirche und ihre Praxis. Theologie als kirchliche Wissenschaft. Handreichung zur Einübung ihrer Probleme, Bd. III, 1963
Dienst, K., Die lehrbare Religion
Die lehrbare Religion. Theologie und Pädagogik: Eine Zwischenbilanz, 1976

Dilthey, W. (Hg.), Briefe 4. Bd.
Aus Schleiermachers Leben. In Briefen, 4. Bd., 1863
- Typen der Weltanschauung
Die Typen der Weltanschauung und ihre Ausbildung in den metaphysischen Systemen, Ges. Schriften VIII, 1931

Dinkler, E., Die ekklesiologischen Aussagen des Paulus
Die ekklesiologischen Aussagen des Paulus im kritischen Rückblick auf Barmen III, in: *Burgsmüller, A.* (Hg.), Kirche als »Gemeinde von Brüdern« (Barmen III), Bd. 1. Vorträge aus dem Theologischen Ausschuß der Evangelischen Kirche der Union, 1980, 115ff

Doerne, M., Volkskirche
Was heißt Volkskirche? Theologia militans 1, 1935
- Zum gegenwärtigen Stand der praktischen Theologie, in: *Krause, G.* (Hg.), Praktische Theologie. Texte zum Werden und Selbstverständnis der praktischen Disziplin der evangelischen Theologie, WdF CCLXIV, 1972, 400ff

Drews, P., Das Problem der Praktischen Theologie
Das Problem der Praktischen Theologie. Zugleich ein Beitrag zur Reform des theologischen Studiums, 1910
- Einfluß der gesellschaftlichen Zustände
Der Einfluß der gesellschaftlichen Zustände auf das kirchliche Leben (1906), in: *Fürstenberg, F.* (Hg.), Religionssoziologie, Soziologische Texte 19, ²1970, 374ff

Drude, H., Ich bin des Geldes wegen da. Die Konfirmation häufig nur noch ein Fest des Konsums, in: Die Zeit Nr. 19/1981, 57.

Duns Scotus, J., Opus Oxoniense. Opera omnia V/1, 1968

Durkheim, E., Grundformen des religiösen Lebens
Die Grundformen des religiösen Lebens, aus: Les formes élémentaires de la vie religieuses (1912), in: *Fürstenberg, F.* (Hg.), Religionssoziologie, Soziologische Texte 19, ²1970, 35ff

Ebeling, G., Dogmatik III
Dogmatik des christlichen Glaubens III, 1979
- Studium der Theologie
Studium der Theologie. Eine enzyklopädische Orientierung, UTB 446, 1975
- Kritischer Rationalismus?
Kritischer Rationalismus? Zu Hans Alberts »Traktat über kritische Vernunft«, ZThK 70, 1973, Beiheft 3
- Art. Theologie I. Begriffsgeschichtlich, in: RGG VI, ³1962, 754ff

Ein Gutachten aus dem Vatikan, in: *Häring, K.* u. *Nolte, J.* (Hg.), Diskussion um Hans Küng »Die Kirche«, 1971, 32ff

Fahlbusch, E., Kirchenkunde
Kirchenkunde der Gegenwart, ThW 9, 1979

Faulenbach, H., Schuld und Hoffnung
Schuld und Hoffnung der Kirche. Ein Thema für die Kirchengeschichte?, EvTh 31, 1976, 26ff

Feil, E., Theologie Bonhoeffers
Die Theologie Dietrich Bonhoeffers. Hermeneutik – Christologie – Weltverständnis, Systematische Beiträge 6, 1971

Fendt, L., Die Stellung der Praktischen Theologie
Die Stellung der Praktischen Theologie im System der Theologischen Wissenschaft (1932), in: *Krause, G.* (Hg.), Praktische Theologie. Texte zum Werden und Selbstverständnis der praktischen Disziplin der evangelischen Theologie, WdF CCLXIV, 1972, 309ff

Feuerbach, L., Wesen des Christentums
Das Wesen des Christentums (1841), in: *ders.*, Sämtl. Werke VI, 1903
Feyerabend, P., Wider den Methodenzwang
Wider den Methodenzwang. Skizze einer anarchistischen Erkenntnistheorie, (Engl. Original 1975) ²1981
Fischer, M., Beziehung aller Theologie auf die Kirche
Die notwendige Beziehung aller Theologie auf die Kirche in ihrer Bedeutung für die praktische Theologie bei Schleiermacher (1950), in: *ders.*, Überlegungen zu Wort und Weg der Kirche, o.J. (1963), 155ff
Frankfurter Allgemeine Zeitung 16. 5. 1981
Frankfurter Allgemeine Zeitung: Wenig Glauben an göttliche Fügung. Junge Christen und ihre Kirche / Landessynode tagt in Goslar, Nr. 113 / 16. Mai 1981, 4
Friedrich, G., Art. προφήτης κτλ; D. Propheten und Prophezeien im Neuen Testament und E. Propheten in der alten Kirche, in: ThWNT VI, 1959, 829ff
Fritzsche, H.-G., Strukturtypen
Die Strukturtypen der Theologie. Eine kritische Einführung in die Theologie, 1961
Früchtel, U., Leitfaden
Leitfaden Religionsunterricht. Arbeitsbuch zur Didaktik des Religionsunterrichts, 1977
Fürstenberg, F., Art. Religionssoziologie, in: RGG V, ³1961, 1027ff
Gebhardt, H., Zur bäuerlichen Glaubens- und Sittenlehre, 1885
Geyer, H. G., Wahre Kirche?
Wahre Kirche? Betrachtungen über die Möglichkeit der Wahrheit einer christlichen Kirche, EvTh 38, 1978, 470ff
Godin, A., Christ und Psychologie
Der Christ und die Psychologie, in: Bilanz der Theologie im 20. Jahrhundert I, hg. v. *H. Vorgrimler* u. *R. Vander Gucht,* ²1970, 197ff
Göhre, P., Drei Monate Fabrikarbeiter und Handwerksbursche, 1891
Gollwitzer, H., Kapitalistische Revolution
Die kapitalistische Revolution, 1974
– Reich Gottes und Sozialismus
Reich Gottes und Sozialismus bei Karl Barth, TEH 169, 1972
– Vortrupp
Vortrupp des Lebens, 1975
Goltz, E. v. d., Grundfragen
Grundfragen der praktischen Theologie. Das kirchliche Leben in seinen elementaren Funktionen und Gemeinschaftsformen, Studien zur praktischen Theologie 8/3, 1917
– Praktische Theologie
Die praktische Theologie (1929), in: *Krause, G.* (Hg.), Praktische Theologie. Texte zum Werden und Selbstverständnis der praktischen Disziplin der evangelischen Theologie, WdF CCLXIV, 1972, 294ff
Grundmann, W., Art. δύναμαι, δύναμις κτλ, in: ThWNT II, 1935, 286ff
Haar, J., Initium Creaturae Dei
Initium Creaturae Dei. Eine Untersuchung über Luthers Begriff der »neuen Creatur« im Zusammenhang mit seinem Verständnis von Jakobus 1,18 und mit seinem »Zeit«-Denken, o.J.
Habermas, J., Erkenntnis und Interesse, (1968) ²1971
Haenchen, E., Die Apostelgeschichte, KEK, 3. Abt., ¹⁰1956
Hahn, Ferdinand, Charisma und Amt
Charisma und Amt. Die Diskussion über das kirchliche Amt im Lichte der neutestamentlichen Charismenlehre, ZThK 76, 1979, 419ff

Hahn, Friedrich, Gott ist ein Fremdwort, Radius 19, 1974, Heft 4, 46ff
Häring, H., Kirche
Kirche und Kerygma. Das Kirchenbild in der Bultmannschule, ÖF. E I/IV, 1972
Haffner, S., Preußen
Preußen ohne Legende, 1978
Hainz, J., Ekklesia
Ekklesia. Strukturen paulinischer Gemeinde-Theologie und Gemeinde-Ordnung, BV 9, 1972
Hammer, W. (Hg.), Geheimnis der Gemeinde
Vom Geheimnis der Gemeinde. Eine Handreichung zum Glaubensgespräch. Angenommen von der Generalsynode der Niederländisch Reformierten Kirche auf ihrer Tagung am 18. Juni 1974, [2]1976
Harbsmeier, G., Von Barth zu Bastian
Von Barth zu Bastian. Erwägungen zu H.-D. Bastian, Vom Wort zu den Wörtern. Karl Barth und die Aufgaben der Praktischen Theologie (Evangelische Theologie 1/1968), in: *Otto, G.* u. *Stock, H.* (Hg.), Schule und Kirche vor den Aufgaben der Erziehung, Theologia practica, Sonderheft für Martin Stallmann, 1968, 31ff
Harenberg, W., Was glauben die Deutschen? Die Emnid-Umfrage. Ergebnisse. Kommentare, 1969
Harnack, A., Art. Konstantinopolitanisches Symbol, in: RE XI, 1902, 12ff
Harnack, Th., Praktische Theologie I, 1877
Hegel, G. W. F., Phänomenologie
Phänomenologie des Geistes, Suhrkamp TB Wissenschaft 8, [2]1975
- Philosophie der Geschichte
Vorlesungen über die Philosophie der Geschichte, Sämtliche Werke 11, hg. v. *H. Glockner,* 1949
- Philosophie der Religion
Vorlesungen über die Philosophie der Religion, 2 Bde., Sämtliche Werke 15 u. 16, hg. v. *H. Glockner,* 1840, Nachdruck 1928
Heidegger, M., Nietzsches Wort »Gott ist tot«, in: *ders.,* Holzwege, 1950, 193ff
- Sein und Zeit I, [6]1949
Heinrici, G., Der 1. Korintherbrief
Handbuch über den ersten Brief an die Korinther, KEK V, [7]1888
Helmreich, E. C., Religionsunterricht in Deutschland
Religionsunterricht in Deutschland. Von der Klosterschule bis heute, 1966
Henkys, J., Die praktische Theologie (Einführung), in: Handbuch der Praktischen Theologie I, hg. v. *H. Ammer* u.a., 1975, 11ff
Hermelink, H., Christentum in der Menschheitsgeschichte
Das Christentum in der Menschheitsgeschichte von der französischen Revolution bis zur Gegenwart, I-III, 1951-1955
Herms, E., Die Fähigkeit zu religiöser Kommunikation
Die Fähigkeit zu religiöser Kommunikation und ihre systematischen Bedingungen in hochentwickelten Gesellschaften. Überlegungen zur Konkretisierung der Ekklesiologie, in: *ders.,* Theorie für die Praxis - Beiträge zur Theologie, 1982, 257ff
Heussi, K., Kompendium der Kirchengeschichte, [4]1919
Hild, H. (Hg.), Wie stabil ist die Kirche? Bestand und Erneuerung. Ergebnisse einer Meinungsbefragung, 1974
Hirsch, E., Die gegenwärtige Lage
Die gegenwärtige geistige Lage im Spiegel philosophischer und theologischer Besinnung.

Akademische Vorlesungen zum Verständnis des deutschen Jahres 1933, 1934
- Geschichte
Geschichte der neueren evangelischen Theologie im Zusammenhang mit den allgemeinen Bewegungen des europäischen Denkens, Bd. 1–5, [5]1975
- Der Weg der Theologie, 1937

Holl, K., Kirchliche Bedeutung Konstantinopels
Die kirchliche Bedeutung Konstantinopels im Mittelalter (1901), in: Ges. Aufsätze zur Kirchengeschichte II, 1928, 409ff
- Luther und das landesherrliche Kirchenregiment (1911), in: Ges. Aufsätze zur Kirchengeschichte I, [2.3]1923, 326ff
- Luther und die Schwärmer (1922), in: Ges. Aufsätze zur Kirchengeschichte I, [2.3]1923, 420ff
- Was hat die Rechtfertigungslehre dem modernen Menschen zu sagen? (1907), in: Ges. Aufsätze zur Kirchengeschichte III, 1928, 558ff

Hollweg, A., Theologie und Empirie
Theologie und Empirie. Ein Beitrag zum Gespräch zwischen Theologie und Sozialwissenschaften in den USA und Deutschland, [2]1971

Honecker, M., Kirche
Kirche als Gestalt und Ereignis. Die sichtbare Gestalt der Kirche als dogmatisches Problem, 1963

Horkheimer, M., Die gegenwärtige Lage
Die gegenwärtige Lage der Sozialphilosophie und die Aufgabe eines Instituts für Sozialforschung, Frankfurter Universitätsreden, 1931

Horkheimer, M., Adorno, Th. W., Dialektik der Aufklärung
Dialektik der Aufklärung. Philosophische Fragmente, Fischer-TB 6144, 1971

Horn, H. (Hg.), Kirche, Schule und Staat
Kirche, Schule und Staat im 20. Jahrhundert. Oskar Hammelsbecks Bilanz aus dem Nachlaß, Privatdruck 1979

Huber, W., Kirche, Themen der Theologie, Ergänzungsband, 1979

Hübner, E., Entmythologisierung
Entmythologisierung als theologische Aufgabe, in: ΠΑΡΡΗΣΙΑ. FS Karl Barth zum 80. Geburtstag, 1966, 238ff
- Evangelische Theologie
Evangelische Theologie in unserer Zeit, [3]1969
- Lehre von der Kirche
Die Lehre von der Kirche und die volkskirchliche Wirklichkeit als Problem von Theorie und Praxis, in: Freispruch und Freiheit. FS W. Kreck, 1973, 189ff
- »Monolog im Himmel?«
»Monolog im Himmel?« Zur Barth-Interpretation von Heinz Zahrnt, EvTh 31, 1971, 63ff
- Schrift und Theologie. Eine Untersuchung zur Theologie J. Chr. K. von Hofmanns, FGLP 10/VIII, 1956
- Theologie und Religionspädagogik
Theologie und Religionspädagogik. Ein Gespräch mit Walter Schmithals, EvTh 34, 1974, 380ff

Iwand, H. J., Luthers Theologie, hg. v. *S. Haar*, Nachgelassene Werke 5, 1974

Joest, W., Fundamentaltheologie
Fundamentaltheologie. Theologische Grundlagen- und Methodenprobleme, ThW 11, 1974
- Art. Heiligung III, in: RGG III, [3]1959, 180ff

Jonas, H., Gnosis I
Gnosis und spätantiker Geist I, FRLANT 51, [2]1954
Josuttis, M., Ekklesiologie
Dogmatische und empirische Ekklesiologie in der Praktischen Theologie. Zum Gespräch mit Karl Barth, in: Theologie und Kirchenleitung. FS M. Fischer, 1976, 150ff
- Der Pfarrer ist anders. Aspekte einer zeitgenössischen Pastoraltheologie, 1982
- Praxis des Evangeliums
Praxis des Evangeliums zwischen Politik und Religion. Grundprobleme der Praktischen Theologie, 1974
- Das Wort und die Wörter
Das Wort und die Wörter. Zur Kritik am Predigtverständnis Karl Barths, in: Freispruch und Freiheit, FS W. Kreck, 1973, 229ff
Jüngel, E., Bedeutung der Predigt
Die Bedeutung der Predigt angesichts unserer volkskirchlichen Existenz, in: *ders.*, Anfechtung und Gewißheit des Glaubens oder Wie die Kirche wieder zu ihrer Sache kommt. Zwei Vorträge, Kaiser Traktate 23, 1976, 47ff
- Das Dilemma der natürlichen Theologie
Das Dilemma der natürlichen Theologie und die Wahrheit ihres Problems. Überlegungen für ein Gespräch mit Wolfhart Pannenberg, in: *ders.*, Entsprechungen: Gott – Wahrheit – Mensch. Theologische Erörterungen, 1980, 158ff
- Gott als Geheimnis
Gott als Geheimnis der Welt. Zur Begründung der Theologie des Gekreuzigten im Streit zwischen Theismus und Atheismus, 1977
- Paulus und Jesus
Paulus und Jesus. Eine Untersuchung zur Präzisierung der Frage nach dem Ursprung der Christologie, [2]1964
- Theologische Wissenschaft und Glaube
»Theologische Wissenschaft und Glaube« im Blick auf die Armut Jesu, in: *ders.*, Unterwegs zur Sache. Theologische Bemerkungen, BEvTh 61, 1972, 11ff
- Tod
Tod, Themen der Theologie 8, 1971
- Unterwegs
Unterwegs zur Sache. Theologische Bemerkungen, 1972
- Das Verhältnis der theologischen Disziplinen untereinander (1968), in: *ders.*, Unterwegs zur Sache. Theologische Bemerkungen, BEvTh 61, 1972, 34ff
- Vom Tod des lebendigen Gottes. Ein Plakat, in: *ders.*, Unterwegs zur Sache. Theologische Bemerkungen, BEvTh 61, 1972, 105ff
- Die Welt
Die Welt als Möglichkeit und Wirklichkeit. Zum ontologischen Ansatz der Rechtfertigungslehre, in: *ders.*, Unterwegs zur Sache. Theologische Bemerkungen, BEvTh 61, 1972, 206ff
Kabisch, R., Wie lehren wir Religion?
Wie lehren wir Religion? Versuch einer Methodik des evangelischen Religionsunterrichts für alle Schulen auf psychologischer Grundlage, [3]1913
Käsemann, E., Amt und Gemeinde
Amt und Gemeinde im Neuen Testament, in: Exegetische Versuche und Besinnungen I, [6]1970, 109ff
- Gottesgerechtigkeit bei Paulus, in: Exegetische Versuche und Besinnungen II, [3]1970, 181ff
- Das Interpretationsproblem des Epheserbriefs (1961), in: Exegetische Versuche und Besinnungen II, [3]1970, 253ff

- Leib Christi
Leib und Leib Christi, 1933
- Römer
An die Römer, HNT 8a, 1973
- Historisch-kritische Exegese
Vom theologischen Recht historisch-kritischer Exegese, ZThK 64, 1967, 259ff
Kant, I., Kritik der reinen Vernunft
Kritik der reinen Vernunft, 1. Tl. Werke hg. v. *W. Weischedel*, 3. Bd., 1968
Kantzenbach, F. W., Christentumsgeschichte
Analogie, Revolution, Evolution. Zur Funktion der neuzeitlichen Christentumsgeschichte in der Kirchengeschichtsschreibung, in: Verstehen und Verantworten. Hermeneutische Beiträge der theologischen Disziplinen, hg. v. *F. W. Kantzenbach*, 1976, 75ff
Kasner, A., Bemerkungen
Bemerkungen zum paulinischen Verständnis der Kirche als »Leib Christi«, in: Brüderliche Kirche - menschliche Welt. FS A. Schönherr zum 60. Geburtstag, hg. v. *G. Forck* u. *J. Henkys*, 1971, 149ff
Kaufmann, F. X., Theologie in soziologischer Sicht, 1973
Kehrer, G., Religionssoziologie, Sammlung Göschen 1228, 1968
Kirchenordnung der Evangelischen Kirche im Rheinland in der Fassung vom 20. Januar 1979, in: Evangelisches Kirchenrecht im Rheinland I, 1980, 1ff
Kirchenordnung der Evangelischen Kirche von Westfalen. Vom 1. Dezember 1953, [3]1960
Kittel, G., Art. λέγω D. »Wort« und »Reden« im NT, in: ThWNT IV, 1942, 100ff
Klappert, B., Tendenzen der Gotteslehre in der Gegenwart, EvTh 35, 1975, 189ff
Klein, G., Bultmann
Rudolf Bultmann, in: Theologen des Protestantismus im 19. und 20. Jahrhundert II, hg. v. *M. Greschat*, 1978, 400ff
- Bultmann - ein Lehrer der Kirche
Rudolf Bultmann - ein Lehrer der Kirche, DtPfrBl 74, 1974, 615ff
- Universalgeschichte
Theologie des Wortes und die Hypothese der Universalgeschichte. Zur Auseinandersetzung mit Wolfhart Pannenberg, 1964
Klein, J., Art. Wesen, in: RGG VI, [3]1962, 1653ff
Kleinert, P., Zur praktischen Theologie (1880), in: *Krause, G.* (Hg.), Praktische Theologie. Texte zum Werden und Selbstverständnis der praktischen Disziplin der evangelischen Theologie, WdF CCLXIV, 1972, 123ff
Korsch, D., Kirche als Aktion Jesu Christi
Kirche als Aktion Jesu Christi. Bemerkungen anläßlich der Lektüre von Walter Krecks »Grundfragen der Ekklesiologie«, 1981, EvTh 43, 1983, 280ff
Krause, G. (Hg.), Krause
Praktische Theologie. Texte zum Werden und Selbstverständnis der praktischen Disziplin der evangelischen Theologie, WdF CCLXIV, 1972
- Praktische Theologie und Studienreform
Probleme der Praktischen Theologie im Rahmen der Studienreform (1967), in: *ders.* (Hg.), Praktische Theologie. Texte zum Werden und Selbstverständnis der praktischen Disziplin der evangelischen Theologie, WdF CCLXIV, 1972, 418ff
Kreck, W., Grundfragen der Ekklesiologie, 1981
- Kirche
Kirche und Kirchenorganisation. Einige Fragen zu Helmut Gollwitzers Kirchenthesen, EvTh 38, 1978, 518ff

Kretzschmar, G., Die Kirche in ihrer sozialen Gestalt, in: Handbuch der Praktischen Theologie I, 1975, 57ff

Kügelgen, W. v., Lebenserinnerungen des Alten Mannes in Briefen an seinen Bruder Gerhard 1840–1867, [2]1925

Küng, H., Die Kirche, ÖF. E I/1, 1967

– Rechtfertigung

Rechtfertigung. Die Lehre Karl Barths und eine katholische Besinnung, 1957

Lämmermann, G., Kritische oder empirisch-funktionale Handlungstheorie?

Praktische Theologie als kritische oder empirisch-funktionale Handlungstheorie? Zur theologiegeschichtlichen Ortung und Weiterführung einer aktuellen Kontroverse, TEH N.F. 211, 1981

Landau, R., Art. Geist/Heiliger Geist/Geistesgaben VI., in: TRE XII, 1983, 237ff

Landgrebe, L., Wilhelm Dilthey

Wilhelm Diltheys Theorie der Geisteswissenschaften (Analyse ihrer Grundbegriffe), Jahrbuch für Philosophie 9, 1928

Lange, E., Kirche für andere

Kirche für andere. Dietrich Bonhoeffers Beitrag zur Frage einer verantwortbaren Gestalt der Kirche in der Gegenwart, EvTh 27, 1967, 513ff

Lange, F. A., Geschichte des Materialismus

Geschichte des Materialismus und Kritik seiner Bedeutung in der Gegenwart, hg. v. *H. Cohen*, [4]1881

Lanternari, V., Prophetenbewegungen

Prophetenbewegungen als sozialer Protest, aus: Religiöse Freiheits- und Heilsbewegungen unterdrückter Völker (1960), in: Religionssoziologie, hg. v. *F. Fürstenberg*, Soziologische Texte 19, [2]1970, 425ff

Lenk, K., Werturteilsfreiheit

Werturteilsfreiheit als Fiktion, in: *Hochkeppel, W.* (Hg.), Soziologie zwischen Theorie und Empirie. Soziologische Grundprobleme, Sammlung dialog 39, 1970, 145ff

Lessing, E., Art. Geist/Heiliger Geist/Geistesgaben V., in: TRE XII, 1983, 218ff

– Kirche – Recht – Ökumene

Kirche – Recht – Ökumene. Studien zur Ekklesiologie, 1982

– Konsensus

Konsensus in der Kirche, TEH 177, 1973

Leuenberger, R., Zum Problem der Volkskirche, Reformatio 26, 1977, 10ff

Liebner, M. A., Praktische Theologie

Die praktische Theologie (1843), in: *Krause, G.* (Hg.), Praktische Theologie. Texte zum Werden und Selbstverständnis der praktischen Disziplin der evangelischen Theologie, WdF CCLXIV, 1972, 54ff

Lingner, O. (Hg.), EKD Struktur- und Verfassungsreform. Dokumente und Materialien zur Reform der Evangelischen Kirche in Deutschland, epd Dokumentation 6, 1972

Link, W., Ringen Luthers

Das Ringen Luthers um die Freiheit der Theologie von der Philosophie, [2]1955

Locher, G. W., Landeskirche

Das Problem der Landeskirche, EvTh 16, 1956, 33ff

Lohff, W., Mohaupt, L. (Hg.), Leitlinien

Volkskirche – Kirche der Zukunft? Leitlinien der Augsburgischen Konfession für das Kirchenverständnis heute. Eine Studie des Theologischen Ausschusses der Vereinigten Evangelisch-Lutherischen Kirche Deutschlands, 1977

Lohmeyer, E., Markus
Das Evangelium des Markus, KEK 1/2, [11]1951
- Offenbarung
Die Offenbarung des Johannes, HNT 16, [2]1953
Luckmann, Th., Religion in der modernen Gesellschaft
Das Problem der Religion in der modernen Gesellschaft. Institution, Person und Weltanschauung, 1963
Lübbe, H., Säkularisierung
Vollendung der Säkularisierung - Ende der Religion?, in: *Schatz, O.* (Hg.), Was wird aus dem Menschen?, 1974, 145ff
Lück, W., Die Volkskirche. Kirchenverständnis als Norm kirchlichen Handelns, Urban-TB 653, 1980
Lülmann, Ch., Schleiermacher, der Kirchenvater des 19. Jahrhunderts, SGV 48, 1907
Luhmann, N., Funktion der Religion, 1977
- Religion als System
Religion als System. Thesen - Religiöse Dogmatik und gesellschaftliche Evolution, in: Religion - System und Sozialisation, Reihe Theologie und Politik II, hg. v. *E. Bahr*, 1972
Lumen gentium. Zweites Vaticanisches Konzil. Konstitution und Dekrete der dritten Session. Lateinisch-deutsche Ausgabe. Dogmatische Konstitution über die Kirche. Deutsche Übersetzung besorgt im Auftrag der deutschen Bischöfe, [2]1965
Luther, M., Disputationen Dr. Martin Luthers in den Jahren 1535-1545 an der Universität Wittenberg gehalten, hg. v. *P. Drews*, 1895
- Erlanger Ausgabe, Briefwechsel 8
Sämtliche Werke. Briefwechsel, Bd. 8, hg. v. *E. L. Enders*, 1898
- Hebräerbrief, hg. v. *J. Ficker*
Vorlesung über den Hebräerbrief 1517/18, hg. v. *J. Ficker*, Bd. II/2 Die Scholien, 1929
- WA
Werke. Kritische Gesamtausgabe, Weimar 1883ff
Malinowski, B., Naturvölker
Die Religion der Naturvölker, aus: Magic, Science and Religion (1925), in: Religionssoziologie, hg. v. *F. Fürstenberg*, Soziologische Texte 19, [2]1970, 57ff
Mannheim, K., Soziologie des Wissens
Das Problem einer Soziologie des Wissens, in: Archiv für Sozialwissenschaft und Sozialpolitik 53, hg. v. *E. Lederer*, 1925
Marheineke, Ph. K., Übersichtliche Einleitung
Übersichtliche Einleitung in die praktische Theologie (1837), in: *Krause, G.* (Hg.), Praktische Theologie. Texte zum Werden und Selbstverständnis der praktischen Disziplin der evangelischen Theologie, WdF CCLXIV, 1972, 39ff
Marhold, W., Fragende Kirche. Über Methode und Funktion kirchlicher Meinungsumfragen, Praxis der Kirche 5, 1971
Marsch, W.-D., Institution im Übergang. Evangelische Kirche zwischen Tradition und Reform, 1970
Marx, K., Hegelsche Rechtsphilosophie
Zur Kritik der Hegelschen Rechtsphilosophie, in: *K. Marx, F. Engels*, Über Religion, [2]1976, 98ff
- Thesen über Feuerbach, in: *K. Marx, F. Engels*, Über Religion, [2]1976, 230ff
Marxsen, W., Einleitung in das Neue Testament
Einleitung in das Neue Testament. Eine Einführung in ihre Probleme, [4]1978
Marxsen, W., Steck, K. G., Gerechtigkeit
Absage an die Gerechtigkeit? Eine Predigt und ein Gespräch, TEH 203, 1979

Meyer, O., Art. Staat und Kirche, in: RE XVIII, [3]1906, 707ff
Meyer-Teschendorf, K., Körperschaftsstatus
Der Körperschaftsstatus der Kirchen. Zur Systemadäquanz des Art. 137 V WRV im pluralistischen Gemeinwesen des Grundgesetzes (1978), in: *Mikat, P.* (Hg.), Kirche und Staat in der neueren Entwicklung, WdF 566, 1980, 498ff
Mikat, P., Bemerkungen zur Ortsbestimmung und Aufgabenstellung im deutschen Staatskirchenrecht, in: *ders.* (Hg.), Kirche und Staat in der neueren Entwicklung, WdF 566, 1980, 1ff
Mildenberger, F., Theorie der Theologie
Theorie der Theologie. Enzyklopädie als Methodenlehre, 1972
Mildenberger, M., Einführung, in: Evangelische Zentralstelle für Weltanschauungsfragen (Hg.), Arbeitstexte 16, 1975, 2f
Möhler, J. A., Symbolik
Symbolik oder Darstellung der dogmatischen Gegensätze der Katholiken und Protestanten nach ihren öffentlichen Bekenntnisschriften, [10]1888
Moltmann, J., Der gekreuzigte Gott
Der gekreuzigte Gott. Das Kreuz Christi als Grund und Kritik christlicher Theologie, 1972
- Kirche
Kirche in der Kraft des Geistes. Ein Beitrag zur messianischen Ekklesiologie, 1975
Müller, C. W. (Hg.), Gruppenpädagogik
Gruppenpädagogik: Auswahl aus Schriften und Dokumenten, Kleine pädagogische Texte 31, 1972
Müller, Hanfried, Evangelische Dogmatik I
Evangelische Dogmatik im Überblick I, 1978
- Von der Kirche zur Welt
Von der Kirche zur Welt. Ein Beitrag zu der Beziehung des Wortes Gottes auf die societas in Dietrich Bonhoeffers theologischer Entwicklung, 1961
Niebergall, F., Die Entwicklung zur Religionspädagogik
Die Entwicklung der Katechetik zur Religionspädagogik (1911), in: *Wegenast, K.* (Hg.), Religionspädagogik I. Der evangelische Weg, WdF CCIX, 1981, 46ff
- Religionswissenschaft und Pädagogik
Religionswissenschaft und Pädagogik (1918), in: *Wegenast, K.* (Hg.), Religionspädagogik I. Der evangelische Weg, WdF CCIX, 1981, 60ff
- Die wissenschaftlichen Grundlagen
Die wissenschaftlichen Grundlagen der praktischen Theologie (1903), in: *Krause, G.* (Hg.), Praktische Theologie. Texte zum Werden und Selbstverständnis der praktischen Disziplin der evangelischen Theologie, WdF CCLXIV, 1972, 223ff
Niesel, W. (Hg.), Bekenntnisschriften und Kirchenordnungen
Bekenntnisschriften und Kirchenordnungen der nach Gottes Wort reformierten Kirche, [2]1938
Nietzsche, F., Die fröhliche Wissenschaft, in: Werke. Kritische Gesamtausgabe, hg. v. *G. Colli* u. *M. Montinari*, V/2, 1973
Nitzsch, C. I., Praktische Theologie I
Praktische Theologie I. Einleitung und erstes Buch. Allgemeine Theorie des kirchlichen Lebens, 1847
- Uebersicht
Uebersicht der praktisch-theologischen Literatur für die Jahre 1830 und 1831 (1832), in: *Krause, G.* (Hg.), Praktische Theologie. Texte zum Werden und Selbstverständnis der praktischen Disziplin der evangelischen Theologie, WdF CCLXIV, 1972, 25ff
Nitzsch, F., Art. Nitzsch, Karl Immanuel, in: RE XIV, [3]1904, 128ff

Oepke, A., Entmythologisierung
Entmythologisierung des Christentums ?, in: Kerygma und Mythos II, 1954, 170ff
Onnasch, K., Opium der Schüler oder Wahlfach der Avantgarde?
Religionsunterricht und Schulreform, 1970
Ott, H., Heilsgeschichte
Geschichte und Heilsgeschichte in der Theologie Rudolf Bultmanns, BHTh 19, 1955
Otto, G., Praktische Theologie als kritische Theorie
Praktische Theologie als kritische Theorie religiös vermittelter Praxis in der Gesellschaft. Zur Einleitung und Standortbestimmung, in: *ders.* (Hg.), Praktisch-Theologisches Handbuch, [2]1975, 9ff
- Thesen
Praktische Theologie als kritische Theorie religiös vermittelter Praxis – Thesen zum Verständnis einer Formel, in: *Klostermann, F., Zerfaß, R.* (Hg.), Praktische Theologie heute, 1974, 195ff
- Zur gegenwärtigen Diskussion
Zur gegenwärtigen Diskussion in der Praktischen Theologie. Thesen und Texte als Rahmen und Orientierung, in: *ders.* (Hg.), Praktisch-theologisches Handbuch, 1970, 9ff
Overbeck, F., Über die Christlichkeit
Über die Christlichkeit unserer heutigen Theologie, [2]1903
Palmer, Chr., Pastoraltheologie
Pastoraltheologie (1859), in: *Krause, G.* (Hg.), Praktische Theologie. Texte zum Werden und Selbstverständnis der praktischen Disziplin der evangelischen Theologie, WdF CCLXIV, 1972, 81ff
- Rezension Otto
Rezension über: Wilhelm Otto, Evangelische Praktische Theologie (1869/70), in: *Krause, G.* (Hg.), Praktische Theologie. Texte zum Werden und Selbstverständnis der praktischen Disziplin der evangelischen Theologie, WdF CCLXIV, 1972, 113ff
Pannenberg, W., Offenbarung
Dogmatische Thesen zur Lehre von der Offenbarung, in: *ders.* u.a. (Hg.), Offenbarung als Geschichte, [5]1982, 91ff
- Christologie
Grundzüge der Christologie, 1964
- Thesen
Thesen zur Theologie der Kirche, 1970
- Wissenschaftstheorie
Wissenschaftstheorie und Theologie, 1973
Pannenberg, W., Sauter, G., Daecke, S. M., Janowski, H. N., Grundlagen der Theologie
Grundlagen der Theologie – ein Diskurs, Urban-TB 603, 1974
Parsons, T., Rationalisierungsprozeß
Intellektuelle Reaktionen auf den Rationalisierungsprozeß, in: Soziologie zwischen Theorie und Empirie. Soziologische Grundprobleme, hg. v. *W. Hochkeppel*, Sammlung dialog 39, 1970, 157ff
- Sociology of Religion
The Theoretical Development of the Sociology of Religion (1944), in: Essays in Sociological Theory, [2]1958, 197ff
Pascal, B., Le Memorial
Le Memorial. Oeuvres XII, éd. par. *L. Brunschvig*, 1977
Peukert, H., Wissenschaftstheorie
Wissenschaftstheorie – Handlungstheorie – Fundamentale Theologie. Analysen zu An-

satz und Status theologischer Theoriebildung, 1976
Pirson, D., Mitgliedschaft
Die Mitgliedschaft in den deutschen evangelischen Landeskirchen als Rechtsverhältnis, in: *Meinhold, P.* (Hg.), Das Problem der Kirchenmitgliedschaft heute, WdF 524, 1979, 138ff
Pönnighaus, K., Kirchliche Vereine zwischen Rationalismus und Erweckung. Ihr Wirken und ihre Bedeutung am Beispiel des Fürstentums Lippe dargestellt, Europäische Hochschulschriften Reihe 23, Bd. 182, 1982
Popper, K. R., Logik der Forschung
Logik der Forschung. Studien in den Grenzbereichen der Wirtschafts- und Sozialwissenschaften 4, [4]1971
- Logik der Sozialwissenschaften
Die Logik der Sozialwissenschaften, in: *Adorno, Th. W.* u.a. (Hg.), Der Positivismusstreit in der deutschen Soziologie, Soziologische Texte 58, 1969, 103ff
Prenter, R., Spiritus creator
Spiritus creator. Studien zu Luthers Theologie, FGLP 10/VI, 1954
Procksch, O., Art. ἅγιος, in: ThWNT I, 1933, 87ff
Rad, G. v., Theologie des Alten Testaments, I 1957; II [2]1961
Rahner, K., Die Kirche der Sünder, 1948
Reicke, B., Art. προΐστημι, in: ThWNT VI, 1959, 700ff
Religionslehrer 1970. Ergebnisse einer Umfrage, in: Bund evangelischer Religionslehrer an Höheren Schulen Westfalens. Rundbrief Nr. 56, Oktober 1970
Rendtorff, T., Christentum außerhalb
Christentum außerhalb der Kirche. Konkretionen der Aufklärung, Furche-Stundenbücher 89, 1969
- Erwartungen an die Volkskirche
Erwartungen an die Volkskirche. Anmerkungen zu einer aktuellen Diskussion, EK 9, 1976, 16ff
- Kirche und Theologie
Kirche und Theologie. Die systematische Funktion des Kirchenbegriffs in der neueren Theologie, 1966
- Kerngemeinde
Kirchengemeinde und Kerngemeinde. Kirchensoziologische Bemerkungen zur Gestalt der Ortsgemeinde (1958), jetzt in: Religionssoziologie, hg. v. *F. Fürstenberg*, Soziologische Texte 19, [2]1970, 267ff
- Offenbarungsproblem
Das Offenbarungsproblem im Kirchenbegriff, in: Offenbarung als Geschichte, hg. v. *W. Pannenberg* u.a., Kerygma und Dogma, Beiheft 1, 1961, [5]1982
- Religion - Umwelt
Religion - Umwelt der Gesellschaft, in: Erneuerung der Kirche - Stabilität als Chance?, hg. v. *J. Matthes*, 1975, 57ff
- Soziale Struktur
Die soziale Struktur der Gemeinde. Die kirchlichen Lebensformen im gesellschaftlichen Wandel der Gegenwart. Eine kirchensoziologische Untersuchung, 1958
- Volkskirche und Friedensbewegung, in: Kirche im ländlichen Raum 34, 1983, 130ff
- Soziologie des Christentums
Von der Kirchensoziologie zur Soziologie des Christentums. Über die soziologische Funktion der »Säkularisierung«, in: *ders.*, Theorie des Christentums. Historisch-theologische Studien zu seiner neuzeitlichen Verfassung, 1972, 116ff
Rengstorf, K. H., Art. ἀπόστολος, in: ThWNT I, 1933, 406ff

Reuter, H.-R., Dialektik Schleiermachers
Die Einheit der Dialektik Friedrich Schleiermachers. Eine systematische Interpretation, BEvTh 83, 1979
Ritz, J., Die Praesenz der Empirie im Kirchenbegriff
Die Praesenz der Empirie im Kirchenbegriff bei Karl Barth und Hans Kueng, Diss. Basel 1979
Roepke, C.-J., Öffentlichkeitsarbeit
Öffentlichkeitsarbeit in der Gemeinde. Information, Werbung und Kontaktpflege, in: *Bloth, P. C.* u.a. (Hg.), Handbuch der Praktischen Theologie 3. Praxisfeld: Gemeinde, 1983, 238ff
Rössler, D., Der Kirchenbegriff der Praktischen Theologie
Der Kirchenbegriff der Praktischen Theologie. Anmerkungen zu CA VII, in: Kirche. FS Günther Bornkamm zum 75. Geburtstag, 1980, 465ff
– Positionelle und kritische Theologie, ZThK 67, 1970, 215ff
– Prolegomena
Prolegomena zur Praktischen Theologie. Das Vermächtnis Christian Palmers, ZThK 64, 1967, 357ff
Rosenkranz, K., Enzyklopädie
Enzyklopädie der theologischen Wissenschaften (1831), in: *Krause, G.* (Hg.), Praktische Theologie. Texte zum Werden und Selbstverständnis der praktischen Disziplin der evangelischen Theologie, WdF CCLXIV, 1972, 19ff
Roth, H., Die realistische Wendung
Die realistische Wendung in der pädagogischen Forschung, in: Neue Sammlung. Göttinger Blätter für Kultur und Erziehung 2, 1962, 481ff
Rothacker, E., Geisteswissenschaften
Logik und Systematik der Geisteswissenschaften, 1947
Rothe, R., Praktische Theologie
Die Praktische Theologie (1859/60), in: *Krause, G.* (Hg.), Praktische Theologie. Texte zum Werden und Selbstverständnis der praktischen Disziplin der evangelischen Theologie, WdF CCLXIV, 1972, 99ff
– Ethik I
Theologische Ethik I, [2]1867
– Ethik II
Theologische Ethik II, [2]1867
– Zur Dogmatik (1863), [2]1869
Rückert, H., Volkskirche bei Calvin
Volkskirche und Bekenntniskirche bei Calvin (1935), in: Vorträge und Aufsätze zur historischen Theologie, 1972, 174ff
Ruhloff, J., Pädagogik und »Kritische Theorie«
Ist Pädagogik heute ohne »Kritische Theorie« möglich? Zur Systematik der negativen Rezeptionsgeschichte, in: Zeitschrift für Pädagogik 29, 1983, 219ff
Sauter, G., Die Aufgabe der Theorie
Die Aufgabe der Theorie in der Theologie, EvTh 30, 1970, 488ff
– Verständnis von Praktischer und Systematischer Theologie
Beobachtungen und Vorschläge zum gegenseitigen Verständnis von Praktischer und Systematischer Theologie, Theologia practica 9, 1974, 19ff
– Art. Dogmatik I, in: TRE IX, 1982, 41ff
– Die Kirche in der Krisis
Die Kirche in der Krisis des Geistes, in: *Kasper, W., Sauter, G.* (Hg.), Kirche – Ort des Geistes, 1976, 57ff

- (Hg.), Theologie als Wissenschaft. Aufsätze und Thesen, TB 43, 1971
- (u.a.), Wissenschaftstheoretische Kritik
  Wissenschaftstheoretische Kritik der Theologie. Die Theologie und die neuere wissenschaftstheoretische Diskussion. Materialien - Analysen - Entwürfe, 1973

Schellong, D., Bürgertum
  Bürgertum und christliche Religion. Anpassungsprobleme der Theologie seit Schleiermacher, TEH 187, 1975

Schelsky, H., Religionssoziologie
  Religionssoziologie und Theologie, ZEE 3, 1959, 129ff

Schilling, H., Grundlagen der Religionspädagogik
  Grundlagen der Religionspädagogik. Zum Verhältnis von Theologie und Erziehungswissenschaft, 1970

Schlaich, K., Radikale Trennung und Pluralismus - Zwei Modelle der weltanschaulichen Neutralität des Staates, in: *Mikat, P.* (Hg.), Kirche und Staat in der neueren Entwicklung, WdF 566, 1980, 427ff

Schleiermacher, F., Sämmtliche Werke, in drei Abteilungen, Berlin 1835-64, darin:
- Kurze Darstellung
  I/1, 1843: Kurze Darstellung des theologischen Studiums zum Behuf einleitender Vorlesungen entworfen, 1-132
- Über die Religion
  I/1, 1843: Über die Religion. Reden an die Gebildeten unter ihren Verächtern, 133-460
- Zweites Sendschreiben
  I/2, 1836: Über seine Glaubenslehre, an Dr. Lücke, 575-653
- Der christliche Glaube
  I/3 und 4, 1835/6: Der christliche Glaube nach den Grundsätzen der evangelischen Kirche im Zusammenhange dargestellt, Bd. 1.2
- Die christliche Sitte
  I/12, 1846: Die christliche Sitte nach den Grundsätzen der evangelischen Kirche im Zusammenhange dargestellt, hg. v. *L. Jonas*
- Praktische Theologie
  I/13, 1850: Die praktische Theologie nach den Grundsätzen der evangelischen Kirche im Zusammenhange dargestellt. Aus Schleiermachers handschriftlichem Nachlasse und nachgeschriebenen Vorlesungen hg. v. *J. Frerichs*.

Außerdem:
- Pädagogische Vorlesung 1826
  Pädagogische Schriften, hg. v. *E. Weniger*, Bd. 1: Die Vorlesungen aus dem Jahre 1826, [2]1966
- Über die Einrichtung der theologischen Fakultät (25. Mai 1810), in: *Krause, G.* (Hg.), Praktische Theologie. Texte zum Werden und Selbstverständnis der praktischen Disziplin der evangelischen Theologie, WdF CCLXIV, 1972, 3ff

Schlette, H. R., Art. Religion, in: Handbuch philosophischer Grundbegriffe 5, hg. v. *H. Krings* u.a., 1974, 1233ff

Schlier, H., Der Brief an die Epheser. Ein Kommentar, 1957
- Der Brief an die Galater, KEK VII, [10]1949
- Art. ἐλεύθερος, in: ThWNT II, 1935, 484ff
- Art. ἰδιώτης, in: ThWNT III, 1938, 215ff

Schlink, E., Der kommende Christus
  Der kommende Christus und die kirchlichen Traditionen. Beiträge zum Gespräch zwischen den getrennten Kirchen, 1961

Schloz, R., Erneuerung
Erneuerung der alten Kirche – Reform oder Restauration ?, in: *Matthes, J.* (Hg.), Erneuerung der Kirche. Stabilität als Chance? Konsequenzen aus einer Umfrage, 1975, 27ff
– (Hg.), Thema: Volkskirche. Ein Arbeitsbuch für die Gemeinde im Auftrag des Präsidiums der Evangelischen Kirche in Deutschland, herausgegeben von der Kirchenkanzlei, 1978
Schmaus, M., Katholische Dogmatik III/1, 1958
Schmid, H., Dogmatik der evangelisch-lutherischen Kirche
Die Dogmatik der evangelisch-lutherischen Kirche. Dargestellt und aus den Quellen belegt, [7]1893
Schmidt, E., Lied und Musik
Lied und Musik im Gottesdienst, in: *Ammer, H.* u.a. (Hg.), Handbuch der Praktischen Theologie 2. Der Gottesdienst. Die Kirchlichen Handlungen. Die Predigt, 1974, 106ff
Schmidt, H. H., Rechtfertigung
Rechtfertigung als Schöpfungsgeschehen. Notizen zur alttestamentlichen Vorgeschichte eines neutestamentlichen Themas, in: Rechtfertigung. FS Ernst Käsemann zum 70. Geburtstag, hg. v. *J. Friedrich* u.a., 1976, 403ff
Schmidt, K. D., Grundriß
Grundriß der Kirchengeschichte, 1954
Schmidt, K. L., Art. ἐκκλησία, in: ThWNT III, 1938, 502ff
Schmidtchen, G., Gottesdienst in einer rationalen Welt. Religionssoziologische Untersuchungen im Bereich der VELKD, 1973
– Was den Deutschen heilig ist. Religiöse und politische Strömungen in der Bundesrepublik Deutschland, 1979
– Zwischen Kirche und Gesellschaft. Forschungsbericht über die Umfragen der Gemeinsamen Synode der Bistümer in der Bundesrepublik Deutschland, 1972
Scholder, K., Kirchen
Die Kirchen und das Dritte Reich, Bd. 1. Vorgeschichte und Zeit der Illusionen 1918–1934, 1977
Schott, E., Art. Rothe, Richard, in: RGG V, [3]1961, 1197ff
Schrage, W., Ekklesia
»Ekklesia« und »Synagoge«, ZThK 60, 1963, 178ff
– Die Frage nach der Mitte und dem Kanon des Neuen Testaments in der neueren Diskussion, in: Rechtfertigung. FS Ernst Käsemann zum 70. Geburtstag, hg. v. *J. Friedrich* u.a., 1976, 415ff
Schreiner, H., Zur Neugestaltung des Studiums der Theologie
Zur Neugestaltung des Studiums der Theologie (1935), in: *Krause, G.* (Hg.), Praktische Theologie. Texte zum Werden und Selbstverständnis der praktischen Disziplin der evangelischen Theologie, WdF CCLXIV, 1972, 328ff
Schrenk, G., Art. δικαιοσύνη, in: ThWNT II, 1935, 194ff
Schröer, H., Forschungsmethoden
Forschungsmethoden in der Praktischen Theologie, in: *Klostermann, F., Zerfaß, R.* (Hg.), Praktische Theologie heute, 1974, 206ff
– Inventur
Inventur der praktischen Theologie (1969), in: *Krause, G.* (Hg.), Praktische Theologie. Texte zum Werden und Selbstverständnis der praktischen Disziplin der evangelischen Theologie, WdF CCLXIV, 1972, 445ff
Schultze, V., Art. Konstantin d. Gr., in: RE X, [3]1901, 757ff
Schulz, S., Charismenlehre
Die Charismenlehre des Paulus. Bilanz der Probleme und Ergebnisse, in: Rechtfertigung. FS E. Käsemann zum 70. Geburtstag, hg. v. *J. Friedrich* u.a., 1976, 443ff

Schuster, K., Art. Vereinswesen in Deutschland, Kirchliches, in: RGG VI, [3]1962, 1315ff
Schweitzer, A., Begriff und Einteilung der praktischen Theologie
Über Begriff und Einteilung der praktischen Theologie (1836), in: *Krause, G.* (Hg.), Praktische Theologie. Texte zum Werden und Selbstverständnis der praktischen Disziplin der evangelischen Theologie, WdF CCLXIV, 1972, 30ff
Schweizer, E., Gemeindeordnung
Gemeinde und Gemeindeordnung im Neuen Testament, AThANT 35, [2]1962
- Art. σῶμα, in: ThWNT VII, 1964, 1024ff
Schwerdtfeger, E., Politische Theorie Tillichs
Die politische Theorie in der Theologie Paul Tillichs, Diss. Marburg 1969
Semmelroth, O., Die Kirche als Ursakrament, 1953
Simmel, G., Soziologie
Soziologie. Untersuchungen über die Formen der Vergesellschaftung, 1908
Simons, E., Praktische Theologie und innere Mission
Das System der praktischen Theologie und die innere Mission (1894), in: *Krause, G.* (Hg.), Praktische Theologie. Texte zum Werden und Selbstverständnis der praktischen Disziplin der evangelischen Theologie, WdF CCLXIV, 1972, 159ff
Slenczka, R., Gottesvolk und Volkskirche. Dogmatische Überlegungen zur Beurteilung kirchlicher Wirklichkeit, KuD 23, 1977, 188ff
Smith-von Osten, A., Von Treysa nach Eisenach
Von Treysa nach Eisenach 1948. Zur Geschichte der Grundordnung der Evangelischen Kirche in Deutschland, Arbeiten zur kirchlichen Zeitgeschichte B/9, 1980
Sorge, H., Vierzig, S., Handbuch Religion I. Sekundarstufe II - Studium, Urban-TB 1032, 1979
Der Spiegel, Umfrage 1980
Altötting so fern wie Tschenstochau. Spiegel-Umfrage zum Besuch des Papstes in der Bundesrepublik, in: Der Spiegel Nr. 46, 34, 1980, 67ff
Spiegel, Y., Kirche als bürokratische Organisation, TEH 160, 1969
Stählin, G., Art. Heiligung II, in: RGG III, [3]1959, 178ff
- Art. σκάνδαλον, in: ThWNT VII, 1964, 338ff
Stein, A. (Hg.), Denkschrift
Die Denkschrift des altpreußischen Bruderrates »von rechter Kirchenordnung«. Ein Dokument zur Rechtsgeschichte des Kirchenkampfes, in: Ges. Aufsätze, 1971, 164ff
Steinacker, P., Die Kennzeichen der Kirche. Eine Studie zu ihrer Einheit, Heiligkeit, Katholizität und Apostolizität, TBT 38, 1981
Stendahl, K., Art. Kirche II. Im Urchristentum, in: RGG III, [3]1959, 1297ff
Stoodt, D., Information und Interaktion
Information und Interaktion im Religionsunterricht (1971), in: *Wegenast, K.* (Hg.), Religionspädagogik I. Der evangelische Weg, WdF CCIX, 1981, 317ff
Strathmann, H., Art. λαός, in: ThWNT IV, 1942, 29ff u. 49ff
Sulze, E., Gemeinde
Die evangelische Gemeinde, [2]1912
Thadden, R. v., Wahrheit und institutionelle Wirklichkeit
Wahrheit und institutionelle Wirklichkeit der Geschichte, KuD 23, 1977, 113ff
Theißen, G., Soziologie der Jesusbewegung. Ein Beitrag zur Entstehung des Urchristentums, TEH 194, [2]1978
- Die Starken und die Schwachen
Die Starken und die Schwachen von Korinth. Soziologische Analyse eines theologischen Streits, EvTh 35, 1975, 155ff

Theurich, H., Gemeindediakonie
Gemeindediakonie, in: *P. C. Bloth* u.a. (Hg.), Handbuch der Praktischen Theologie 3. Praxisfeld: Gemeinde, 1983, 498ff
Thiel, Chr., Art. Funktion, in: *Krings, H., Baumgartner, H. M., Wild, Chr.* (Hg.), Handbuch philosophischer Grundbegriffe, 1973, 510ff
Thomas von Aquin, Summa Theologica – Opera omnia I, ed. *S.E. Fretté* et *P. Maré,* 1899
Tillich, P., Geist
Das Leben und der Geist. Die Geschichte und das Reich Gottes, 1966
– Symbol
Das religiöse Symbol (1930), Ges. Werke V, 1964, 187ff
– ST I, ST II, ST III
Systematische Theologie, 3 Bde., 1955, 1958, 1966
Tönnies, F., Gemeinschaft
Gemeinschaft und Gesellschaft, 1886, [3]1919
Topitsch, E., Hegel – Apologeten
Kritik der Hegel-Apologeten, in: *Kaltenbrunner, G.-K.,* Hegel und die Folgen, 1970, 329ff
Troeltsch, E., Absolutheit
Die Absolutheit des Christentums und die Religionsgeschichte, [2]1912
– Geschichtlichkeit Jesu
Die Bedeutung der Geschichtlichkeit Jesu für den Glauben, 1911
– Historismus und Probleme
Der Historismus und seine Probleme, Gesammelte Schriften III, Neudruck 1965
– Historismus und Überwindung
Der Historismus und seine Überwindung, 1924
– Die Kirche im Leben der Gegenwart
Die Kirche im Leben der Gegenwart (1911), Gesammelte Schriften II (1922), Neudruck der 2. Aufl. 1962, 91ff
– Protestantisches Christentum
Protestantisches Christentum und Kirche in der Neuzeit, Kultur der Gegenwart I. IV/1, [2]1909, 431ff
– Soziallehren
Die Soziallehren der christlichen Kirchen und Gruppen, in: Gesammelte Schriften I, 2. Neudruck 1965
– Historische und dogmatische Methode
Über historische und dogmatische Methode in der Theologie, in: Gesammelte Schriften II (1922), Neudruck der 2. Aufl. 1962, 729ff
– Religiöses Apriori
Zur Frage des religiösen Apriori. Eine Erwiderung auf die Bemerkungen von P. Spieß (1909) in: Gesammelte Schriften II (1922), Neudruck der 2. Aufl. 1962, 754ff
– Religiöse Lage
Zur religiösen Lage, Religionsphilosophie und Ethik (1913), Gesammelte Schriften II (1922), Neudruck der 2. Aufl. 1962
Uhlhorn, F., Darstellung der praktischen Theologie
Die wissenschaftliche Behandlung und Darstellung der praktischen Theologie (1898), in: *Krause, G.* (Hg.), Praktische Theologie. Texte zum Werden und Selbstverständnis der praktischen Disziplin der evangelischen Theologie, WdF CCLXIV, 1972, 200ff
Vielhauer, Ph., Urchristliche Literatur
Die Geschichte der urchristlichen Literatur. Einleitung in das Neue Testament, die Apokryphen und die apostolischen Väter, 1975

- Oikodome

Oikodome. Das Bild vom Bau in der christlichen Literatur vom Neuen Testament bis Clemens Alexandrinus (1940), Neudruck in: Oikodome. Aufsätze zum Neuen Testament 2, TB 65, 1979, 1ff

- Paulus und die Kephaspartei

Paulus und die Kephaspartei in Korinth, NTS 21, 1975, 341ff = Oikodome. Aufsätze zum Neuen Testament 2, TB 65, 1979, 169ff

Vierzig, S., Ideologiekritik

Ideologiekritik und Religionsunterricht. Zur Theorie und Praxis eines kritischen Religionsunterrichts, 1975

- Lernziele

Die Lernziele des Religionsunterrichts, in: Informationen 1970, Nr. 1 und 2, 5ff

- Theorie der »religiösen Bildung«

Zur Theorie der »religiösen Bildung« (1968), in: *Wegenast, K.* (Hg.), Religionspädagogik I. Der evangelische Weg, WdF CCIX, 1981, 267ff

Vogelsang, E., Luthers Hebräerbrief

Luthers Hebräerbrief. Vorlesung von 1517/18, Deutsche Übersetzung, AKG 17, 1930

Wagner, R., Corpus Christi mysticum beim jungen Luther

Die Kirche als corpus Christi mysticum beim jungen Luther, ZKTh 61, 1937, 30ff

Weber, M., Kapitalistischer Geist

Askese und kapitalistischer Geist. Aus: Die protestantische Ethik und der Geist des Kapitalismus, in: Religionssoziologie, hg. v. *F. Fürstenberg*, Soziologische Texte 19, [2]1970, 411ff

- Wirtschaft und Gesellschaft 1, [3]1947
- Wissenschaftslehre, [2]1951

Wegenast, K., Die Bedeutung biblischer Texte

Die Bedeutung biblischer Texte für den Religionsunterricht, EvTh 34, 1974, 317ff

- Die empirische Wendung

Die empirische Wendung in der Religionspädagogik, EvErz 20, 1968, 111ff

- Kirchliche Jugendarbeit

Kirchliche Jugendarbeit in der Gemeinde (Verbandsarbeit und Arbeit in Gruppen), in: *P. C. Bloth* u.a. (Hg.), Handbuch der Praktischen Theologie 3. Praxisfeld: Gemeinde, 1983, 361ff

- Religion in der staatlichen Schule

Religion in der staatlichen Schule. Überlegungen zum Problem des Religionsunterrichts (1978), in: *ders.* (Hg.), Religionspädagogik I. Der evangelische Weg, WdF CCIX, 1981, 278ff

- (Hg.), Wegenast

Religionspädagogik I. Der evangelische Weg, WdF CCIX, 1981

Weinert, F. E., Sozialwissenschaftliche Forschung

Wünschbare und machbare sozialwissenschaftliche Forschung, in: Mitteilungen der DFG 4, 1982, 5

Weischedel, W., Der Gott der Philosophen

Der Gott der Philosophen. Grundlegung einer Philosophischen Theologie im Zeitalter des Nihilismus, 2. Bd., 1979

Weiß, H.-F., Leib Christi

»Volk Gottes« und »Leib Christi«. Überlegungen zur paulinischen Ekklesiologie, ThLZ 102, 1977, 411ff

Weizsäcker, C. F., Tragweite der Wissenschaft
Die Tragweite der Wissenschaft, 1. Bd. Schöpfung und Weltentstehung. Die Geschichte zweier Begriffe, 1964
Wendland, H. D., Korinther
Die Briefe an die Korinther, NTD 7, [5]1948
Weniger, E., Eigenständigkeit
Die Eigenständigkeit der Erziehung in Theorie und Praxis. Probleme der akademischen Lehrerbildung, 1953
Westermann, C., Genesis I, BK I/1, [3]1983
Weth, R., Theologische Ekklesiologie nach 1945
Theologische Ekklesiologie nach 1945 im kritischen Horizont des Barmer Bekenntnisses (Barmen III), in: *Burgsmüller, A.* (Hg.), Kirche als »Gemeinde von Brüdern« (Barmen III) Bd. 1. Vorträge aus dem Theologischen Ausschuß der evangelischen Kirche der Union, 1980, 170ff
Wichelhaus, M., Kirchengeschichtsschreibung und Soziologie
Kirchengeschichtsschreibung und Soziologie im neunzehnten Jahrhundert und bei Ernst Troeltsch, Heidelberger Forschungen 9, 1965
Wichern, J. H., Denkschrift
Die Innere Mission der deutschen evangelischen Kirche. Eine Denkschrift an die deutsche Nation, in: Ges. Schriften D. Johann Hinrich Wicherns III, hg. v. *F. Manling*, 1902, 261ff
– Mitarbeit
Die Mitarbeit der Kirche an den sozialen Aufgaben der Gegenwart (1871), in: Ges. Schriften D. Johann Hinrich Wicherns III, hg. v. *F. Manling*, 1902, 1202ff
– Rede
Die Rede auf dem Wittenberger Kirchentage 1848, in: Ges. Schriften D. Johann Hinrich Wicherns III, hg. v. *F. Manling*, 1902, 233ff
Widengren, G., Religionsphänomenologie, 1969
Wölber, H.-O., Das allmähliche Ende der Volkskirche. Vermutungen anläßlich einer Umfrage, EK 7, 1974, 397ff
– Religion
Religion ohne Entscheidung. Volkskirche am Beispiel der jungen Generation, 1959
Wolf, Erik, Art. Kirchenrecht. I B. Ev. Kirche, in: RGG III, [3]1959, 1506ff
Wolf, Ernst, Art. Bekennende Kirche, in: RGG I, [3]1957, 984ff
– Die Einheit der Kirche im Zeugnis der Reformatoren, EvTh 5, 1938, 124ff
– Art. Kirche, in: Handwörterbuch der Sozialwissenschaften (HDSW) V, 1956, 623ff
Yinger, J. M., Religion als Integrationsfaktor
Die Religion als Integrationsfaktor. Aus: Religion, Society and the Individual, in: Religionssoziologie, hg. v. *F. Fürstenberg*, Soziologische Texte 19, [2]1970, 93ff
Zerfaß, R., Praktische Theologie als Handlungswissenschaft, in: *Klostermann, F., Zerfaß, R.* (Hg.), Praktische Theologie heute, 1974, 164ff
Zezschwitz, G. v., Einleitung
Einleitung in die praktische Theologie (1885), in: *Krause, G.* (Hg.), Praktische Theologie. Texte zum Werden und Selbstverständnis der praktischen Disziplin der evangelischen Theologie, WdF CCLXIV, 1972, 134ff
– System der Praktischen Theologie
System der Praktischen Theologie. Paragraphen für academische Vorlesungen, 1878
Zorn, W., Einführung, in: *Aubin, H., Zorn, W.*, Handbuch der deutschen Wirtschafts- und Sozialgeschichte, Bd. 1, 1971, 1ff

- Sozialgeschichte 1500–1648, in: *Aubin, H., Zorn, W.*, Handbuch der deutschen Wirtschafts- und Sozialgeschichte, Bd. 1, 1971, 465ff
- Sozialgeschichte 1918–1970, in: *Aubin, H., Zorn, W.*, Handbuch der deutschen Wirtschafts- und Sozialgeschichte, Bd. 2, 1976, 912ff

Zwingli, H., Hauptschriften, hg. v. *F. Blanke* u.a., Bd. 10, 1963
- Sämtliche Werke Bd. III, CR vol. XC, 1914

Sachregister

Namenregister

Neukirchener Beiträge zur Systematischen Theologie, Band 2
X, 278 Seiten, Paperback DM 35,–

»Religionskritik ist in aller Regel vom Pathos der Aufklärung getragen. Wo die Vernunft regiert, muß die Religion zurückstehen. Eben dies zu verhindern, bläst die christliche Apologetik zum Marsch. Das Ergebnis solcher Auseinandersetzung ist, daß die Schlachten im Vorfeld geschlagen werden, ohne daß das Zentrum des christlichen Glaubens, die Heilsbotschaft, überhaupt ins Spiel kommt.
Diesem Vorwurf muß sich Hans-Joachim Kraus' Theologische Religionskritik nicht stellen. Ausgehend von Barths Theologie der Krisis stellt sie fest, daß die ›rollende Kugel der Wahrheit‹, mit der es die Bibel zu tun hat, ›Gottesgeschichte‹ ist und nie ›Religionsgeschichte‹. Das Christus-Ereignis bringt die Destruktion aller menschlichen Religion. Sie hebt nicht ab auf religiöses Leben, sondern auf die Verantwortung vor dem lebendigen Gott und schafft damit die Grundlage zu einer politischen Ethik. Von daher ergeben sich neue Perspektiven für christliches Handeln angesichts der Probleme dieser Welt wie auch für den Dialog mit den Religionen. Man muß durchaus nicht alle Konsequenzen teilen, die Kraus aus seinen Ergebnissen zieht; man muß ihm aber attestieren, daß er die hohe Kunst theologischer Exegese beherrscht und mit großer Akribie ausübt.«
(*W. Allgaier* in: Nachrichten der Evang.-Luth. Kirche in Bayern)

Neukirchener Verlag

Neukirchener Beiträge zur Systematischen Theologie, Band 4
275 Seiten, Paperback DM 34,–

Das Buch führt zunächst in die Entstehung und den Text der Barmer Theologischen Erklärung ein; Überlegungen zu ihrer Aktualität schließen sich an. Es ist nicht ein historischer Kommentar zur Barmer Erklärung, sondern erörtert systematische Kontroversen und Konsequenzen, die sich heute mit der Erinnerung an »Barmen« verbinden. Das geschieht vor allem hinsichtlich der Grundlegung der Ethik, der politischen Ethik und des Kirchenverständnisses. Im Durchgang durch diese Themen entwickelt der Verfasser im Anschluß an »Barmen« das Konzept einer Sozialethik als Ethik kommunikativer Freiheit; er vertritt, insbesondere im Dialog mit Dietrich Bonhoeffer, eine Theorie der Kirche, in der die Kirche als Raum und als Anwalt der Freiheit verstanden wird. Der verbindliche Zusammenhang zwischen Glauben und Gehorsam, zwischen dem Auftrag der Kirche und ihrer sozialen Gestalt sowie zwischen dem Bekenntnis der Christen und ihrer politischen Verantwortung prägt die Konsequenzen, die Huber formuliert.

Neukirchener Verlag